스마트폰 제대로 배우고 익히면

인생이 즐거워지고

소통이 원활해집니다!

소통대학교와 SNS소통연구소가
즐거운 대한민국을 만들어갑니다!

책을 내면서...

이 책은 SNS소통연구소에 소속되어 강의를 진행하고 있는 강사들이 직접 참여해서 집필한 책입니다.

SNS소통연구소는 2010년 4월부터 2020년 12월 현재까지 11년 동안 스마트폰 및 SNS 마케팅 교육과 강사들이 꼭 알아야 할 프리젠테이션 전문가 교육과 스마트워크 교육을 전문적으로 진행해 오고 있는 교육기관입니다.

현업에서 사업을 하시는 분들, 취업 및 창업 준비생, 퇴직 예정자들을 대상으로 현업에서 강의를 진행하다 보면 스마트폰 및 SNS 도구 활용에 대해서 너무나 무지한 경우가 많아 답답한 경우가 많이 있습니다.

다들 스마트폰 및 SNS 정도야 쉽게 배우고 익힐 수 있다고 생각하는 경우가 많은데 제대로 하는 비즈니스맨들은 보기가 쉽지 않습니다.

성공 비즈니스를 하시고자 한다면 업무 효율을 극대화할 수 있는 방안을 먼저 모색하고 스마트워크 관련된 도구들을 제대로 배우고 익혀야 할 것입니다.

1인 기업이나 소상공인들의 경우에는 시간이 돈이고 스마트워크 시스템 구축에 비용을 많이 들일 수가 없는 게 현실입니다.

그러기에 더욱더 스마트폰 및 SNS 도구들을 제대로 배워서 실무에 활용한다면 일의 효율성과 효과성을 극대화할 수 있습니다.

경영학적인 측면에서 보면 일의 효율성은 과정을 얘기하는 것이고 효과성은 좋은 결과를 얻는 것을 말합니다. 쉽게 말하면 적은 돈 들여서 큰돈 버는 것을 말합니다.

시니어 사업자들의 경우 특히나 시간을 절약해서 그 절약된 시간에 영업전략을 세우는 게 최선일 것입니다.

하지만, 현실을 들여다보면 시니어들의 경우 스마트폰이든 노트북이든 자판 치는 것도 힘들어하는 경우가 많습니다.

A4지에 자판 타이핑하는 것도 젊은 친구들 같으면 5분이면 할 수 있는 것을 30분 이상을 타이핑하고 있는 시니어 사업자들을 볼 때면 속이 답답합니다.

이 책에 소개되어 있는 스마트폰에서 말로 문자 보내기 및 노트북이나 컴퓨터에서 음성으로 타이핑하기만 아셔도 업무시간을 충분히 단축시키실 수 있을 것입니다.

젊은 친구들의 경우 기능적인 부분들을 빠르게 배우고 익혀서 비즈니스 하는데 적용을 잘하지만 시니어들의 경우에는 그렇지 못하다 보니 경쟁력에서 뒤처질 수밖에 없습니다.

1인 기업 및 소상공인들의 경우에는 가장 먼저 배우고 익혀야 할 것이 스마트폰 및 SNS 도구들을 활용해서 사무실에서나 이동 중에도 스마트워크 시스템을 구축하는 일일 것입니다.

스마트워크 시스템 구축이라고 해서 거창하게 생각하지 마시고 이 책에서 다루고 있는 스마트폰 및 SNS 도구들만 제대로 배우고 익혀서 활용하신다면 성공 비즈니스에 한 걸음 더 다가가실 수 있습니다.

처음에는 조금은 힘들 수 있지만 몇 번 반복해서 하다 보면 혼자서도 얼마든지 할 수 있는 기능들입니다.

남녀노소 누구나 사업을 하고 싶어 하고 성공하고 싶어 합니다. 그런 성공에 대한 갈망이 있기에 마케팅에 대한 공부들은 상당히 열심히 합니다.

마케팅이 중요하다고 해서 마케팅 책을 열심히 읽고 수업을 열심히 듣는 경우가 많은데 마케팅전략은 하루아침에 이루어지는 게 아니라는 것을 간과하는 경우가 많습니다.

트렌드를 제대로 공부하고 익혀서 실전에 적용해보고 고객의 니즈를 제대로 파악해서 마케팅 전략, 영업전략, 홍보전략을 구축해야 자신이 원하는 결과를 얻을 수 있을 것입니다.

이렇듯 성공적인 마케팅 전략을 구축하는 것은 경영학부 4년, 석사 및 박사학위까지 취득해서 마케팅 전문가로서 활동해도 쉽지 않은 게 현실입니다.

이런 현실 속에서 일반인들이 비즈니스를 성공으로 이끌고 싶다면 마케팅 공부도 중요하지만 가장 먼저 배우고 익혀야 할 것은 업무 효율을 높일 수 있는 스마트폰 및 SNS 도구 활용은 선택이 아닌 필수입니다.

다시 한번 간곡히 부탁드리지만 1인 기업가 및 소상공인으로 비즈니스를 시작하시고자 한다면 업무 시간을 단축시키고 비용을 절감할 수 있는 방법들을 먼저 배우고 익혀서 비즈니스에 적용시키시는 게 우선일 것입니다.

부족하지만 이 책 속에 일의 효율성과 효과성을 극대화할 수 있는 방법들에 대해서 설명하고 있으니 꼭 제대로 배우고 익혀서 성공 비즈니스에 많은 도움이 되시길 기원합니다.

저자_ 한덕호
교육문의_ 010-8831-0034
블로그_ Smartforyou.kr

현) 소통대학교 관리본부장
현) SNS 소통연구소 스마트폰 및 SNS마케팅 교육 전임강사
현) SNS상생평생 교육원 유튜브크리에터 강사
현) 에스엔에스소통연구소 출판사 기획 이사
전) 대일해운항공㈜ 대표이사
전) 진로 재팬㈜ 사장
전) ㈜ 진로 영업관리,마케팅 담당임원

주요 자격사항

▶ 스마트폰활용지도사 2급 및 1급
▶ 유튜브 크리에이터 전문지도사 2급 및 1급
▶ SNS마케팅 전문지도사 2급 및 1급
▶ 스마트워크 전문지도사 2급 및 1급

주요 저서

▶ 똑똑한 신중년이 되기위한 스마트폰 활용 길라잡이
▶ 재취업및 창업희만자들이 꼭 알아야할
스마트폰 활용 비법외 총 4권 집필

저자_ 박인완
교육문의_ 010-2550-9189
이메일_
happybak1816@gmail.com

현) 대한민국산업현장교수
현) SNS소통연구소 울산 남구 지국장
현) 국제 비대면 교육협회 이사
현) 한국 생애설계 포럼 전문위원(KLPF)
현) 울산광역시 전문경력 인사 지원센터 전문위원

주요 자격사항

▶ 스마트폰활용지도사 1급/2급
▶ 유튜브크리에이터 강사
▶ 스마트워크전문지도사
▶ 비대면전문강사

주요 저서

▶ 나만 빼고 남들은 다 아는 스마트폰 활용법 엿보기
▶ 퇴직예정자들이 꼭 알아야 할 스마트폰 활용 길라잡이
▶ 스마트폰 강사들이 꼭 알아야 할 지침서
▶ 나만 알고 싶은 유튜버 되기 노하우

저자_ 유정화
교육문의
010-6408-2959

현) SNS소통연구소 대전 지부장
현) SNS소통연구소 스마트폰 및 SNS마케팅 전임강사
현) DESIGN 4U 대표
현) 대전평생교육진흥원 강사
현) 대전여성가족원 출강
현) 선문대학교 평생교육원 출강
현) 충청남도 평생학습원 출강
전) 대전시민대학 출강
전) 동아직업전문학교 전임교사

주요 자격사항

▶ 스마트폰활용지도사 2급 및 1급
▶ 특허경영지도사 1급 / 정리수납전문가 1급
▶ POP 디자인 지도사 1급/ 업사이클링 전문가
▶ 건축기사 1급 / 실내건축기사 1급

주요 저서 및 직접 출판 리스트

▶ 유튜브가 뭐니? (2020년 3월)
▶ 소상공인을 위한 SNS 마케팅 길라잡이 (2020년)

저자_ 최영하
교육문의_
010-5358-6710
블로그_ http://lifedesigner.co.kr

현) 스마트 이지 교육연구소 대표
현) SNS소통연구소 강남구 지국장
현) 서울 동부 여성발전센터 스마트폰 직업교육 강사
현) 이조움 커뮤니케이션
스마트활용 및 SNS마케팅교육 전임강사
현) 서울 자유시민대학 디지털시민교육 강사
현) 한국 전기 기술인 협회 디지털능력 교육강사
현) 한국 생애 설계포럼 운영위원장(KLPF)

주요 자격사항

▶ 스마트폰활용지도사 2급, 1급
▶ 유튜브크리에이터 전문지도사(1인 유튜버 전문가)
▶ SNS 마케팅 전문 지도사(뉴미디어마케팅 전문가)
▶ 스마트워크 전문지도사(업무능력 향상 전문가)

주요 저서

▶ 스마트폰 강사들이 꼭 알아야 할 스마트폰 활용 비법
▶ 스마트폰 교육전문가 최영하와 함께하는 스마트폰 쉽게 배우기

저자_ 유화순
교육문의_ 010-7319-7945
블로그_ blog.naver.com/yhs031414

현) 소통대학교 SNS소통연구소 서울 중구 지국장
현) SNS소통연구소 스마트폰교육, 스마트워크 전문 강사
현) 유튜브 크리에이터 전문 강사
현) SNS상생평생교육원 미디어 크리에이터 전문 강사
현) 소통대학교 스마트 소통 봉사단
현) 중구여성플라자, 궁동사회복지관 스마트폰 강사
현) 금천어울림센터 ,동대문평생학습관 스마트폰 강사

주요 자격사항

▶ 유튜브 크리에이터 전문지도사 2급 및 1급
▶ 스마트폰활용지도사 2급 및 1급
▶ GLSNSMBA 과정 수료
▶ 수납전문가 강사(정리 수납전문 강사)
▶ 수납전문가 2급 및 1급(정리 수납전문 컨설턴트)
▶ 가정관리사 2급 ▶ 착착 쏙쏙 정리박사 과정 수료외 다수

주요 자격사항

▶ 유화순과 함께하는 유용한 스마트폰 활용 교육
▶ 스마트폰 활용 교육전문가들이 꼭 알아야 할 지침서
▶ 유튜브! 신중년의 놀이터가 되다!

저자_ 송지열
교육문의_ 010-8742-4433
블로그_ https://blog.naver.com/jiyeols

현) 인천광역시 디지털역량강화교육 전임강사
현) SNS소통연구소 스마트폰 활용교육 전문강사
현) SNS소통연구소 양천 지국장 / 블로그 마케팅 전문강사
현) SNS상생평생교육원 유튜브 크리에이터 전문강사
현) 인천광역시 미추홀구 주민참여 예산 위원회 부위원장
현) 인천광역시 미추홀구 도화2.3동 주민자치 위원회 위원
전) 행정안전부 민방위교육 전문강사
전) 대한적십자사 교육원 전임교수
전) 대한적십자사 인천지사 사무처장

주요 자격사항

▶ 스마트폰활용지도사 1급, 2급 / 유튜브 크리에이터 전문지도사 1급
▶ 사회복지사 1급 / 직업능력훈련교사 2급 / 진로직업상담사 1급
▶ 웃음치료사 1급 / 인성지도사/힐링건강지도사 / 칭찬박사 2급
▶ 안전교육지도사 1급 / 학교안전지도사 2급 / 4대폭력예방교육강사

주요 자격사항

▶ 스마트폰 활용 교육전문가 송지열과 함께하는 신나는 스마트폰 교육

저자_ 선수옥
교육문의_ 010-6625-4377
블로그_ blog.naver.com/sinsun117

경력사항

현) SNS소통연구소 서울특별시 서초지국장
현) 소통대학교 스마트폰 및 SN 마케팅강사
현) 직능 단체연합 스마트워크 교육강사
현) 밝은내 어르신 복지센터 교육강사
현) 사색의 향기 문화원 운영위원

주요 자격사항

▶ 스마트폰활용지도사 2급 및 1급
▶ 유튜브 크리에이터 전문 지도사 2급 및 1급
▶ SNS마케팅 전문지도사 2급 및 1급
▶ 스마트워크 전문지도사 2급 및 1급
▶ 이미지컨설턴트/사회복지사2급

주요저서

▶ 시니어 실버들도 쉽게 배우고 따라 할 수 있는 스마트폰활용
▶ 유튜브가 뭐니?

저자_ 김용희
교육문의_ 010-8492-0987
블로그_ snsforme.me

현) 소통대학교스마트폰활용지도사
현) SNS마케팅 교육강사
현) SNS소통연구소 스마트폰활용교육강사
현) 기업체 및 관공서 스마트폰 및 SNS마케팅 교육강사
현) SNS소통연구소 파주/구리 지국장
현) 백세건강진흥원 영상기획팀장

주요 자격사항

▶ 스마트폰활용지도사 2급 및 1급
▶ 유튜브 크리에이터 전문지도사 2급 및 1급
▶ 한국언어문화원 스피치 2급 및 1급 지도사

주요저서

▶ 스마트폰강사 김용희와 함께하는 즐거운 스마트폰활용
▶ 스마트폰 교육전문가와 함께하는 즐거운 스마트폰 배우기

저자_ 정도익
교육문의_ 010-9762-9700
이메일_ jdi8082@naver.com

현) 대한민국 국가조찬기도회 사무총장
현) 국가유공자 복지나눔재단 감사
전) 대통령경호실 IT국장, 교육훈련국장, 총무국장

주요 자격사항

▶ 스마트폰활용지도사 2급 및 1급
▶ 정보처리기사1급
▶ 전자계산기응용기사1급
▶ 품질관리기사1급
▶ 인지기능향상 지도사1급
▶ 박사논문) 스마트 기기 및 IOT 장비 통제시스템 모델설계

저자_ 이용석
교육문의_ 010-7599-7028
이메일_ lys4work@naver.com

현) SNS소통연구소 온라인사업본부 주임
현) SNS소통연구소 스마트워크 전문 강사
현) 소통대학교 비대면 교육 전문 강사
현) 에스엔에스소통연구소 출판사 마케팅팀 주임
현) SNS상생평생 교육원 스마트워크 전문 강사

주요 자격사항

▶ 스마트폰활용지도사 2급 및 1급
▶ 유튜브 크리에이터 전문 지도사 2급 및 1급
▶ 스마트워크 전문 지도사 2급 및 1급
▶ SNS마케팅 전문지도사 2급 및 1급

스마트폰 활용지도사
SmartPhone Utilizing Instructor
자 격 명 : 스마트폰 활용지도사
인 증 번 호 : 제 2014-4976호
성 명 : 이 종 구
자격관리자 : (주)다이비즈
본 국가민간자격증은 「국가 민간 자격 기본법」 제 17조에 따라 미래창조과학부장관이 승인하고 한국 직업능력 개발원장이 발행합니다.

제 2014-4976호
민간자격등록증
1.등록자격관리자 : 주)다이비즈
2.사업자등록번호 : 201-86-33544
3.대표자
성명 : 이종구
4.자격의 종목 및 등급 : 스마트폰 활용지도사 1급,2급
5.자격의 검정기준·검정과목·검정방법·응시자격 또는 교육훈련 과정의 교과목·교육기간·이수기준·평가기준·평가방법에 관한 사항 : (민간자격 등록신청시 제출한 「민간자격의 관리 운영에 관한 규정」에 따름)
6.등록에 따른 이행 조건 :
가.등록한 자격과 관련하여 광고하는 경우 자격의 종류와 등록번호, 해당 민간자격관리기관, 그 밖에 소비자 보호를 위해서 대통령령으로 정하는 사항 등을 반드시 표시하여야 함
나.등록한 자격에 대하여 허위 또는 과장 광고하는 등의 행위는 관련법령에 의거 처벌받을 수 있음
「자격기본법」 제17조 2항과 같은 법 시행령 제23조 제4항 및 제23조의 제 2항에 따라 위와 같이 민간자격에 대하여 등록하였음을 증명합니다.
2014년 10월 22일
한국직업능력개발원장

★ 스마트폰 활용지도사 자격증에 대해서 아시나요?

(과학기술정보통신부가 검증하고 직업능력개발원이 관리하는 스마트폰 자격증 취득에 관심 있으신 분들은 살펴보세요)

★ 상담 문의 : 이종구 010-9967-6654

E-mail : snsforyou@gmail.com

카톡 ID : snsforyou

★ 스마트폰 활용지도사 1급

- 해당 등급의 직무내용

초/중/고/대학생 및 성인 남녀노소 누구에게나 스마트폰 활용 교육 및 SNS마케팅 교육을 실시 할 수 있습니다.
학생들뿐만 아니라 일반 성인들의 스마트폰 중독에 대한 예방 교육을 실시할 수 있습니다.
1인 기업 및 소기업이 스마트워크 시스템을 구축하는데 필요한 제반사항을 교육할 수 있습니다.
개인 및 소기업이 브랜딩 전략을 구축하는데 있어 저렴한 비용을 들여 브랜딩 및 모바일마케팅 전략을 구축할 수 있도록 필요한 교육을 할 수 있습니다.

★ 스마트폰 활용지도사 2급

- 해당 등급의 직무내용

시니어 실버분들에게 스마트폰 활용교육을 실시 할 수 있습니다. 개인 및 소기업이 모바일마케팅 전략을 구축하는데 있어 기본적인 교육을 할 수 있습니다.

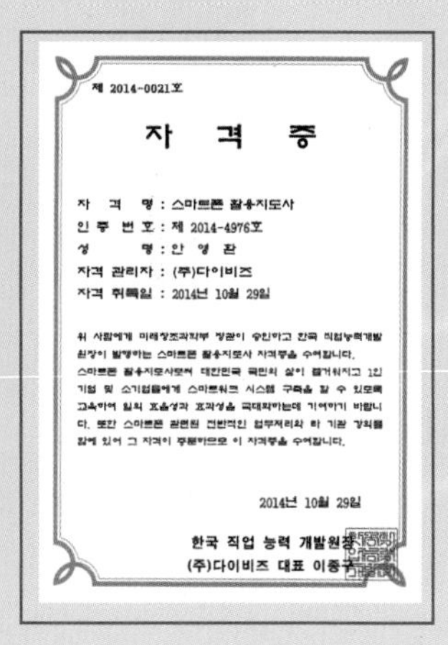
제 2014-0021호
자 격 증
자 격 명 : 스마트폰 활용지도사
인 증 번 호 : 제 2014-4976호
성 명 : 안 영 관
자격 관리자 : (주)다이비즈
자격 취득일 : 2014년 10월 29일
2014년 10월 29일
한국 직업 능력 개발원장
(주)다이비즈 대표 이종구

★ 시험 일시 : 매월 둘째주,넷째주 일요일 5시부터 6시까지 1시간.

★ 시험 과목 : 1. 스마트폰 활용 / 2. 스마트폰 UCC / 3. SNS 마케팅 / 4. 스마트워크

★ 합격점수 : 1. 1급 - 80점 이상(총 50문제 각 2점씩 100점 만점에 80점 이상)
2. 2급 - 70점 이상(총 50문제 중 각 2점씩 100점 만점에 70점 이상)

★ 시험대비 공부방법

1. 스마트폰 활용지도사 길라잡이 책 구입 후 공부하기.
2. 정규수업 참여해서 공부하기.
3. 유튜브에서 [스마트폰 활용지도사] 검색 후 관련 영상 시청하기

★ 시험대비 교육일정

1. 매월 정규 교육을 SNS소통연구소 전국지부에서 실시하고 있습니다.
2. 스마트폰 활용지도사 SNS소통연구소 블로그(blog.naver.com/urisesang71) 참고하기.
3. 소통대학교 사이트 참조(www.snswork.com)
4. NAVER 검색창에 〈SNS 소통연구소〉라고 검색하세요!

★ 시험 응시료 : 3만원

★ 자격증 발급비 : 7만원

1. 일반 플라스틱 자격증.
2. 종이 자격증 및 우단 케이스 제공.
3. 스마트폰 활용지도사 강의자료 제공비 포함.

★ 스마트폰 활용지도사 자격증 취득시 혜택

1. SNS상생평생 교육원 스마트폰 활용 교육 강사 위촉.
2. SNS소통연구소 스마트폰 활용 교육 강사 위촉.
3. SNS 및 스마트폰 관련 자료 공유.
4. 매월 1회 세미나 참여(정보공유가 목적).
5. 향후 일정 수준이 도달하면 기업체 및 단체 출강 가능.
6. SNS 상생신문 기자 자격 부여.
7. 그외 다양한 혜택 수여.

CONTENTS

CONTENTS

1강. 언택트 시대! 4차 산업혁명 시대! 스마트워크 교육이 필요한 이유?

대한민국 국민 5,182만 명

우리나라 국민 95%가 스마트폰 사용을 하고 있습니다. 하지만, 스마트폰을 스마트하게 사용하지 못하는 사람들이 대다수인 게 현실입니다.

일반 개인분들은 대부분 스마트폰을 그냥 유희의 도구로 사용하고 있지만, 시니어 실버들은 그래도 가족간 지인간 소통을 위해서라도 제대로 배우고 익히면 서로 소통하는데 많은 도움이 될 것입니다.

그럼 왜?

1인 기업가 및 소상공인분들은 언택트 시대! 4차 산업혁명 시대!

스마트워크 교육이 필요한지에 대해서 설명하고자 합니다.

특히나 창업을 준비하는 분들과 1인 기업 및 소상공인들이라면 스마트폰 활용 및 SNS 도구 활용에 대해서 제대로 배우고 익혀서 업무에 활용할 필요가 있습니다.

가장 큰 이유 중의 하나는 현재 기업이 과거의 방식대로 일해서는 소상공인들의 생존 주기가 3~5년이 지나면 70%가 안 된다는 것입니다.

일의 효율성과 효과성을 극대화할 수 있는 시스템을 갖추지 않으면 치열한 비즈니스 세계에서 견디기 힘들다는 것을 보여주는 예입니다.

경영학적인 측면에서 보면 일의 효율성은 과정을 얘기하고 효과성은 결과를 얘기합니다.

쉽게 말하면 적은 시간 들여서 최대의 성과를 낸다는 것이고 더 쉽게 말하면 적은 돈 들여서 큰돈을 번다는 뜻입니다.

현재 많은 1인 기업 및 소기업의 경우 스마트폰과 SNS 도구를 제대로 활용하는 기업은 만족할 만한 업무성과를 내고 매출이 증대되는 효과를 톡톡히 보고 있습니다.

단순한 예로 직원 10명이 스마트폰 활용과 SNS 도구(스마트워크 앱, 유튜브, 블로그, 크롬 웹스토어 확장 프로그램, 협업프로그램 등등)를 2~30시간 정도만 제대로 배우고 익힌다면 일을 효율적으로 할 수 있는데 직원 1명당 하루에 최소 30분 정도는 세이브(Save)할 수 있을 것입니다.

(소기업 사장님들이 가장 도입하고 싶은 게 스마트워크 시스템입니다.)

직원이 10명이라면 하루면 300분, 한 달 20일 근무한다고 가정하면 한 달에 6,000분을 절약할 수 있고 시간으로 따지면 100시간을 다른 일에 사용할 수 있다는 계산이 나옵니다.

경제적으로 힘든 기업으로서는 더더욱 스마트폰 및 SNS 활용에 대해서 더욱 체계적으로 배우고 익혀서 임직원들이 제대로 활용하고 협업시스템을 구축해야 할 것입니다.

스마트폰 및 SNS 도구들을 활용해서 업무 효율을 높일 수 있는 일들에는 무엇이 있을까? 한번 짚어 보도록 하겠습니다.

2020년 12월 현재 대한민국 국민 5,180만 명 중에 50세 이상이 2천만 명이 넘었고 65세 이상이 850만 명이 넘는 세상입니다. 초고령화 시대로 달려가고 있는 대한민국의 인생 2막을 준비하는 시니어들은 스마트폰 및 SNS 도구들을 제대로 활용하지 못하고 있는게 현실입니다.

교육을 다녀보면 아직까지도 스마트폰 자판에 있는 마이크 기능을 사용해 문자를 보내거나 메모하는 것을 모르는 경우가 많습니다. 수강생중에 10%정도만 알고 있는 게 현실입니다.

A4 크기 한글 문서에 자판을 입력하는데 젊은 친구들이 5분이면 할 내용을 30분이 넘도록 타이핑만 하고있는 경우 업무 효율이 떨어지는 것은 자명한 사실입니다.

이제는 스마트폰 자판이나 노트북 자판을 치지 않아도 서류나 책에 있는 글자들을 몇 초 만에 추출을 할 수 있습니다. 한국어뿐만 아니라 영어 일본어 중국어 등 다양한 외국어까지 가능합니다.

돈을 주지 않아도 무료로 고퀄리티의 이미지나 아이콘등을 살 수 있는데도 불구하고 아직도 적게는 몇만원에서 많게는 몇십만원까지 돈을 주고 구매하는 경우가 많습니다.

스마트폰 앱이나 PC에서 제공하는 쉽고 빠르게 디자인 작업을 할 수 있는데도 불구하고 아직도 디자이너를 고용해서 고정비 지출을 감당하고 있는 소상공인들이 많습니다.

관점을 조금만 바꿔보면 돈 안 들이고 쉽게 배워서 할 수 있는 일들을 소상공인 대부분이 경험하지 못한 탓에 바쁘다는 이유로 교육받을 시간을 할애 못 하는 경우가 매우 안타깝습니다.

소상공인들을 컨설팅하는 교수님들이나 경영지도사 및 강사들이 이런 도구 활용에 대해서 제대로 배우고 익혀서 시간을 제대로 내지 못해 교육을 못 받는 소상공인 사업자들에게 전달해주면 더할 나위 없이 좋을 거 같습니다.

이동 중에 언제 어디서나 문서를 스캔해서 바로 팩스를 보낼 수 있는데도 모르는 비즈니스맨들은 돈을 주고 문구점이나 부동산 사무실 같은데 가서 팩스를 어렵게 보내는 경우도 많습니다.

1인기업가들의 경우 외부 이동 중에 사무실에 있는 PC도 스마트폰으로 제어할 수 있습니다.

유튜브 구독자가 1천 명이 넘지 않아도 요즘은 자신이 홍보하고 싶은 콘텐츠를 무료로 고객들에게 홍보할 수 있습니다.

물건을 판매하는 사람들의 경우 네이버 오피스나 구글 양식에서 주문서를 만들어서 주문을 받게 되면 수천 명의 주소록도 몇분 만에 정리해서 택배회사에 보내서 택배 송장을 출력해서 받을 수 있습니다.

이런 비결을 모르는 소상공인들은 어떻습니까?

몇날 몇일을 택배 송장을 출력하기 위해서 엑셀에 주문서를 입력하고 있는 게 안타까운 현실입니다.

영어 한마디 몰라도 각기 다른 나라 사람들이 [콤마]라는 앱을 설치하고 카카오톡 단체방을 만들 듯이 방장이 [콤마] 앱을 설치한 후 사람들을 초대해서 각기 다른 나라 말로 해도 알아서 자신의 스마트폰에는 자신의 언어로 자동 번역이 됩니다.

실제 해외 비즈니스를 하는 사람들에게는 꼭 활용해야 할 필수 앱입니다.

과거에는 수백만 원을 주고 만들어야 할 홍보 동영상도 [멸치]라는 앱을 사용하면 무료로 만들고 홍보할 수 있는 세상입니다.

이동 중에도 문서를 스캔하고 직인을 찍어서 이메일이나 팩스로 바로 보낼 수 있는 모바일 워크 세상입니다. 책상에 앉아서 컴퓨터나 노트북을 열어야지만 일이 되는 세상이 아니라는 것입니다.

위에 설명한 일부 예처럼 쉽고도 빠르게 일의 효율성과 효과성을 극대화할 수 있는 방법들이 많은데 1인기업가 및 소상공인들이나 창업을 준비하는 분들을 보면 대부분은 스마트폰 및 SNS 도구들에 대해서 제대로 알고 있지 않다보니 업무 효율이 떨어지는 것은 당연한 일입니다.

시니어 실버들의 경우에는 더더욱이나 기능 활용에 익숙치 않다 보니 뭘 하나 하더라도 시간이 많이 걸리게 됩니다.

강의를 하다보면 필요성은 인지하면서도 제대로 배우고 익혀서 활용을 할려고 하는 사람들은 많지 않은 현실이 안타깝기 그지없습니다.

왜 배워서 활용하지 않냐고 물어보면, 대부분 바빠서 할 시간이 없다고 말합니다. 바쁜데 돈은 잘 벌고 계시냐고 물어보면 돈은 또 못 벌고 있다고 합니다. 왜 자영업자들이나 소상공인들이 3~5년이내에 성공할 확률이 30%미만인지 알게 되는 현실입니다.

소상공인들의 경우에 가장 먼저 스마트폰 및 SNS 도구들을 활용해서 업무 효율을 높이는 방법에 대해서 배우고 익혀서 스마트워크 시스템 구축을 해야 할 것입니다.

그런 다음 SNS 마케팅도 제대로 배워야 할 것입니다. 물론 사업 콘텐츠가 업종별로 또는 주요 고객군에 따라 그렇지 않은 경우도 있습니다.

하지만, 언택트 시대에는 남녀노소 누구나 온라인에서 자신이 원하는 정보를 자연스럽게 찾고 활용하고 있습니다.

세상에서 제일 힘든 일 중에 하나가 남의 주머니에서 돈을 꺼내는 일이라고 합니다. 남의 주머니라 함은 "고객"을 뜻하는 단어이겠지요.

그런 "고객"이 자기 돈을 내고 자기가 원하는 콘텐츠, 제품, 서비스 등을 구매하고자 할 때는 정보를 어디에서 찾을까요?

네 그렇습니다. 고객들은 스마트폰이나 SNS 상에서 자신이 원하는 정보를 찾고 있습니다.

하지만, 정작 사업을 하는 소상공인 및 사업을 준비하는 시니어 사업자들은 어떻습니까?

그냥 아직도 인맥 영업만을 고집하고 옛날 쌍팔년도 방식으로 영업하는 경우가 많습니다.

이제 코로나로 인해 언택트 시대가 되면서 남녀노소 누구나 자연스럽게 온라인이나 SNS에 친숙해져 가고 있습니다. 비즈니스를 하시는 분들이라면 더욱더 SNS마케팅을 제대로 배우고 익혀서 활용해야 할 것입니다.

1인 기업가인 강사들도 마찬가지입니다.

강사야말로 자신을 홍보하고 업무 효율을 단축시킬 수 있는 방법에 대해서 제대로 배우고 익혀야 일의 효율성과 효과성을 극대화할 수 있습니다.

SNS소통연구소가 11년 교육을 해오면서 느끼는 것은 교육 일선에 있는 교수님, 선생님, 강사들이 먼저 배우고 익혀서 전달을 해야 하는데 그렇지 않은 현실이 안타깝습니다.

강사분들은 자기계발에 많은 시간과 돈을 쓰고 있지만 정작 스마트폰 및 SNS 도구 활용에 대해서는 등한시 하는 경우가 많습니다.

그나마 코로나로 인해 요즘은 스마트폰 및 SNS도구 활용에 대한 필요성이 대두되면서 제대로 배우고 익히려고 하는 분위기인거 같습니다.

하지만 코로나 시대! 언택트 시대! 가 끝나면 더욱더 강사분들은 스마트폰 및 SNS 도구 활용에 대해서 필수적으로 배워서 자신들의 업무에 적용해야 자신이 원하는 바를 조금이나마 쉽게 얻을 수 있을 것입니다.

이 책에서 설명하고 있는 부분을 2-3번만 반복해서 해본다면 어렵지 않게 업무에 적용할 수 있으니 꼭 활용해보시기 바랍니다.

SNS소통연구소는 전국 55개의 지부 및 지국이 운영되고 있어 많은 지역에서 교육을 수강하실 수도 있으며 줌(ZOOM)을 통한 비대면 교육도 매월 진행되고 있으니 언제든지 문의해 주시면 감사하겠습니다.

2강. 소상공인 이사장의 하루

❶ 아침 기상부터 저녁잠들 때까지의 업무 프로세스를 모바일에서 해결하는 모습을 그린다.

1강에서도 스마트워크 교육이 필요한 이유에 대해서 설명했지만 취업을 준비하는 사람들이나 창업을 준비하는 사람들뿐만 아니라 현재 사업을 영위하고 있는 사람들도 스마트폰 및 SNS 도구들을 제대로 배우고 익히면 일의 효율성과 효과성을 극대화할 수 있습니다.
일의 효율성은 과정을 얘기하는 것이고 효과성은 일의 결과를 얘기하는 것이다. 쉽게 말하면 적은 시간을 들여서 최대의 좋은 결과를 가져오는 것을 말한다. 적은 돈 들여서 큰돈을 버는 것과 같은 이치라고 보면 됩니다.

특히나 직원이 많지 않은 중소기업의 경우에는 업무시간을 단축시킬 수 있는 방법이 있다면 최대한 배우고 익혀서 활용해야 할 것입니다.

그렇다면 비용을 크게 들이지 않고 업무 효율을 극대화할 수 있습니다.

다음 페이지에서는 현재 스마트폰 및 SNS 도구들을 활용해 스마트워커로 활동하고 있는 이사장의 하루 일과에 살펴보도록 하겠습니다.

오전 6시 **아침에 좋아하는 노래를 들으면서 잠에서 깬다.(스마트폰에서 내가 원하는 음악을 무료로 다운로드할 수 있다.)**

구글 Play 스토어에서는 [**4shared**]를 다운로드해서 활용하면 되고,
[**원 스토어**]에서는 [**스텔라 브라우저**]를 다운로드해서 활용하면 유튜브, 구글, 네이버 TV, 페이스북 등 다양한 SNS 채널에 업로드되어 있는 영상이나 음악을 다운로드해 활용할 수 있습니다.

오전 7시 **아침 식사를 하면서 모두의 신문이나 티타임즈 및 네이버 뉴스 콘텐츠를 통해 다양한 정보를 공부합니다.**

구글 Play 스토어에서 [**모두의 신문(뉴스 일보)**] , [**티타임즈(T Times)**] 앱을 다운받아 사용하면 됩니다.

오전 8시 **대중교통이나 차량으로 이동 시 오디오북이나 유튜브를 통해 트렌드를 읽고 원하는 분야를 공부합니다.**

구글 Play 스토어에서 [**무료 광고 차단기 브라우저**] 및 [**땡꼬**] 앱을 사용하면 광고 없이 유튜브를 시청하거나 분야별로 다양한 콘텐츠 시청이 가능합니다.

오전 9시 **거래처로부터 도착한 이메일을 확인한 후 첨부화일을 다운받아 편집하고 계약서에 도장을 찍어 거래처에 전송.**

17강에서 설명하고 있는 부분을 보시면 자세히 알 수 있습니다.

오전 10시 **거래처 가는 길에 아이디어가 생각나면 음성으로 말하면 텍스트로 변환되는 메모 어플을 이용한다.**

구글 Play 스토어에서 [**Speechnotes-음성을 텍스트로**] 앱을 사용하면 됩니다.

오전 11시 **거래처 미팅 전에 꼭 점검해야 할 사항을 스마트폰 메모 어플이 지정한 시간이나 장소에서 바로 알려준다.**

구글 Play 스토어에서 [**Google Keep - 메모 및 목록**] 앱을 사용하면 됩니다.

오전 12시 **거래처와 미팅하면서 마인드맵 프로그램과 줌(ZOOM)을 활용해 직원들과 함께 회의를 진행한다.**

웹용 프로그램 [**mind42.com**]을 사용하면 실시간으로 직원들과 자료를 공유하면서
[**마인드 맵핑**]을 하면서 회의를 할 수 있습니다.

오후 1시 **직원들이 공유해 준 품의서나 기획안을 실시간으로 서로 편집하면서 정리할 수 있다.**

[**구글 문서도구**]를 사용하면 엑셀, 워드, 파워포인트 문서들을 직원들과 서로 공유하면서 실시간으로 작업할 수 있습니다.

오후 2시 | **카페에서 무료 프로그램을 활용해 명함이나 전단지, 현수막 등을 디자인해서 인쇄소에 전송한다.**

캔바(www.canva.com) 및 미리캔버스(www.miricanvas.com) 프로그램을 활용하면 무료로 다양한 디자인 콘텐츠 제작이 가능합니다.

오후 3시 | **1시간 걸려서 타이핑할 자료 OCR 어플을 활용해 3초 만에 추출하고 내가 원하는 언어로 5초 만에 번역한다.**

네이버에서 만든 인공지능 자판 [**네이버 스마트 보드**] 및 [**텍스트 스캐너(OCR)**] 앱과 [**구글 번역**]의 [**구글 탭 하여 번역**] 기능을 활용하면 됩니다.

3시 30분 | **이동 중에 일반 문서 및 PDF 자료까지 팩스로 바로 보낼 수 있다.**

구글 Play 스토어에서 [**모바일팩스**] 및 [**텡큐 모바일 팩스**]를 다운로드해서 사용하면 됩니다.

오후 4시 | **내 상품을 스마트 스토어에 등록한 후 블로그, 카페, 카카오스토리, 페이스북 등에서 홍보할 수 있다.**

[**네이버 스마트 스토어**]에서 개인을 상대로 판매하는 경우 굳이 사업자등록이나 통신판매 신고를 하지 않아도 판매할 수 있습니다.

오후 5시 | **모바일 홈페이지 무료로 만들고 고객한테 내 상품정보를 홍보할 수 있다.**

네이버에서 서비스하는 [**모두**]를 활용하면 무료로 홈페이지를 만들고 다양한 콘텐츠를 담아낸 후 여러 SNS 채널에 바로 홍보할 수 있습니다.

오후 6시 | **스마트폰으로 수백만원 짜리 홍보영상 무료로 만들고 유튜브에 업로드해서 홍보한다.**

[**멸치**] 앱을 활용하면 초대장, 명함, 제품 홍보 영상, 유튜브 섬네일 등 다양한 멋진 이미지 및 영상을 쉽고 빠르게 만들어 홍보할 수 있습니다.

오후 7시 | **미국 사람, 일본 사람, 중국 사람 등 해외 바이어와 영어 한마디 몰라도 채팅을 하면서 서로 정보를 공유할 수 있다.**

구글 Play 스토어에서 [**콤마톡 - 번역 커뮤니티 메신저**] 앱을 활용하면 됩니다.

7시 30분 | **수천 명의 고객들이 주문한 주문서를 클릭 몇 번으로 엑셀로 저장하고 택배사에 보내 송장을 바로 출력할 수 있다.**

[**네이버 오피스**]에서 [**폼**] 양식 중 [**상품 주문**] 양식을 활용하면 수천 명의 주문서도 엑셀로 다운로드해 바로 사용할 수 있습니다.

오후 8시 행사 사진은 구글 포토로 공유하면 참여인원들과 함께 올리고 자료를 쉽고 빠르게 정리할 수 있다.

구글 Play 스토어에서 **[Google 포토]**를 활용하면 됩니다.

오후 9시 직원들 업무일지를 공유받아서 당일 업무와 금일 업무 상황을 점검할 수 있다.

구글 크롬브라우저에서 **[구글 문서도구]**를 활용하면 가능합니다.

오후 10시 내가 모르는 정보를 인공 지능 음성 서비스를 활용하면 바로 알려준다.

구글 Play 스토어에서 **[Google 어시스턴트]** 및 **[네이버 클로바]**를 활용하시면 됩니다.

오후 11시 무료 이미지, 무료 폰트, 무료 음원, 무료 동영상 사이트를 활용하면 고급스러운 제안서를 만들 수 있다.

무료 이미지, 무료 폰트, 무료 음원, 무료 동영상 사이트를 활용하면 고급스러운 제안서를 만들 수 있다.

오후 12시 카카오톡 단체방에서 주고받은 사진 및 파일과 일정 등을 한곳에서 모아서 정리할 수 있다.

카카오톡 내 프로필 **[나와의 채팅]** 메뉴 중에서 **[톡 서랍]** 기능을 활용하면 할 수 있습니다.

전 세계 수억 명의 사람들이 공유하는 자료 사이트를 활용해 원하는 정보를 무료로 다운로드해 사용할 수 있다.

슬라이드쉐어(www.slideshare.net) 사이트를 활용하시면 가능합니다.

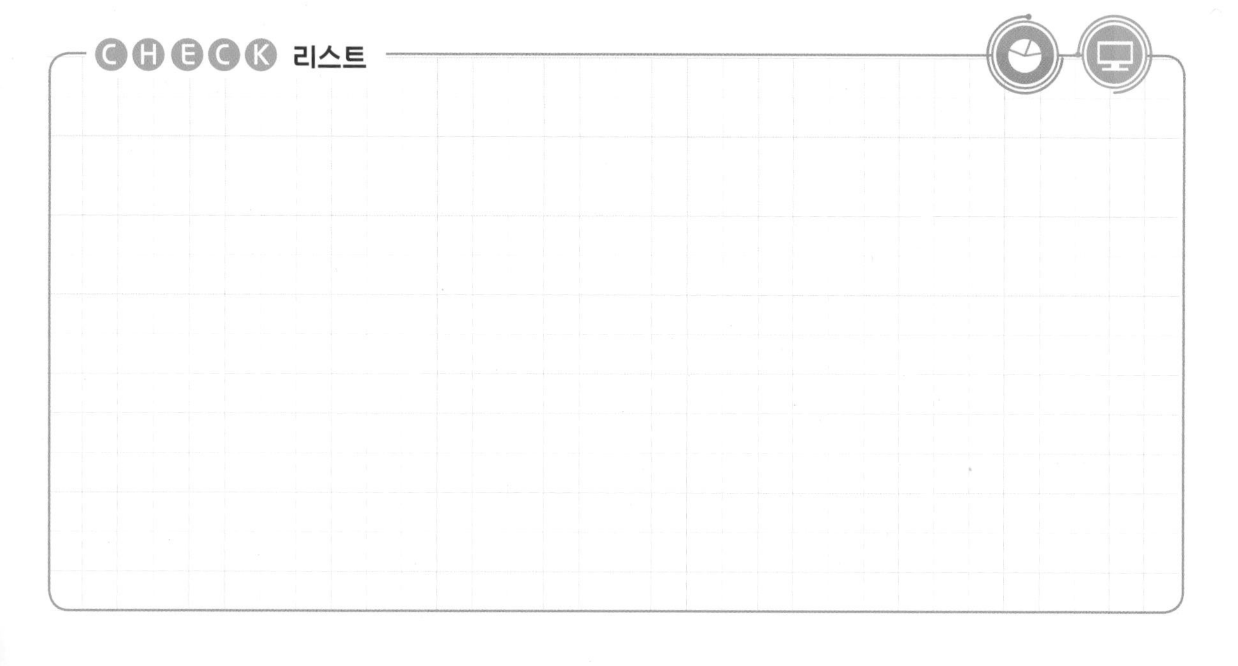

3강. 이 책에서 다루는 주요 앱 살펴보기

1 스마트워크 책에서 다루는 어플 이름들만 별도로 정리합니다.

구글어시스턴트

구글렌즈

피크닉

스텔라브라우저

글그램

캔바(canva)

포토퍼니아

멸치

모바일팩스

탱큐팩스

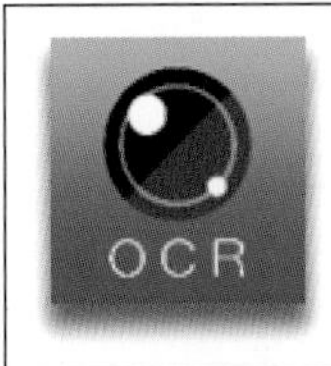

OCR(텍스트스캐너)

샌드애니웨어

구글 포토

네이버 클라우드

미러링(모비즌)

구글번역

콤마

스피치노트

1초 메모

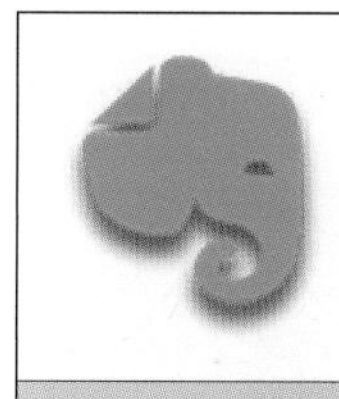

애버노트

토크프리

오피스렌즈

Vflat

티타임즈

모두의 신문

줌(ZOOM)

네이미

캠카드

구글 알리미

4강. 스마트워커라면 꼭 알아야 할 스마트폰 기본 활용

1 홈화면 정리하기 - 어플 종류별로 폴더 만들어서 정리하기 외

1 스마트폰을 사용하다 보면 어플 다운로드 및 다양한 어플들을 사용하게 됩니다. **[홈 화면]**에 보시면 **[앱 아이콘]**들이 많이 있습니다. 홈 화면을 정리해보겠습니다. 2 먼저 금융 관련 **[앱 아이콘]**을 정리해보겠습니다. 화면과 같이 **[우체국 앱 아이콘]**을 약2초 정도 누른 상태로 **[농협 앱 아이콘]** 위로 드래그합니다. 3 화면처럼 **[폴더 이름]**을 입력하신 후 키보드에서 완료를 터치합니다.

여기서 잠깐 !

1. **[앱 아이콘 숨기기 기능]**
홈 화면에서 빈 공간을 2초 정도 누릅니다. (또는 핀치인 사용)

2. **[홈 화면 설정]**을 터치한 다음 **[어플리케이션 숨기기]**를 터치하여 숨기고자 하는 앱을 체크한 후 완료를 터치합니다.

※ 핀치인, 아웃 : 두 손가락으로 오므렸다가 펼치기

1 **[홈화면]**에 금융관련 **[앱아이콘]**이 은행이라는 폴더로 정리가 되었습니다.

2 위젯 활용하기 - 자주 전화거는 사람 단축번호 위젯 활용해서 폴더별로 정리하기

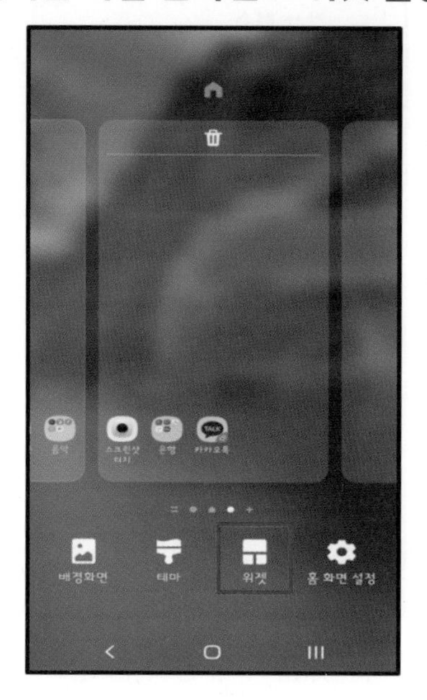

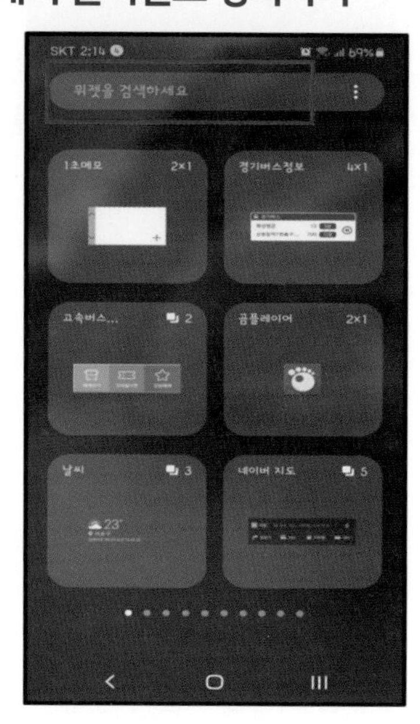

1 스마트폰에서 가장 많이 사용하는 것이 통화 버튼입니다. 자주 사용하는 지인들의 연락처를 홈 화면에 추가해보고 정리하는 기능을 알아보겠습니다. 2 먼저 위젯을 열어줍니다. (빈 화면을 2초 정도 누르거나 핀치인을 사용합니다.) ※ **핀치인, 아웃 : 두 손가락으로 오므렸다가 펼치기**
3 위젯 검색창에 **[전화]**라고 입력합니다.

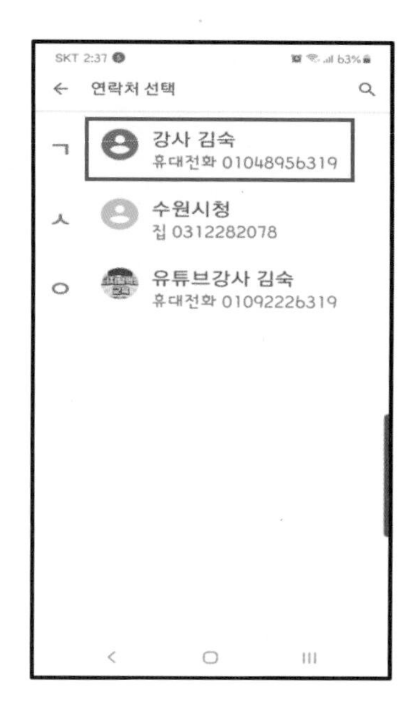

1 검색 결과에서 **[다이렉트 전화 또는 바로 전화 걸기]**를 터치한 후 위젯을 길게 눌러서 홈 화면에 추가합니다. 2 위젯이 추가되는 화면입니다. 3 연락처를 선택하는 창이 뜹니다.

3 홈화면 정리하기 - 위젯사용하여 다이렉트전화추가 및 연락처 정리하기

1 [**홈 화면**]에 연락처 아이콘이 추가되었습니다. 강사 김숙으로 추가된 아이콘을 터치합니다.

2 전화가 연결되는 화면입니다. 3 이번에는 [**홈 화면**]에서 연락처 아이콘을 정리하는 화면입니다.
(ⓐ 연락처 아이콘을 드래그하여 ⓑ 아이콘 위에 포개놓습니다.)

4 홈화면 정리하기 - 위젯사용하여 자주사용하는 연락처 정리하기

여기서 잠깐 !

[앱 아이콘 삭제]
홈 화면에서 삭제하고자 하는 앱 아이콘을 2초 정도 누른 후 설치 삭제를 터치합니다.

[자주 사용하는 폴더해제]
자주 사용하는 폴더를 연 다음 앱 아이콘을 빈 공간으로 드래그합니다.

1 폴더명을 입력하는 창이 뜨면 폴더 이름을 지정합니다.

2 [**홈 화면**]에 여러 개의 연락처 아이콘이 자주 사용하는 전화 폴더명으로 정리되었습니다.

5 단축번호 위젯 활용하기(삼성폰)

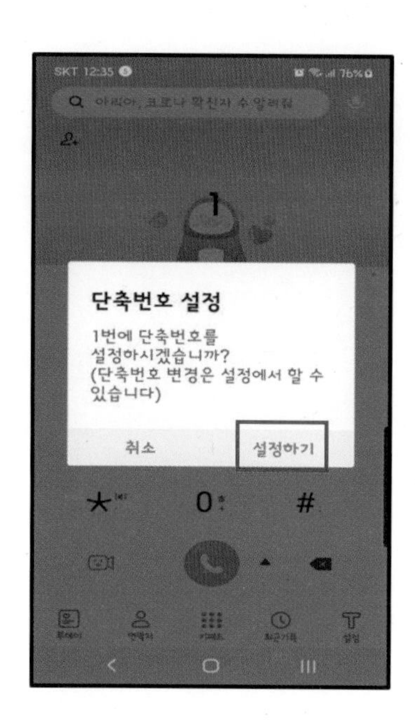

1 [**홈 화면**]에서 통화 버튼을 터치합니다.

2 [**키패드**] 화면이 나오면 단축키로 사용할 숫자키(1)를 2초 정도 누릅니다.

3 단축번호 설정이 나오면 [**설정하기**]를 터치합니다.

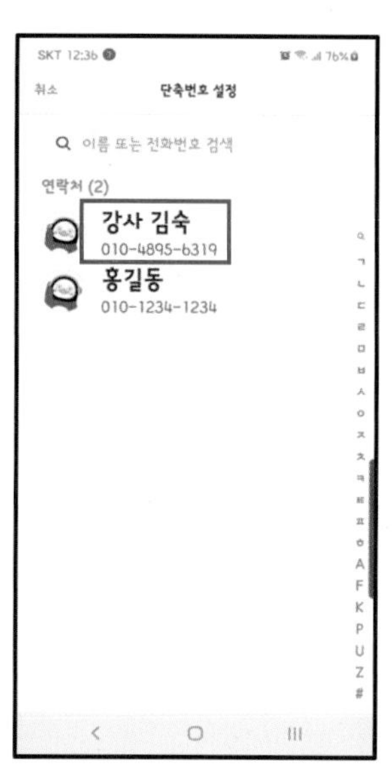

1 [**단축번호**]로 지정할 전화번호를 터치합니다. 2 [**단축번호**]를 설정했다는 화면이 나옵니다.

3 설정한 [**단축번호** (1)]를 터치하면 전화연결이 됩니다. 4 전화로 연결되는 화면입니다.

6 단축번호 위젯 활용하기(삼성폰-T설정)

1 [**홈 화면**]에서 통화 버튼을 터치합니다. 2 [**키패드**] 화면이 나오면 우측 하단에 영문 대문자 T를 터치합니다. 3 [**음성통화 설정**]을 터치합니다.

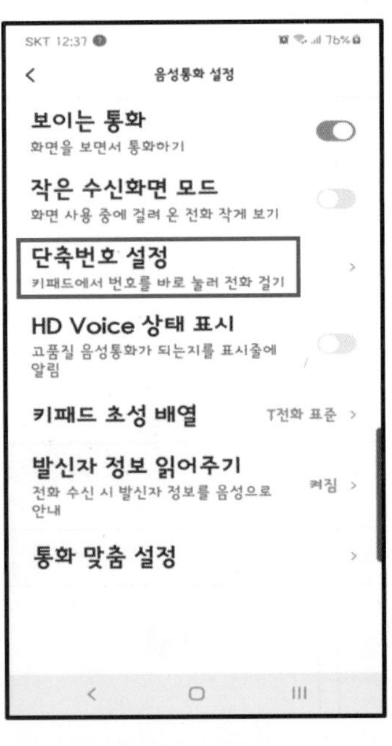

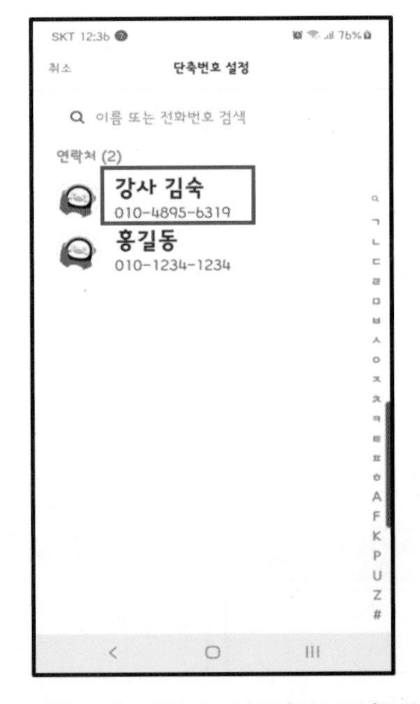

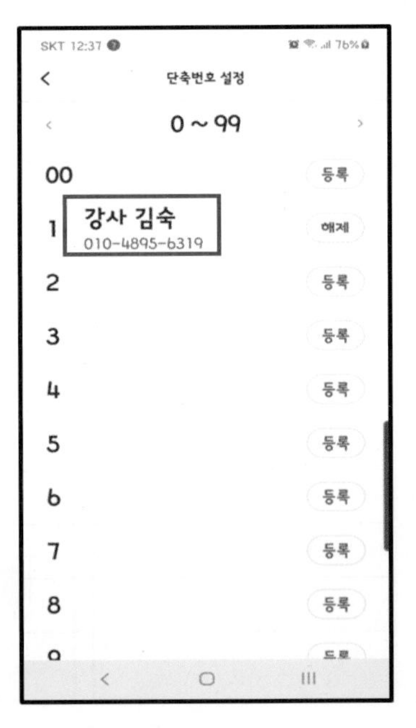

1 [**단축번호 설정**]을 터치합니다. 2 단축번호로 설정할 [**전화번호**]를 터치합니다.
3 단축번호로 설정되었습니다. 해제 시는 우측의 해제 버튼을 터치합니다.

7 단축번호 위젯 활용하기(LG폰)

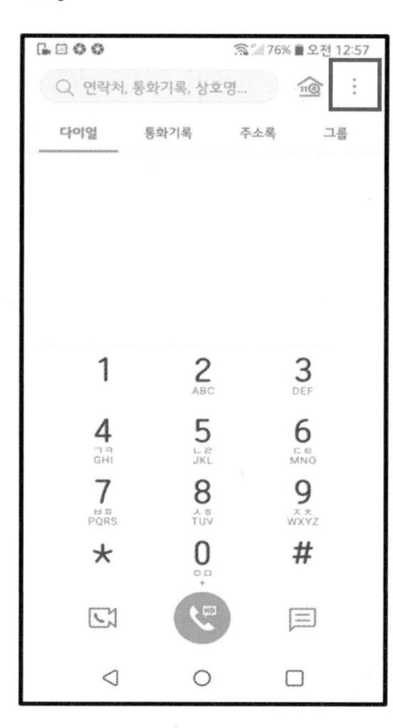

1 [**통화 버튼**]을 터치합니다. 2 우측 상단에 점 세 개를 터치합니다. 3 단축번호를 터치합니다.

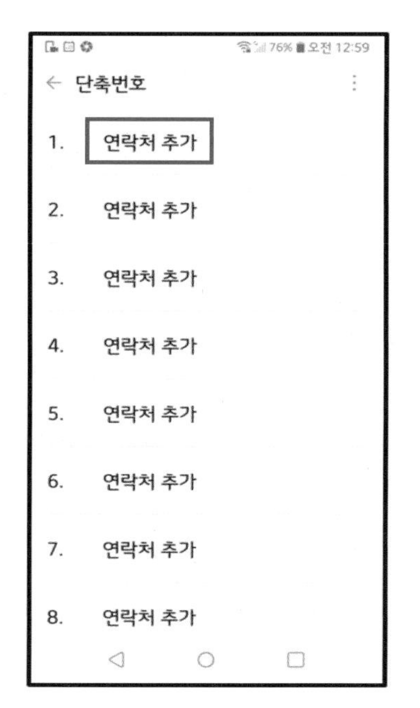

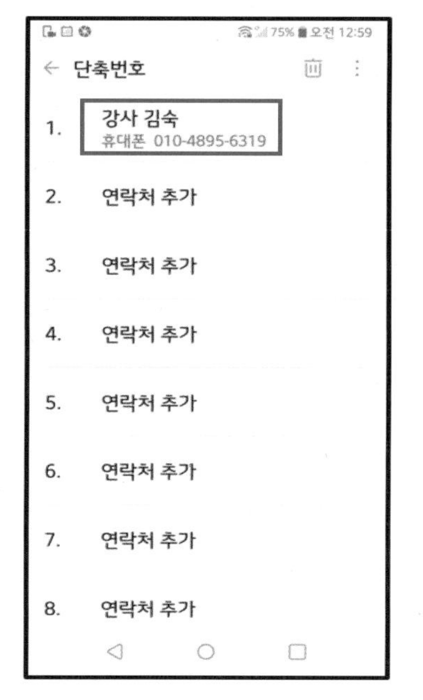

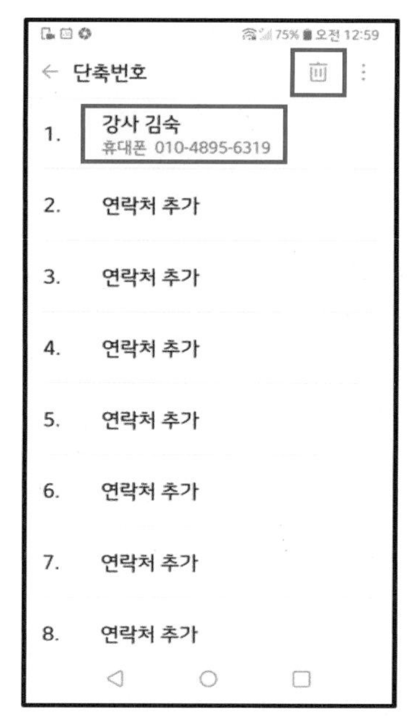

1 [**연락처 추가**]를 터치합니다. 등록된 연락처가 나옵니다. 2 전화번호를 터치하면 [**단축번호**] 1번으로 설정됩니다. 3 설정된 단축번호를 삭제할 수 있습니다.

8 음성으로 문자보내기

1 [**메시지 버튼**]을 터치합니다. 2 우측에 [**문자**]를 터치합니다.

3 [**받는 사람**]을 추가하고 [**소리파장**] 부분을 누른 채 음성으로 입력합니다.

4 음성으로 입력한 후 손을 떼면 멀티미디어 메시지로 전환 중이라는 메시지가 뜹니다. 이때 전송 버튼을 터치합니다.

9 문자 예약하기

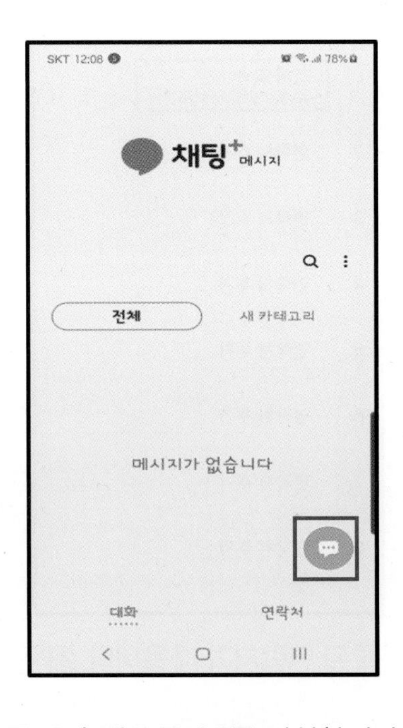

1 [**메시지 버튼**]을 터치합니다. 2 우측에 [**문자**]를 터치합니다. 3 [**받는 사람**]을 추가합니다.

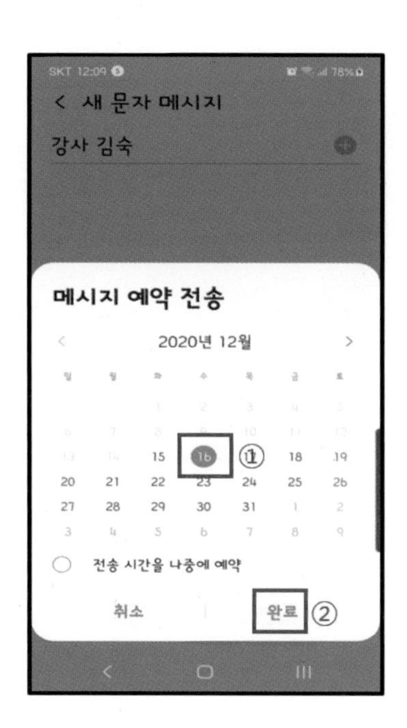

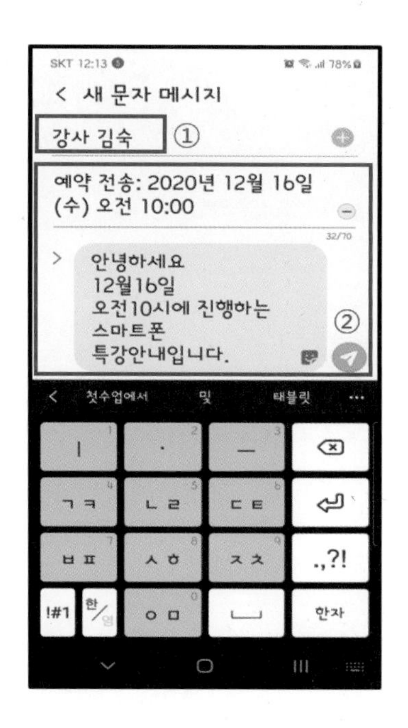

1 중간 부분에 +를 터치한 후 [**메시지 예약**] 버튼을 터치합니다.

2 [**문자 예약할 날짜와 시간**]을 터치 합니다. 3 [**받는 사람, 예약내용**] 확인 후 전송합니다.

1 문자 예약변경하기

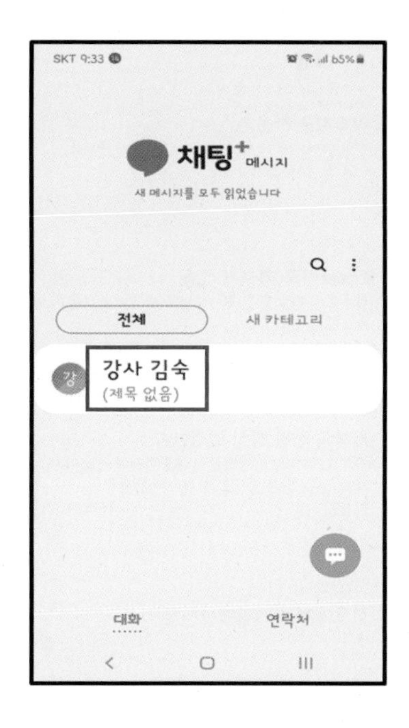

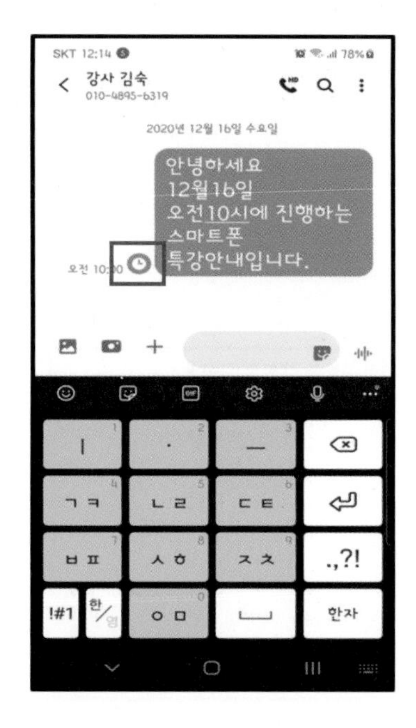

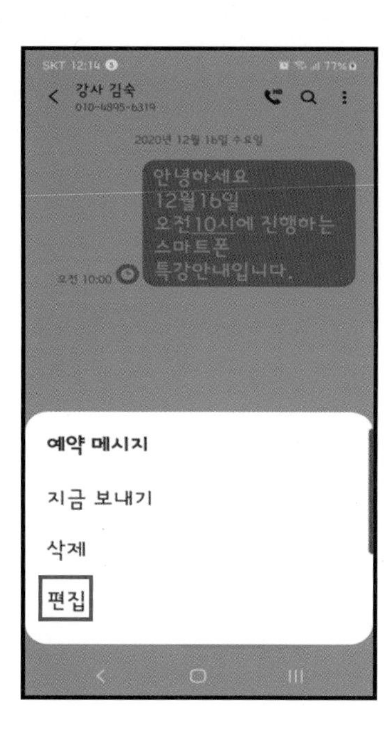

1 문자 버튼을 터치한 후 [**예약된 메시지**]을 터치합니다. 2 [**시계 표시**] 버튼을 터치합니다.

3 [**편집**]을 터치한 후 문자 내용을 수정하고 전송합니다.

10 카톡에서 문자음성으로 보내기

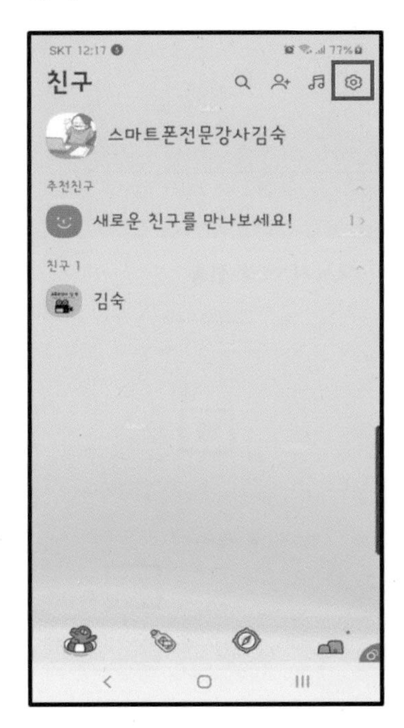

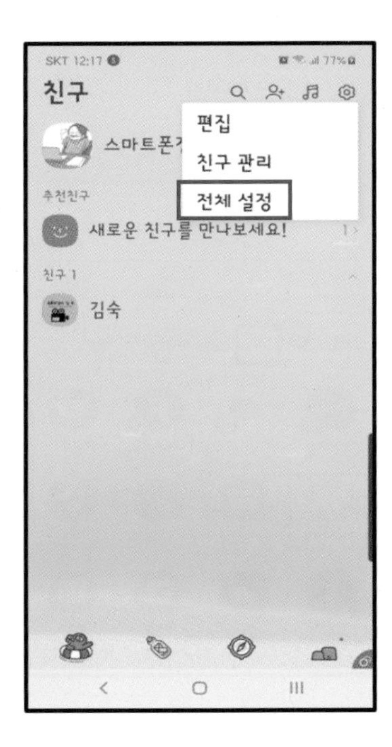

1 [**카카오톡**]을 터치합니다. 2 우측 상단에 [**톱니 모양**]을 터치합니다.
3 [**전체 설정**]을 터치합니다.

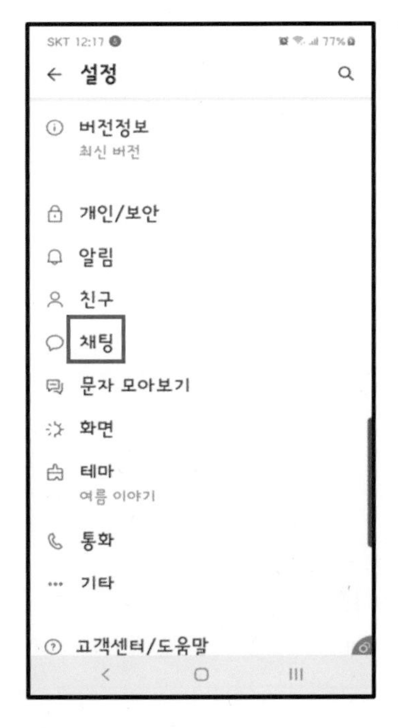

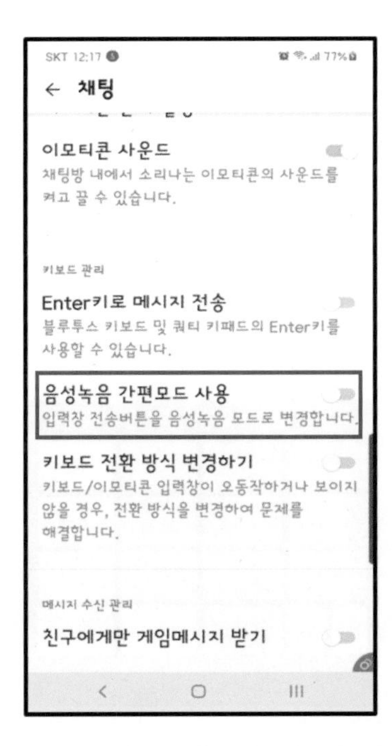

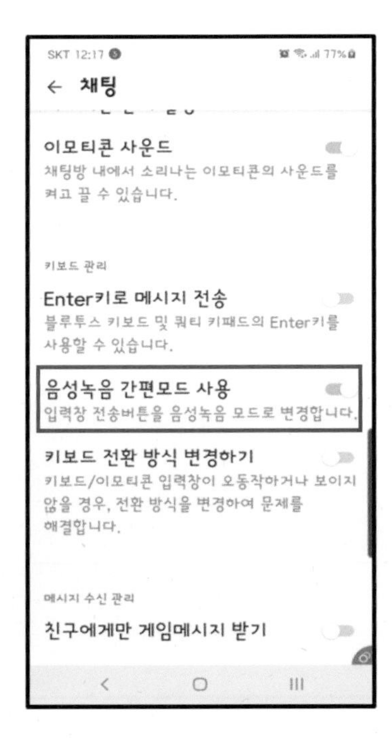

1 [**채팅**]을 터치합니다. 2 [**음성녹음 간편 모드 사용**]를 터치합니다.
3 [**음성녹음 간편 모드 사용**]을 활성화합니다.

1 [**1:1채팅**]을 터치합니다. 2 채팅 창이 나오면 우측에 [**마이크**]를 누른 채 음성을 입력합니다.

3 음성 입력을 완료한 후 마이크에서 손을 떼면 음성 메시지가 전송됩니다.

4 상대방은 음성으로 메시지를 청취하게 됩니다.

CHECK 리스트

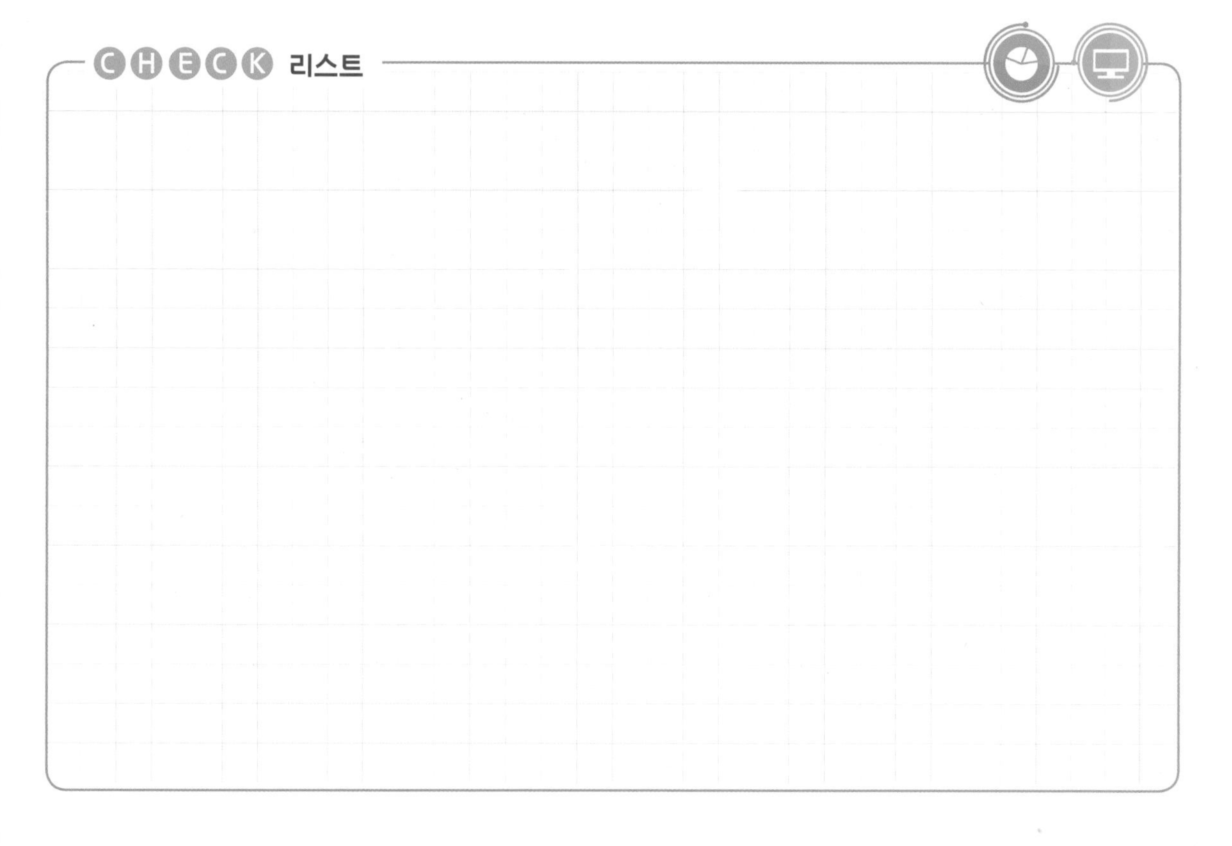

5강. 카카오톡을 활용한 스마트워크

[카카오톡] 앱(App)은 카카오톡은 전 세계 어디서나 아이폰과 안드로이드폰, 블랙베리, 윈도우폰 사용자 간 무료로 메시지를 주고받을 수 있는 메신저 프로그램입니다.

[카카오톡] 앱(App)의 장점

- 채팅 & 멀티미디어 전송(사진, 동영상, 음성메시지, 음악 등)
- 얼굴 보며 대화하는 영상통화, 페이스톡
- 결제, 청구서, 송금, 멤버십까지 카카오페이
- 일정, 투표, 공지로 더욱 스마트해진 채팅

[카카오톡] 앱(App)의 활용

- 언제 어디서나 누구와도 즐길 수 있는 메신저 프로그램
- 유용하고 안전한 주문, 배송, 결제 등의 정보성 메시지, 알림 톡
- 톡 캘린더 '내 캘린더' 기능 추가
- 새 캘린더를 만들어 일정을 분류하고 관리 가능

1 자주 사용하는 채팅방을 홈 화면에 추가해서 활용하기

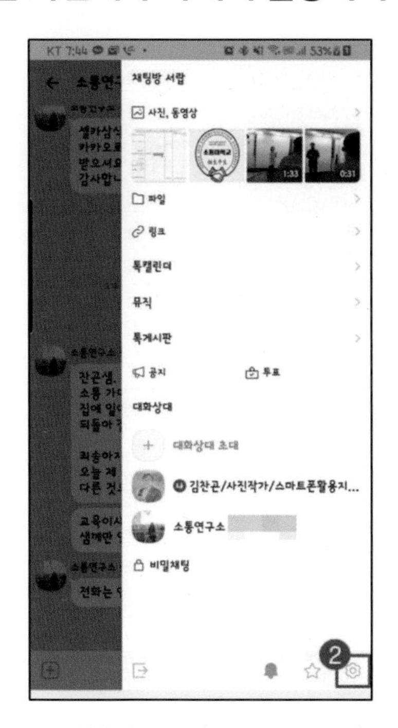

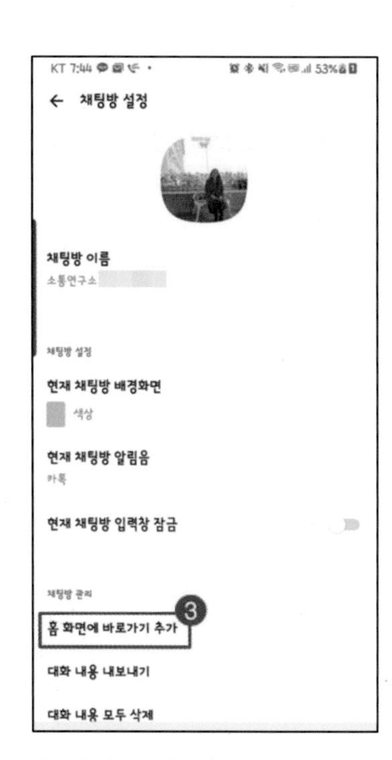

1 자신이 자주 사용하는 채팅방을 선택하여 터치합니다. ①우측 상단의 삼선을 터치합니다.

2 ②우측 하단의 [**설정**]을 터치합니다. 3 ③[**홈 화면에 바로가기 추가**]를 터치합니다.

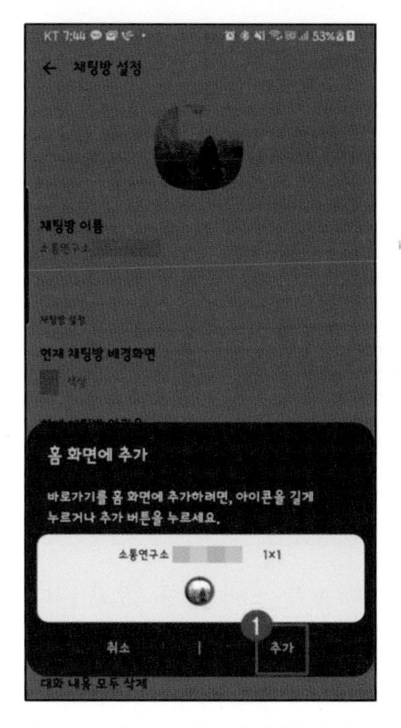

1 ①[**추가**]를 터치합니다.

2 ②홈 화면에 자주 사용하는 채팅방의 바로가기 아이콘이 생성됩니다. 바로가기 아이콘을 터치합니다. 3 ③바로 자주 사용하는 채팅방이 열리며 바로 사용할 수 있습니다.

2 톡서랍 활용하면 모든 채팅방에서 주고받은 모든 자료들을 한 번에 관리 할 수 있다!

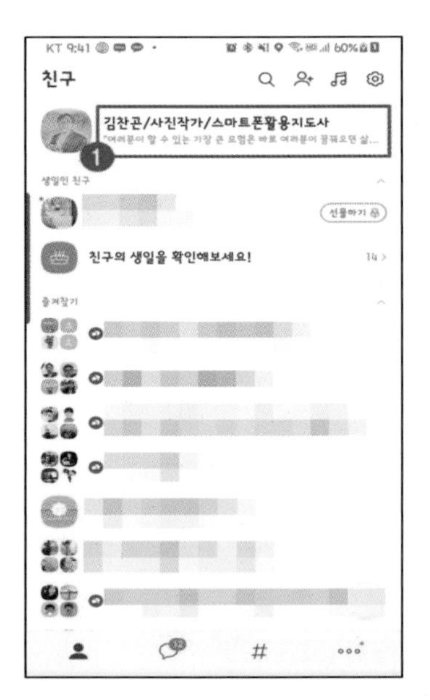

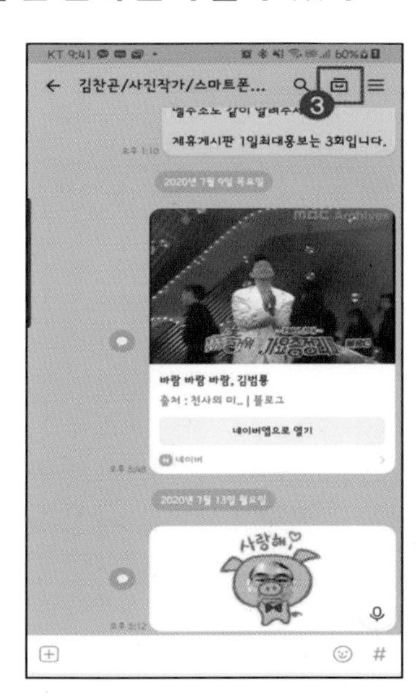

1 ①[**친구**] 화면에서 상단의 본인 이름을 터치합니다. 2 ②하단의 [**나와의 채팅**]을 터치합니다.
3 ③상단의 서랍 모양의 [**톡서랍**]을 터치합니다.

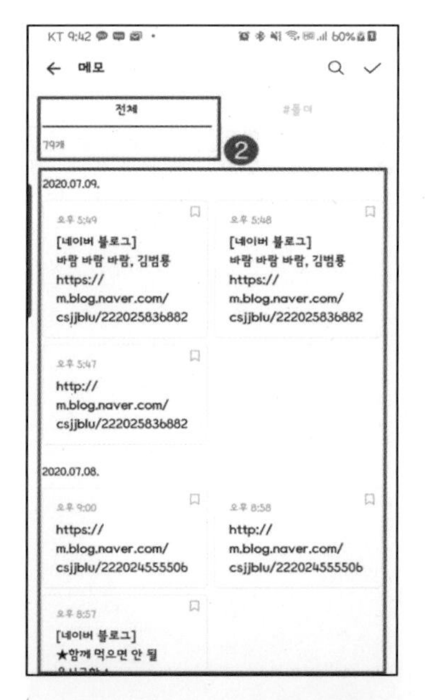

1 톡서랍에서는 카카오톡의 모든 채팅방에서 주고받은 대화와 미디어 파일을 모아 볼 수 있고 관리할 수 있습니다. ①[**메모**]를 터치합니다. 2 ②[**나와의 채팅방**]의 본인이 기록했거나 저장한 내용들을 볼 수 있습니다. 중요한 내용은 메모 상단의 우측 하얀 리본을 터치하면 [**#폴더**]에 저장이 되며, 내용을 터치하면 기존 폴더에 지정하여 보관하거나 새 폴더를 만들어 저장할 수 있습니다.
3 ③[**#폴더**]에서 기존 폴더에 저장할 경우 바로 터치합니다. ④새로운 폴더를 만들려면 [**+**]를 터치합니다 ⑤[**#새 폴더**]의 이름을 입력하고 [**확인**]을 터치하면 저장이 됩니다.

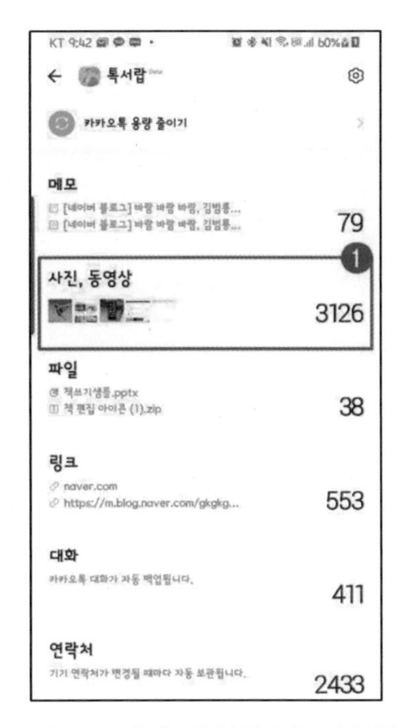

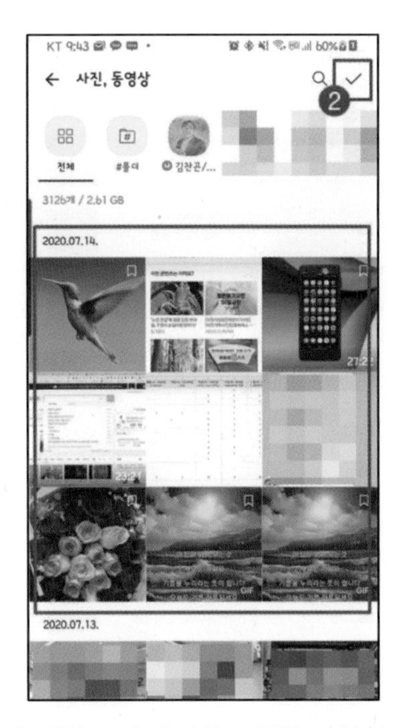

1 ①[**사진, 동영상**]을 터치합니다. 2 ②상단의 [**V**]를 터치합니다. 3 ③사진을 선택합니다. ④톡서랍의 [**#내 폴더**]에 저장하거나 ⑤[**갤러리**]에 저장할 수 있으며 ⑥카카오톡 다른 채팅방으로 공유할 수 있습니다. 톡서랍 내에서 삭제할 수 있습니다.

3 톡서랍 활용하면 카카오톡에서 주고받은 모든 자료들을 한 번에 관리할 수 있다

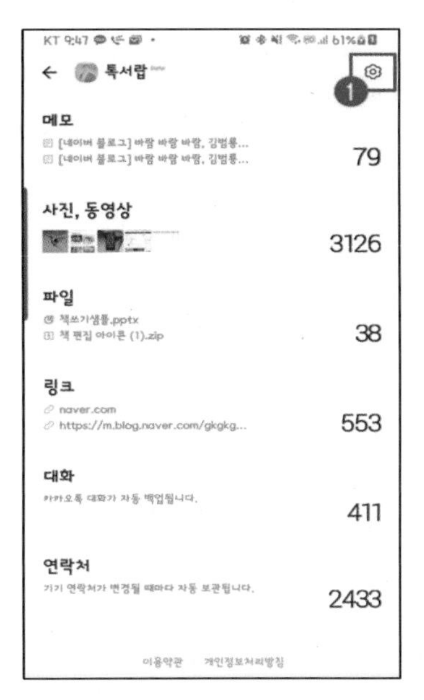

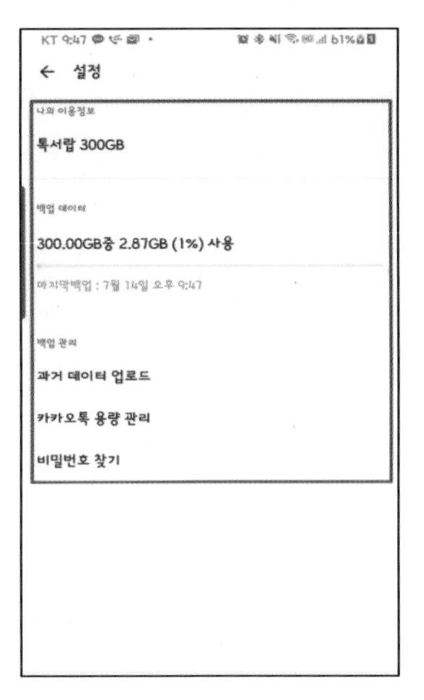

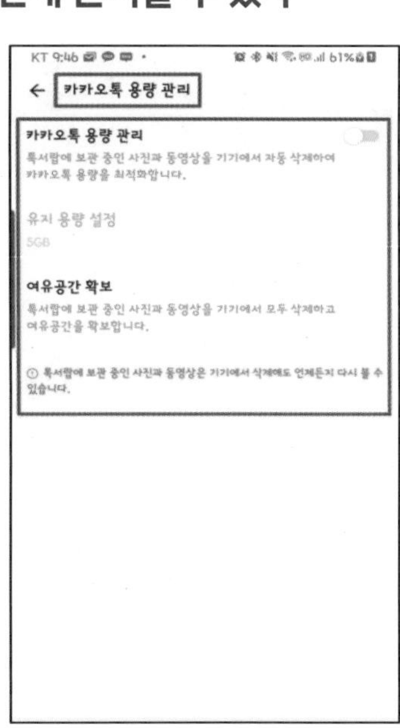

1 ①[**설정**]을 터치합니다. 2 [**과거 데이터 업로드**]를 터치하면 지금까지 주고받은 대화 내용과 미디어 피일을 보관합니다. [**카카오톡 용량 관리**]를 터치합니다. 3 [**카카오톡 용량관리**]를 활성화 하면 톡서랍에 보관 중인 사진과 동영상을 기기에서 자동 삭제하여 카카오톡 용량을 최적화합니다. [**여유 공간 확보**]를 터치하면 수동으로 삭제할 수 있습니다.

4 캘린더 활용하면 수많은 채팅방에서 일정관리가 수월해진다!

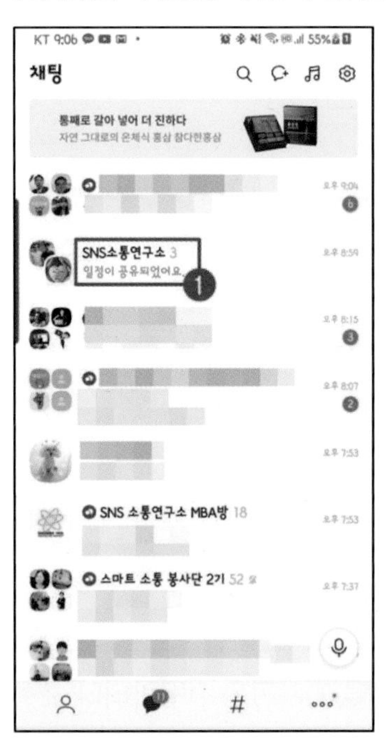

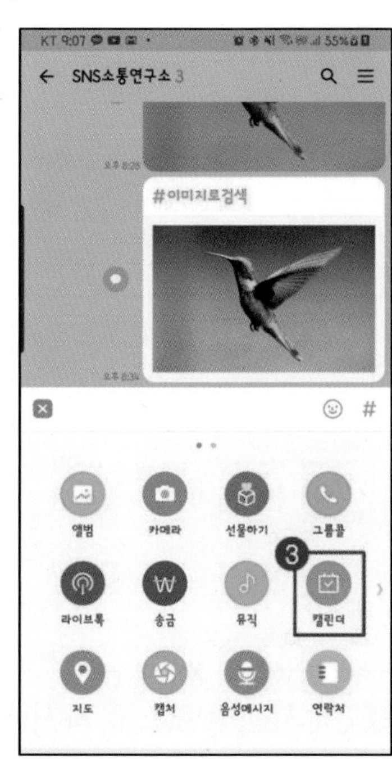

1 ①캘린더 일정을 만들어서 공유하고자 한다면 원하는 단체방을 터치합니다.

2 ②왼쪽 하단 [+]를 터치합니다. 3 ③ 일정을 만들기 위해 [캘린더]를 터치합니다.

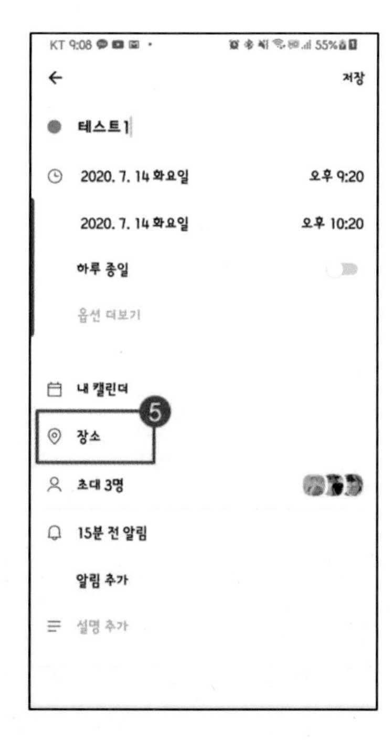

1 ①일정의 제목을 입력합니다. ②시작 일정을 입력합니다. ③종료 일정을 지정합니다.

2 ④[옵션 더보기]를 터치합니다. 3 다음 [옵션 더보기]를 터치해서 음력, 반복 여부나 반복 주기를 정할 수 있습니다. ⑤[장소]를 터치합니다.

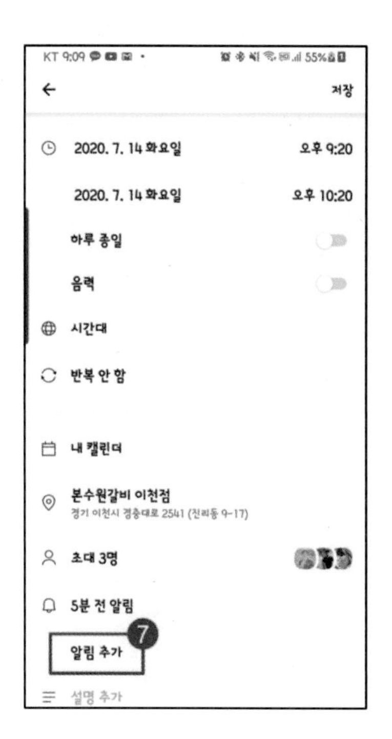

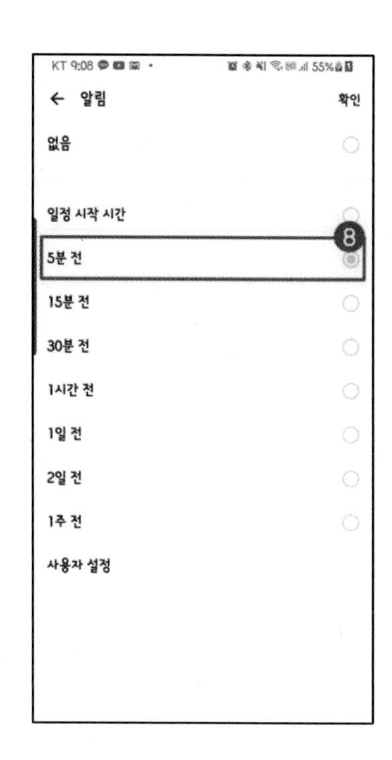

1 ⑥장소를 입력합니다. 2 ⑦[**알림 추가**]를 터치합니다. 3 ⑧알림 시간을 선택하고 상단의 [**확인**]을 터치합니다. 알림 시간은 2개까지 설정이 가능합니다.

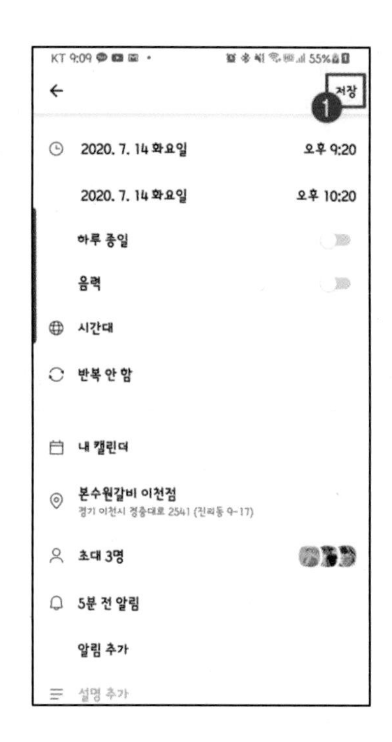

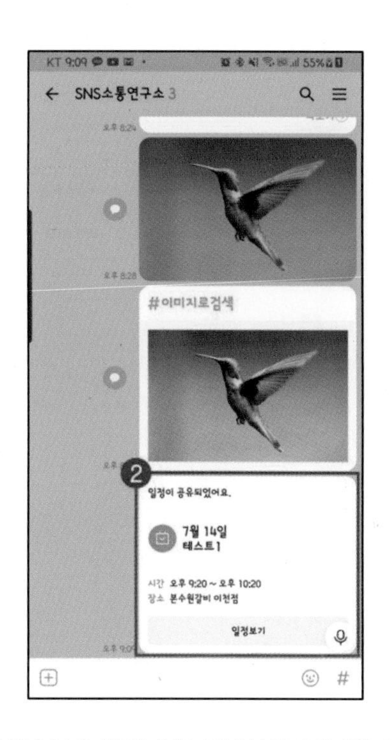

1 ①일정 입력이 완료되었으면 상단의 [**저장**]을 터치합니다. 2 ②단체방에 일정이 공유됩니다. 3 ③단체방 메시지로도 확인 가능합니다.

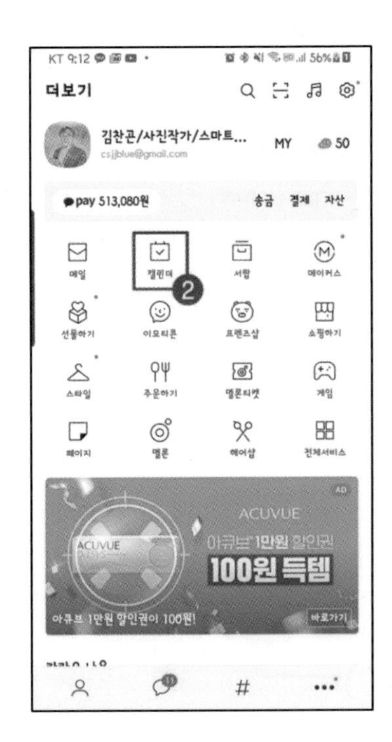

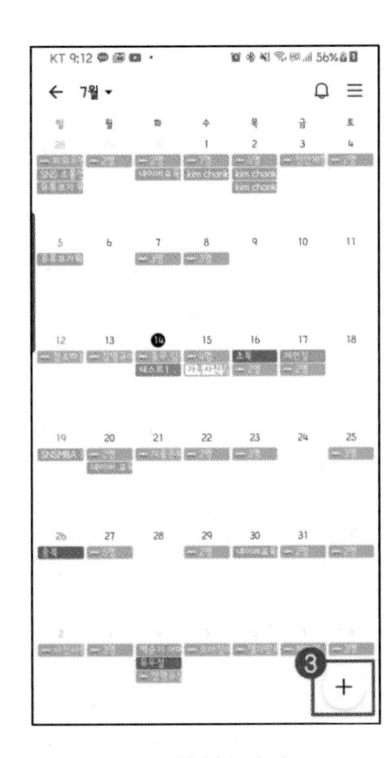

1 ①일정 추가를 위해 하단 점 세 개 [**더보기**]를 터치합니다. 2 ②[**캘린더**]를 터치합니다.

3 ③우측 하단 [+]를 터치합니다.

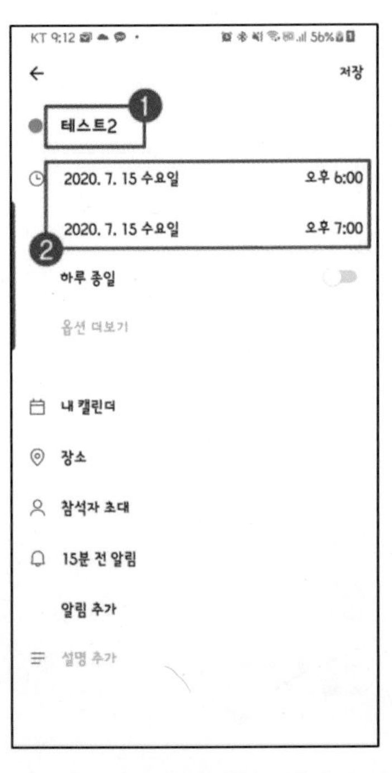

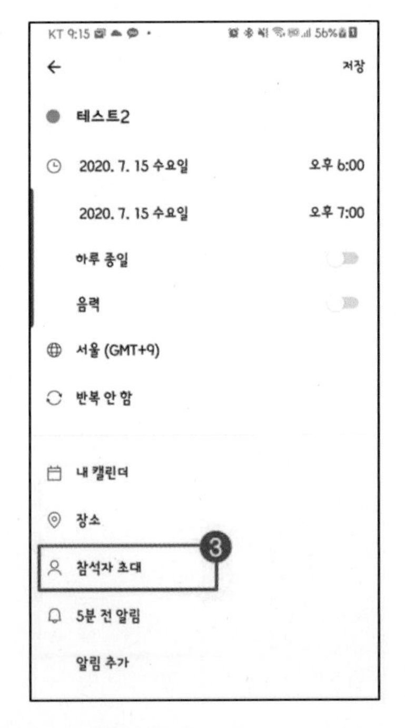

1 ①추가할 일정의 제목을 입력합니다. 캘린더에 보이는 일정의 색상을 변경할 수 있습니다. ②시작 일정과 종료 일정을 입력합니다. 2 장소, 알림을 필요에 따라 설정합니다. ③일정에 함께할 [**참석자 초대**]를 터치합니다. 3 ④일정에 함께할 채팅방을 선택 후 ⑤[**확인**]을 터치합니다.

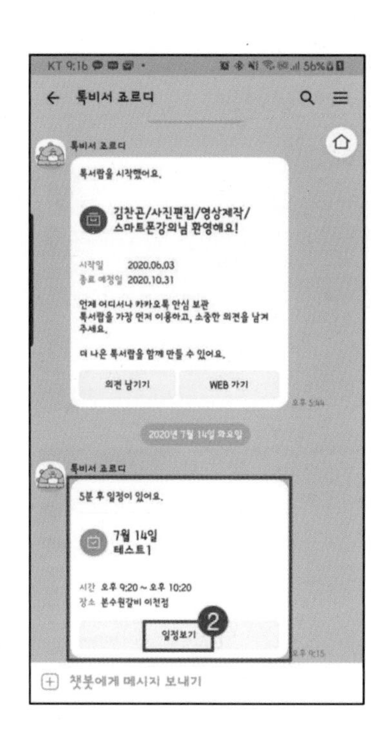

1 ①알림톡 [**톡비서 조르디**]가 일정 알림 톡이 옵니다. 일정 확인을 위해 터치합니다.

2 ②[**톡비서 조르디**]로부터 온 알림톡 [**일정보기**]를 터치합니다. 3 일정을 확인할 수 있으며 참석 여부를 선택하여 공유할 수 있습니다.

5 롱탭 검색 활용하면 검색이 편리하다.

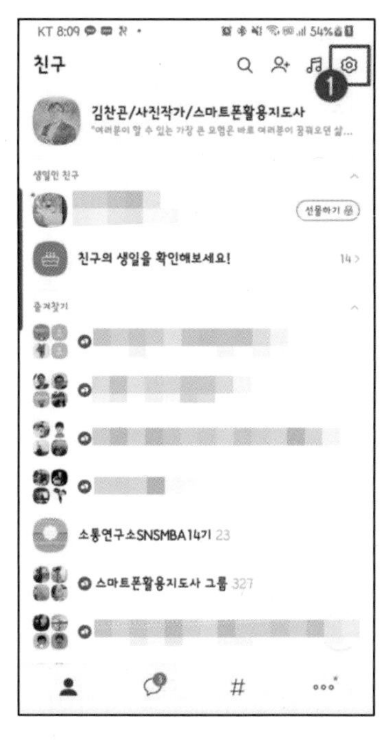

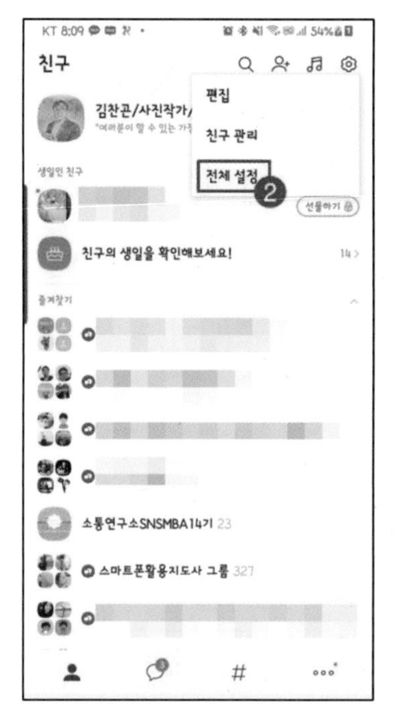

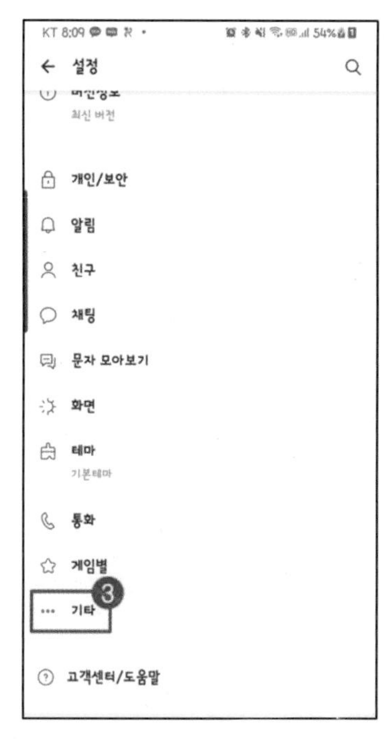

1 카카오톡 [**친구**]화면에서 ①[설정]을 터치합니다. 2 ②[**전체설정**]을 터치합니다.

3 ③[**기타**]를 터치합니다.

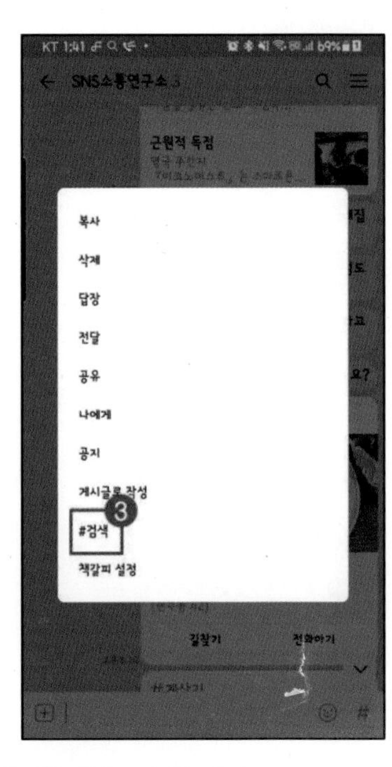

1 ①[**롱탭검색**]을 활성화합니다. 2 ② 검색하고자 하는 대화 내용을 길게 눌러 줍니다.
3 ③[**#검색**]을 터치합니다.

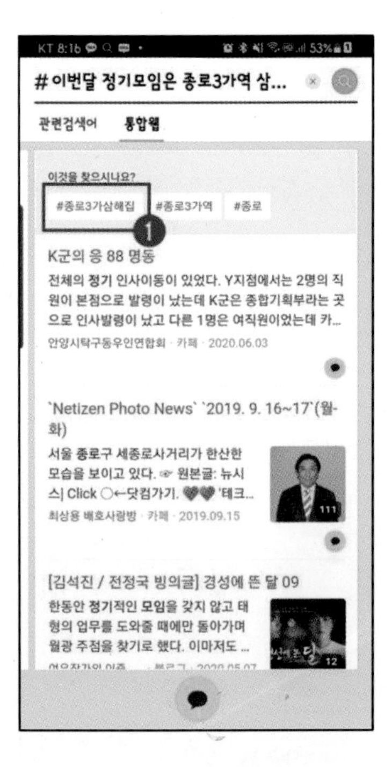

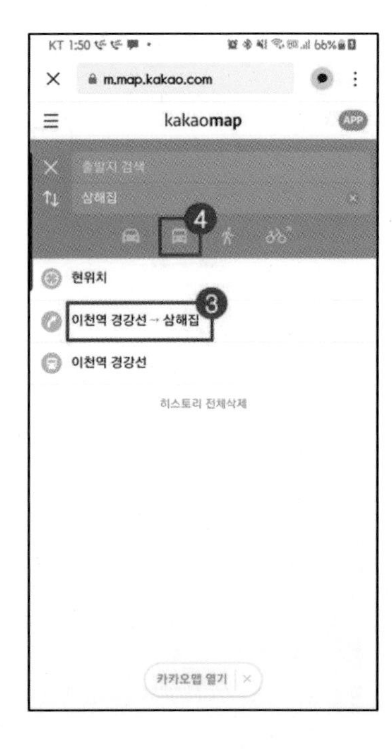

1 ①검색하고자 하는 검색어를 터치합니다. 2 검색어가 장소인 경우 ②[**길찾기**]를 터치하여 가는방법을 알아봅니다.
3 ③세부 목적지를 터치합니다. ④이동수단을 터치합니다.

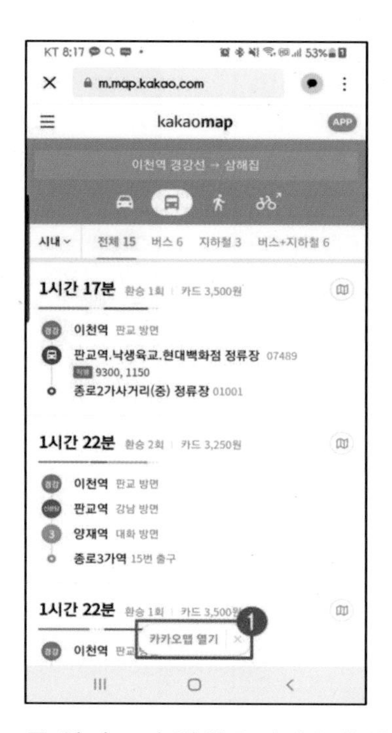

■ ①정확한 경로를 알아보기 위해 **[카카오맵 열기]**를 터치합니다.

■ 목적지까지 가는 정보가 상세하게 보입니다.

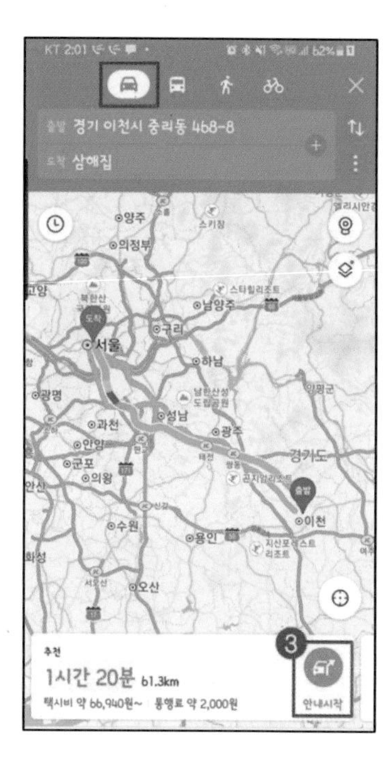

■ ①카카오톡 아이콘을 터치합니다. ■ 대화창에 모임 장소가 공유됩니다. 여기에서도 네비게이션 길찾기, 전화하기가 가능합니다. ②**[길찾기]**를 터치합니다.

■ 네비게이션이 작동되며 이동수단을 선택하고 ③**[안내 시작]**을 터치합니다.

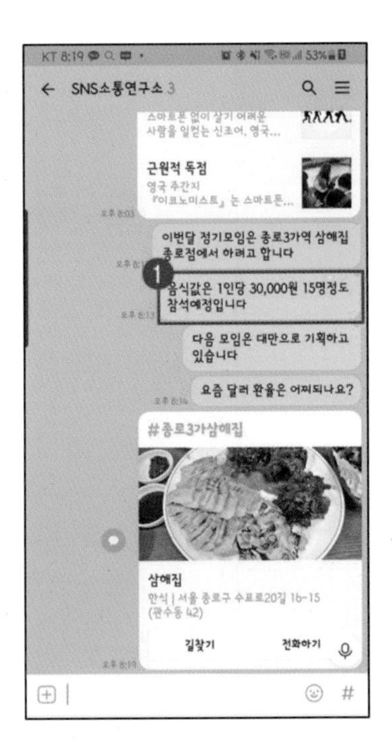

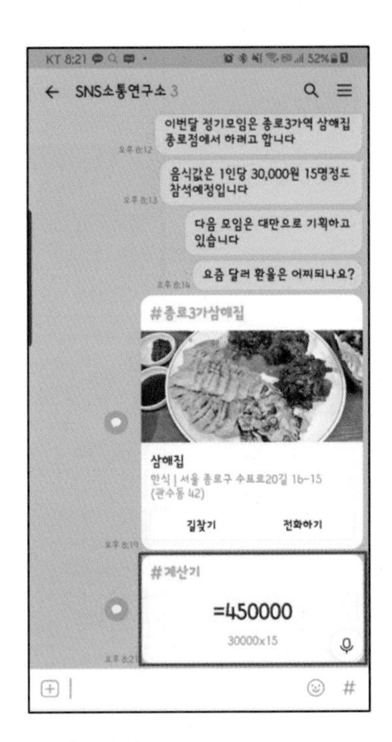

1 ①음식값 계산을 위해 대화 내용을 길게 누릅니다. 2 ②계산기를 검색합니다.
③계산기를 이용하여 계산합니다. ④단체방으로 공유합니다. 3 단체방 대화창에 음식값이 계산된 내용이 공유됩니다.

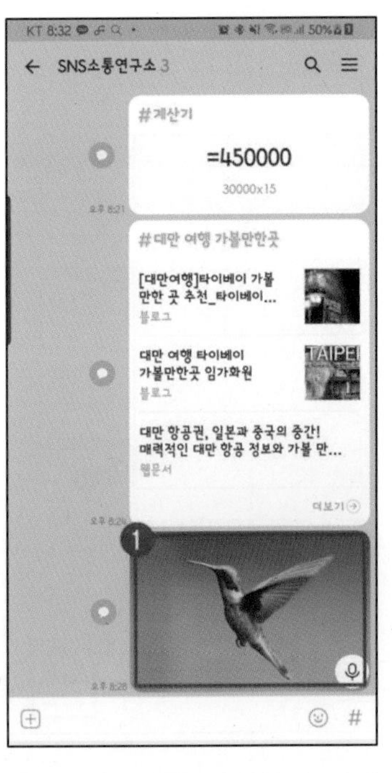

1 ①이미지를 검색하기 위해 길게 누릅니다. 2 **[유사 이미지]** 검색으로 이미지가 검색됩니다.
②카카오톡으로 공유를 위해 터치합니다.
3 ③채팅방 대화창에 이미지로 검색해서 공유한 내용이 보입니다.

6 카카오톡 인공지능 음성서비스 제대로 활용하면 업무효율이 올라간다

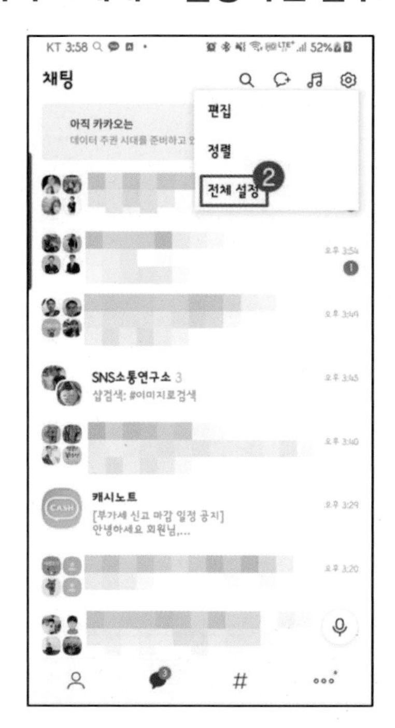

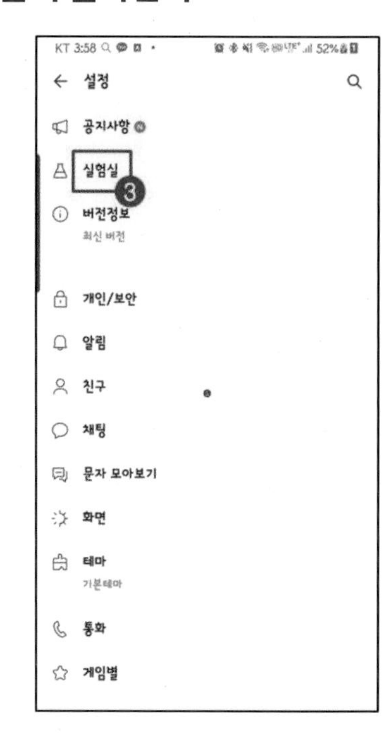

1 ①[**설정**]을 터치합니다.

2 ②[**전체설정**]을 터치합니다. 3 ③[**실험실**]을 터치합니다.

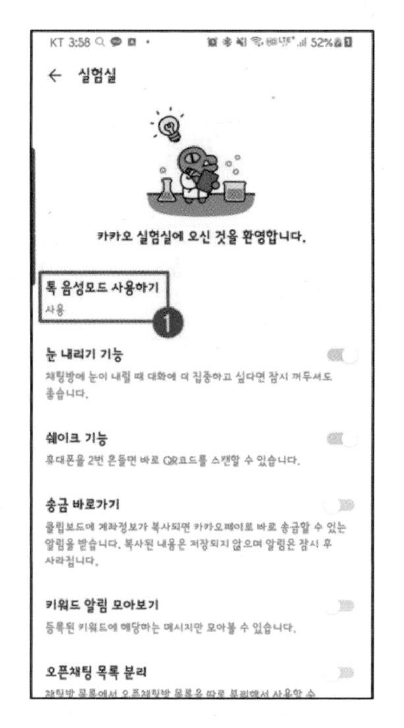

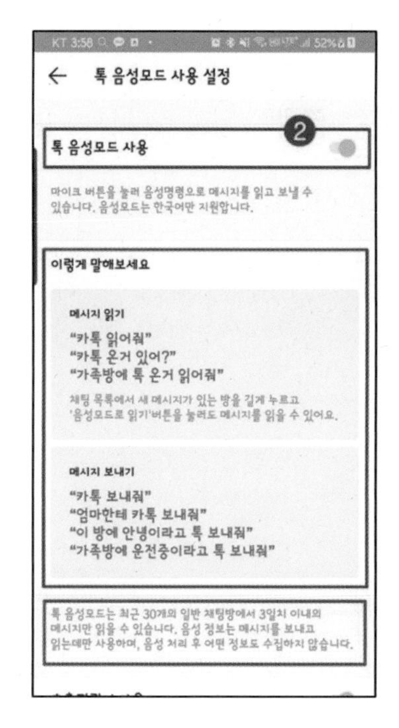

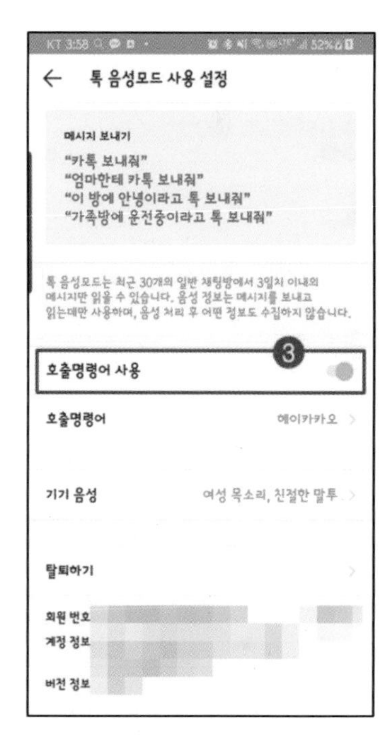

1 ①[**톡 음성모드 사용하기**]를 터치합니다. 2 ②[**톡 음성모드 사용**]을 활성화 합니다.

3 ③[**호출 명령어 사용**]을 활성화합니다.

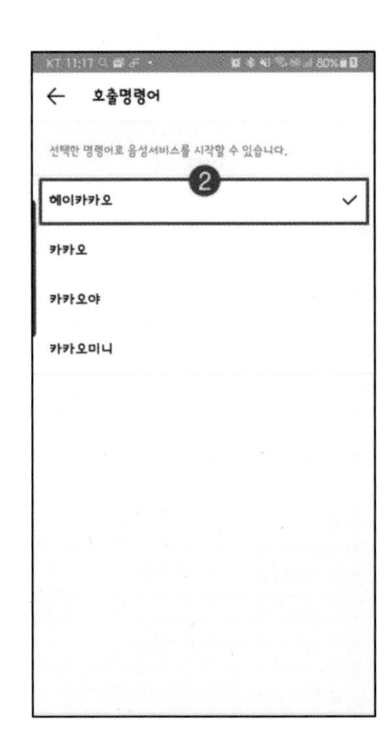

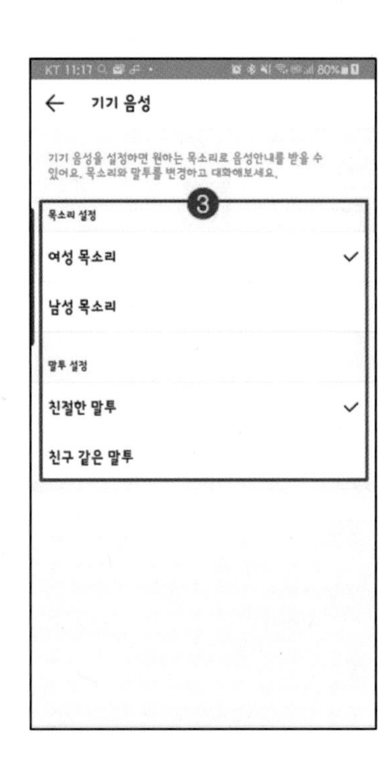

1 ①[**호출명령어**], [**기기음성**]을 터치합니다. 2 ②[**호출명령어**]를 4가지 중에서 선택합니다.
3 ③[**기기음성**]에서 목소리와 말투를 선택합니다.

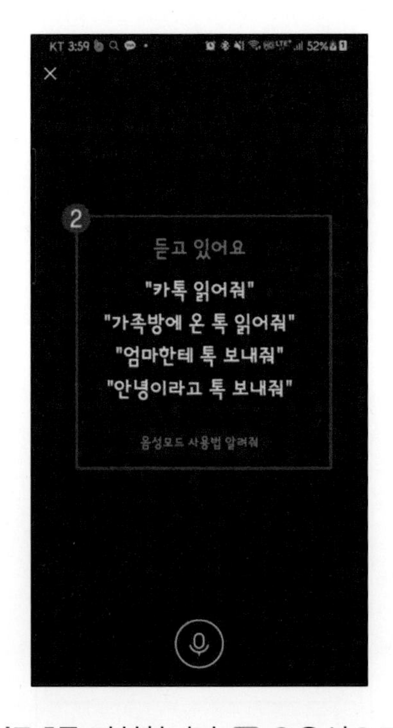

1 채팅화면에서 하단의 ①[**마이크**]를 터치합니다. 2 ②음성으로 필요한 명령어를 말합니다.
3 ③음성서비스를 실행합니다.

6강. 스마트폰 하나면 비서가 필요 없다

1 구글 어시스턴트 및 구글 렌즈 사용하기

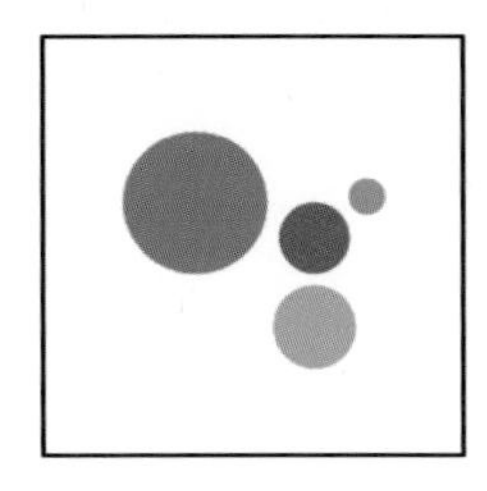

[구글 어시스턴트] 앱(App)을 활용하면 어시스턴트를 통해 일정을 관리하고, 일상적인 작업에서 도움을 받고, 스마트 홈 기기를 제어하고, 엔터테인먼트를 즐기는 등의 작업을 할 수 있습니다.

[구글 어시스턴트 기본 기능]

- 음성으로 음악 및 동영상 재생
- 핸즈프리로 전화, SMS, 이메일로 소식 주고받기
- 빠르게 길찾기 및 지역 정보 받기
- 온종일 편리한 도움받기
- 웹을 검색하고 빠른 답변 받기

[구글렌즈] 앱(App)을 사용하면 눈에 보이는 사물을 검색하고, 더욱 빠르게 작업을 처리하며, 카메라와 사진만으로 주변 세상을 이해할 수 있습니다.

- 텍스트 스캔 및 번역하기
- 동식물 이름 찾기
- 주변 장소 둘러보기
- 마음에 드는 스타일 찾기
- 주문할 메뉴 정하기
- 코드 스캔하기

2 구글 어시스턴트 및 구글 렌즈 설치

1 ①[**구글 앱**]을 실행하면
②[**구글 어시스턴트**]와
③[**구글 렌즈**] 앱을 설치 하지 않아도 사용할 수 있습니다.
2 [**구글어시스턴트**]를 사용하기 위해서 [**마이크**] 아이콘을 터치합니다.
3 [**듣는 중**]이라는 화면이 보이면 구글 어시스턴트에게 명령을 하면 됩니다. 명령어는 다음장에 대략 정리해 놓았으니 직접 해보시면 좋을 거 같습니다. 화면 하단 부분에 [**노래 검색**] 기능은 노래 제목이 궁금할 경우 노래를 들려주면 제목과 관련되 내용의 화면을 보여줍니다.

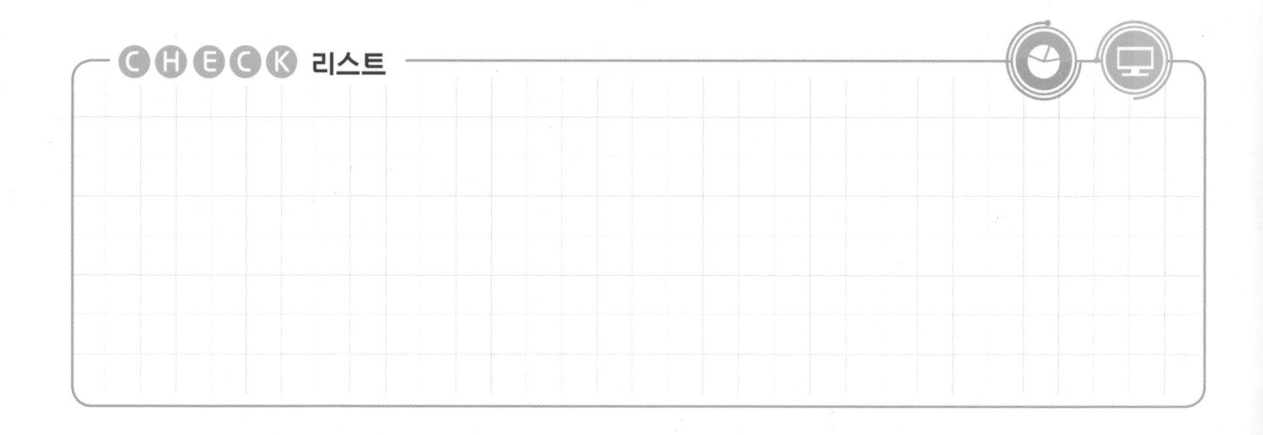

3 구글 어시스턴트 명령어

리마인더("알려줘"라고 해도 됨)

- 000한테 열시에 전화하라고 알려줘
- 내일 아침 10시에 000랑 미팅하자고 리마인더 해줘
- 리마인더 한 내용을 다 보고 싶은면 "리마인더 보여줘" 하면 됨

전화(스마트폰에 저장 된 전화번호만 됨)

- 000한테 전화걸어줘
- 000한테 문자 보내줘
- 안 읽은 문자 읽어줘
- "000한테 가고 있다"고 문자 보내줘

시간

- 지금 몇시야?
- 지금 미국 몇시야?
- 9시에 알람해줘
- 20분 후에 알람해줘
- 아침 7시에 깨워줘
- 내일 일몰 시간은?
- 타이머 1분 설정
- 타이머 취소
- 모든 알람 취소(앱에서 직접 해야 함)

질문

- 100제곱미터는 몇평?
- 36인치는 몇센티미터?
- 500+300-29+90*20은?
- 100달러 환율 알려줘
- 구글 주가 알려줘?
- 바나나 칼로리는?
- 스타벅스 아메리카노 가격?
- 이마트 영업 종료시간은?

뉴스

- 뉴스 들려줘
- 각 방송사 이름대고 뉴스 들려줘 해도 됨

로스트폰(폰을 찾고자 할 때)

- 내 폰 어디있어? (내 기기찾기 앱이 열립니다.)

음악(예를들어 삼성뮤직에서 음악을 실행시킨 후)

- 이 노래 제목이 뭐니?
- 볼륨 최대로 해줘
- 볼륨 꺼줘
- 볼륨 50%로 해줘

날씨

- 오늘 날씨 어때?
- 내일 날씨 어때?
- 내일 비와?
- 오늘 미세먼지 어때?
- 오늘 서울 날씨 어때?

동영상

- 강아지 동영상 보여줘
- 메이크업 영상 보여줘

번역

- 중국어로 안녕이 뭐야?
- 영어로 통역해줘?
- 중국어로 통역해줘?

게임

- 나 게임해줘
- 가상 여친 및 가상 남친 불러줘(답답할 수 있음)

지역

- 가장 가까운 커피숍이 어디야?
- 근처 칼국수 집 알려줘?
- 전주에서 가볼만한 곳?

소리(유튜브의 경우 광고를 봐야 하는 경우도 있음)

- 빗소리 들려줘
- 백색소음 들려줘
- 비오는 숲소리 들려줘

4 구글렌즈 기본 설명

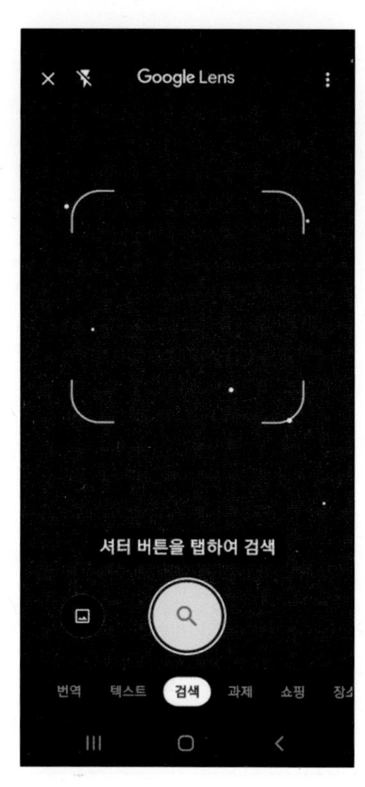

[**구글렌즈**]를 실행하면 처음 화면입니다.

번역하기 기능

[**번역**] 기능은 갤러리에 있는 텍스트 이미지나 스캔한 이미지를 바로 가져와서 바로 번역을 할 수도 있습니다.

텍스트 스캔 기능

- 눈앞의 단어를 번역하고, 명함을 연락처에 저장하고, 포스터에 안내된 일정을 캘린더에 추가하며, 복잡한 코드나 긴 문단을 간편하게 복사한 다음 휴대전화에 붙여넣어 시간을 절약할 수 있습니다.

검색 기능

- 친구가 기르는 식물 이름이 무엇인지, 공원에서 만난 강아지가 어떤 품종인지 알아보세요.
- QR 코드와 바코드를 빠르게 스캔하세요.

과제 기능

- 수학문제를 풀어주는 [**콴다**] 앱처럼 기본적인 문제들을 해결해줍니다.

쇼핑 기능

- 눈길을 끄는 옷을 찾으셨나요? 또는 우리 집 거실에 딱 어울릴 것 같은 의자를 발견하셨나요? 내가 좋아하는 스타일의 옷, 가구, 인테리어 소품을 찾아보세요.

주변 장소 둘러보기

- 명소, 음식점, 매장 등의 이름을 확인하고 자세한 정보를 찾아보세요. 평점, 영업시간, 역사적 사실 등을 확인할 수도 있습니다.

주문할 메뉴 정하기

- Google 지도의 리뷰를 바탕으로 식당의 인기 메뉴를 확인하세요.

5 "오케이 구글" 명령어 설정하기

1 **[구글 어시스턴트]**는 스마트폰 화면
어디에서나 "오케이 구글(또는 "헤이 구글")이라고 명령하면 실행이 됩니다.
이를 설정하는 방법과 명령어가 인식이 안되는 경우에 간단히 해결하는 방법에 대해서 알아보겠습니다.

2 구글앱 화면 우측 하단에 **[점 3개]** 아이콘을 터치합니다.

3 **[음성]** 아이콘을 터치합니다.

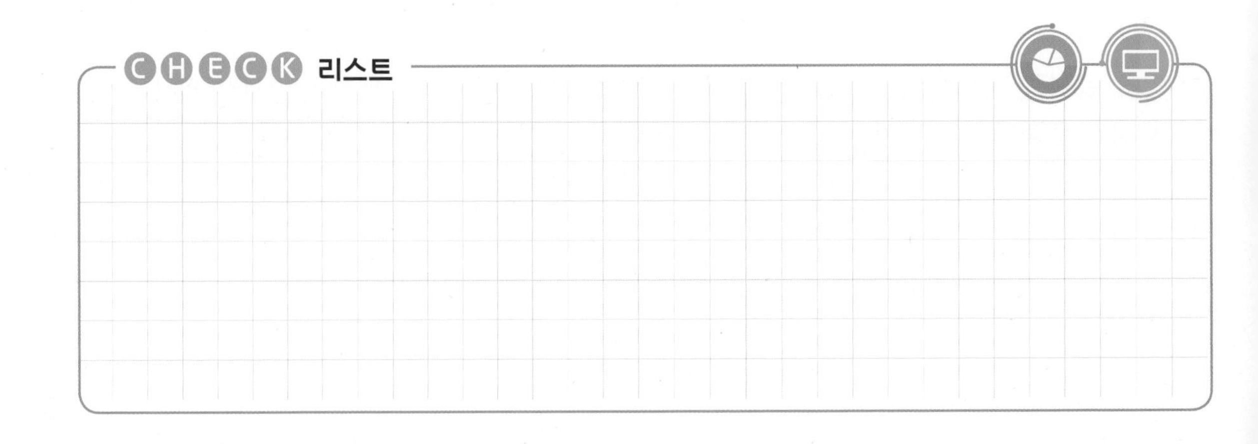

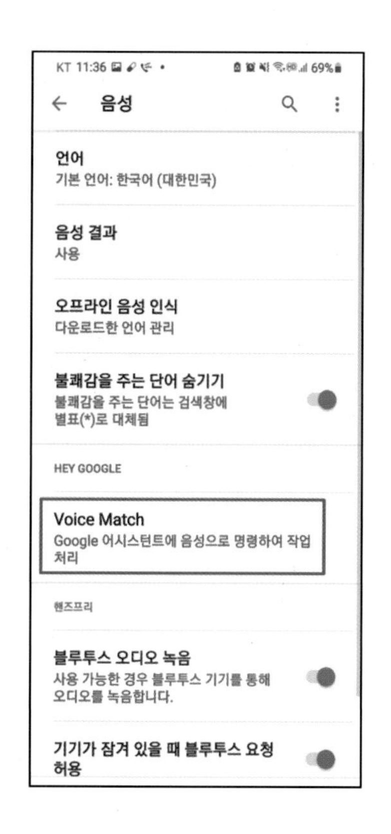

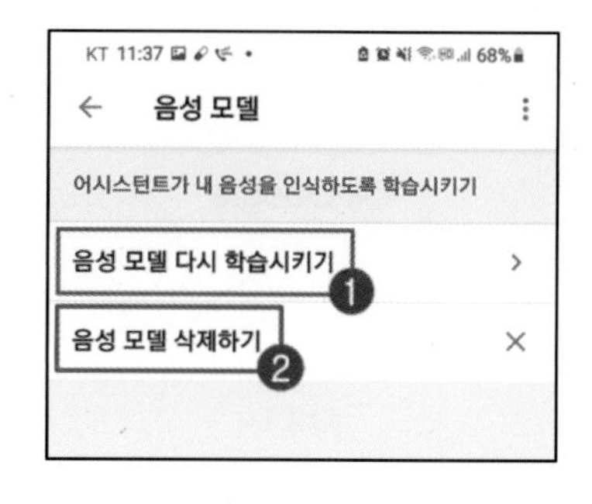

1 [Voice Match] 메뉴를 터치합니다.

2 **[음성 모델]** 메뉴를 터치합니다. 음성 모델을 학습시키는 이유는 남녀 음성톤은 구분을 하기에 자신의 목소리를 학습시키게 되면 좀 더 빠르게 잘 반응합니다.

3 ①**[음성 모델 다시 학습시키기]**를 터치하면 자신의 목소리로 설정할 수 있습니다.

②**[음성 모델 삭제하기]** 메뉴는 학습시킨 자신의 목소리를 삭제하는 기능도 되지만 자신의 목소리를 잘 인식하던 구글 어시스턴트가 잘 작동되지 않는 경우 **[음성 모델 삭제하기]**를 실행시킨 후 다시 학습시키면 자신의 목소리를 잘 인식하게 됩니다.

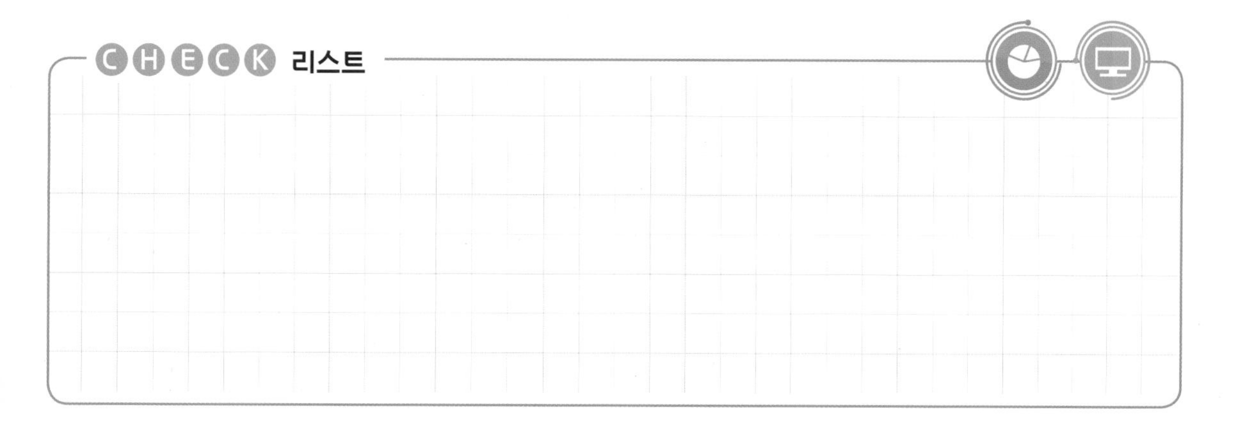

❷ 자신의 목소리로 [Ok Google] 2번, [Hey Google] 2번을 말하고 나면 인식이 됩니다.
인식을 시킬 때 일정한 톤으로 해주는 것이 좋습니다.
완료가 되면 [다음] 버튼을 터치합니다.
❸ ["Hey Google" 사용 준비됨] 화면이 보이면 우측 하단에 [마침] 버튼을 터치합니다.

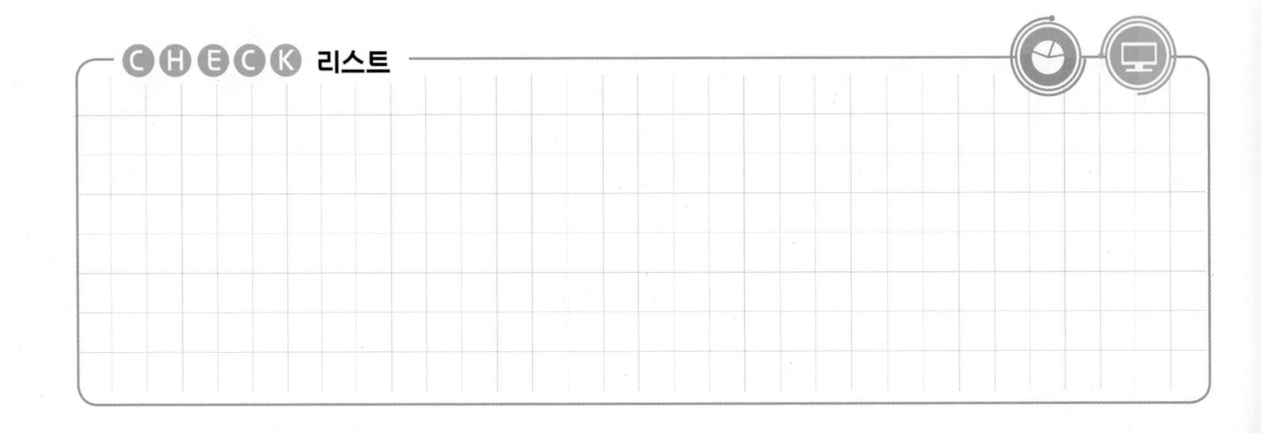

6 "오케이 구글" 명령어 사용하기

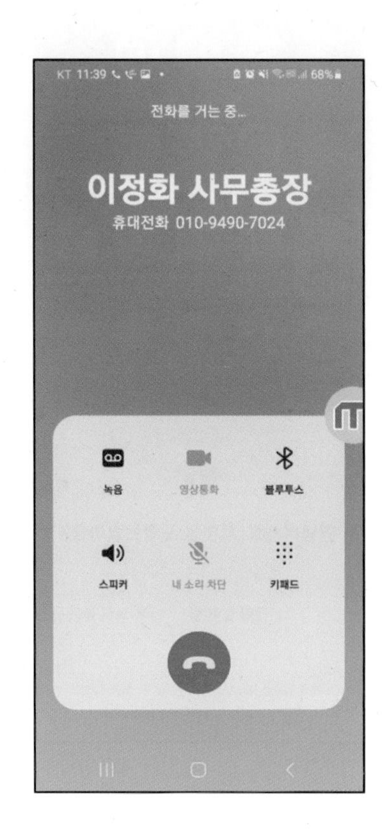

1 스마트폰 홈 화면 어디에서나

[Ok Google 또는 Hey Google]이라고 말하면 [**구글 어시스턴트**] 홈 화면이 보여지며

①컬러 막대가 좌우로 움직이는 것이 보여지고 원하는 [**명령어**]를 말하면 됩니다.

②손가락으로 우측에서 좌측으로 드래그하면 다양한 추천 명령어들을 볼 수 있습니다.

2 자신의 스마트폰에 저장된 번호 중 [**이정화한테 전화 걸어줘**]하면 구글 어시스턴트가 알아서 전화를 걸어줍니다.

3 전화를 걸고 있는 화면이 보입니다.

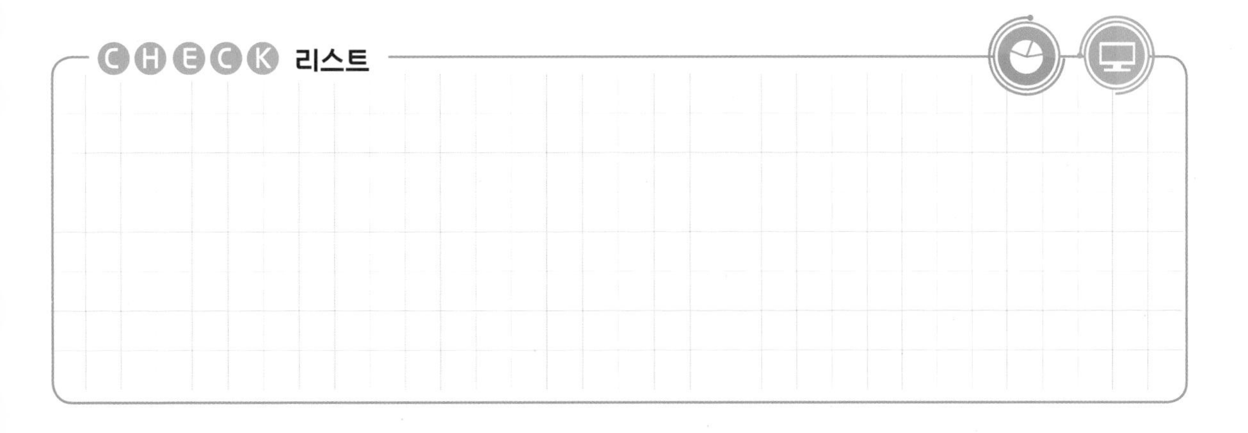

1 이번에는스마트폰 화면에 [Ok Google]이라고 말한 후 **[영어로 통역]**이라고 명령합니다.

2 **[통역모드]** 화면이 보이고 통역하고 싶은 말을 하면 영어로 자동 통역이 됩니다.

3 ①**[자동]**은 말 그대로 한국어 및 영어로 말하면 자동으로 인식하고 통역을 해주는 것입니다.

[수동]은 한국어 및 영어버튼을 번갈아 가면서 터치하면서 사용합니다.

[키보드] 기능은 자판을 이용해서 번역할 수 있습니다.

[통역] 기능을 자주 사용하는 분이라면 ②**[홈 화면 추가]** 아이콘을 터치합니다.

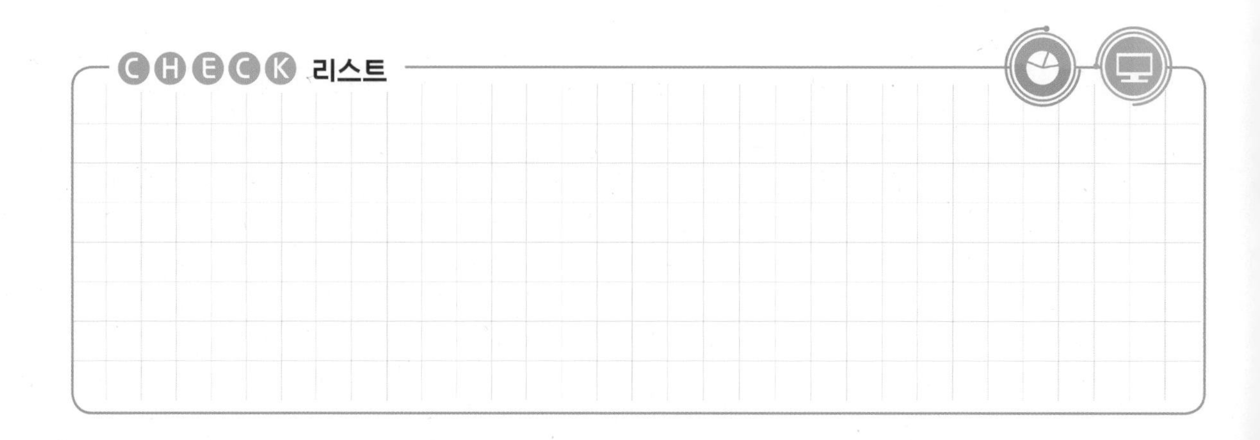

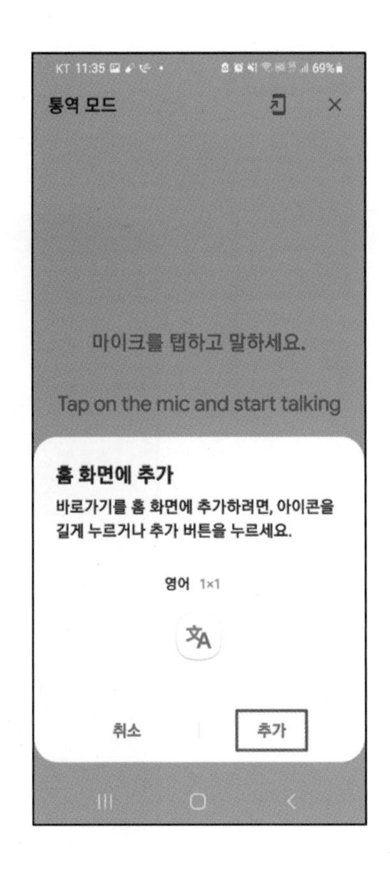

1 [**추가**] 글자를 터치하면 스마트폰 홈 화면에 [**영어로 통역**] 아이콘이 추가됩니다.

2 [**영어로 통역**] 아이콘이 홈 화면에 보여지고 [**일본어로 통역**]도 홈 화면에 추가 싶으면 같은 방법으로 진행하면 됩니다.

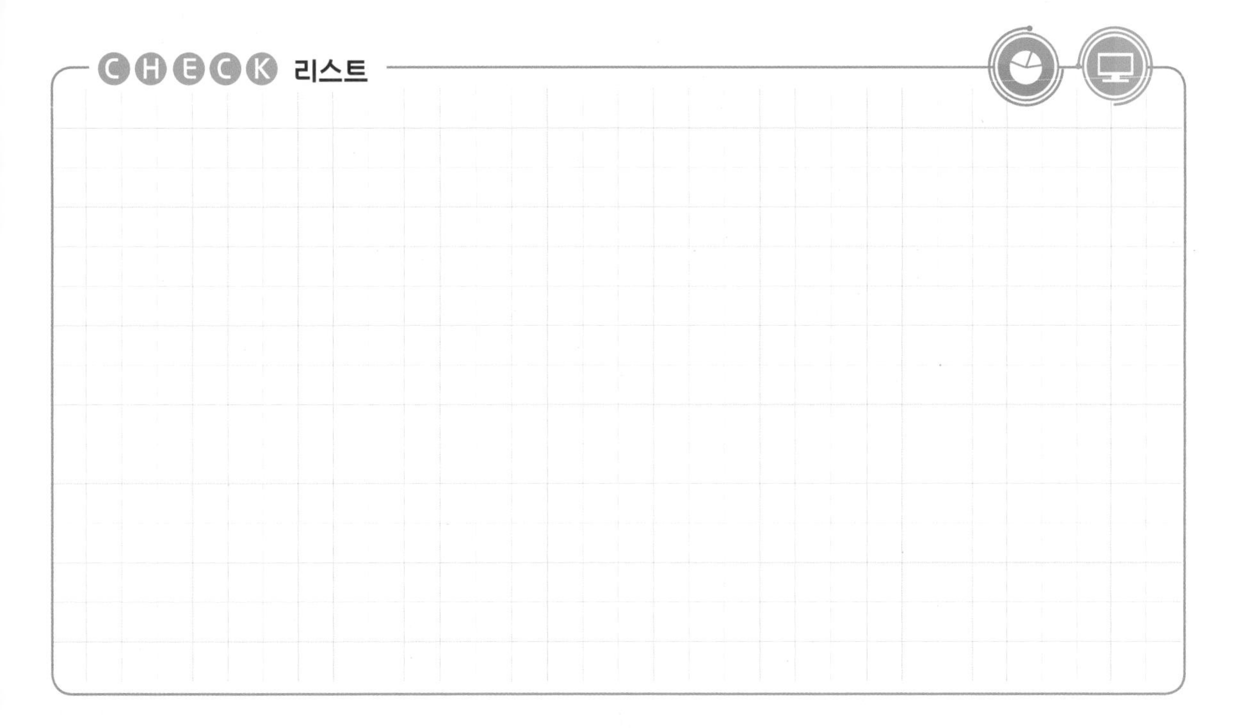

7강. 스마트폰 하나면 나도 사진 작가다!

1 기본 설정 정복하기(카메라 빠른 실행)

1 순간적인 장면을 촬영하고자 할 때 카메라의 빠른 실행을 설정하기 위해 카메라의 촬영화면에서 [**설정**]을 터치합니다. 2 [**빠른 실행**]을 설정합니다. 3 홈 버튼이 없는 폰은 [**전원 버튼**]을 구형 폰은 [**홈 버튼**]을 빠르게 두 번 눌러 카메라 앱을 실행합니다. 또한 촬영모드에서 [**홈 버튼**]을 빠르게 두 번 누르면 셀카로 바뀝니다.

2 동영상 촬영하면서 사진 촬영하기

1 동영상 촬영하기

1. 촬영모드에서 [**동영상**]을 선택합니다.

2. [**녹화**] 버튼을 터치하여 동영상을 촬영하기 시작합니다.

2 3. 동영상 촬영을 마치려면 ①[**중지**] 버튼을 터치한다.

동영상 촬영도중 사진촬영(캡처)하기

② [**카메라**] 버튼을 터치하여 중간 중간 동영상 촬영과 동시에 사진 촬영이 가능 합니다.

3 화이트밸런스 조절하기

WB (화이트밸런스) 설정 비교

1. ①[WB]를 터치 후 ②조정 영역을 드래그 하여 2300k에서 촬영한 사진입니다.

※ AUTO로 촬영한 사진입니다.

2. [WB] 조정 영역을 드래그하여 7500K에서 촬영한 사진입니다.

스마트폰에서도 화이트밸런스 조정 기능을 이용할 수 있다.

© mggbox, 출처 Unsplash

© monicaa, 출처 Unsplash

실내에서 음식 사진 및 제품 사진을 촬영할 때 음식 및 제품 본연의 색상을 표현하고자 할 때 화이트밸런스 기능을 사용하면 됩니다.

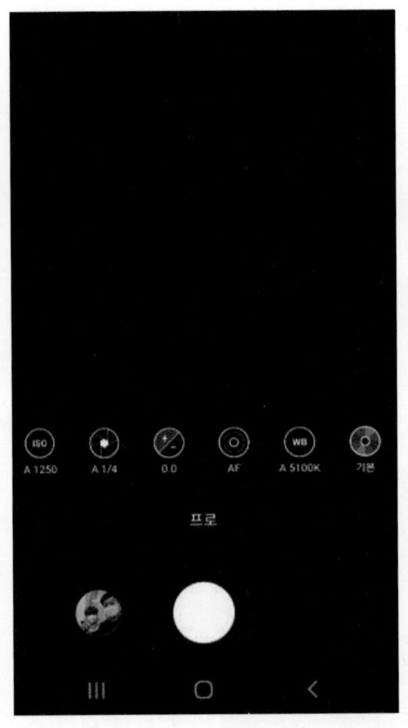

갤럭시 스마트폰의 경우 카메라 앱을 열면 **[더보기]** 메뉴가 보입니다. **[더보기]** 메뉴가 카메라 앱 원형 버튼 위로 나열되어 보여지는 스마트폰도 있습니다. 보통은 **[더보기]** 메뉴를 터치하면 상단에 다양한 카메라 촬영 메뉴들이 보여지는데 **[프로]**를 터치합니다. **[프로]** 메뉴 중 **[WB]**를 터치합니다. 왼쪽 **[자동]**과 **[수동]** 메뉴를 선택해서 제품 본연의 색을 맞춰서 촬영하면 됩니다.

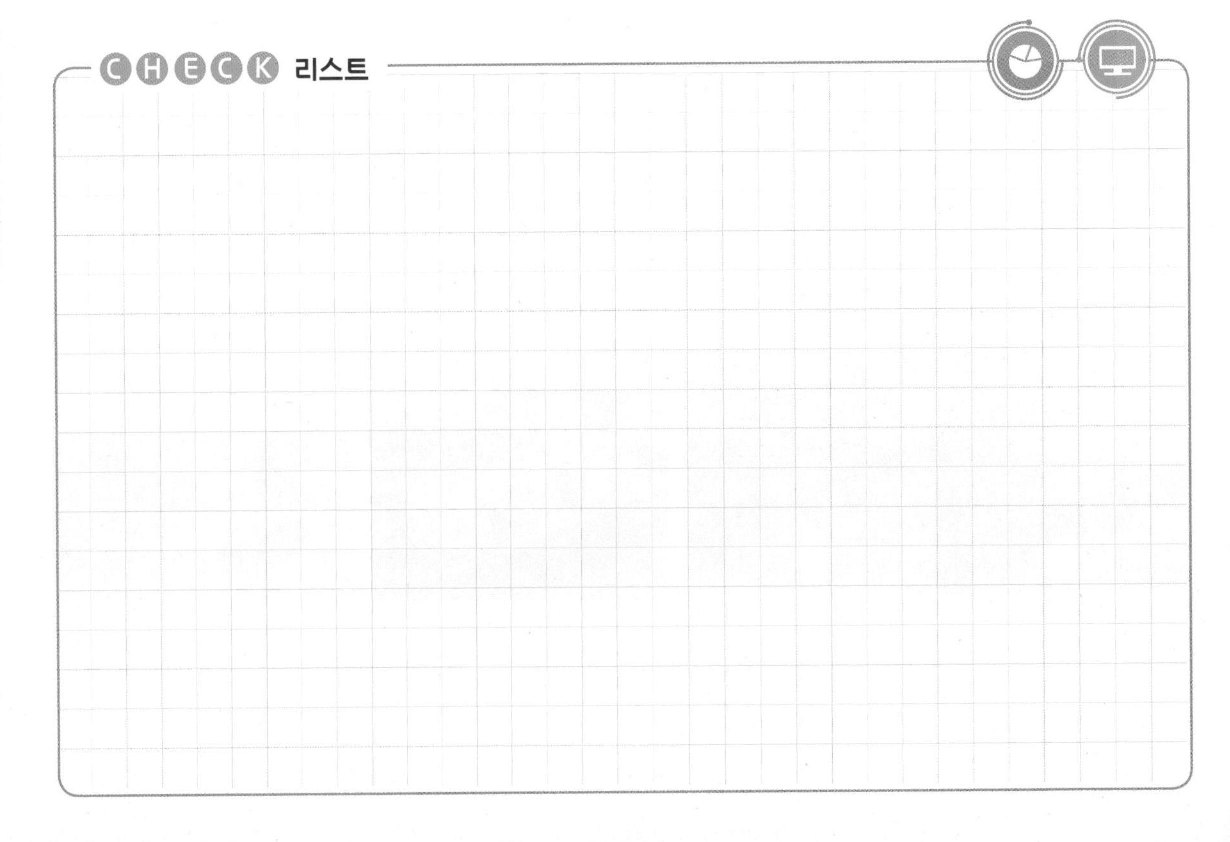

4 스마트폰 카메라로 사진 잘 찍는 법

좋은 사진을 얻기 위한 소소한 팁

DSLR과 같은 카메라에는 '반셔터' 기능이 있습니다. 촬영하고자 하는 피사체의 초점을 다시 한번 정확하게 잡아주는 기능입니다. 스마트폰도 비슷한 기능이 있습니다. 촬영 화면에 보이는 주요 피사체를 한번 더 터치해주면 반셔터 기능과 같은 효과를 얻을 수 있습니다. 스마트폰은 물리적으로 먼 곳의 피사체 촬영하기에는 부적합 합니다. 가능하면 디지털 줌 기능 대신 **원하는 피사체에 더 가까이 다가가서 촬영**하는 것이 좋은 결과물을 얻을수 있습니다.

빛을 최대한 이용하자

사진을 잘 못 찍는다면 **최대한 밝은 곳에서 촬영**하자. 최대한 많은 빛을 렌즈로 받아들이게 하면 **선명하고 깨끗한 사진**을 찍을 수 있기 때문입니다.

대체로 전면 카메라보다 화질이 좋은 후면 카메라를 사용하는 것도 한 가지 방법이 되겠습니다.

역광을 활용하자

사진은 빛의 예술이다. 여러 형태의 사진촬영 및 인물 사진 시 빛의 각도를 활용하여 역광으로 촬영하면 피부와 머리카락들이 부드러워 보이는 효과가 있습니다. **하루 중 사진촬영에 적합한 시간대는 해 뜬 후 2시간, 해지기전 2시간입니다.**

매직 아워 (magic hour)를 이용하자

일출 또는 일몰 후 수 십분 정도 체험할 수 있는 황혼 때 촬영을 하면 광원이 되는 태양이 사라지고 있기 때문에 그림자가 없는 상태여서, 색상이 부드럽고 따뜻하고 금색으로 빛나는 상태가 되는 시간을 의미합니다.

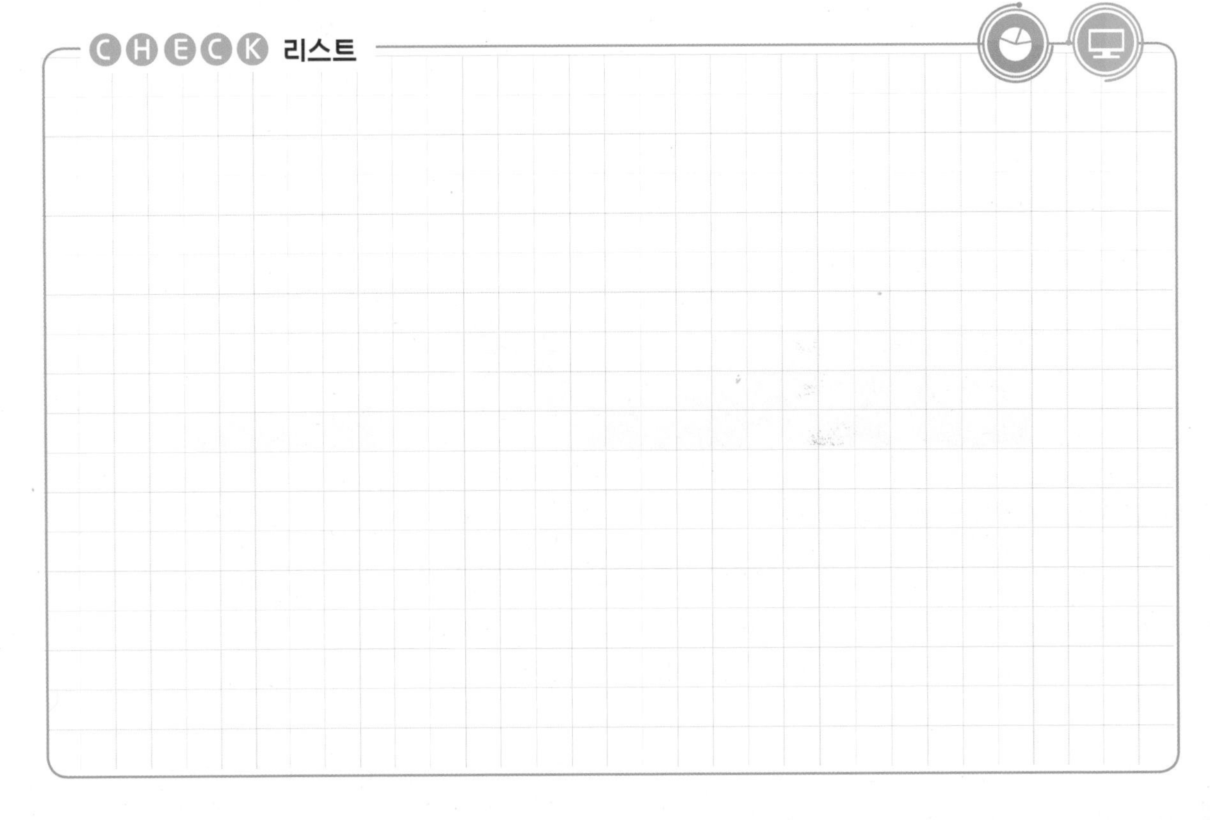

안내선을 활용해 구도 잡기

사진 잘 찍는 법 첫 번째는 **구도를 바르게 잡는 것** 입니다. 구도는 화면 속 구성 요소를 균형 있게 배치해 그림을 만드는 것을 뜻합니다.

가장 기본적으로 카메라 앱에 탑재된 **안내선을 활용하면** 수평과 수직 구도에 맞춰 사진을 촬영할 수 있습니다. 이 안내선을 이용하면 안정적인 구도를 잡을 수 있을 뿐만 아니라, 피사체가 카메라 앵글 안에 잘 포착될 수 있도록 할 수 있습니다.

초점 잘 잡기

기본적으로 안드로이드와 아이폰 모두 자신이 담고자 하는 **피사체를 터치**하면 **자동으로 초점이 잡히고 주변부 노출도 자동으로 맞춰집니다.**

이 기능은 인물의 얼굴이나 특정 사물을 촬영할 때 큰 도움이 됩니다. 아이폰의 경우 피사체를 길게 터치하고 있으면 초점이 고정되기 때문에 카메라를 살짝 움직여도 초점이 해당 피사체에 고정돼 편리하게 사진을 찍을 수 있습니다.

각도의 중요성

인물의 전신 사진을 촬영할 때 카메라를 **아래에서 위로 살짝 기울이면** 똑같은 포즈의 인물을 촬영하더라도 훨씬 더 **길어 보이는 효과**가 있습니다. 셀카를 촬영할 때도 마찬가지입니다. 반대로 스마트폰을 **위에서 아래로 내려다보게 찍으면 얼굴이 좀 더 갸름해 보이는 효과**가 있기도 합니다. 또 특히 사진이 흔들리거나 각도가 비뚤어지지 않도록 균형 잡힌 사진을 찍기 위해서는 스마트폰도 바로 잡아야 합니다. 그래야 추후에 보정을 하거나 사진을 확대할 때도 문제가 없습니다.

아웃 포커싱, 화이트밸런스 등 다양한 기능 활용하기

스마트폰마다 내장된 카메라 기능은 다르지만, 최근에 출시되고 있는 스마트폰은 기본적으로 아웃포커싱과 화이트 밸런스 기능을 제공하고 있습니다. **아웃 포커싱 효과**는 **초점을 맞춘 부분은 선명하고 나머지 부분은 흐릿하게 표현**하는 것입니다. 아웃포커싱으로 촬영한 사진은 초점을 잘 못 맞추더라도 포커스 수정 기능을 통해 피사체나 배경으로 초점의 위치를 선택해 수정할 수 있는 스마트폰도 있습니다. 또한, **빛의 색 온도를 맞춰 보정하는 것을 뜻하는 화이트 밸런스를 활용하면 더욱 뛰어난 색감의 사진을 촬영**할 수 있습니다.

야경 사진에는 장 노출을 이용하기

야경 사진을 잘 찍기 위해서는 **장노출 기술**이 필요합니다. 부득이 **어두운 곳에서 사진을 찍어야 한다면** 카메라의 조리개를 넓히거나 셔터 속도를 낮추는 등의 조작이 필요합니다. 화각이나 손 떨림 기능 유무에 따라서 다를 수 있겠지만 보통 1/100~1/30초의 셔터 속도가 되어야 손 떨림 없이 번지지 않는 야경 사진을 얻을 수 있습니다. 최근 출시되고 있는 플래그십 스마트폰에서는 DSLR 카메라와 같은 수동 조작 기능을 갖고 있어 스마트폰 삼각대를 이용해 촬영하면 어두운 밤에도 멋진 야경 사진을 촬영할 수 있습니다.

보조 액세서리 활용하기

최근에는 셀카 봉, 미니 삼각대, 셀카 렌즈를 비롯해 블루투스 리모콘까지 출시되어 혼자서도 남이 찍어준 듯한 사진을 연출할 수 있습니다. 특히 **노출이 긴 사진이나 흔들림 없는 영상 촬영을 위해서는 삼각대가 필수**입니다. 또한, 스마트폰 셀카 렌즈와 셀카 봉을 동시에 이용하면 광각렌즈 카메라로 찍은 듯한 사진을 연출할 수 있습니다. 뿐만 아니라 스마트폰에 장착된 렌즈를 교환할 수는 없지만, 카메라 렌즈 위에 덧붙이는 컨버전 렌즈를 활용하면 광각렌즈, 접사 렌즈, 어안렌즈 등을 활용해 더욱 개성 있는 사진을 촬영할 수 있습니다.

5 스마트폰 파지(그립)법

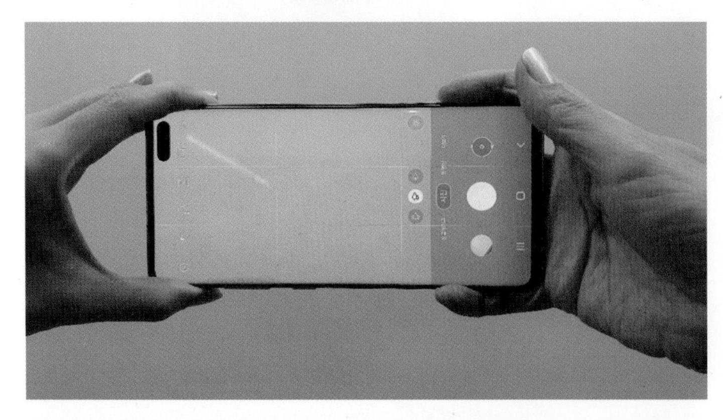

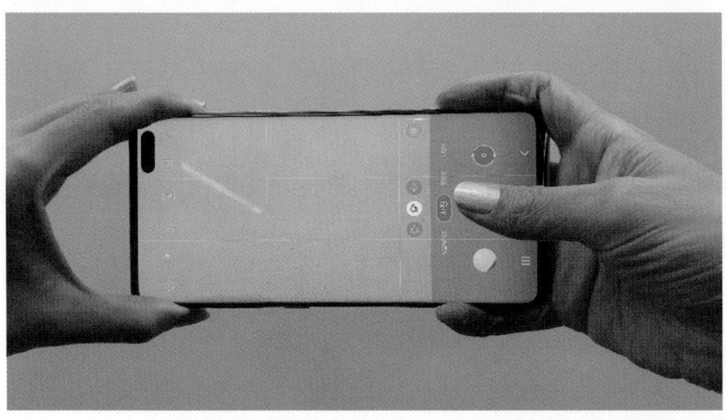

가로 양손 파지법

1. 왼손 엄지와 검지 손가락으로 스마트폰 오른쪽 위 아래를 감싸듯 잡고 오른손 검지와 약지손가락으로는 스마트폰 뒷면을 지지해 줍니다.

2. 팔꿈치를 갈비뼈에 밀착시켜 흔들리지 않도록 고정합니다.

3. 오른쪽 엄지손가락을 이용하여 셔터버튼을 눌러 촬영합니다.

※ 스마트폰 촬영은 가능한 한 가로 파지법을 우선으로 촬영 합니다.

한손 파지법

1. 가로 양손 파지법에서 왼손을 떼면 됩니다.
(셀카를 찍을때라든지 제품이나 음식을 왼손으로 들고 촬영하기에 좋습니다.)

2. 오른손 검지와 약지손가락으로는 스마트폰 뒷면을 지지해 줍니다.

3. 팔꿈치를 갈비뼈에 밀착시켜 흔들리지 않도록 고정합니다.

4.오른쪽 엄지손가락을 이용하여 셔터버튼을 눌러 촬영합니다.

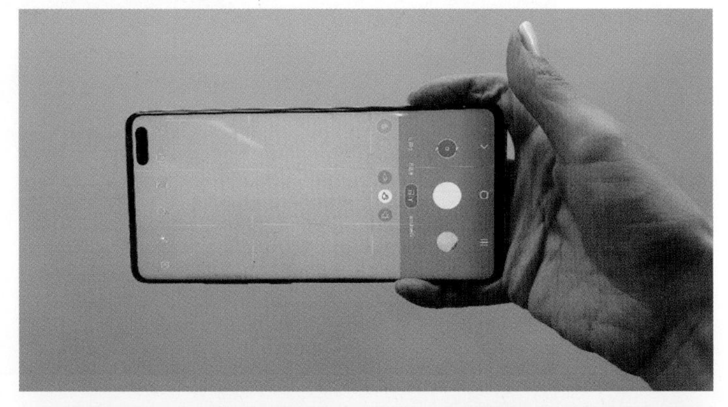

세로파지법

1. 왼손으로 스마트폰을 감싸듯 잡습니다.
2. 오른손으로 왼손을 감싸듯 잡아줍니다.
3. 팔꿈치를 갈비뼈에 밀착시켜 흔들리지 않도록 고정합니다.
3. 오른쪽 엄지손가락을 이용하여 셔터버튼을 눌러 촬영합니다.

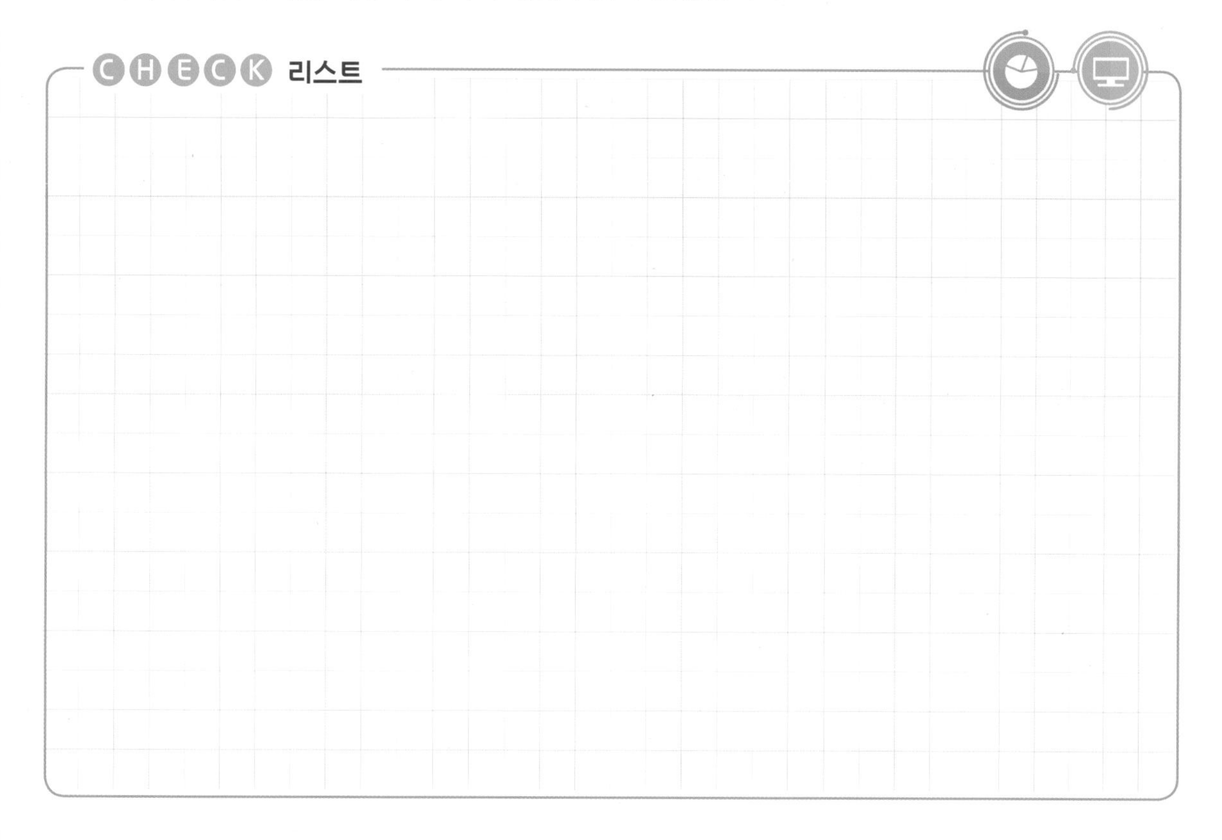

6 샷의 크기에 따른 분류

익스트림 롱 샷 (ELS. Extreme Long Shot)
모든 샷 중에서 가장 원경으로, 아주 멀리서 넓은 지역을 촬영하는 샷입니다.
많은 사람들의 전체적인 움직임이나 상황 등을 파악하는데 있어 매우 효과적입니다.

롱샷 (LS. Long Shot)
풀 샷보다는 멀고 익스트림 롱 샷보다는 가까운 사이즈의 샷으로 인물을 포함한 배경을 한꺼번에 표현하며 전체 상황을 설명합니다.

7 샷의 크기에 따른 분류

풀 샷/F.S(Full Shot 전경)
배경을 포함한 인물 전체를 보여주지만 피사체에 더 관심을 집중시키는 샷입니다.
인물의 동작, 전체적인 움직임을 표현합니다.

니 샷/K.S(Knee Shot)
인물의 무릎부터 머리까지 촬영하는 샷입니다.
풀 샷보다 조금 더 인물에 주목할 수 있습니다.

웨이스트 샷/W.S(Waist Shot)
인물 허리 위로 촬영하는 샷입니다.
상반신을 강조하는 샷으로 여러 명의 대화 장면 등 인물과 함께 주변의 정황을 드러냅니다.

바스트 샷/B.S(Bust Shot)
인물의 가슴 부분 위를 촬영하는 샷입니다.
인터뷰 등 특정 인물에 주목하는 경우 가장 많이 사용됩니다.

클로즈 샷/C.S(Close Shot)
피사체를 크게 촬영하는 샷으로 바스트 샷과 더불어 많이 사용되는 샷입니다.
어깨 선부터 머리까지 얼굴 전체를 한 화면으로 이루고 있어 화면내의 분위기나 인물의 표정을 잘 나타내 줍니다.

클로즈업 샷/C.U(Close Up Shot)
이마를 배제하고 턱까지 촬영하는 샷으로 바스트 샷과 더불어 많이 사용되는 샷입니다.
화면 내의 분위기나 인물의 표정을 잘 나타냅니다.

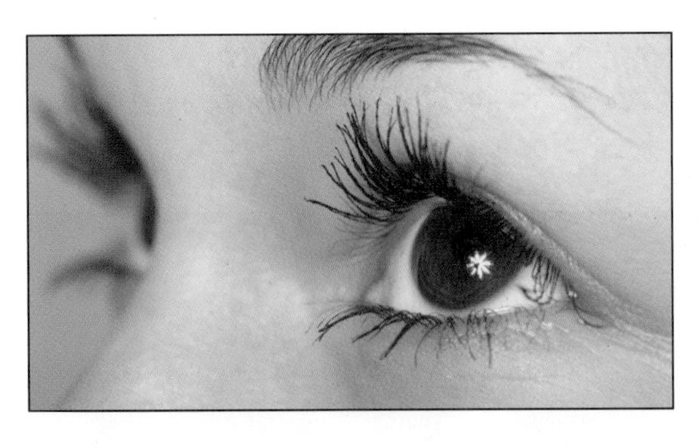

익스트림 클로즈업 샷/E.C.U(Extreme Close Up Shot)

피사체와 카메라 간의 거리를 극단적으로 접근한 샷입니다. 사람의 눈이나 코, 입, 귀 등 특정한 부분만을 보여줍니다.

오버 숄더 샷/O.S(Over Shoulder Shot)

한 사람의 어깨에 걸쳐 다른 한 사람을 촬영하는 샷입니다.

두 피사체의 연계성을 표현하고 싶을 때 많이 사용합니다.

8 신체 부위에 따른 분류

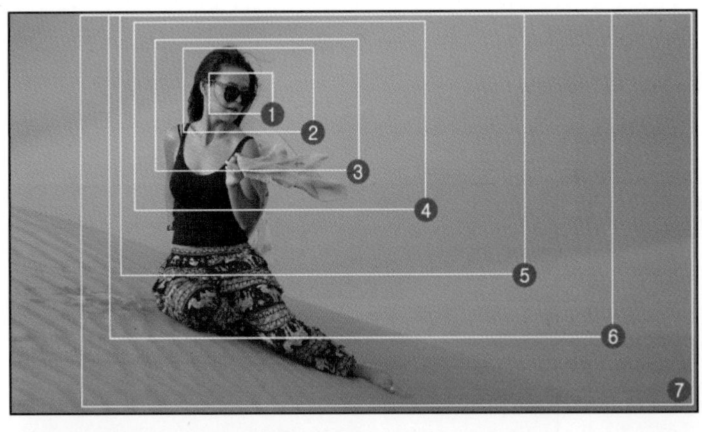

[1] ECU (Extreme Close Up) 인물의 눈, 코 부분을 화면에 가득 찰 정도로 촬영하는 샷입니다.

[2] CU (Close Up) 인물의 얼굴 전체가 화면에 가득 찰 정도로 촬영하는 샷입니다.

[3] BS (Bust Shot) 인물의 가슴 윗 부분부터 머리까지 촬영하는 샷, 웨스트 샷과 함께 가장 많이 사용하는 샷 중에 하나입니다.

[4] WS (Waist Shot) 허리 위부터 머리까지 보여줄 수 있는 샷입니다.
인터뷰나 뉴스 등에서 가장 보편적으로 쓰이는 샷입니다.

[5] MS (Medium Shot) 허벅지 중간부터 머리까지 보여줄 수 있는 샷입니다. 미디엄 샷까지는 화면에 보이는 주변정보보다는 인물에 포커스가 맞춰진 샷입니다.

[6] KS (Knee Shot) 인물의 무릎 위부터 머리까지 보여줄 수 있는 샷입니다.
풀샷 보다는 좀 더 확대된 샷으로 행동이나 동작을 보여줄 수 있습니다.

[7] FS (Full Shot) 인물의 전체적인 모습이 보이는 비율, 인물의 표정보다는 행동과 상태를 나타내는 샷입니다.

9 앵글

① 하이 앵글 (high angle)

내려다 본 각도로 대상을 위에서 아래로 향하여 묘사하는 각도로 '부감'이라고도 합니다.
미학적, 기술적, 심리적인 목적으로 사용합니다.

② 아이레벨 앵글 (eye level angle)

눈 높이 장면으로 대상을 눈 높이에서 바라 본 각도로 수평 앵글(normal angle) '눈높이 각도'라고도 하며, 만화에서 평범한 눈높이로서 대상을 사실 그대로 보여줄 때 주로 사용합니다.

③ 로우 앵글(low angle)

올려다 본 각도는 위를 향하게 하여 묘사하는 것으로 '앙각'이라고도 합니다. 만화에서는 속도감과 운동감을 높이며 같은 동작이라도 더 빠르고 위력적으로 느껴지게 합니다.

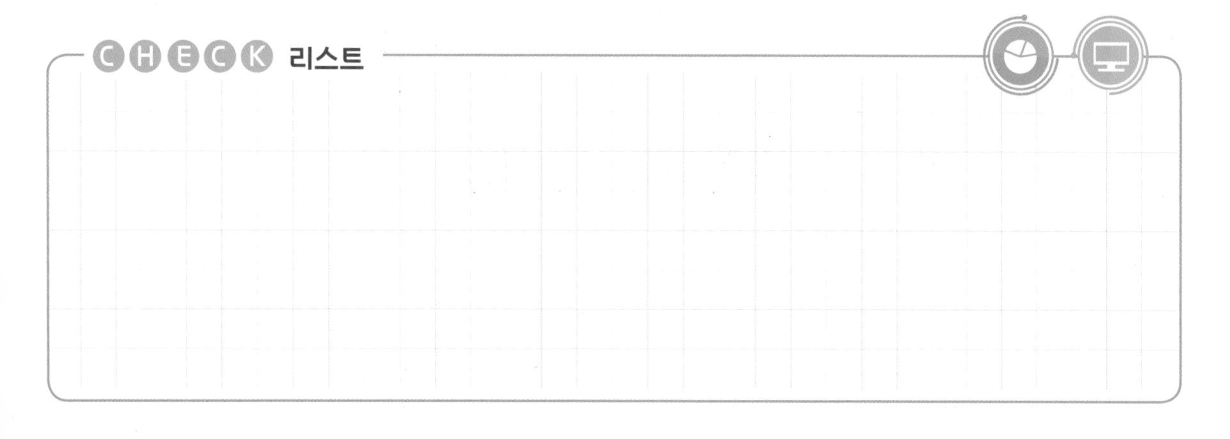

1 음식사진 촬영하기

세로로 구도로 찍자

식탁 위가 지저분하다면 세로구도로 찍습니다. 한결 깔끔한 사진을 얻을 수 있습니다. 음식을 가로 사진으로 찍으면 가운데 음식 외에 주변의 불필요한 것들이 모두 프레임에 담깁니다. 사진이 깔끔하지 않고 너저분해 보이는 이유 입니다. 반면에 세로 사진은 배경이 적습니다. 화면 가운데로 시선이 집중돼 촬영하고 싶은 부분만 보여줄 수 있습니다.

주연과 조연

메인 요리를 돋보이게 할 조연이 필요합니다. 메인 요리 주변으로 메인 요리와 어울리는 나이프나 포크, 물잔이나 음료수 또는 와인들을 주변에 함께 두는 것만으로도 식탁의 분위기가 달라 집니다. 색깔이나 무늬를 맞추거나 대조가 되도록 설정한다면 더욱 세련된 사진이 됩니다.

대각선 구도

화면 구성에서 원근감을 극대화 할 수 있는 구도로 사선구도라 하기도 합니다. 옆으로 나란히 앞뒤 일렬배치보다도 대각선으로 배치하면 세련된 사진을 얻을 수 있습니다. 사선 효과를 더 극대화하기 위해선 주변요소를 수평 또는 수직에 맞추는 것이 좋습니다.

2 풍경사진 촬영하기

선을 어디에 배치 할 것인가?

풍경사진에 자주 선이 등장합니다. 수평선과 지평선입니다. 선을 어디에 배치 하느냐에 따라 사진의 분위기가 완전히 달라집니다.

지평선이나 수평선 촬영시 프레임 안내선을 활용합니다. 하늘을 강조하고 싶다면 하늘을 2, 바다나 지면을 1의 비중으로 배치하고 반면에 바다(지면)을 강조하고 싶다면 바다(지면)를 2, 하늘을 1의 비중으로 배치합니다.

푸르른 하늘을 촬영하려면 ?

하늘을 파랗게 촬영하고 싶다면 해를 등지고 촬영 했을 때 가장 파랗게 촬영 됩니다.

3 카메라 어플 - PICNIC

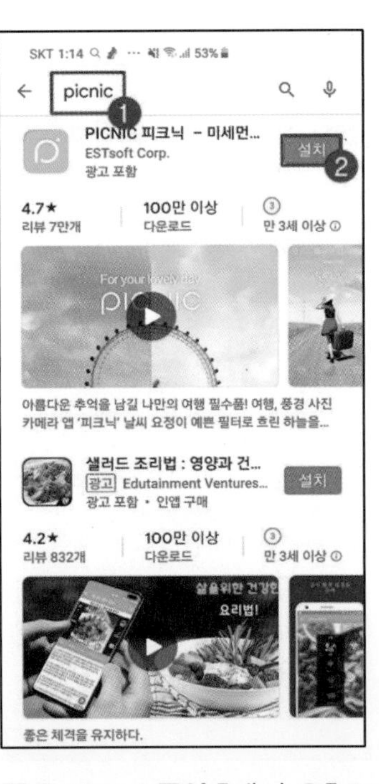

1 [Play스토어]에서 ①[PICNIC]을 검색합니다.

②**[설치]**를 터치하여 설치 완료 후 **[열기]**를 터치하여 실행합니다.

2 PICNIC 첫 화면입니다.

[갤러리]를 터치하여 시작합니다.

3 사용자 갤러리 사진이 보여집니다. 효과를 주고 싶은 사진을 터치합니다.

1 ①사진 효과 메뉴 중에 어울리는 효과를 적용합니다.

②효과의 농도와 카메라의 노출 값을 조절 할 수 있습니다.

③완성된 사진을 저장합니다. ④사진을 공유 할 수 있습니다.

2 [**카메라**]를 터치합니다.

3 PICNIC에서 사진을 촬영하고 동영상을 녹화하도록 [**허용**]을 터치합니다.

1 ①전면과 후면 카메라 설정 할 수 있습니다

②사진의 크기를 조절 할 수 있습니다.

③야간모드, 타이머설정, 수직 수평안내선, 카메라 셔터음을 설정 할 수 있습니다.

④사진 효과 메뉴에서 원하는 효과를 적용합니다.

⑤버튼을 터치하여 촬영합니다.

촬영한 사진은 사용자 갤러리에서 확인 하실 수 있습니다.

8강. 스마트폰 하나면 나도 UCC 전문가다!

스마트폰 하나면 나도 UCC전문가다 - 스텔라 브라우저

[스텔라브라우저] 앱(App)소개

- 스텔라 브라우저는 빠르고 강력한 사용성을 갖춘 다운로드 전용 웹브라우저 입니다.
- 다른 추가 설치 없이 스텔라 브라우저 단 하나로 유튜브, 페이스북, 데일리모션, 인스타그램, 텀블러, 네이버, 다음 등 의 동영상을 쾌적하게 다운로드 할 수 있습니다.
- 스텔라 브라우저는 초고속 다운로드로 시간과 데이터 요금을 아껴드립니다!
- 스텔라브라우저는 어떠한 악성코드와 바이러스로부터 안전하며 민감한 사용자 권한과 정보를 요구하지 않습니다

[원스토어앱이 스마트폰에 없는 경우]

- 원스토어는 스마트폰에 기본으로 설치된 경우도 있지만 없는 경우도 있습니다.
- 원스토어가 없는 경우는 네이버에서 검색 후 설치 가능합니다.

1 홈화면에서 [**원스토어**]를 터치합니다. 2 원스토어 검색창에서 [**스텔라브라우저**]를 검색합니다.
3 [**스텔라브라우저**]를 터치합니다.

1 스텔라브라우저 화면하단에 [**다운로드**]를 터치합니다.

2 스텔라 브라우저에서 사진, 미디어, 파일에 액세스하도록 [**허용**]을 터치 합니다.

3 빠르고 원활한 다운로드 위해 [**확인**]을 터치합니다.

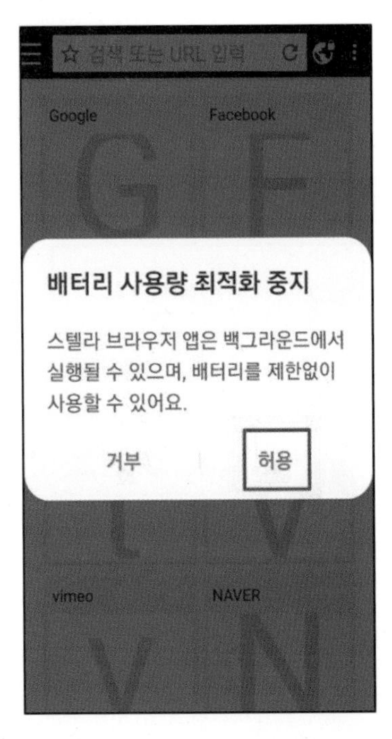

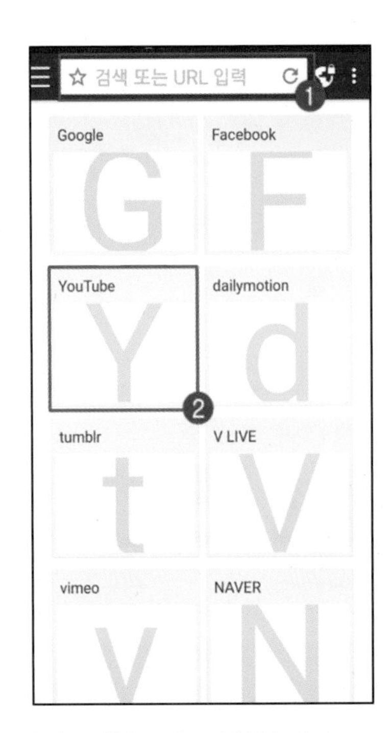

1 배터리 사용량 최적화 중지를 위해 **[허용]**을 터치합니다.

2 검색창에 ①**[검색 또는 URL입력]** 또는 ②**[유튜브 아이콘]** 을 터치합니다 .

3 **[유튜브]** 검색창에서 **[좋아하는 가수나 노래제목]**을 검색하여 터치합니다.

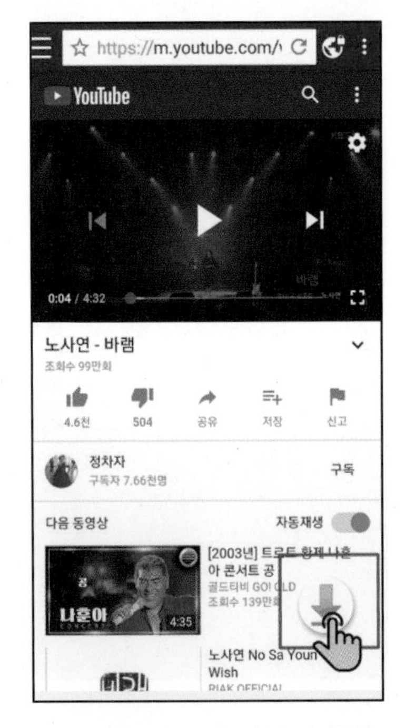

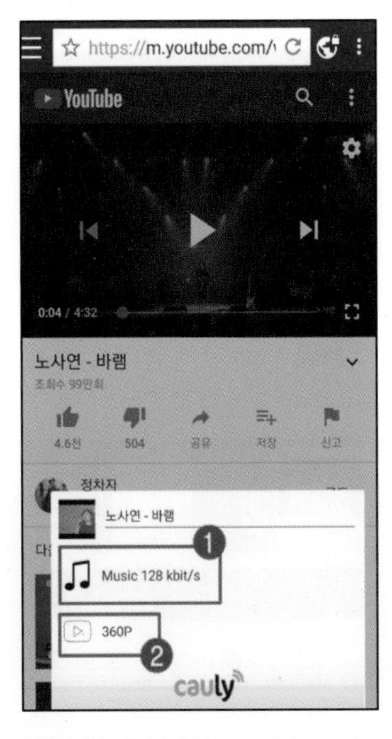

1 유튜브 창의 **[노사연-바램]**을 터치합니다. 2 검색된 동영상이나 음악을 다운로드 하려면 하단아래 화살표 모양의 **[다운로드 아이콘]**을 터치합니다. 3 화면하단 팝업창에 mp3 음원만 다운로드 하려면 [①]을 터치합니다. 동영상을 다운로드 하려면 [②]터치합니다.

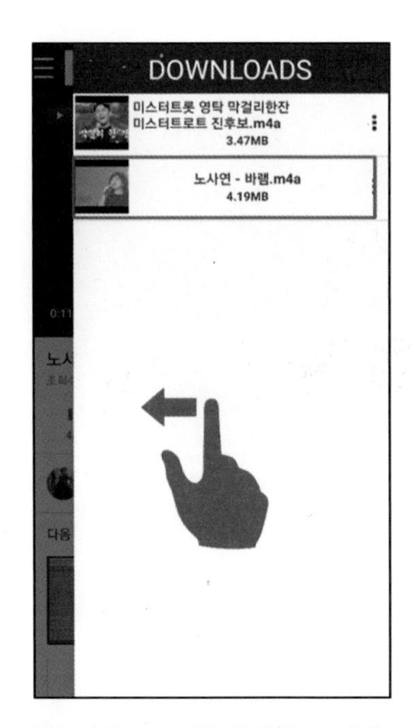

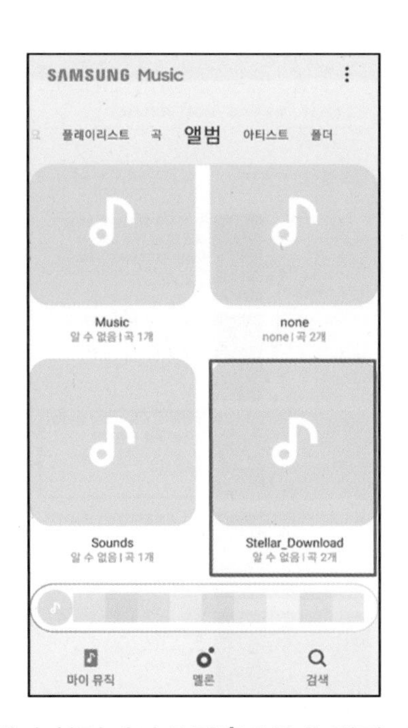

1 다운로드 된 음원(mp3)은 스텔라 화면에서 [**좌측으로**] 밀면 다운로드된 리스트가 보여집니다.

2 다운로드 된 음원(mp3)는 [**삼성뮤직 또는 Play뮤직**]에 저장됩니다.

3 다운로드 된 동영상은 갤러리 앨범 [**스텔라 다운로드**]에 저장됩니다.

스마트폰 하나면 나도 UCC전문가다 – 무료 배경 음악

1 [**유튜브**] 검색창이 보입니다.

2 [**유튜브**] 검색창에 [**무료배경음악**]을 입력합니다.

3 우측 상단에 있는①[**필터 아이콘**]을 클릭합니다. ②[**전체**]를 클릭합니다.

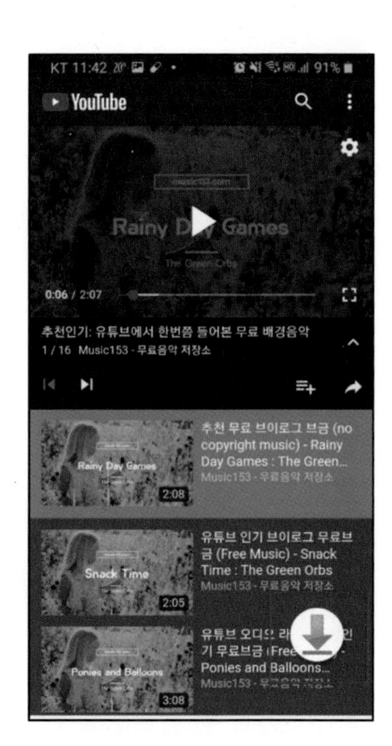

1 화면에서 **[재생목록]**을 클릭합니다.

2 다운로드 받을 **[무료배경음악]**을 선택하여 클릭합니다.

3 화면하단에 있는 **[다운로드 아이콘]**을 클릭합니다.

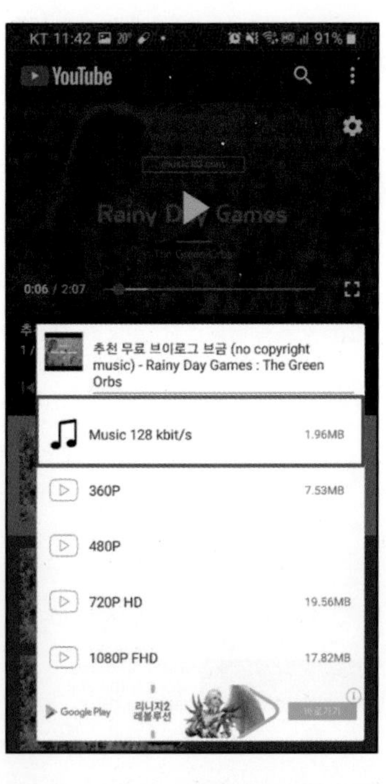

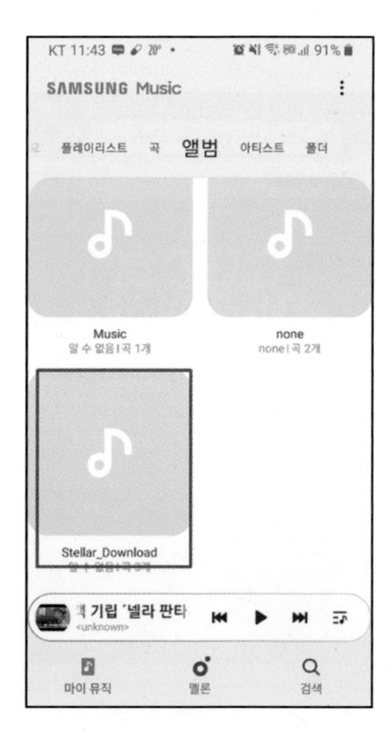

1 화면 가운데에 음원(mp3)만 다운로드 받으려면 **[Music]**을 클릭합니다. 2 다운로드 된 음원(mp3)은 다운로드 화면에서 **[좌측으로]** 밀면 다운로드 된 리스트가 보여 집니다.

3 다운로드 된 음원(mp3)는 **[삼성뮤직]**에 저장됩니다.

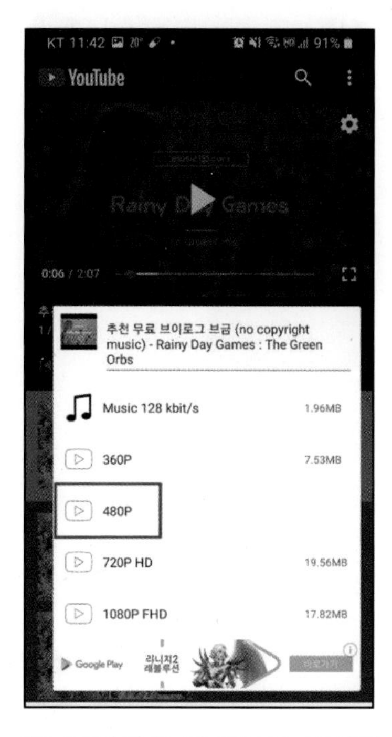

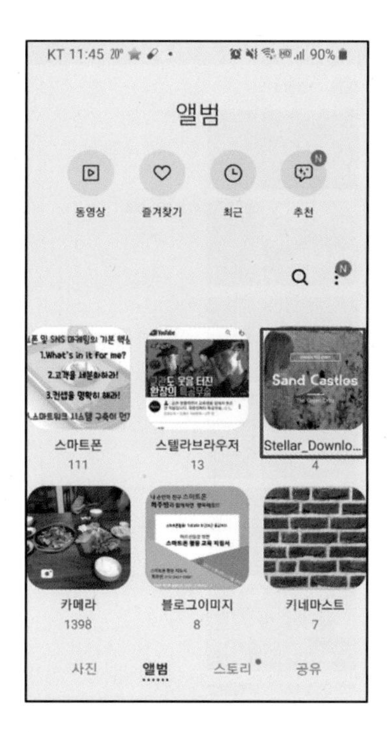

1 동영상을 다운로드 하려면 [**동영상 아이콘**]을 클릭합니다.

2 다운로드 받은 동영상은 [**갤러리**]에 저장됩니다.

3 갤러리에서 [**스텔라 다운로드**]폴더를 클릭합니다.

스마트폰 하나면 나도 UCC전문가다 - 영상소스

1 [**유튜브**]검색창이 보입니다. 2 [**유튜브**] 검색창에 [**영상소스**]을 입력합니다.

3 우측 상단에 있는 ①[**필터 아이콘**]을 클릭합니다. ②[**전체**]를 클릭합니다.

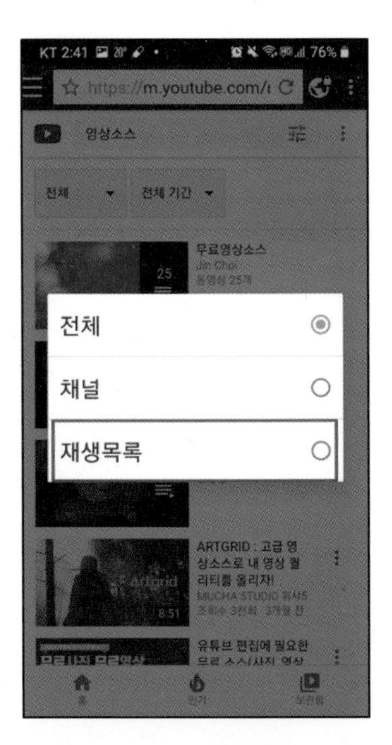

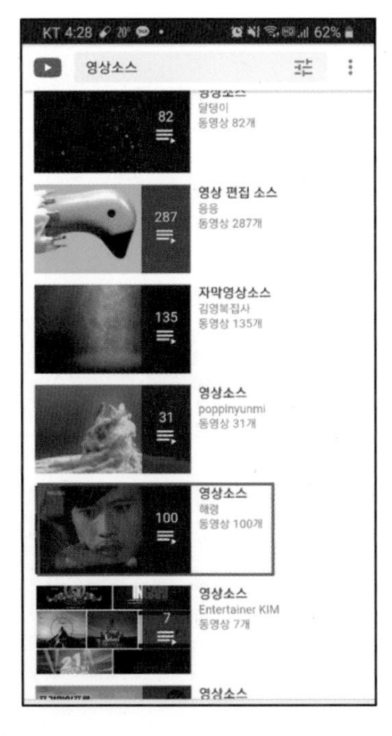

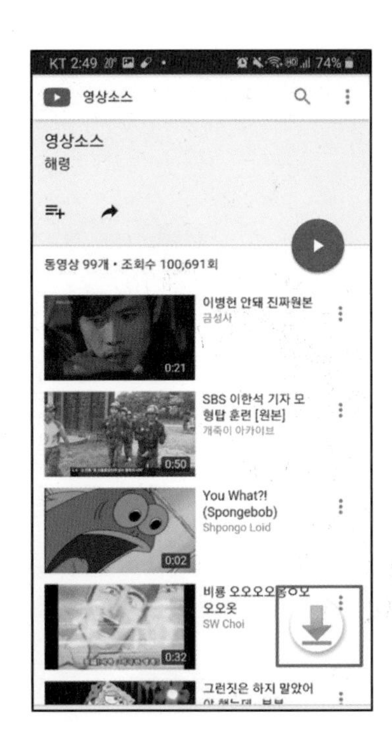

1 화면에서 [**재생목록**]을 클릭합니다. .

2 다운로드 받을 [**영상소스**]을 선택하여 클릭합니다

3 화면하단에 있는 [**다운로드 아이콘**]을 클릭합니다.

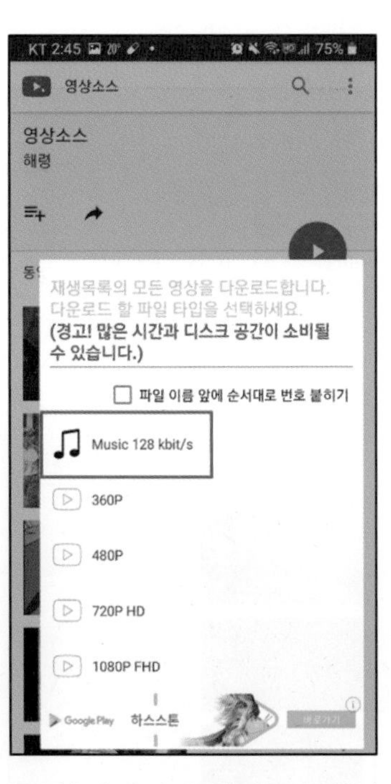

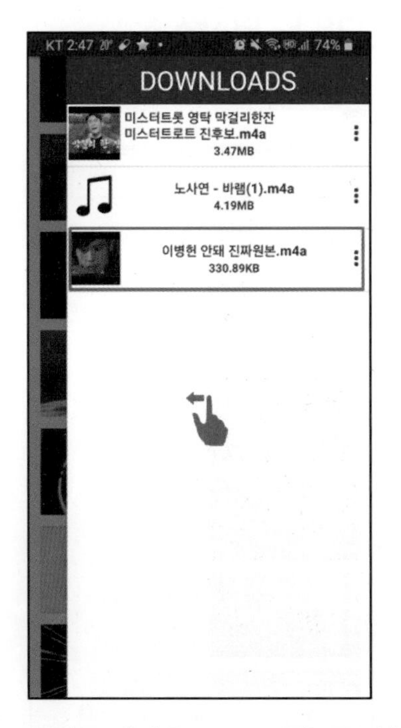

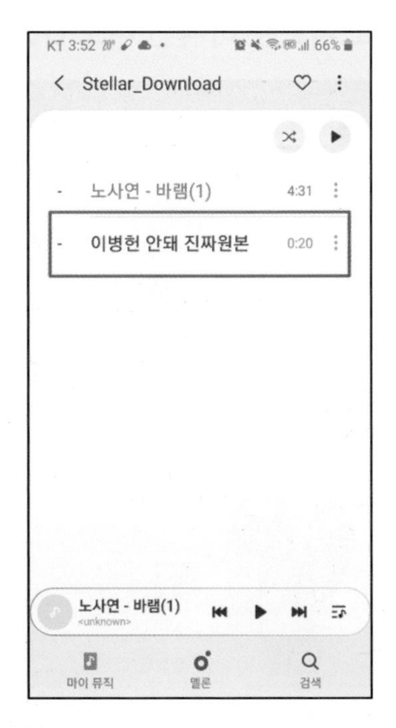

1 화면에서 음원(mp3)만 다운로드 받으려면 [**Music**]을 클릭합니다.

2 다운로드 된 음원(mp3)은 다운로드 화면에서 [**좌측으로**] 밀면 다운로드 된 리스트가 보여집니다. 3 다운로드 된 음원(mp3)는 [**삼성뮤직**]에 저장됩니다.

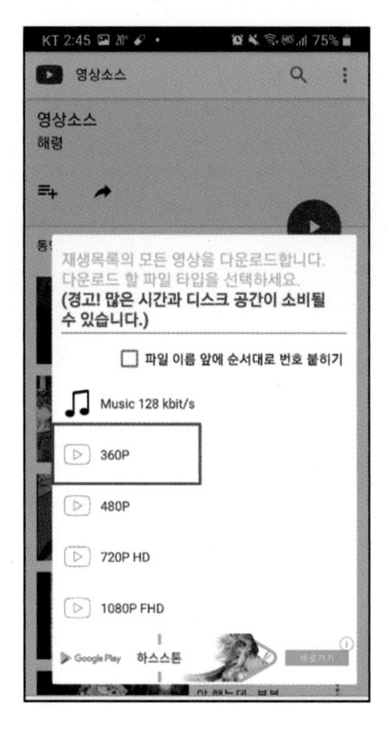

1 영상을 다운로드 하려면 **[동영상 아이콘]**을 클릭합니다.

2 다운로드 받은 영상은 **[갤러리]**에 저장됩니다.

3 갤러리에서 **[스텔라 다운로드]**를 클릭합니다.

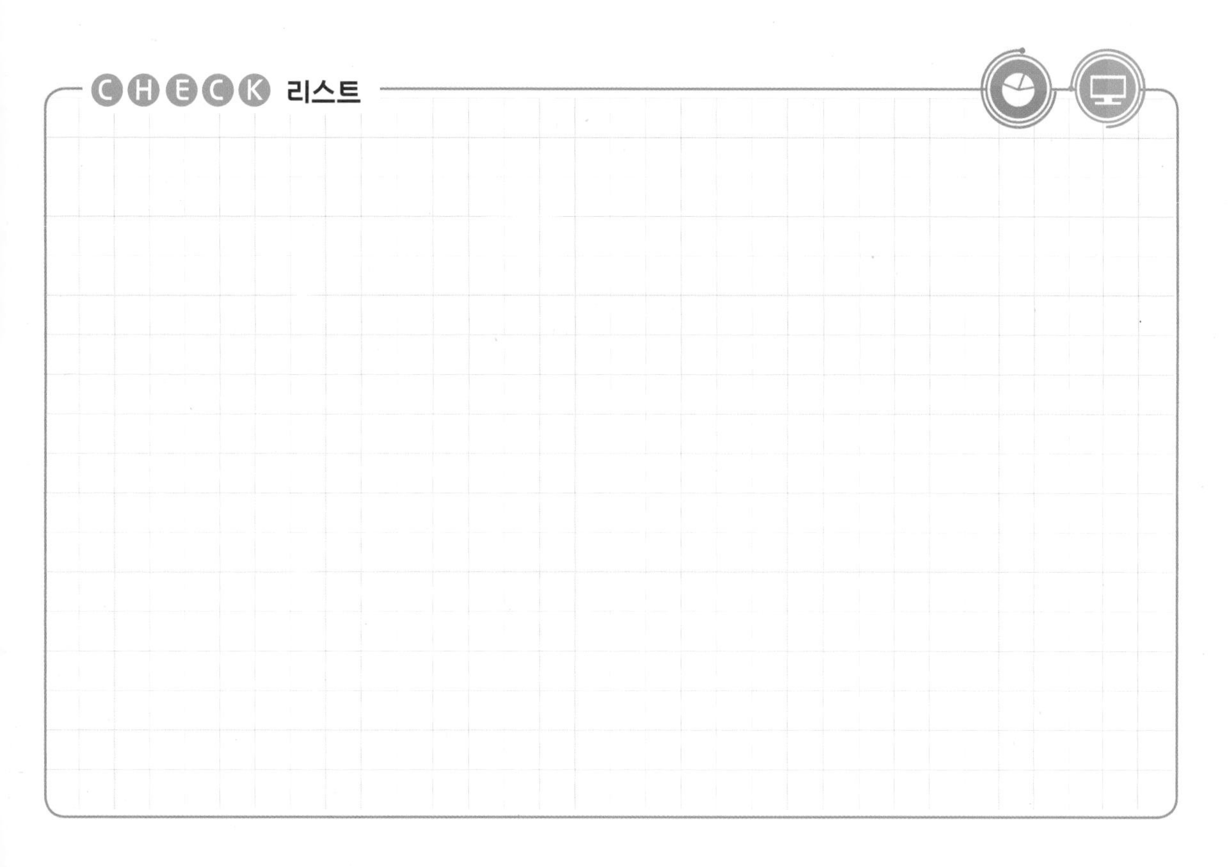

스마트폰 하나면 나도 UCC전문가다 – 4K Video Downloader

[4k Video Downloader] 앱(App)은 PC에서 내가 원하는 음악, 동영상을 무료로 다운로드를 받을 수 있습니다.

[4k Video Downloader] 앱(App)의 장점 및 활용

- YouTube, TikTok, Facebook, Vimeo 및 기타 비디오 사이트에서 고품질의 비디오를 다운로드를 받을 수 있습니다.
- YouTube 구독 다운로드를 받을 수 있습니다.
- 3D 비디오 다운로드를 받을 수 있습니다.
- 한 번의 클릭으로 자막 다운로드를 받을 수 있습니다.
- 전체 재생 목록 및 채널 다운로드를 받을 수 있습니다.

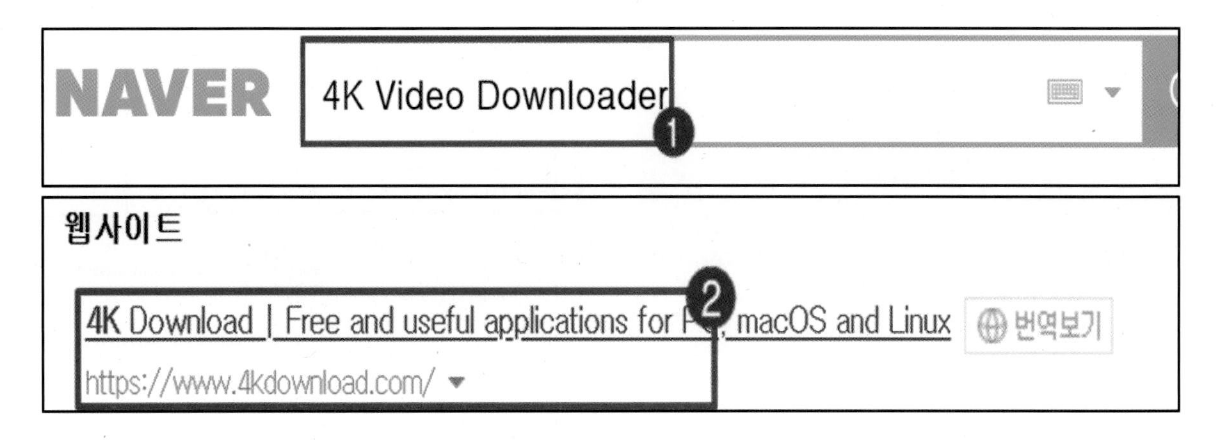

1 ①[**네이버**] 검색창에 [**4K Video Downloader**]을 입력합니다.
②[**www.4Kdownload.com**]을 클릭합니다.

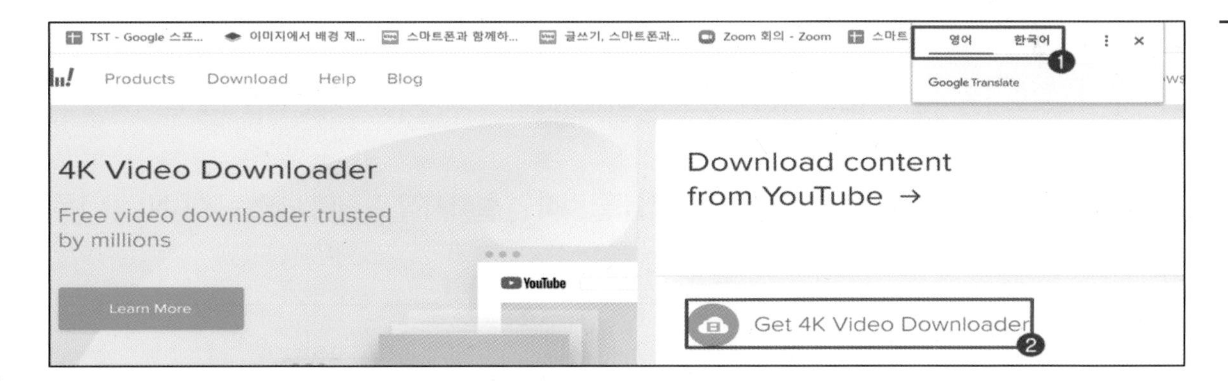

1 ①오른쪽 상단 [**영어, 한국어**]가 보이는데 한국어로 변경하고 싶다면 [**한국어**]를 클릭합니다.
②[**Get 4K Video Downloader**]를 클릭합니다.

CHECK 리스트

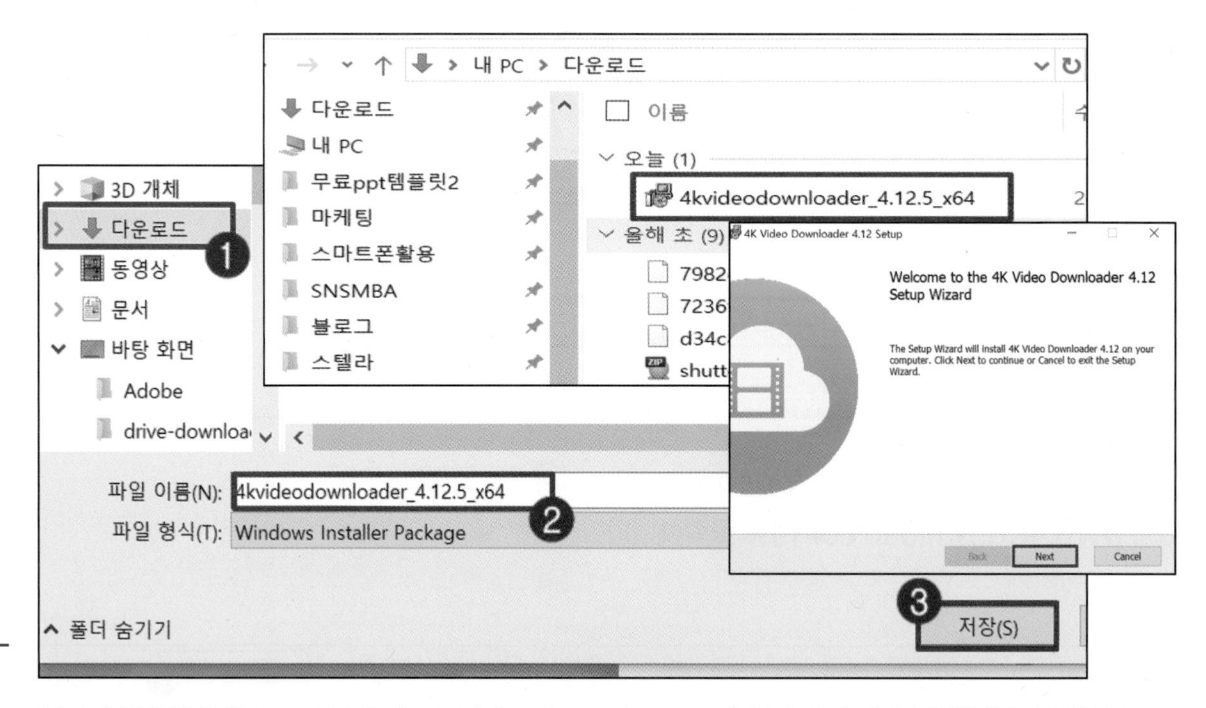

1 ①[**다운로드**]폴더 안에 ② [**4KVideoDownloader**] 실행파일이 ③[**저장**]을 클릭하면 저장됩니다.

2 [**다운로드**]폴더안에 저장된 실행파일을 더블 클릭하면 설치시작 화면이 나오는데 [**Next**]를 클릭합니다.

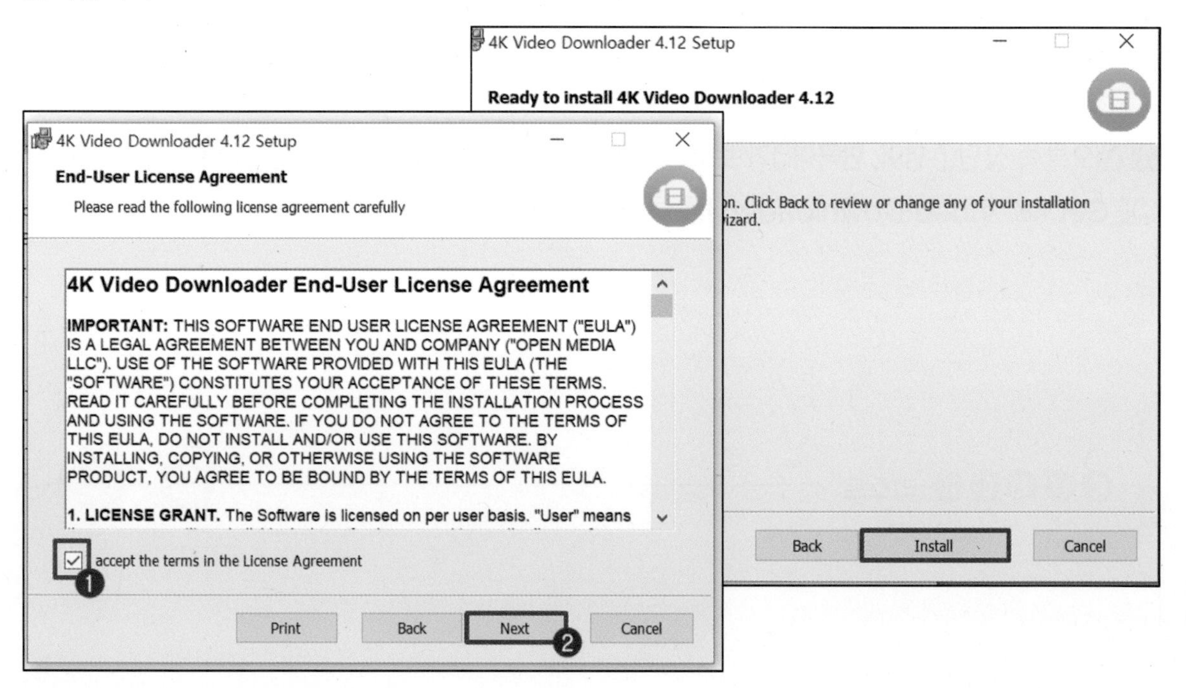

1 ①라이센스 계약에 동의한다는 체크박스를 클릭합니다. ②[**Next**]를 클릭합니다.

2 [**Install**]를 클릭합니다.

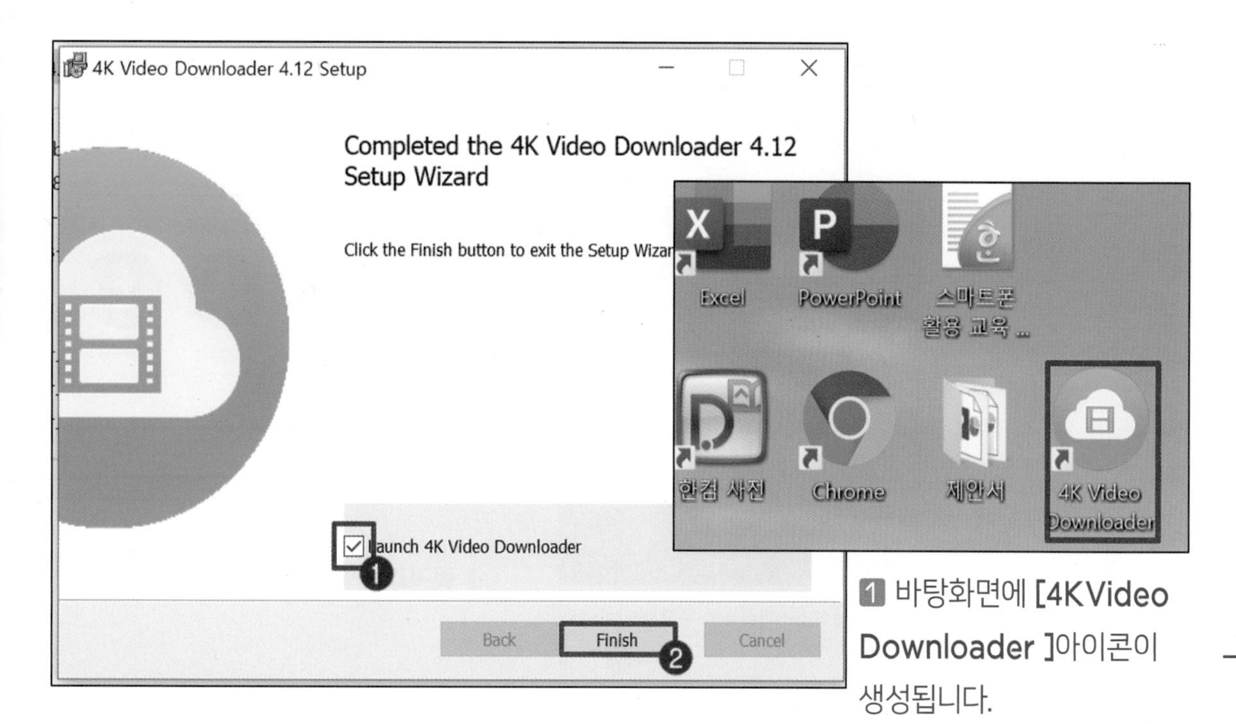

1 바탕화면에 [4KVideo Downloader]아이콘이 생성됩니다.

2 ①[**체크박스**]를 클릭하면 설치 완료 후 바탕화면에 프로그램이 바로 실행됩니다.
②[Finish] 버튼을 클릭합니다.

1 유튜브에서 다운로드 받고자 하는 영상을 검색합니다. 여기서는 ①[**스마트폰활용지도사**]검색한 후 [**스마트폰 하나면 나도 동시통역사다**]를 클릭합니다. 4KVideoDownloader의 실행창에서 ①[**링크복사**]는 유튜브 주소를 복사한 후 클릭하면 해당 영상을 다운로드 받을 수 있습니다. ②원형아이콘을 클릭하면 다양한 기능들에 대해서 설명하고 있습니다.

[**링크주소 복사**]를 클릭합니다.

1 ①[**인터넷 주소**]를 복사해도 되고 ②[**공유**]를 클릭하면 오른쪽 이미지에 보이는 주소를 복사해도 됩니다.

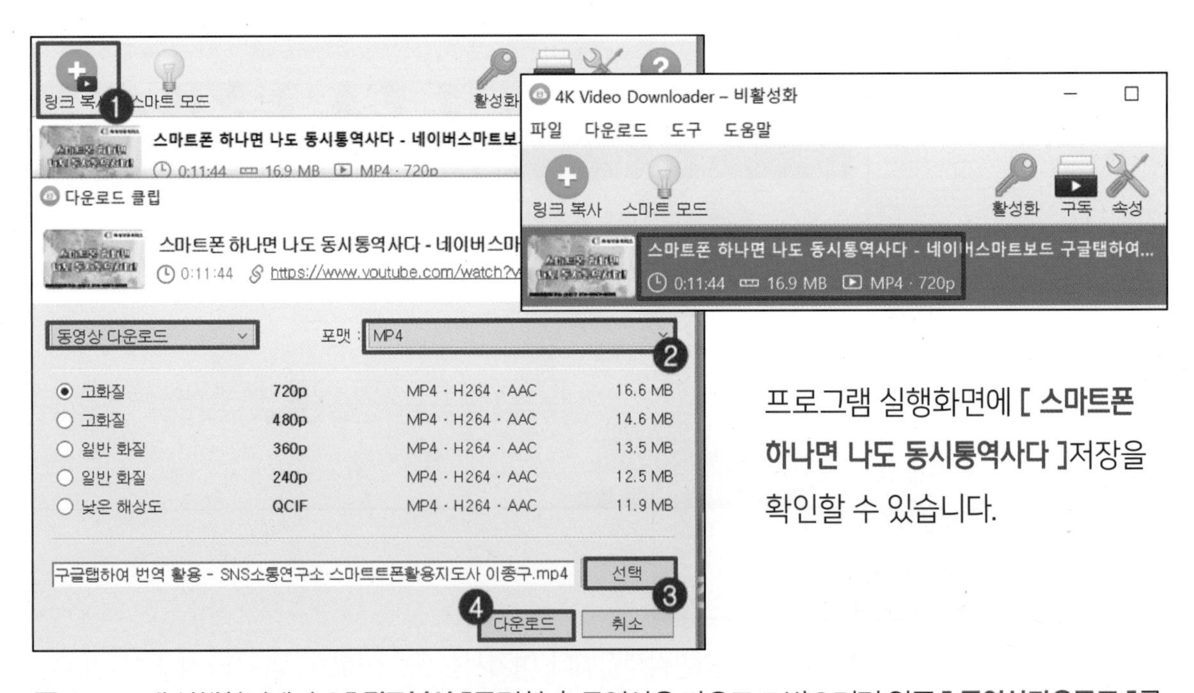

프로그램 실행화면에 [**스마트폰 하나면 나도 동시통역사다**]저장을 확인할 수 있습니다.

1 프로그램 실행화면에서 ①[**링크복사**]클릭한 후 동영상을 다운로드 받으려면 왼쪽 [**동영상다운로드**]를 클릭합니다. 여기서 동영상을 다운받으려고 하니 ②[**MP4**]를 클릭합니다. ③다운로드 받을 폴더를 선택할 수 있습니다. ④[**다운로드**]를 클릭하면 동영상이 저장됩니다.

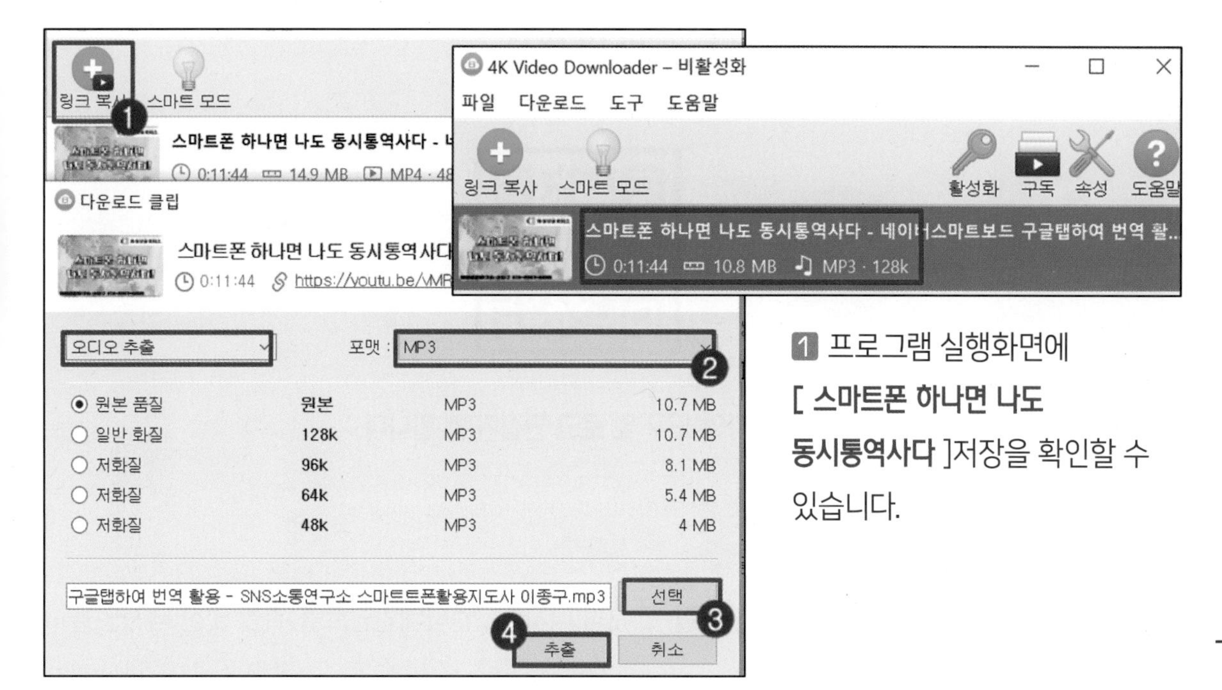

1 프로그램 실행화면에 **[스마트폰 하나면 나도 동시통역사다]**저장을 확인할 수 있습니다.

2 프로그램 실행화면의 ①**[링크복사]**클릭한 후 소리만 다운로드 받으려면 왼쪽 **[오디오 추출]**를 클릭합니다. 여기서 소리만 다운받으려고 하니 ②**[MP3]**를 클릭합니다. ③다운로드 받을 폴더를 **[선택]**할 수 있습니다. ④**[추출]**을 클릭하면 소리만 저장할 수 있습니다.

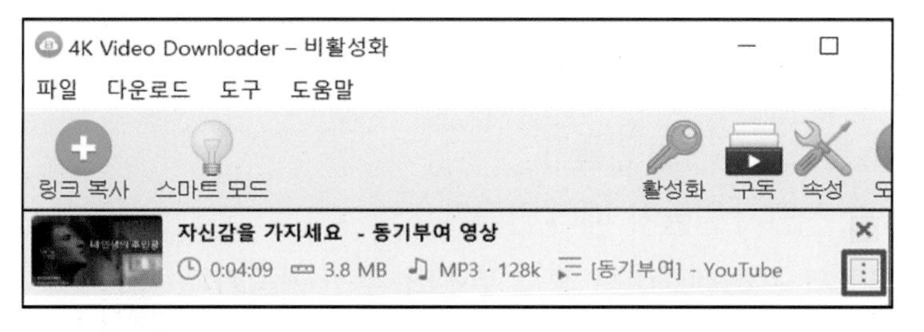

3 해당영상이 포함된 **[재생목록]** 안에 영상들을 전부 다운로드 받고 싶다면 우측 끝에 마우스를 갖다 대면 **[점 3개 아이콘]**을 클릭합니다.

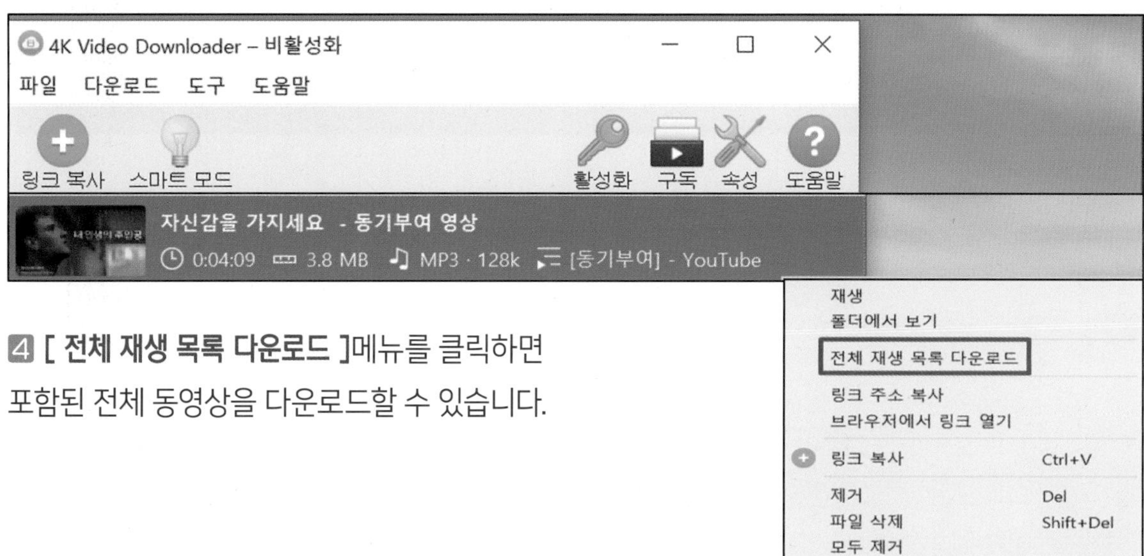

4 **[전체 재생 목록 다운로드]**메뉴를 클릭하면 포함된 전체 동영상을 다운로드할 수 있습니다.

스마트폰 하나면 나도 UCC전문가다 – 캔바 PC버전

[Canva] 앱(App)은 무료 그래픽디자인 도구 및 로고 편집기 엡 입니다.

[Canva] 앱(App)의 장점

- 디자인 작업이 간단합니다.
- 디자인 전문가가 아니더라도 업무, 생활, 그래픽 디자인 , 엔터테인먼트를 위한 멋진 디자인을 만들 수 있습니다.
- 스마트폰과 컴퓨터에서 모두 사용할 수 있어서 언제 어디서나 바로 디자인 작업을 할 수 있습 니다.
- 인스타그램 스토리, 로고, 포토, 생일 초대장, 광고 등 원하는 모든 그래픽 디자인을 비롯한 여러 가지 작업을 할수 있습니다

[Canva] 앱(App)의 활용

- 모든 이벤트에 사용 : 생일카드 만들기,결혼식 초대장 만들기, 이메일 초대장 만들기
- 프로젝트에 관계없이 로고, 책 커버, 블로그 디자인 만들기
- 용도에 상관없이 사진 콜라주 만들기, 전단지 만들기, 배너 만들기
- 비즈니스를 위한 디자인 브로셔, 이력서, 프레젠테이션, 홍보 포스터, 로고 만들기

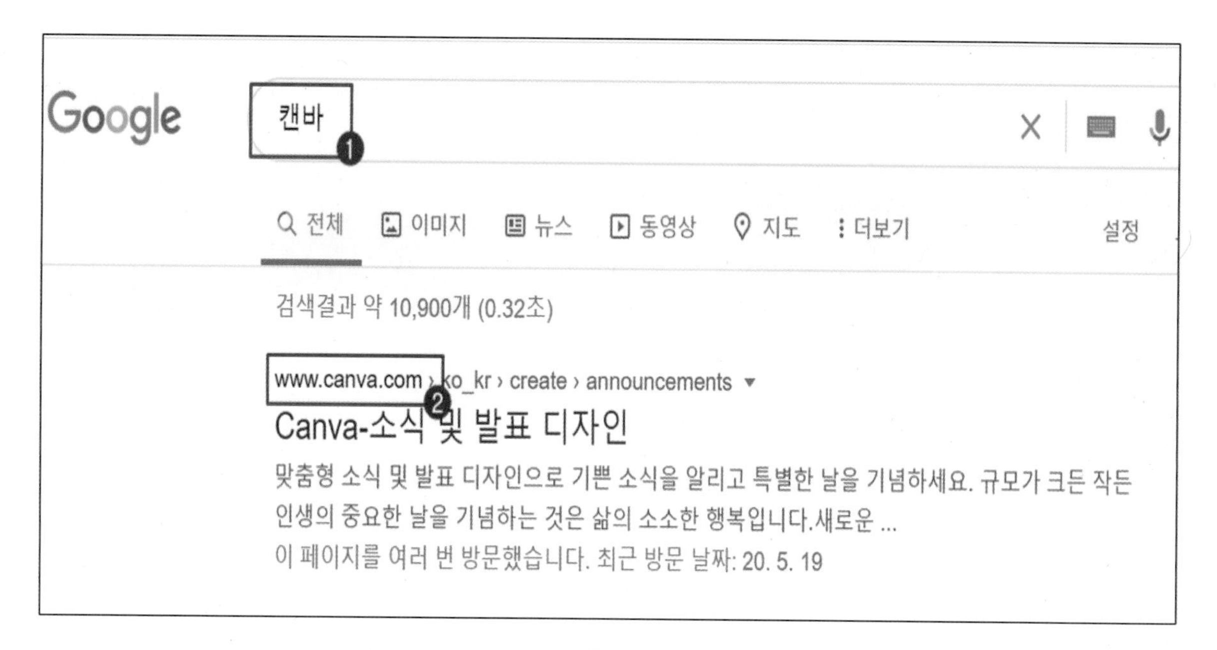

1 ①[**구글검색창**]에 [**캔바**]를 입력합니다.
②[www.canva.com]를 클릭합니다.

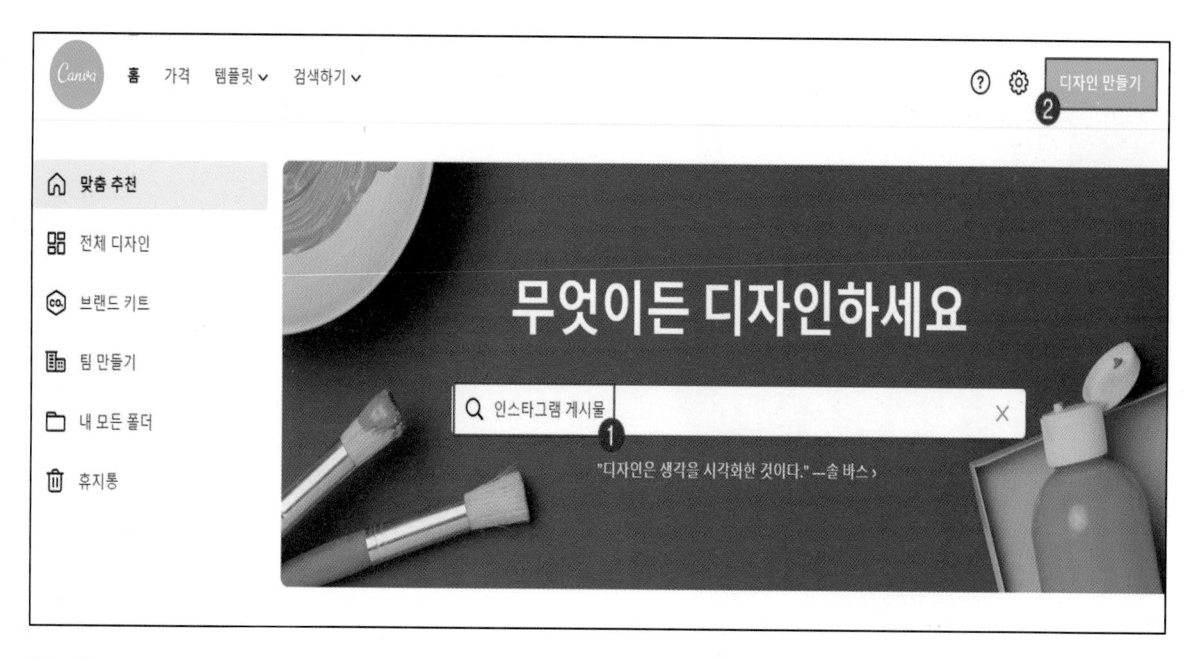

1 예를 들어 ①[**검색창**]에 [**인스타그램 게시물**]을 입력합니다 .
②[**디자인 만들기**]를 클릭합니다.

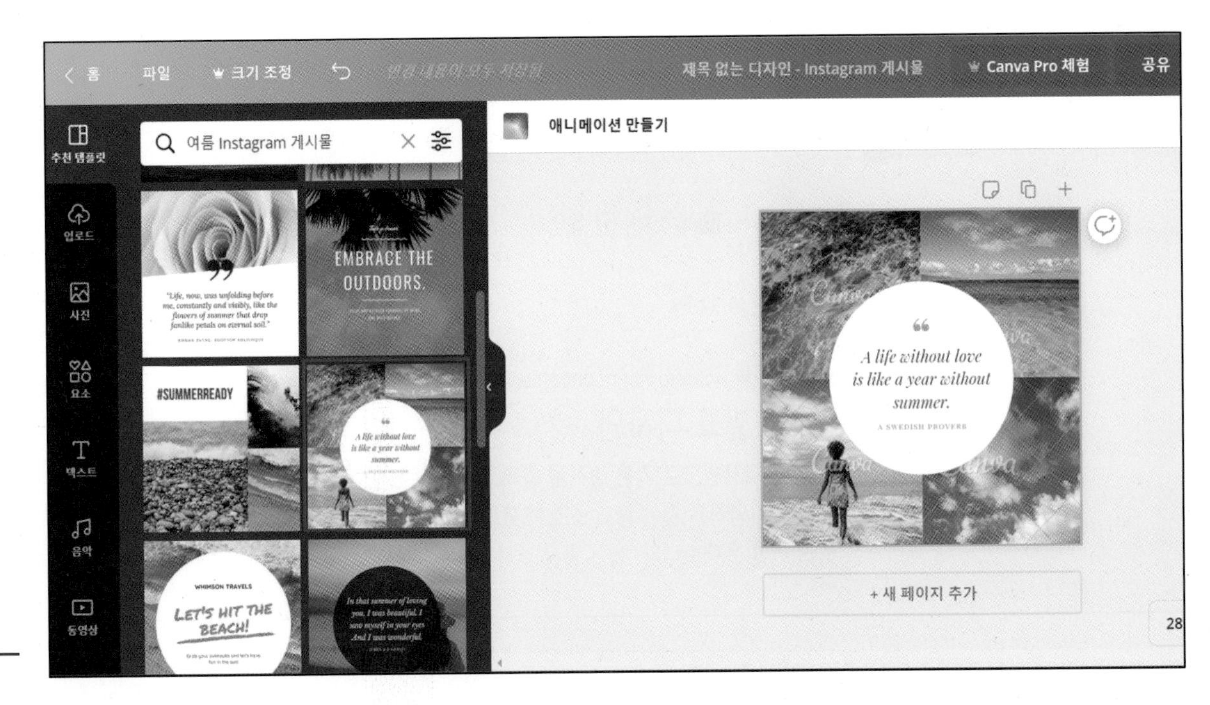

1 원하는 [**템플릿**]을 선택합니다.

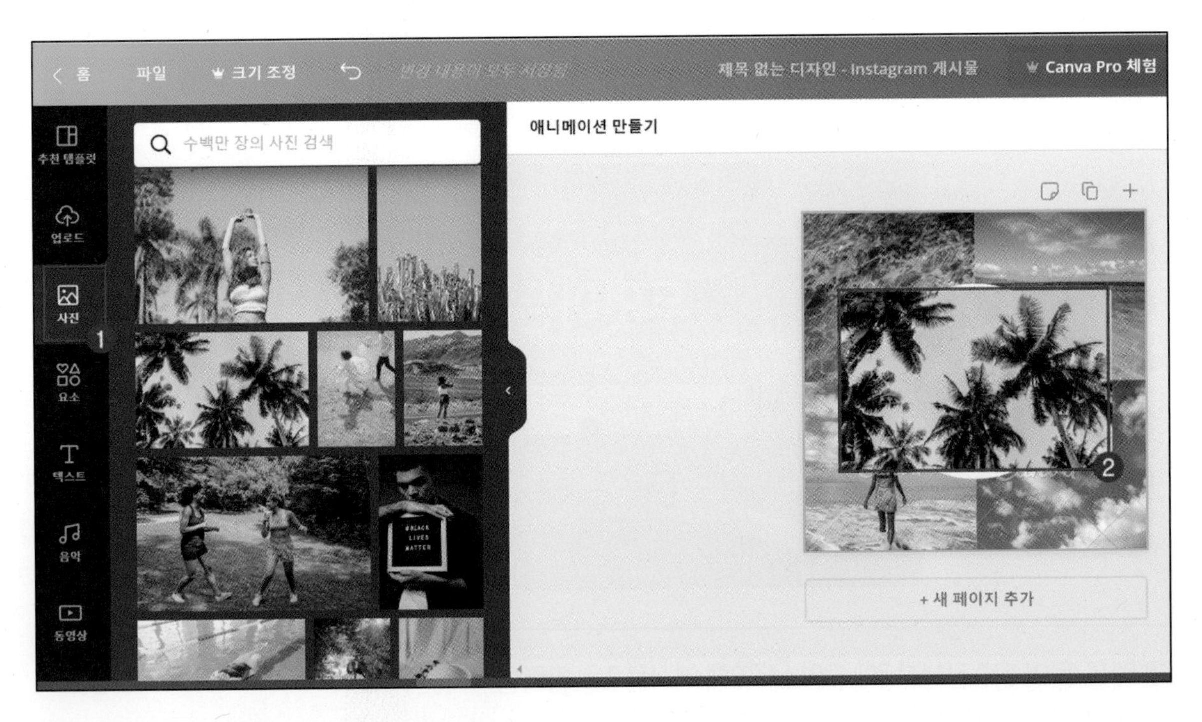

1 ①[**사진**]을 선택하여 ②[**템플릿**]을 수정합니다.

1 ①[**업로드**]를 클릭하면 내 PC의 사진을 가져옵니다.
②[**사진**]을 클릭하여 ③의 [**점선으로 된 네모**]안에 사진을 넣습니다.

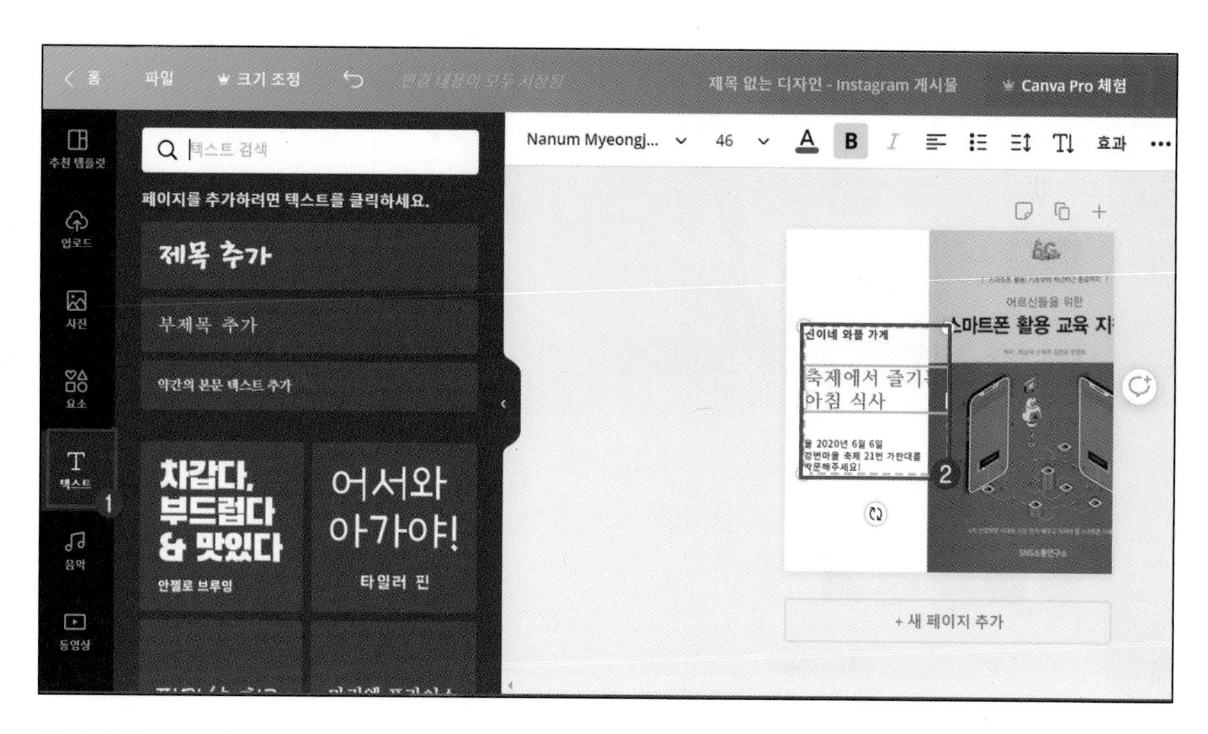

1 ①[**텍스트**]를 클릭하여 ②[**내용**]을 입력합니다.

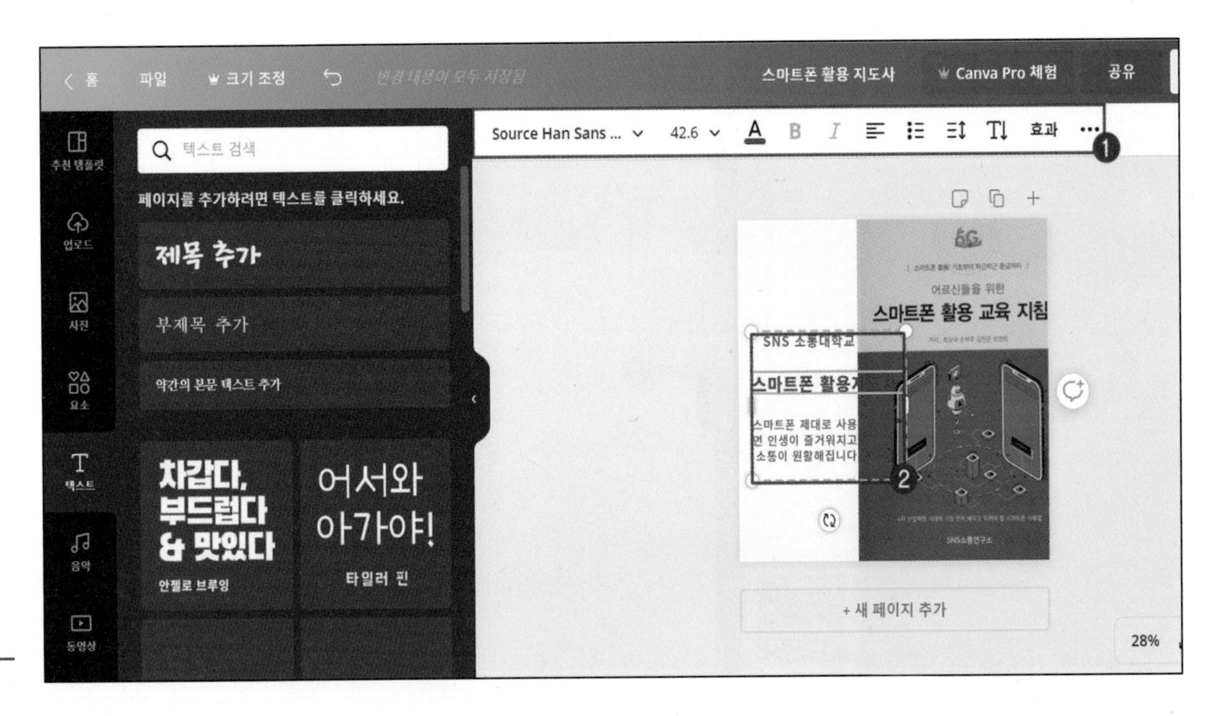

1 ①**[옵션]**을 선택하여 ②**[글자]**의 크기 및 간격, 위치 등을 조정합니다.

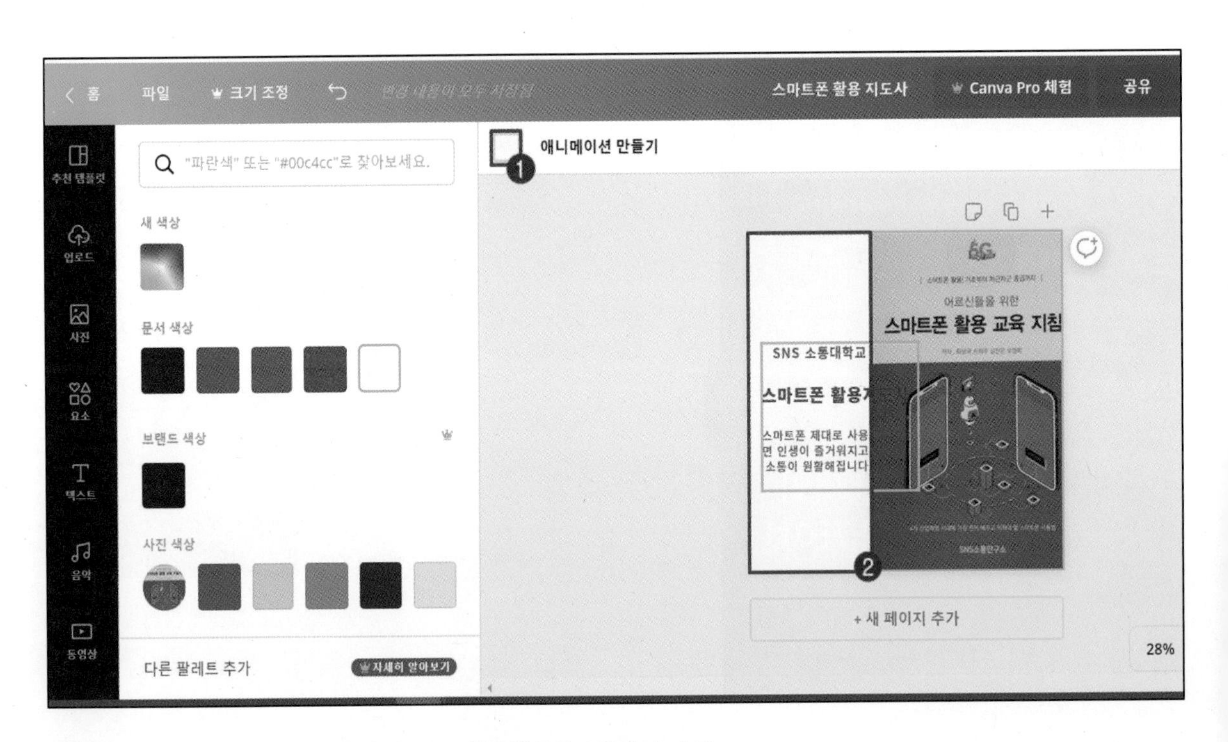

1 ①**[배경 색상표]**를 선택하여 ②**[배경색]**을 변경합니다.

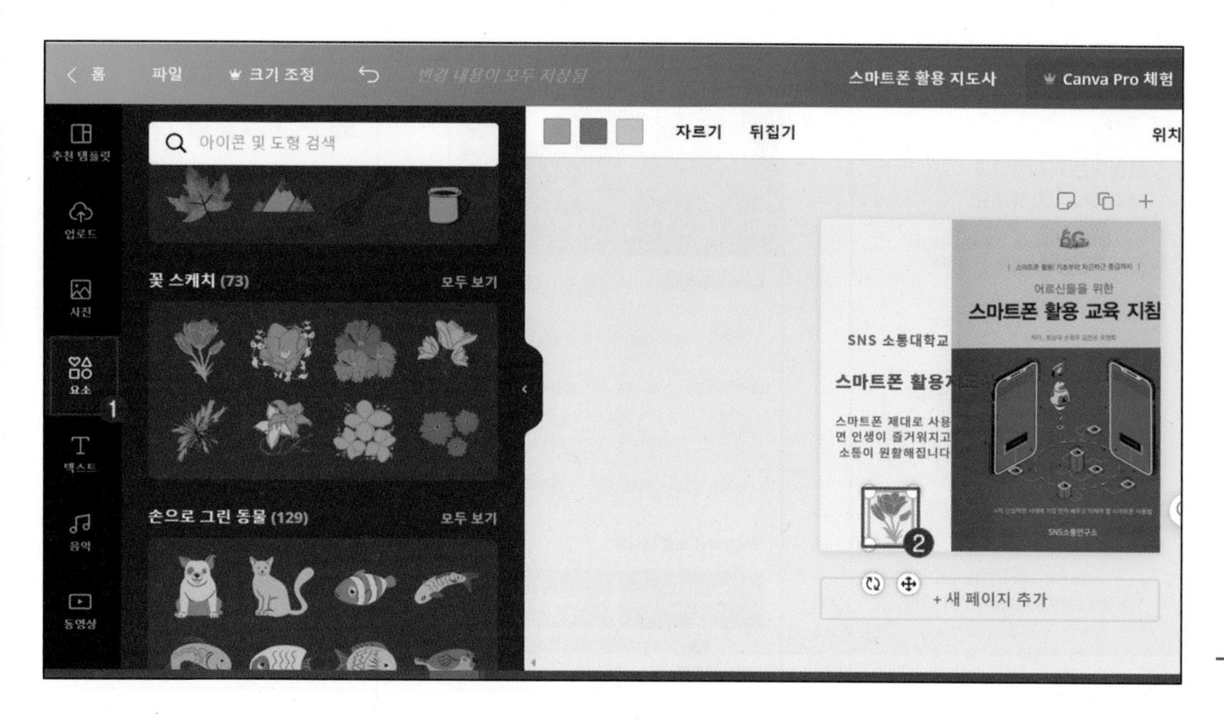

1 ①[**요소**]를 선택하여 ②에 [**스티커**]를 추가할 수 있습니다.

9 스마트폰에서 유튜브 맞춤미리보기 이미지 만들기

1 [**플레이스토어**] 검색창에 [**canva**]를 입력합니다.
2 [**설치**]를 터치합니다.
3 설치가 완료되면 [**열기**]를 터치합니다.

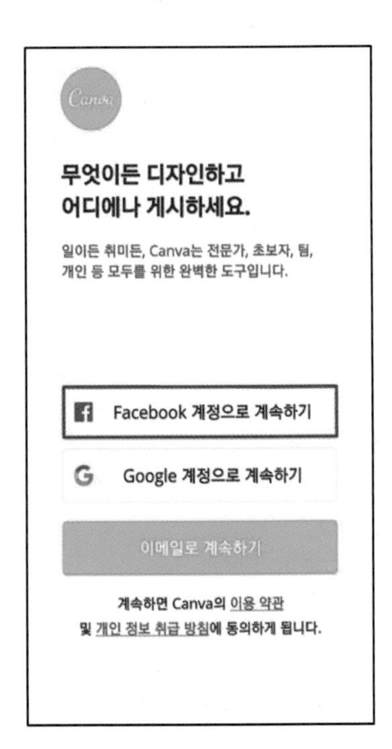

1 [**Facebook 계정으로 계속하기**]를 터치합니다.

2 [**검색창**]을 터치합니다.

3 검색창에 [**유튜브썸네일**]을 입력합니다.

1 ①[**유튜브썸네일**]에서 ②[**탬플릿**]을 터치합니다

2 [**편집**]을 터치합니다.

3 편집할 곳을 선택하여 편집을 시작합니다.

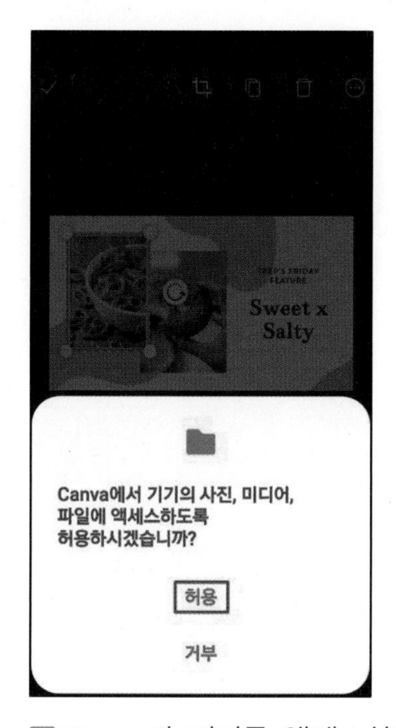

1 Canva가 기기를 액세스하도록 **[허용]**을 터치합니다.

2 ①**[사진]**을 선택하여 ②내용을 변경합니다.

3 **[텍스트]**를 선택하여 내용을 작성합니다.

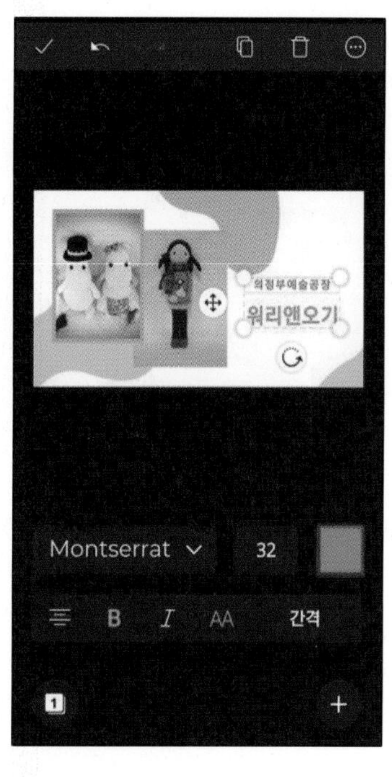

1 ①**[텍스트 크기]**를 선택하여 ②를 양쪽으로 드래그하여 크기를 조정합니다.

2 **[옵션]**을 선택하여 글씨의 위치와 간격, 기울기등을 조정합니다.

3 **[색상]**을 터치합니다.

1 ①[**글씨**]를 ②[**사용자 지정 색상**]으로 변경합니다.

2 [**+**]를 터치합니다.

[**나만의 텍스트 추가**]를 터치합니다.

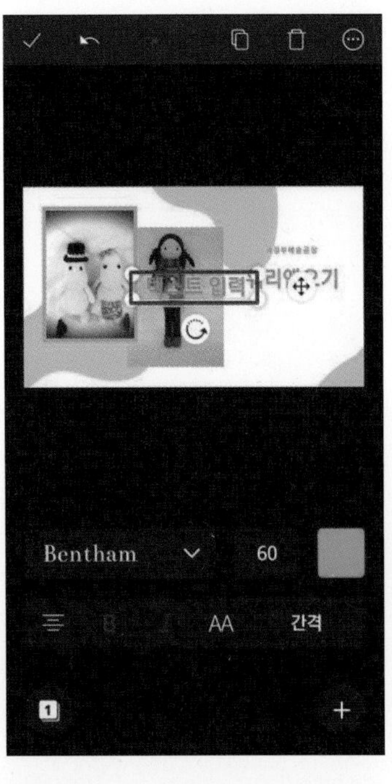

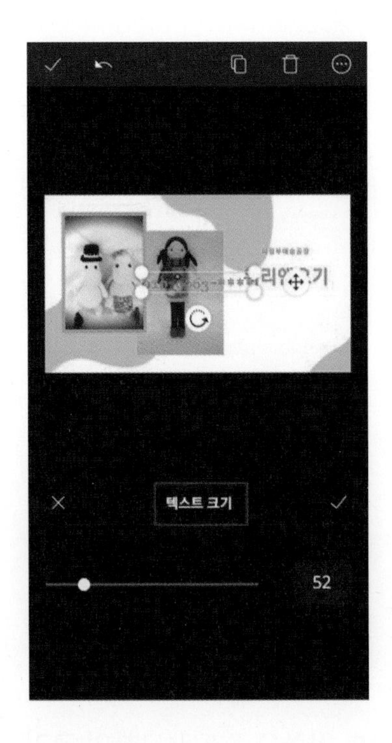

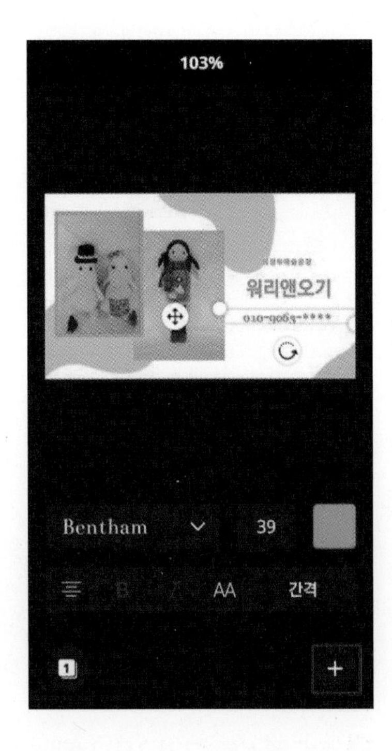

1 [**텍스트**]를 터치합니다.

2 [**텍스트 크기**]를 터치하여 크기를 조정합니다.

3 [**+**]를 터치합니다.

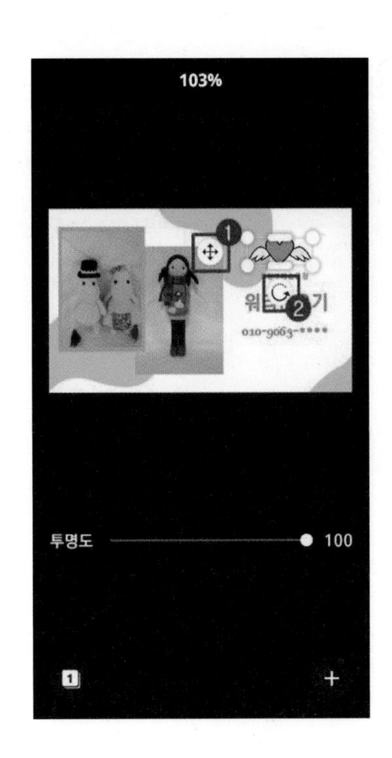

1 [**스티커**] 아이콘을 터치합니다. 이미지, 동영상을 넣습니다.

2 [**스티커**]를 추가합니다.

3 ①[**위치**]를 터치하여 원하는 위치에 놓습니다. ②[**방향**]을 터치하여 방향을 변경합니다.

1 [**수정**] 아이콘을 터치합니다.

2 [**기본값**]에서 배경색을 변경하고 드래그하여 위치를 변경합니다.

3 [**숫자**]를 터치하여 여러장을 추가합니다.

1 **[크기]** 아이콘을 터치하여 크기를 조정합니다.

2 **[링크]** 아이콘을 터치하여 **[보기 링크 보내기]**, **[편집 링크 보내기]**를 합니다.

3 **[공유]** 아이콘을 터치하여 카카오톡등으로 공유합니다.

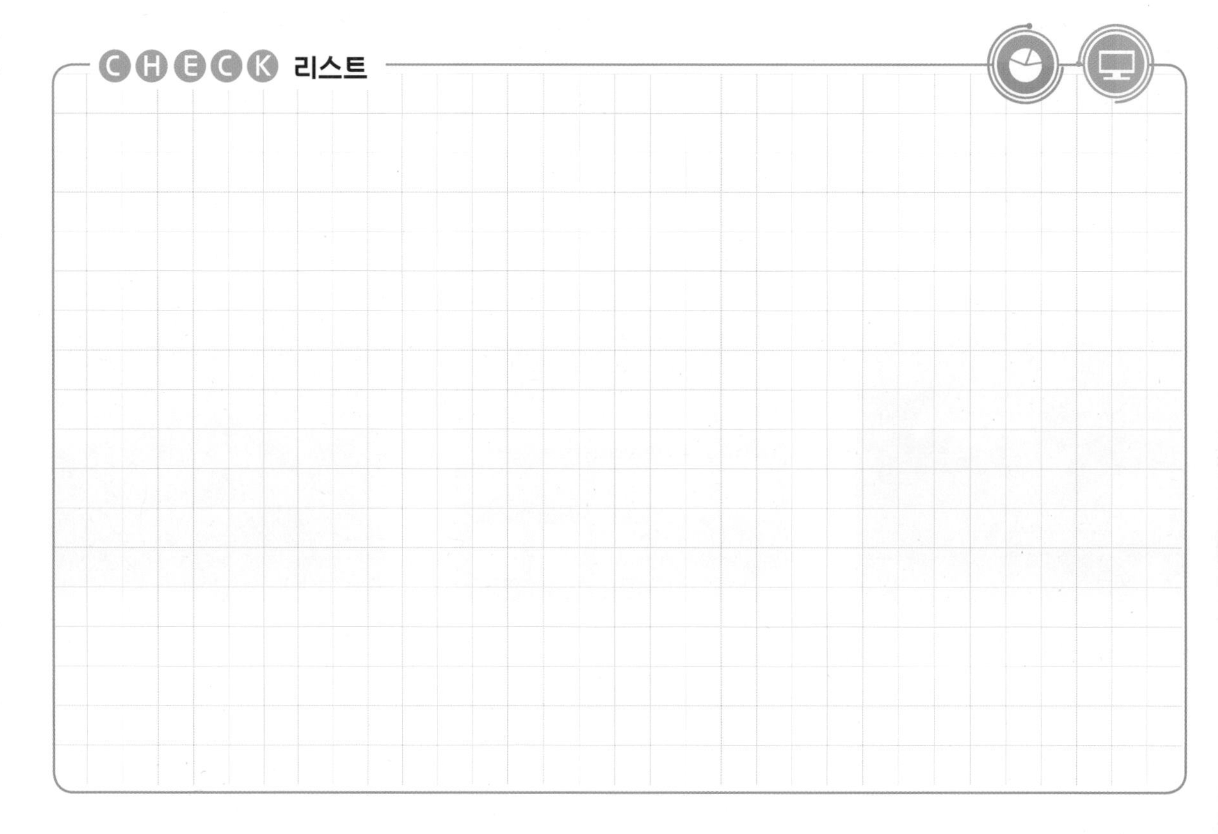

카드뉴스 만들기 - 글그램

[글그램] 앱(App)은 자신의 마음을 담은 카드뉴스를 만들 수 있습니다!

- 카드뉴스란? 모바일의 가독성을 높이기 위해 이미지 위에 텍스트를 첨부하는 뉴스포맷입니다.

[글그램] 앱(App)의 장점

- 글쓰기에 어울리는 66가지 카테고리의 배경을 제공합니다.
- 글쓰기에 어울리는 다양한 무료 한글글꼴을 제공합니다.
- 작성자의 개성을 나타낼 수 있는 다양한 서명기능을 제공합니다.
- 카드뉴스에 다양한 스타일의 날짜입력기능을 제공합니다.

사용자별 [글그램] 앱 활용

- 비즈니스맨 : 회사 소개, 행사 및 제품 관련정보를 가독성이 높은 카드뉴스로 만들어 홍보 할 수 있습니다.
- 일반인 : 감성글, 사랑글, 안부인사 등 다양한 사진 테마를 활용하여 카드뉴스를 만들어 주변인들과 감성 소통을 할 수 있습니다.
- 가족 및 친지 : 감성과 사랑을 담아 마음을 전하거나, 마주보며 하기 어려운 대화나 감정의 표현을 카드뉴스에 담아 표현 할 수 있어 상호간의 소통이 원활해지고 친밀감이 돈독해 집니다.

❶ [Play스토어]에서 [**글그램**]을 검색하여 설치합니다. ❷ [**글그램**]을 실행하기 위해 [**열기**]를 터치합니다. ❸ ①[**아름다운 배경사진에**], ②[**컬러 배경에 글쓰기**], ③[**내 사진에 글쓰기**]를 할 수 있으며, ④[**내가 만든 글그램**]을 편집하거나 공유할 수 있습니다.

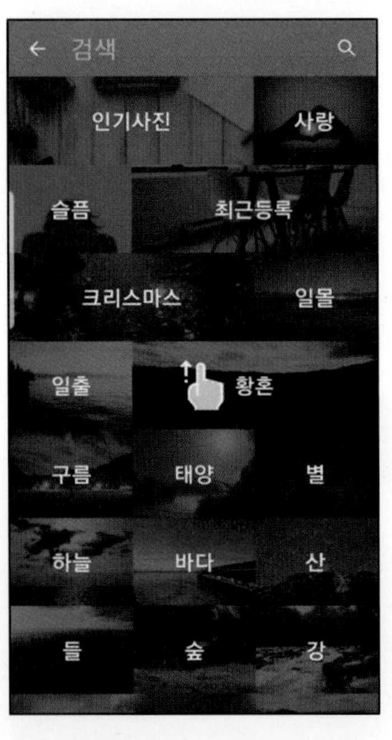

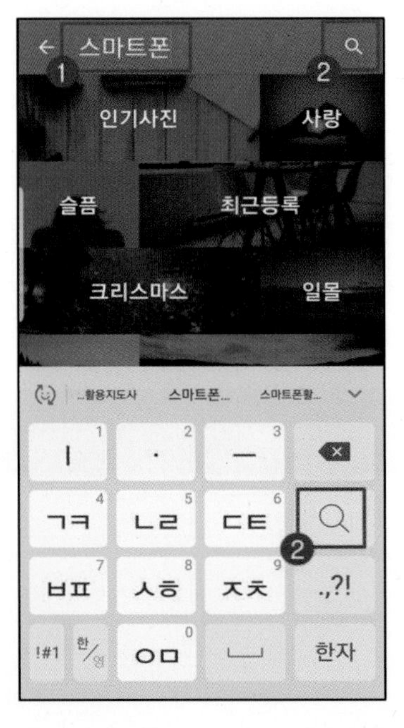

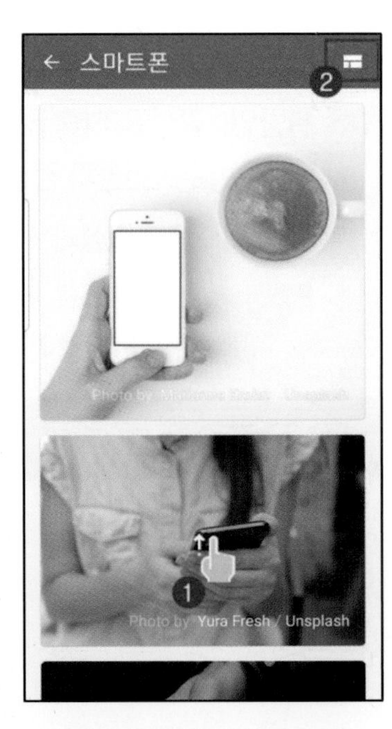

❶ [**아름다운 배경사진에**]를 터치하여 사진을 위로 밀어 올리며 원하는 배경을 선택할 수 있습니다. ❷ 또한, 원하는 테마가 없는 경우에는 ①검색창에 검색어를 입력한 후, ②[**돋보기**]를 터치합니다. ❸ ①사진을 위로 밀어 올리며 원하는 배경 사진을 선택하거나, 사진을 작게 보고자 할 때는 ②[**썸네일 보기**]를 터치합니다.

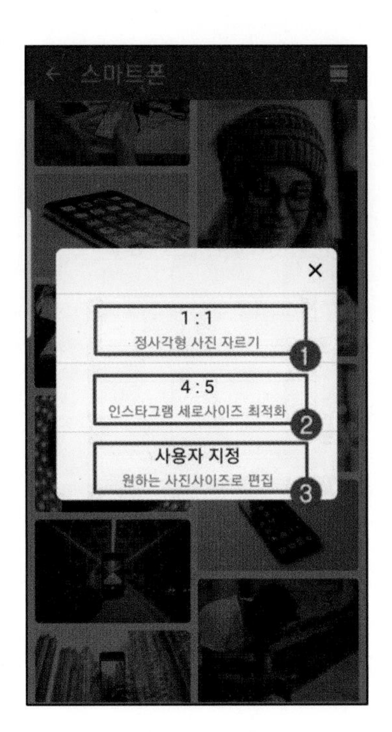

1 ①사진을 위로 밀어 올리며, ②원하는 사진을 터치합니다. 2 ①인스타그램에 최적화 되어있는 [1:1] 크기, ②인스타그램 세로사이즈 [4:5], ③[**사용자 지정**] 중 원하는 크기를 터치합니다. 3 ①선택한 사진을 확대하거나, ②회전하고자 할 때 선택한 후, ③중앙부를 좌/우로 드래그합니다. ④ 사진을 움직여 원하는 구도를 잡은 후, ⑤ [√]를 터치합니다.

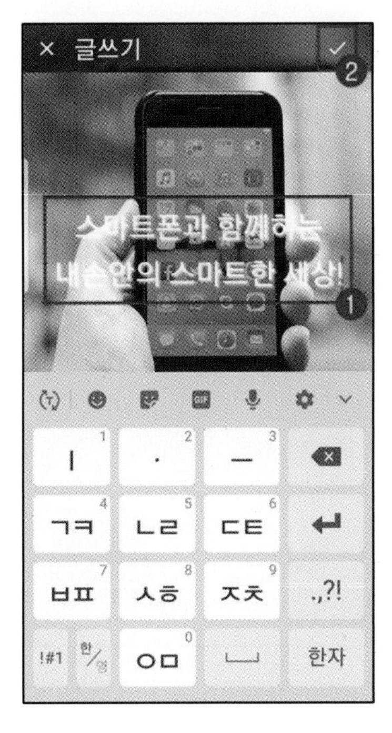

1 [**터치하여 글자를 입력하세요**]를 터치합니다. 2 ①입력하고자 하는 글을 입력한 후 ② [√]를 터치합니다. 3 글의 스타일을 선택하기 위하여 [**스타일**]을 터치합니다.

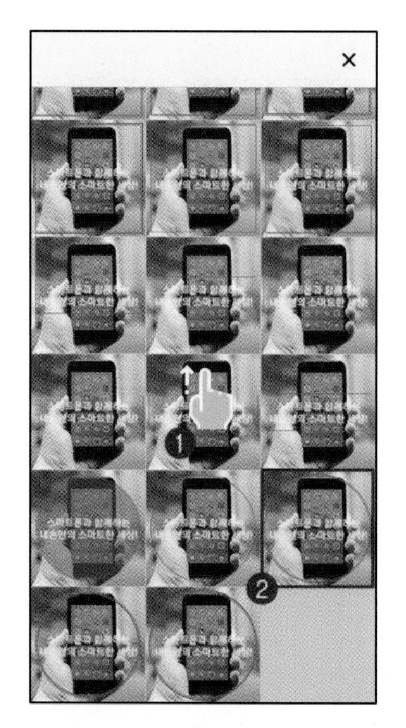

1 ①[Blur]의 적용여부를 결정하고, ②스타일의 배경색을 선택 한 후, ③스타일 전체를 보기 위하여 [**모두보기**]를 터치합니다. 2 ①스타일을 위로 밀어 올리며, ②원하는 스타일을 터치합니다. 3 글을 계속 편집하기 위하여 [X]를 터치합니다.

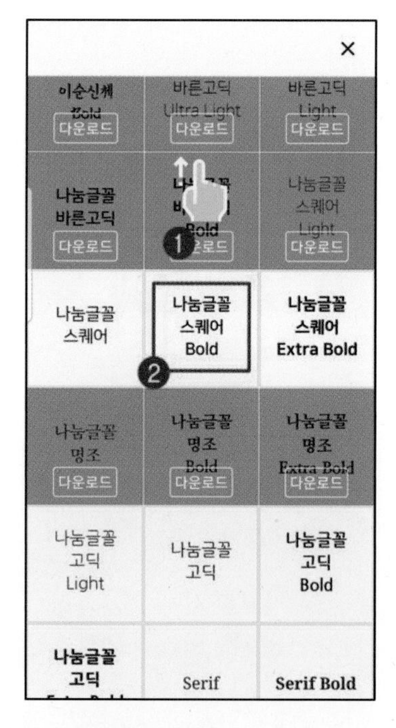

1 [**글꼴 & 크기**]를 터치합니다. 2 적용 가능한 모든 글꼴을 보기 위해 [**모두보기**]를 터치합니다.
3 ①화면을 위로 밀어 올리며 원하는 글꼴을 찾아, ② 해당 글꼴을 터치합니다.
③적용하고자 하는 글꼴이 회색으로 되어 있는 경우 [**다운로드**]를 터치한 후 적용합니다.

1 ①크기 조절점을 드래그하여 글씨크기를 조절 한 후, ②[X]를 터치합니다.

2 [**글자색 & 정렬**]을 터치합니다.

3 ①왼쪽, 가운데, 오른쪽 중에 [**정렬**]을 선택하고, ②원하는 [**글자색**]을 터치합니다.

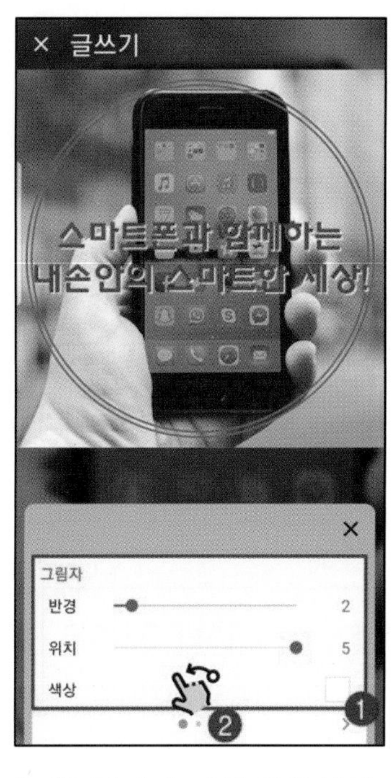

1 다음 편집화면으로 가기 위하여 메뉴화면을 왼쪽으로 드래그합니다. 2 글에 효과를 적용하기 위하여 [**글 효과**]를 터치합니다. 3 ①글에 그림자를 적용하기 위하여 [**반경, 위치, 색상**]을 적용합니다. ②다음 효과를 적용하기 위하여 화면을 왼쪽으로 드래그합니다.

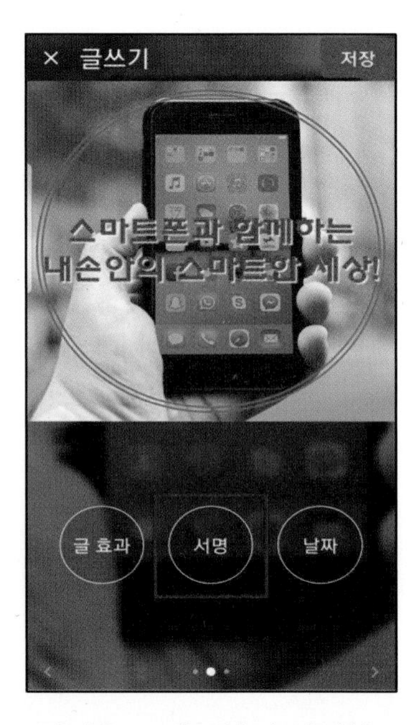

1 ①글의 투명도와 회전을 설정하기 위하여 **[투명도, 회전]** 메뉴의 조절점을 드래그하여 설정합니다. ②다음 효과를 적용하기 위하여 화면을 왼쪽으로 드래그합니다. **2** ①**[줄간격, 글자간격]**의 조절점을 드래그하여 설정합니다. ②완료하기 위하여 [X]를 터치합니다. **3** **[서명]**을 터치합니다.

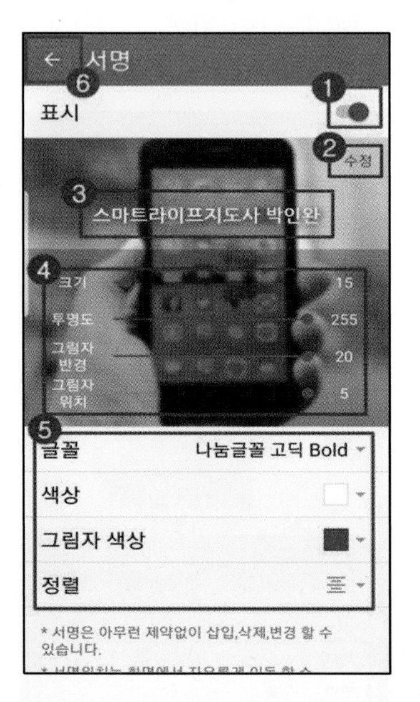

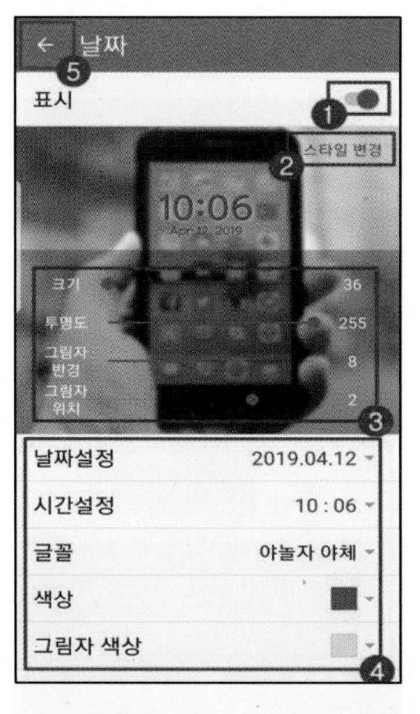

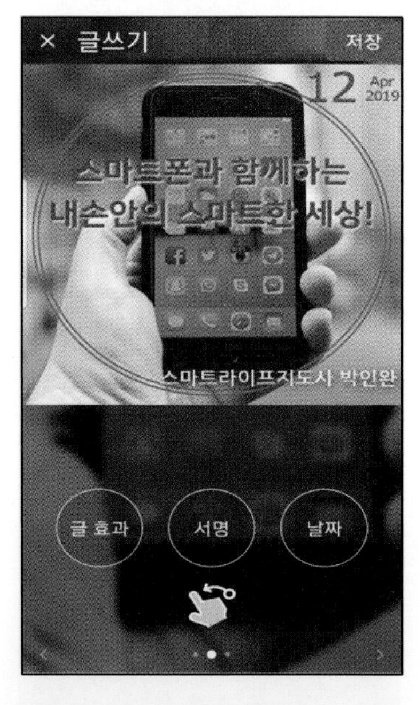

1 ①터치하여 **[표시]**를 선택합니다. ②, ③을 터치하여 문구를 수정합니다. ④**[크기, 투명도 , 그림자 반경, 그림자 위치]**를 설정하고, ⑤**[글꼴 , 색상, 그림자 색상, 정렬]**을 선택합니다. ⑥[←]를 터치합니다. **2** ①터치하여 **[표시]**를 선택합니다. ②**[스타일 변경]**을 터치하여 스타일을 변경 / 선택합니다. ③**[크기, 투명도 , 그림자 반경, 그림자 위치]**를 설정하고, ④**[날짜설정, 시간설정, 글꼴, 색상, 그림자 색상]**을 선택합니다. ⑤[←]를 터치합니다. **3** 다음 편집화면으로 가기 위하여 메뉴화면을 왼쪽으로 드래그합니다.

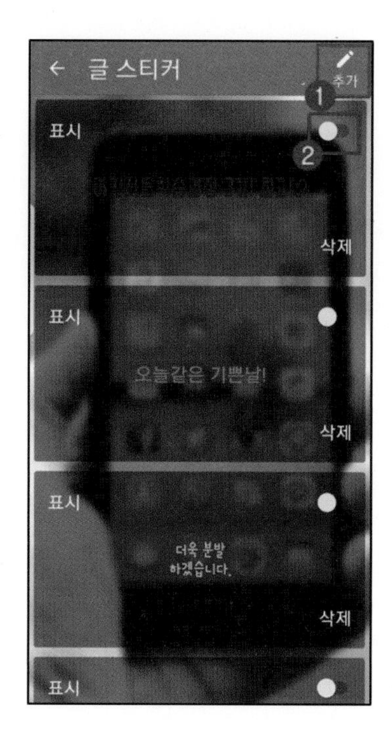

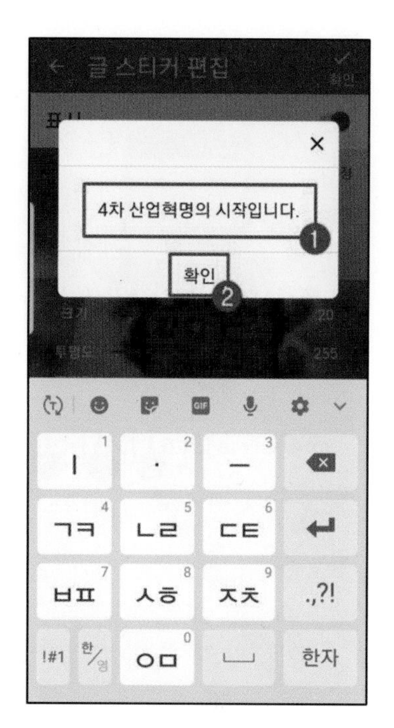

1 [글 스티커]를 터치합니다. 2 ①글 스티커를 추가하고자 할 때는 [추가]를 터치합니다. ②기존에 입력한 글 스티커를 표시하고자 할 때 터치합니다. 3 ①원하는 글 스티커를 입력합니다. ②[확인]을 터치합니다.

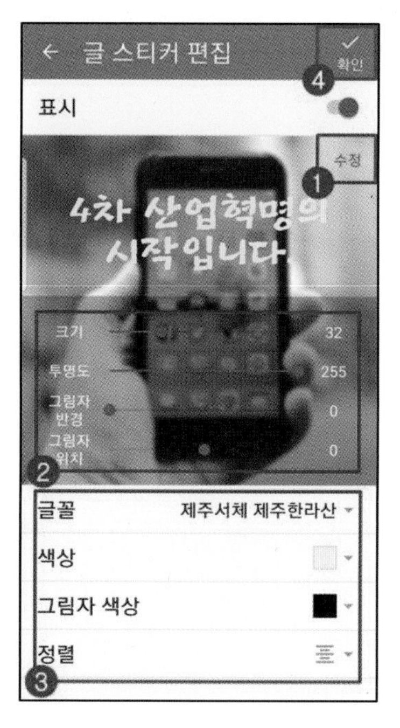

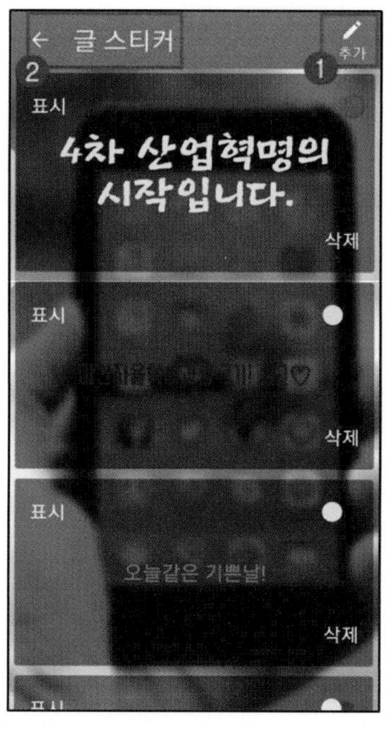

1 ①글 스티커를 [수정] 하고자 할 때 터치합니다. ②[크기, 투명도, 그림자 반경, 그림자 위치]를 설정하고, ③[글꼴, 색상, 그림자 색상, 정렬]을 선택합니다. ④[확인]을 터치합니다. 2 ①글 스티커를 추가하고자 할 때는 [추가]를 터치합니다. ②완료하고자 할 때 [←]를 터치합니다.
3 작성한 글그램을 완료하고자 할 때는 [저장]을 터치합니다.

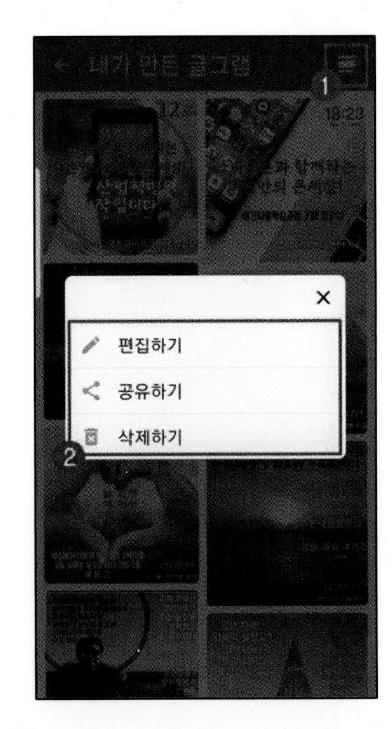

1 ①글 그램을 삭제하고자 할 때, ②글 그램을 편집하고자 할 때, ③글 그램을 공유하고자 할 때 터치합니다. 2 ①**[스마트폰 저장]** 외 공유하고자 할 때는 해당 앱을 터치하고, 추가 앱을 보고자 할 때는 **[더보기]**를 터치합니다. ② 글 그램 홈 화면으로 가고자 할 때 터치합니다.

3 ①썸네일로 글 그램을 보고자 할 때 터치합니다.

②글 그램을 터치하면 **[편집하기, 공유하기, 삭제하기]** 등을 할 수있습니다.

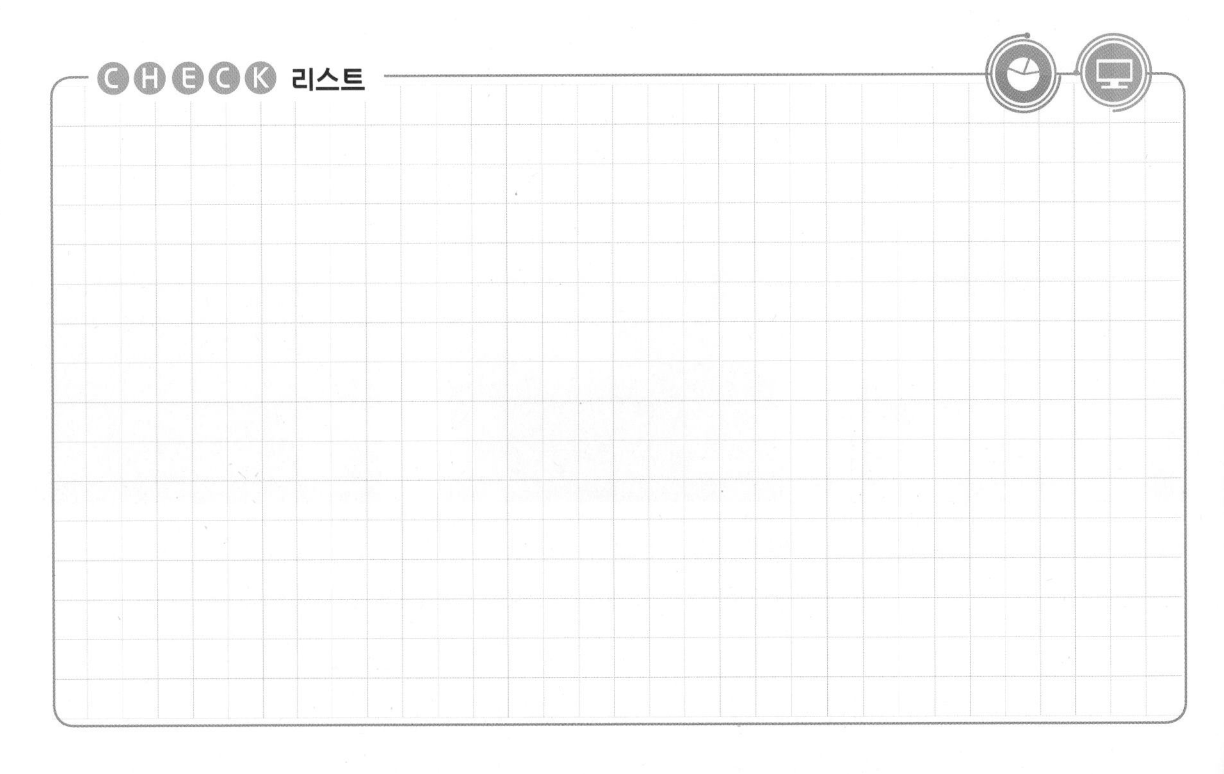

이미지 합성 어플 활용하기 - 포토퍼니아

[포토퍼니아] 앱(App)은 다양한 효과를 선택하여 원하는 사진으로 합성할 수 있습니다!

[포토퍼니아] 앱(App)의 장점

심플한 프레임

[효과 적용 전 사진]

[효과 적용 후 사진]

[포토퍼니아] 카테고리 메뉴에서 **[스케치]** 효과를 적용하면 적용되는 이미지입니다.

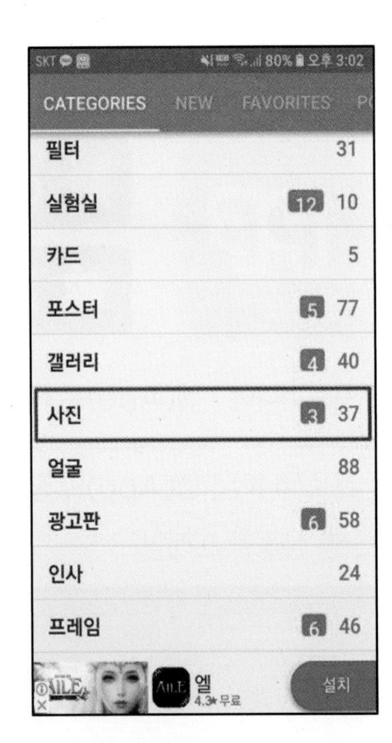

1 ①[Play스토어]에서 [포토퍼니아] 검색 후 설치를 합니다. ②[열기]를 터치합니다.

2 포토퍼니아의 첫 화면입니다. 좌측 상단에 위치한 가이드 메뉴 중 [카테고리]를 터치합니다.

3 카테고리 화면을 위로 드래그하여 [사진]를 터치합니다.

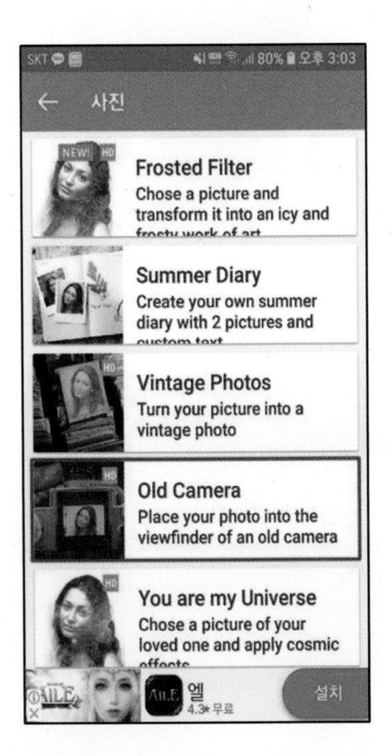

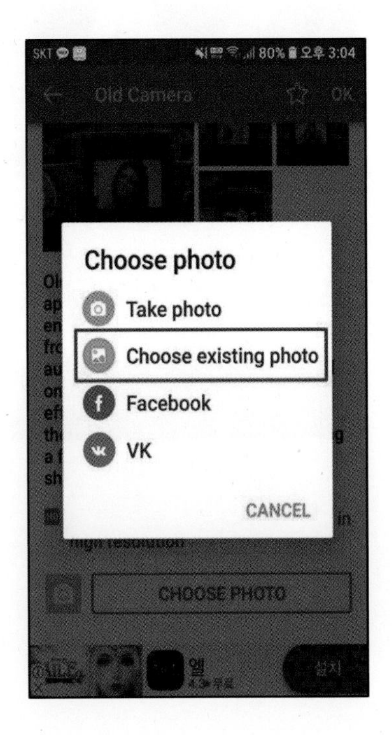

1 사진 효과 중 [Old Camera]를 터치하여 적용 시켜 보겠습니다.

2 하단에 위치한 [CHOOSE PHOTO]를 터치합니다.

3 [Choose existing photo]를 터치하여 갤러리에 있는 사진을 가져 옵니다.

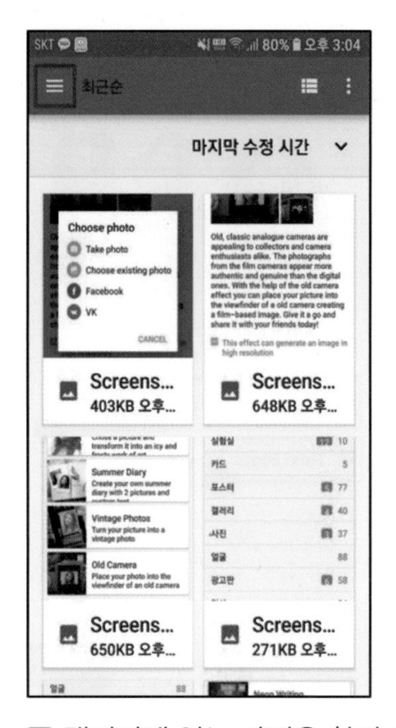

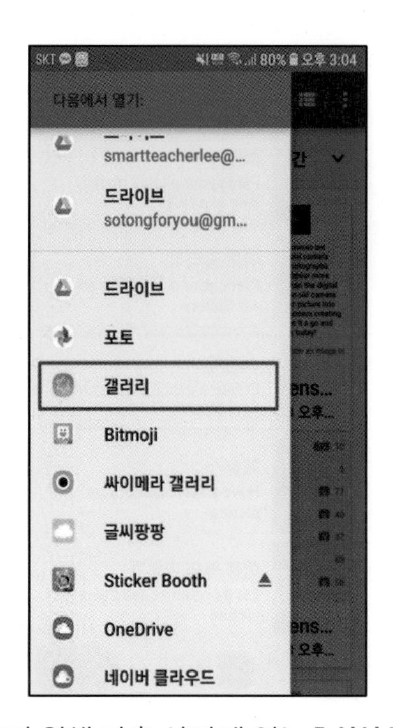

1 갤러리에 있는 사진을 찾아 보기 위해 좌측 상단에 있는 [**삼선**] 아이콘을 터치합니다.

2 화면을 위로 드래그하여 [**갤러리**]를 터치합니다.

3 사용자 갤러리에서 합성할 사진을 가져온 후 프레임에 맞게 조절해 줍니다. [OK]를 터치합니다.

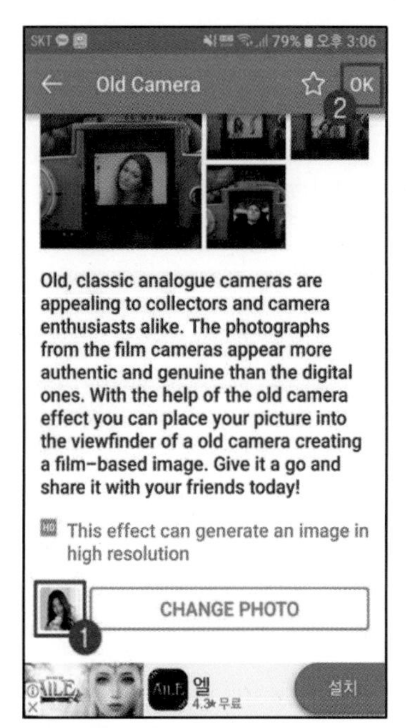

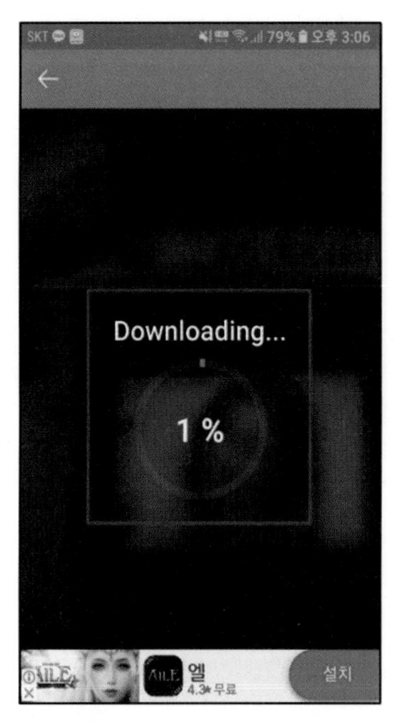

1 합성하고자 하는 사진이 ①에 첨부 되었는지 확인 합니다. ②[OK]를 터치합니다.

2 이미지 합성이 진행중인 화면입니다. 3 사진 합성이 완료된 화면입니다. ①저장할 이미지의 사이즈를 선택 할 수 있습니다. ②를 터치하여 사용자 갤러리에 저장 할 수 있습니다. ③현재 이미지를 다른 싸이트로 공유할 수 있습니다.

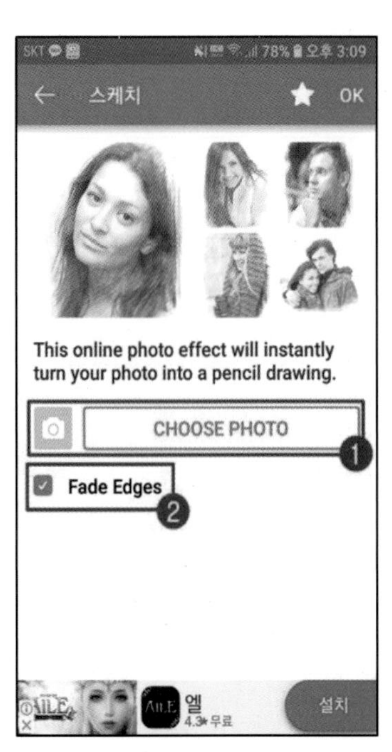

1 다음은 합성이 아니라 사진에 효과를 주는 기능입니다. [CATEGORIES] 메뉴에서 화면을 위로 드래그하여 ②[**그림**]을 터치합다. 2 그림 메뉴에서 [**스케치**] 기능을 터치합니다. 3 ①앞에서 설명한 같은 방법으로 사진을 가져옵니다. ②스케치 기능에는 [Fade Edges]라는 기능을 적용할 수도 있습니다.

1 [Fade Edges] 기능을 적용하지 않은 효과 사진입니다. 2 Fade Edges 기능을 적용한 사진으로 테두리의 변화를 보실 수 있습니다. 3 다음은 사진 합성과 함께 문구를 적어 넣는 효과입니다. ①[CATEGORIES] 메뉴에서 화면을 위로 드래그하여 ②[**기타**]를 터치합니다.

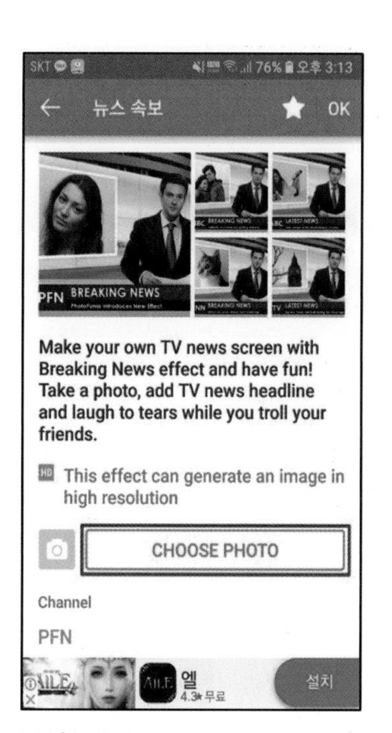

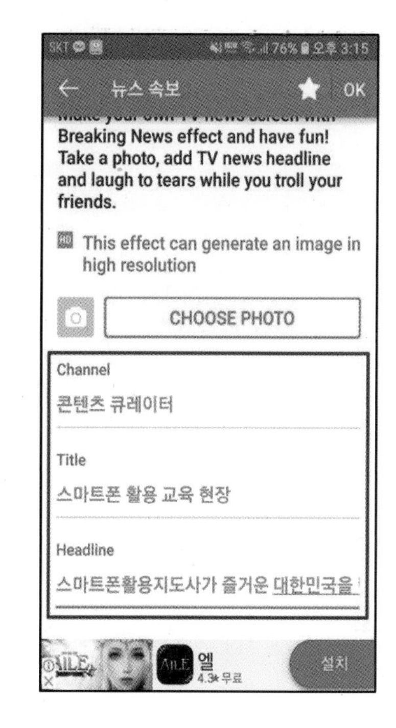

1 기타 메뉴에서 [**뉴스속보**]를 터치합니다.
2 [CHOOSE PHOTO]를 터치하여 합성하고 싶은 사진을 가져온 후 화면을 위로 드래그 합니다.
3 하단 타이틀에 필요한 문구를 넣어 뉴스의 자막을 만들 수 있습니다.

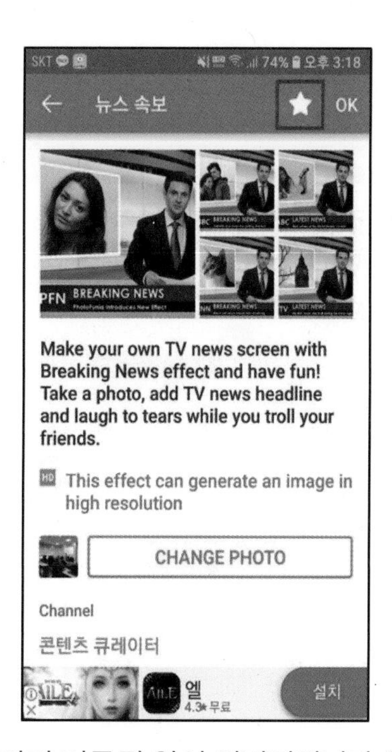

1 사진 합성과 동시에 뉴스 자막까지 기록된 완성 이미지입니다. 2 ★표는 마음에 드는 효과를 즐겨찾기로 등록하는 아이콘입니다. 3 ★표 아이콘을 터치하여 즐겨 찾기에 등록한 효과는 [FAVORITES] 메뉴에서 확인 할 수 있습니다.

이미지 합성 어플 활용하기 - 포토퍼니아 (PC 버전)

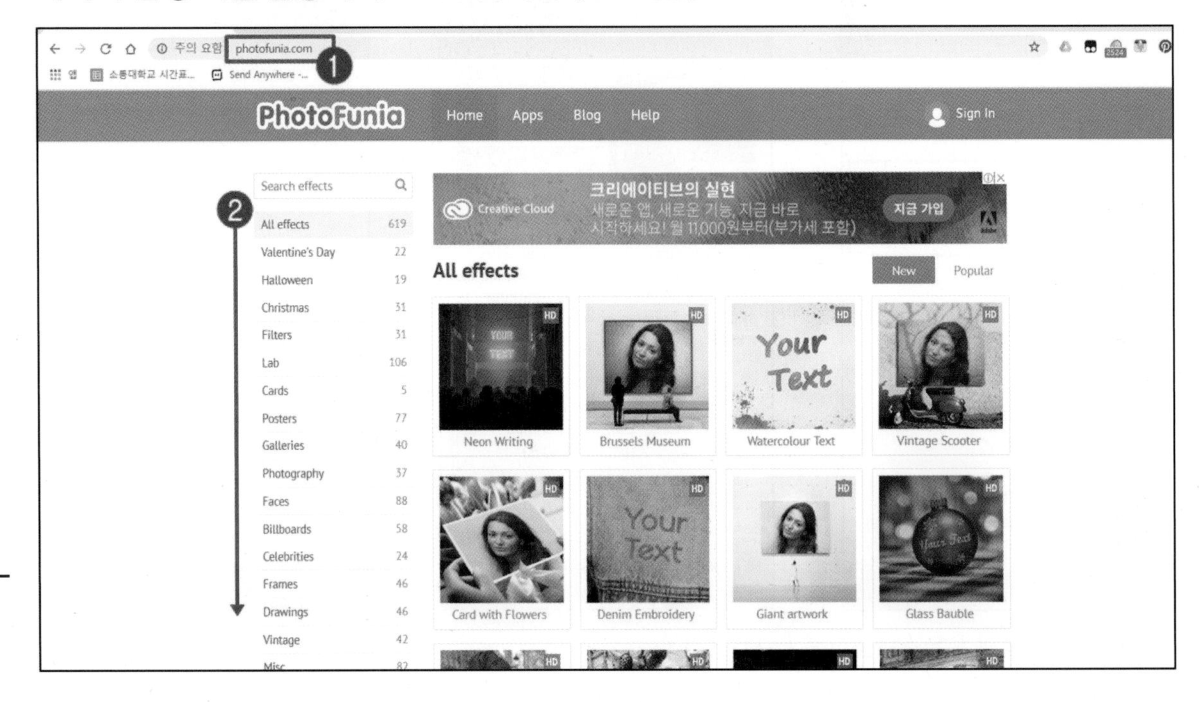

1 ①인터넷 주소 창에 [PhotoFunia.com]을 입력하여 검색합니다.
②포토퍼니아 첫 화면에 다양한 카테고리가 보여집니다.

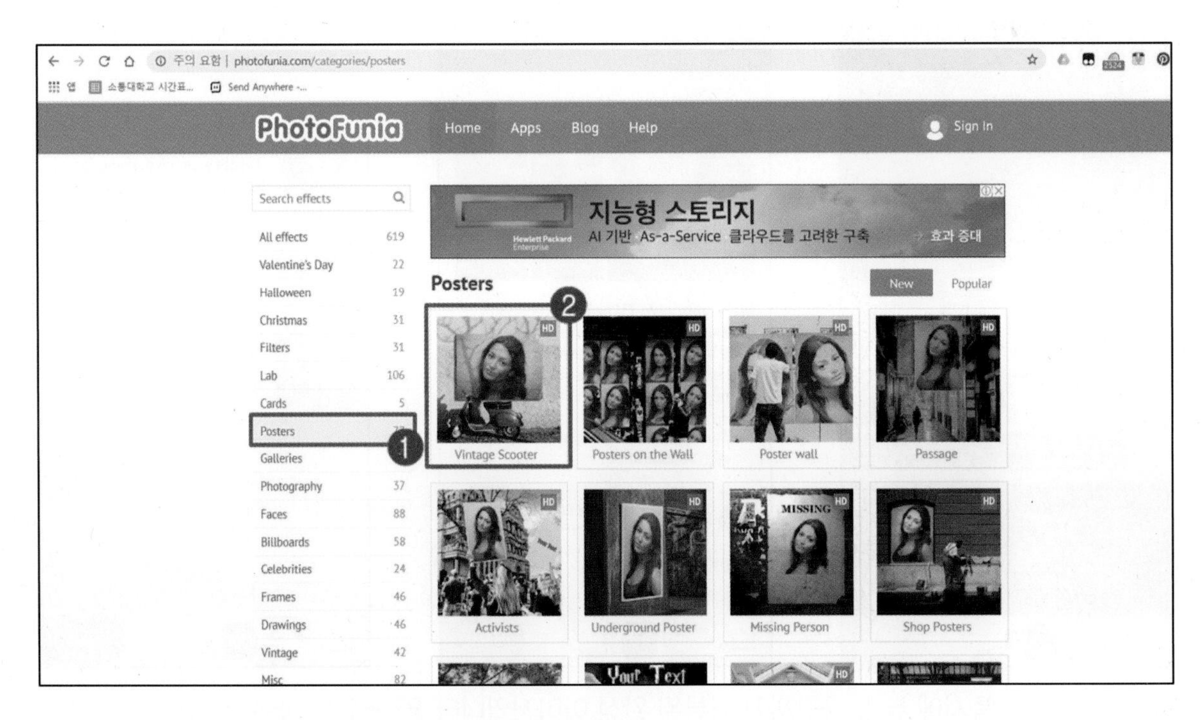

1 ①카테고리 메뉴에서 [Posters]를 선택 합니다.
②다양한 효과 중 원하는 효과를 선택 합니다.

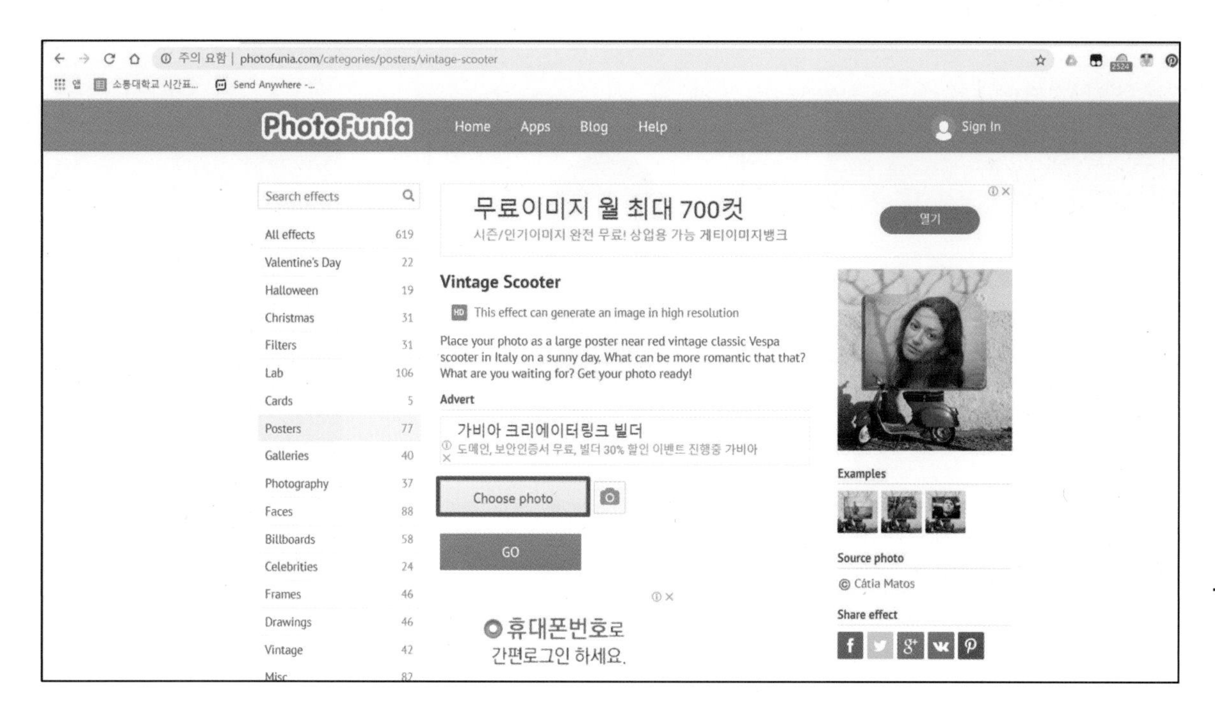

1 사용자가 고른 효과에 합성 하고 싶은 사진을 가져오기 위해 [Choose photo]를 클릭 합니다.

1 ①[Upload from PC]를 클릭하여 사진 폴더를 열기합니다.
②합성하고 싶은 사진을 찾아 클릭합니다. ③[**열기**]를 클릭합니다.

1 ①불러온 사진을 화면에 맞게 조정 합니다.
②[Crop]을 클릭하여 완료 합니다.

1 ①사진이 제대로 첨부 되었는지 확인합니다.
②[GO]를 클릭하여 합성을 진행 시킵니다.

1 합성된 화면입니다. 완성된 사진을 저장하기 위해 ①[**Download**]를 클릭 합니다. ②원하는 폴더에 저장할 수 있습니다.

12 쉽고 빠르게 초대장 만들고 공유하기

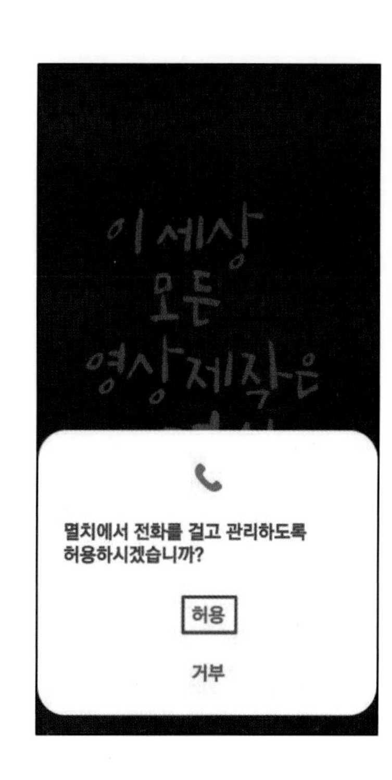

1 [**플레이스토어**]에서 [**멸치**]를 검색후 [**설치**]를 터치합니다.

2 설치가 완료되면 [**열기**]를 터치합니다.

3 멸치에서 기기의 사진, 미디어, 파일을 액세스 하도록 [**허용**]합니다.

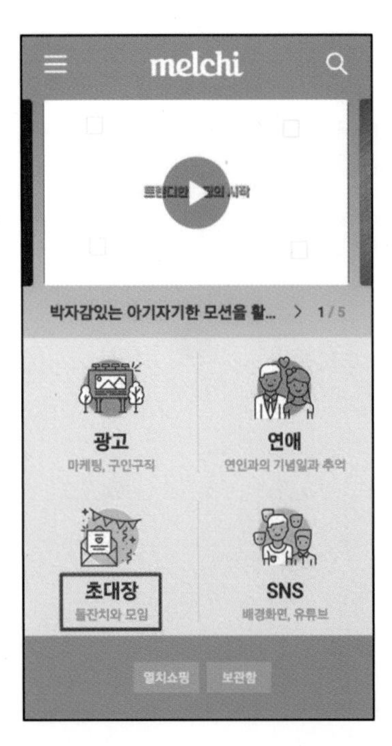

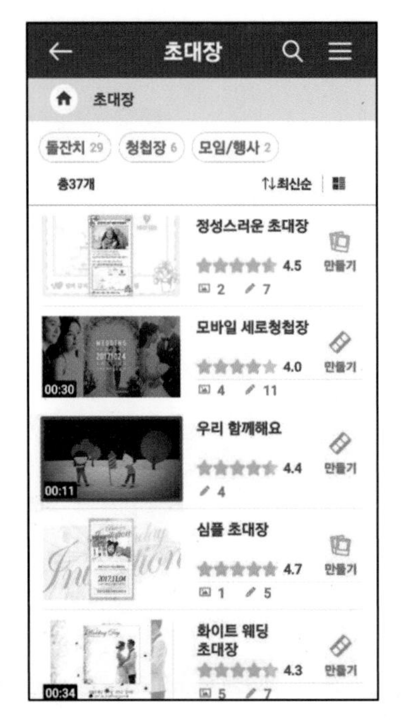

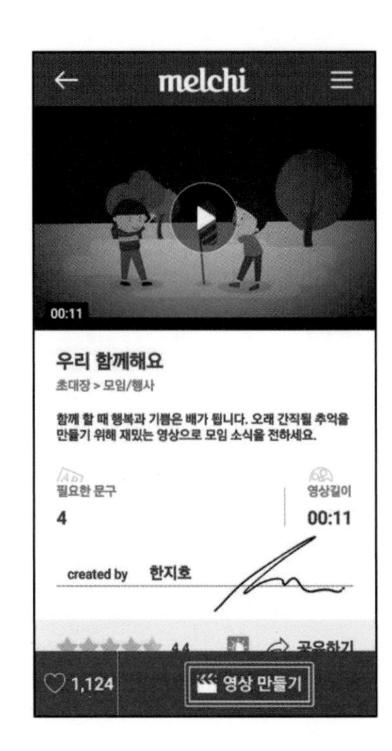

1 멸치의 카테고리중에서 [**초대장**]을 터치합니다.

2 초대장의 [**우리 함께해요**]를 터치합니다.

3 [**영상 만들기**]를 터치합니다.

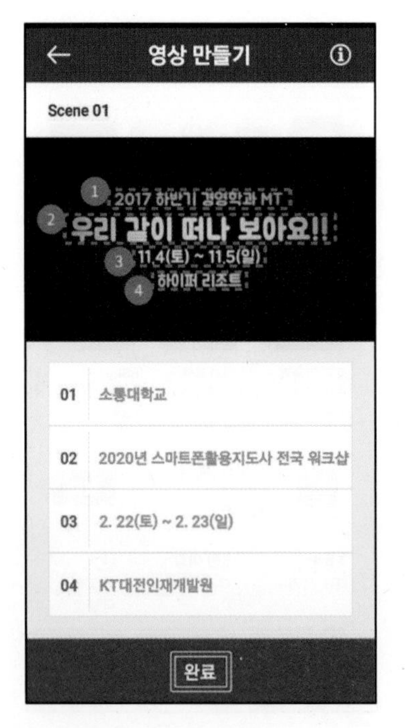

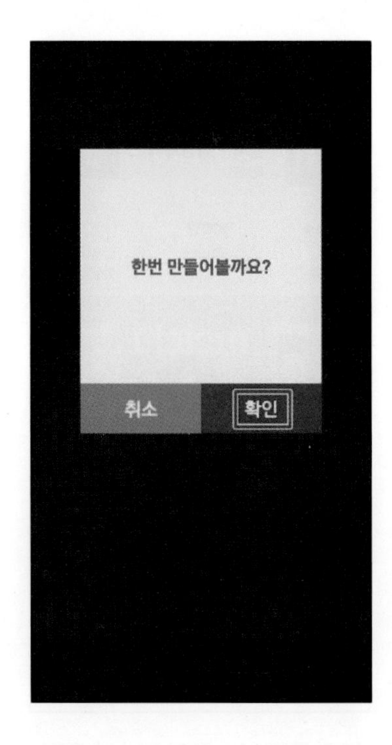

1 ①과 같이 되도록 ②에 차례대로 내용을 입력합니다.

2 기재가 끝나면 [**완료**]를 터치합니다.

3 한번 만들어볼까요? [**확인**]을 터치합니다.

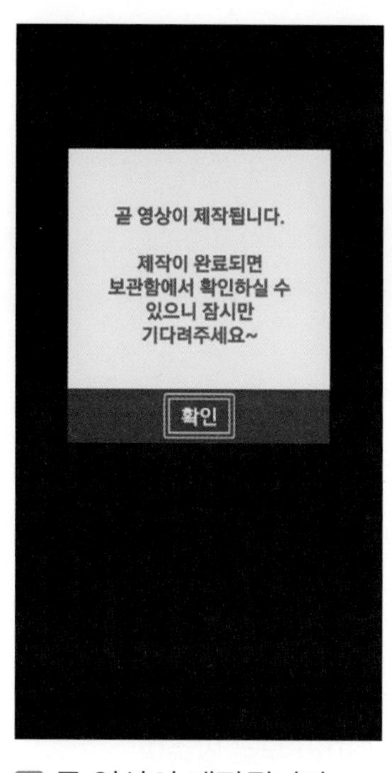

❶ 곧 영상이 제작됩니다.
[**확인**]을 터치합니다.

[**제작중**] 예상완료시간이 표시됩니다.

❷ [**내 보관함**]에 제작 완료된 영상이 표시됩니다.

❸ 영상제작이 완료되면
[**보관함**]에 보관됩니다.

❶ ①[**일반화질**]로 다운받은후 ②[**공유**] 아이콘을 터치합니다.
❷ [**공유하기**]중 원하는 곳으로 공유합니다.

9강. 스마트폰 하나면 사무실이 필요 없다

1 모바일 팩스

[모바일 팩스] 앱(App)은 집이나 사무실에 팩스기가 없어도 팩스를 보내고 받을 수 있습니다!

[모바일 팩스] 앱(App) 의 장점

- 설치하고 가입승인이 되면, 무료로 0504 가상 팩스번호를 부여 받습니다.
- MMS를 이용하여 팩스를 전송하므로 이용자의 스마트폰 요금제에 따라 무료 발송이 가능합니다.(팩스 발송 시 1페이지 당 MMS 1건 사용)
- 스마트폰에 저장되어 있는 파일이나 스마트폰 카메라를 이용하여 편리하게 팩스발송을 할 수 있습니다.
- 스마트폰 상에서 팩스 수신과 발신이 모두 가능합니다.

[모바일 팩스] 앱(App)의 활용

- 1인 기업가 : 사업자등록증 사본, 통장사본 등을 팩스로 받고 보낼 수 있습니다.
- 회사직원 : 거래처에 필요한 서류를 팩스로 요청할 수 있습니다.
- 일반인 : 관공서나 PC방에 가지 않고서도 신청서류 등을 팩스를 보낼 수 있습니다.

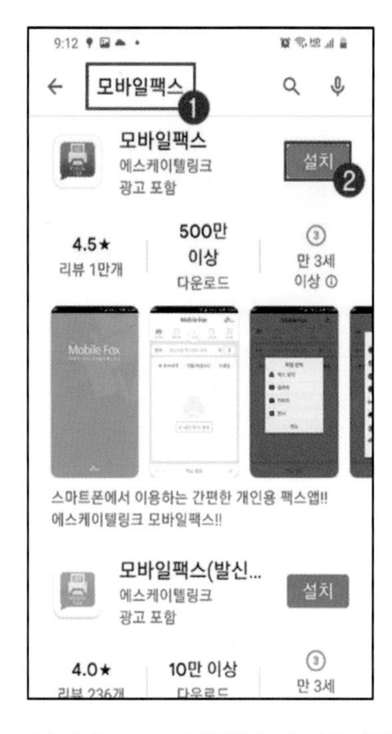

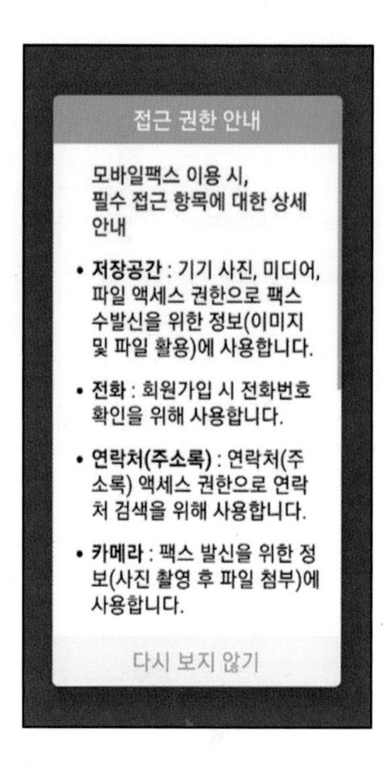

1 ①[Play스토어]에서 [**모바일 팩스**]를 검색하여 ②[**설치**] 합니다.

2 [**모바일 팩스**] 실행을 위해 [**열기**]를 터치합니다.

3 [**모바일 팩스**] 이용 시, 필수 접근 황목에 대한 상세 안내를 확인 합니다.

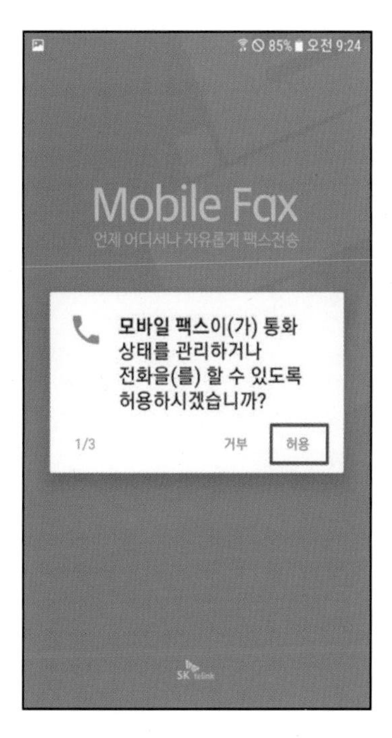

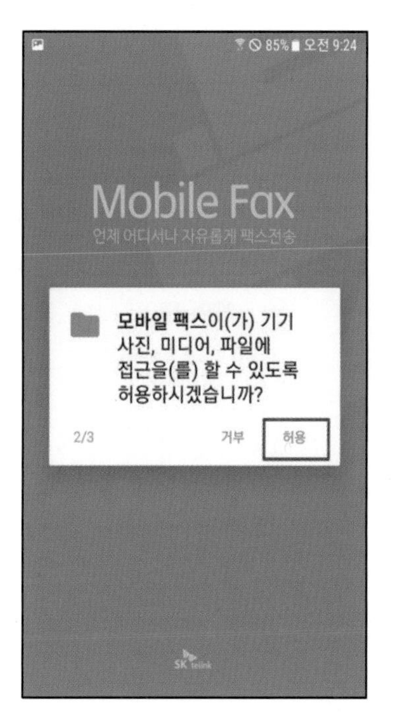

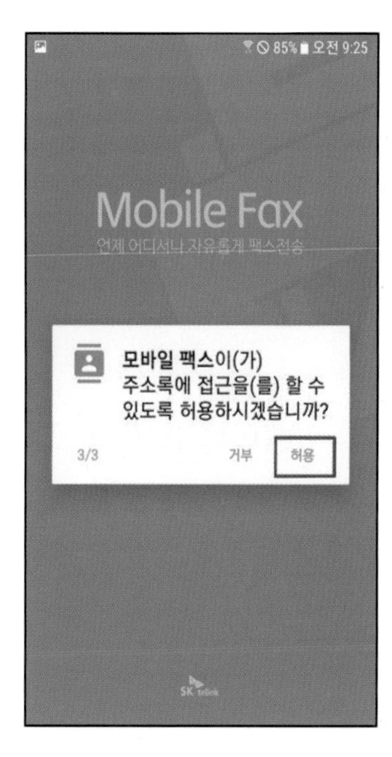

1 [**모바일 팩스**]가 통화상태를 관리하거나 전화를 할 수 있도록 [**허용**] 합니다.

2 [**모바일 팩스**]가 기기 사진, 미디어, 파일에 접근할 수 있도록 [**허용**] 합니다.

3 [**모바일 팩스**]가 주소록에 접근할 수 있도록 [**허용**] 합니다.

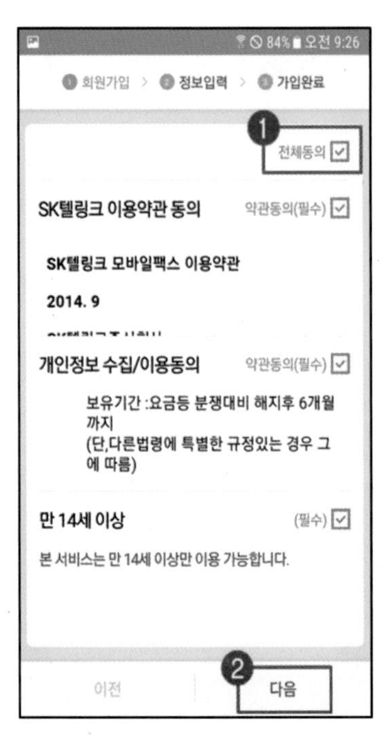

1 ①회원가입을 위해 [**전체동의**]를 터치합니다. ②[**다음**]을 터치합니다. 2 ①기존에 사용한 팩스번호를 입력하거나 모르면, [**신규가입**]을 터치합니다. ②[**다음**]을 터치합니다. 3 ①자동으로 부여된 팩스번호 5개중에서 맘에 드는 번호 1개를 [**선택**] 합니다. ②[**다음**]을 터치합니다.

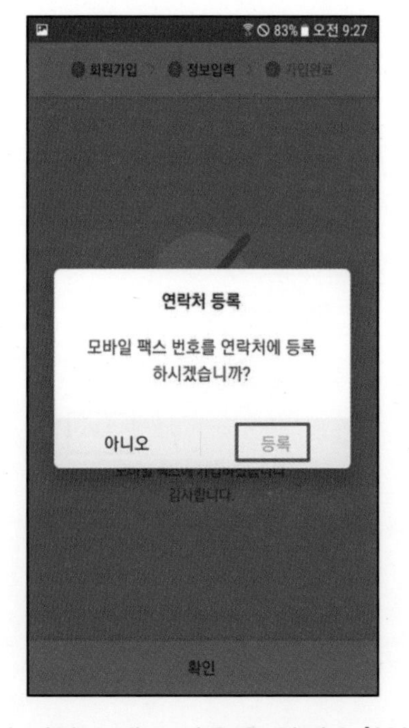

1 선택한 팩스번호로 가입완료가 되었고 팩스 사용을 위해 [**확인**]을 터치합니다

2 모바일 팩스번호를 연락처에 등록하기 위하여 [**등록**]를 터치합니다.

3 자동으로 입력된 내용에 수정할 것은 없는지 확인한 후 [**저장**]을 터치합니다.

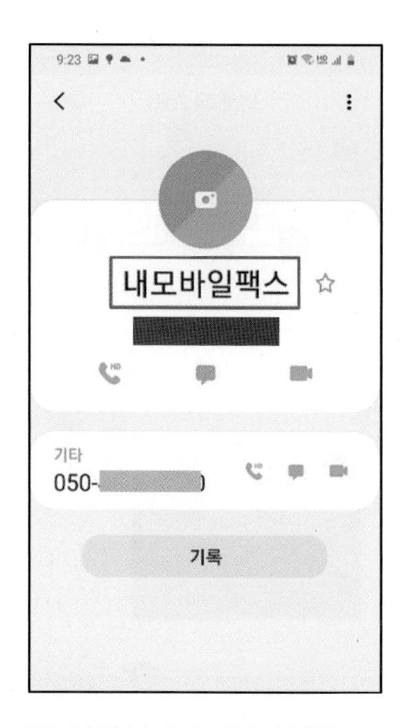

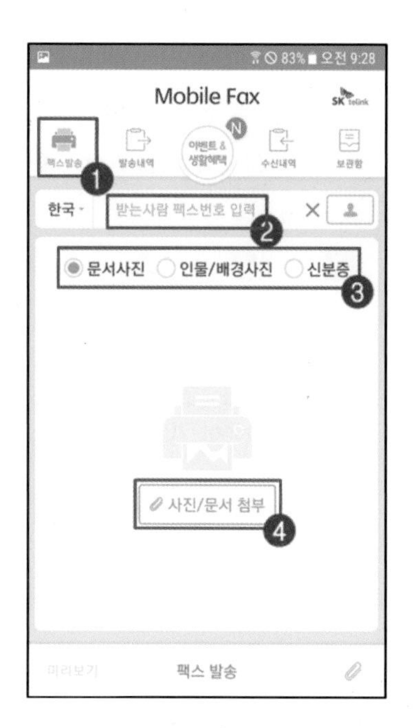

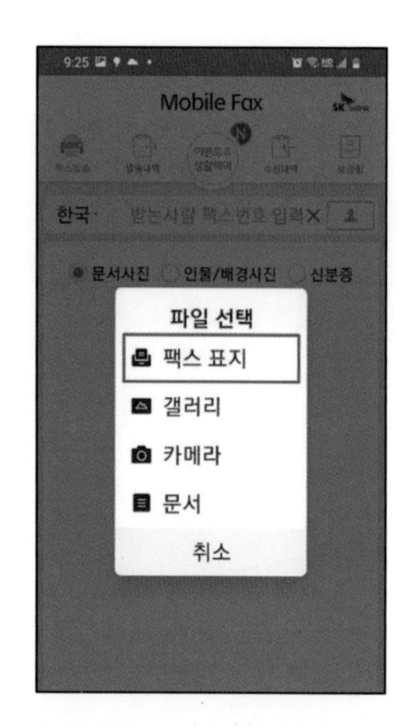

❶ 연락처에 [**내모바일팩스**]로 저장이 된 걸 확인 합니다. ❷ 모바일 팩스 메뉴입니다. ①[**팩스 발송**] 탭을 터치합니다. ②[**받는 사람 팩스번호**]를 입력합니다. ③[**문서사진**], [**인물/배경사진**], [**신분증**]에서 하나를 선택합니다. ④[**사진/문서첨부**]를 터치합니다. ❸ 첨부를 원하는 파일 선택 - 팩스 표지, 갤러리, 카메라, 문서 - 중에서 [**팩스표지**]를 선택합니다.

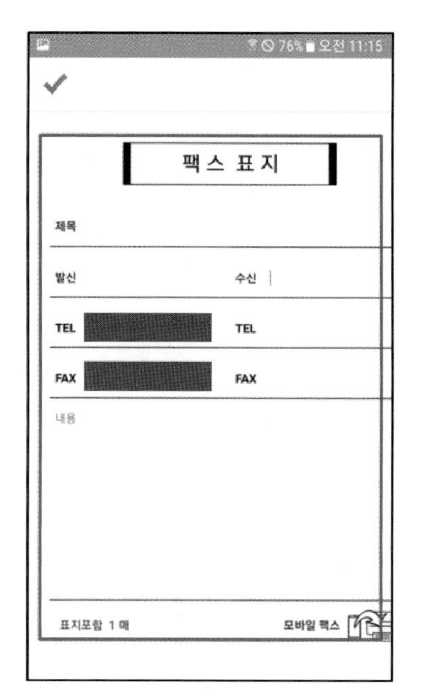

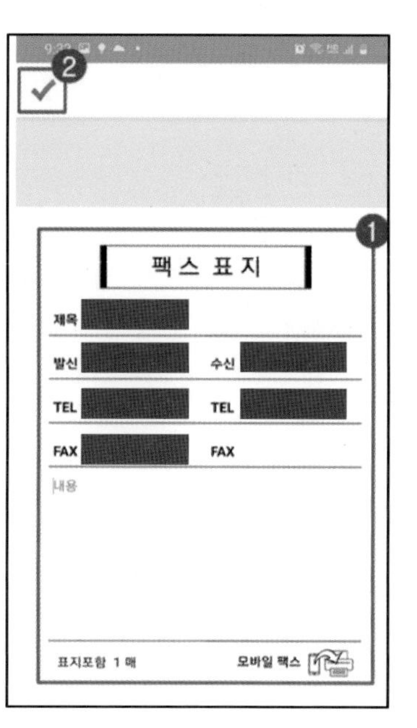

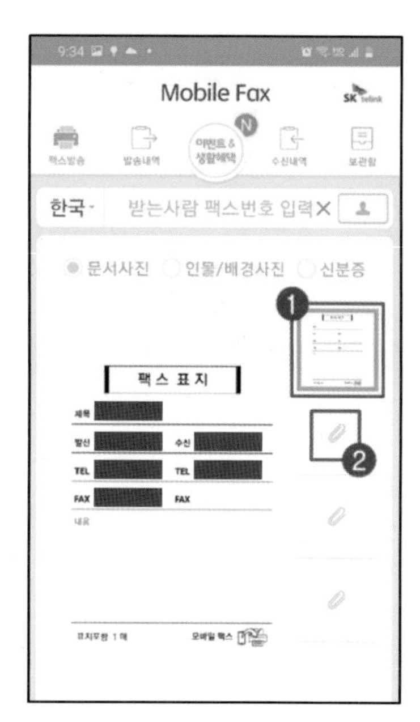

❶ [**팩스 표지**]를 선택하면 받는 사람에게 정확하게 전달할 수 있습니다. [**팩스 표지 포함 몇 장**]이라고 작성하면 받는 사람이 팩스 받을 때 편하게 받을 수 있습니다. ❷ ①제목, 발신 및 수신, 연락 등을 모두 기입합니다. ②[√]을 터치합니다. ❸ ①첨부한 [**팩스 표지**]가 보입니다. ②자료를 더 첨부하기 위해 [**클립 버튼**]을 터치합니다.

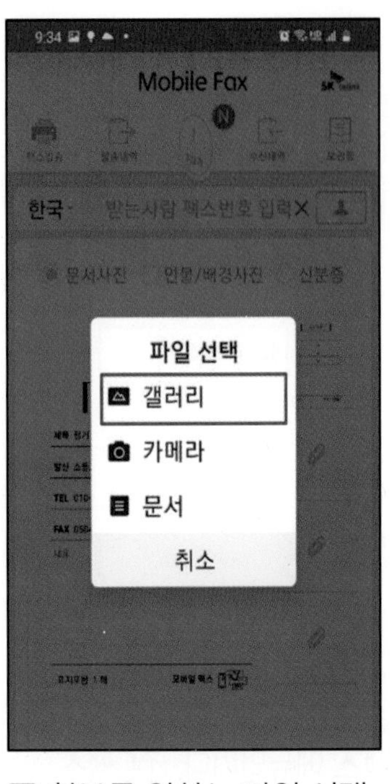

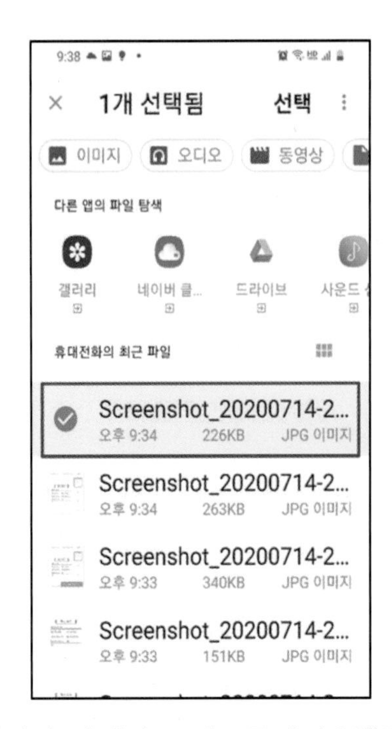

1 첨부를 원하는 파일 선택 - 갤러리, 카메라, 문서 - 중에서 **[갤러리]**를 선택합니다.

2 스마트폰에 저장되어 있는 파일 중에서 팩스로 전송하고자 하는 **[파일]**를 선택합니다.

3 첨부한 문서가 보여지며, 첨부한 문서가 맞으면 ①상대방 팩스번호를 입력합니다.
②연락처에 팩스번호가 저장되어 있으면 가져다 바로 쓸 수 있습니다. ③**[팩스 발송]**을 터치합니다.

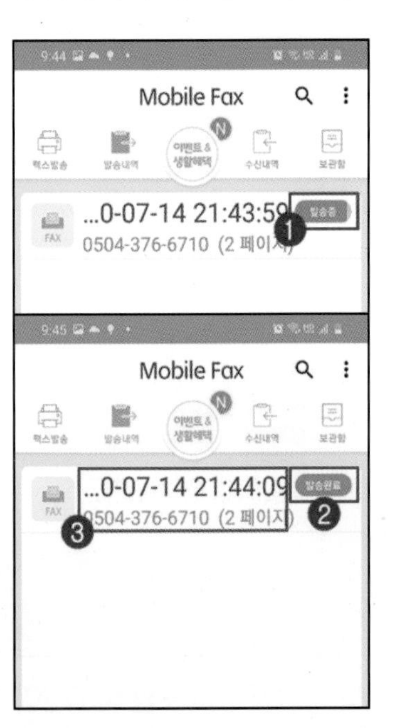

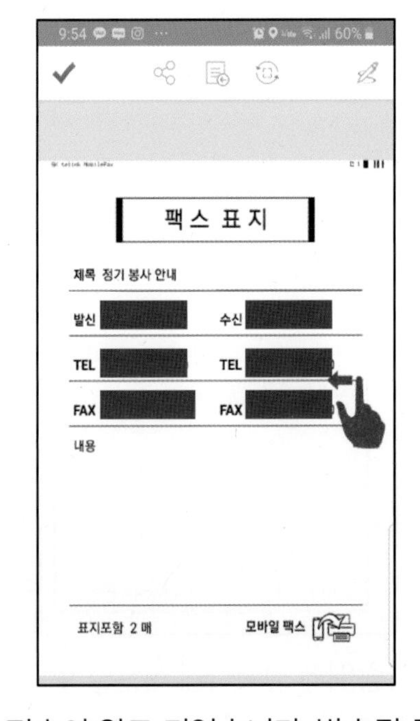

1 ①팩스전송 중입니다. ②팩스전송이 완료 되었습니다. 발송된 문서 내용을 확인하기 위해 터치합니다. 2 발송문서의 표지를 확인 후 다음 페이지 문서 확인을 위해 왼쪽으로 스크롤합니다.

3 발송된 두번째 페이지 내용을 확인후 [√]을 터치합니다.

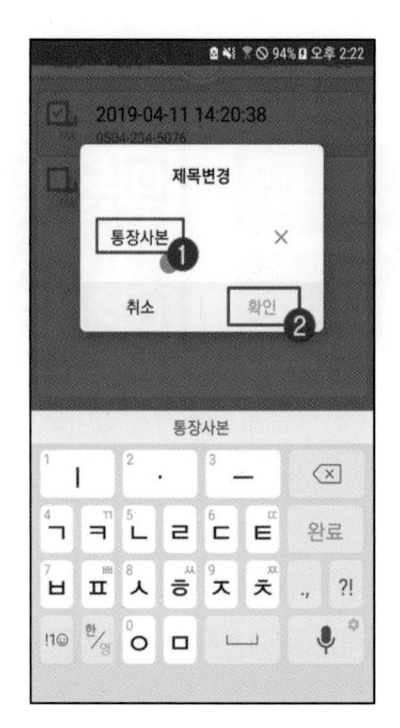

1 ①수신한 문서의 제목을 1초간 누르면 편집 기능이 나타납니다. (발송문서, 보관함운서 모두 해당) ②[**제목변경**]을 터치합니다. 2 ①원하는 제목으로 입력합니다. ②[**확인**]을 터치합니다. 3 ①제목이 변경 되었습니다. ②공유하기 위해 **[공유/인쇄]**을 터치합니다.

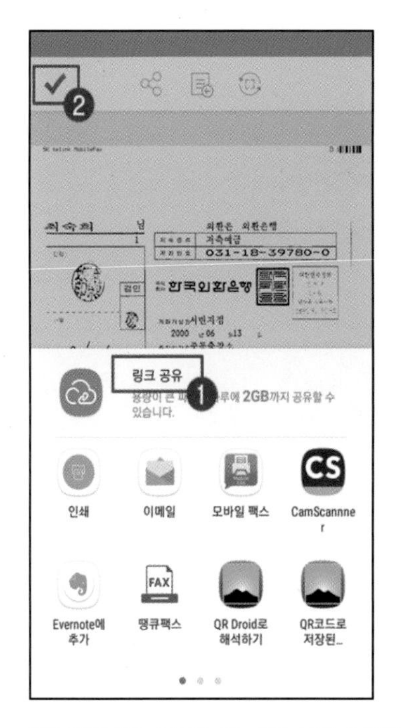

1 ①링크 공유 중 하나를 선택합니다. ② [√]을 터치합니다. 2 자주 보내는 파일은 **[보관함]**에 저장합니다. 3 **[더보기]** 탭을 터치하면 내 모바일 팩스번호, 공지사항, 이용안내, 부가기능 등 좀 더 상세한 정보를 알 수 있습니다.

2 탱큐모바일팩스

[**탱큐모바일팩스**] 앱(App)은 집이나 사무실에 팩스기가 없어도 팩스를 보내고 받을 수 있습니다!

[탱큐모바일팩스] 앱(App) 의 장점

- 간단한 회원가입으로 나만의 050 팩스 수신번호를 무료로 발급 받습니다.
- MMS를 이용하여 팩스를 전송하므로 이용자의 스마트폰 요금제에 따라 무료 발송이 가능합니다.(1건당 MMS 2개 차감)
- 스마트폰에 저장되어 있는 파일이나 스마트폰 카메라를 이용하여 편리하게 팩스발송을 할 수 있습니다.
- 팩스로 수신한 자료를 사전에 등록한 이메일에서 확인할 수 있습니다..

[탱큐모바일팩스] 앱(App)의 활용

- 1인 기업가 : 사업자등록증 사본, 통장사본 등을 팩스로 보낼 수 있습니다.
- 회사직원 : 거래처에 필요한 서류를 팩스로 요청하고 이메일로 받습니다.
- 일반인 : 관공서나 PC방에 가지 않고서도 팩스를 보낼 수 있습니다.

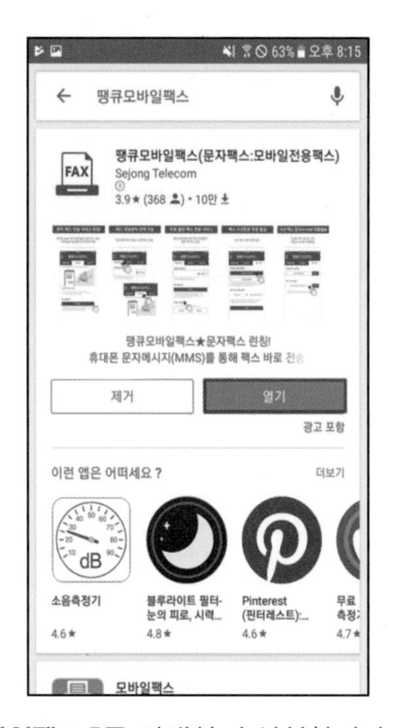

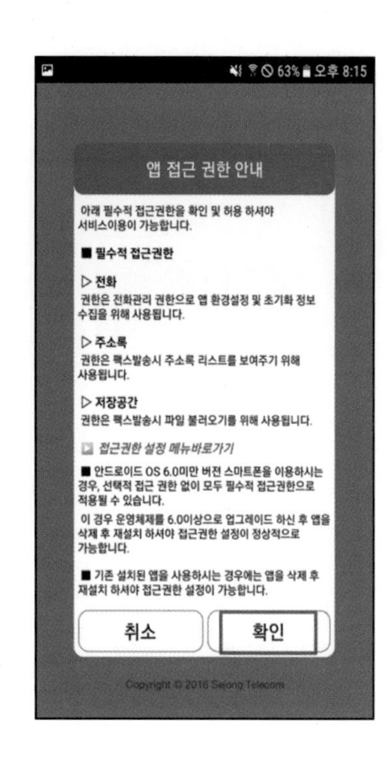

1 [Play스토어]에서 [**탱큐모바일팩스**]를 검색하여 설치합니다.

2 [**탱큐모바일팩스**] 실행을 위해 [**열기**]를 터치합니다.

3 서비스 이용을 위하여 앱 접근 권한 허용을 [**확인**]합니다.

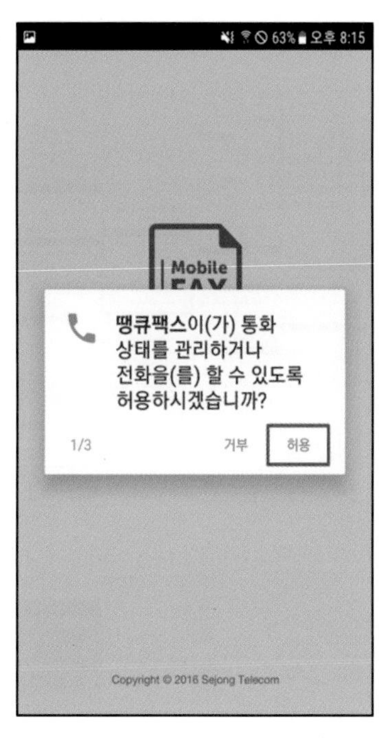

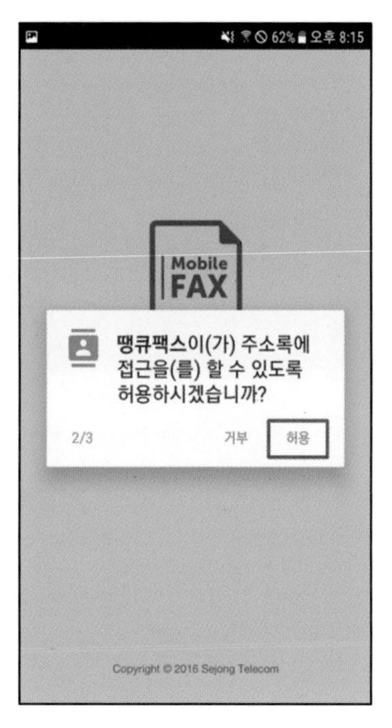

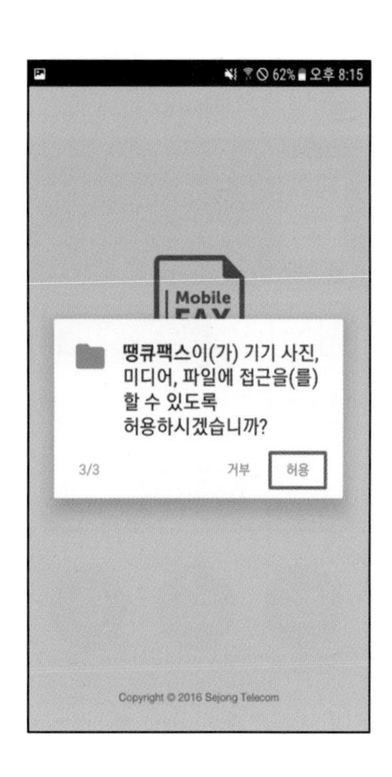

1 [**탱큐팩스**]가 전화할 수 있도록 [**허용**]합니다.

2 [**탱큐팩스**]가 주소록에 접근할 수 있도록 [**허용**]합니다.

3 [**탱큐팩스**]가 기기 사진, 미디어, 파일에 접근할 수 있도록 [**허용**]합니다.

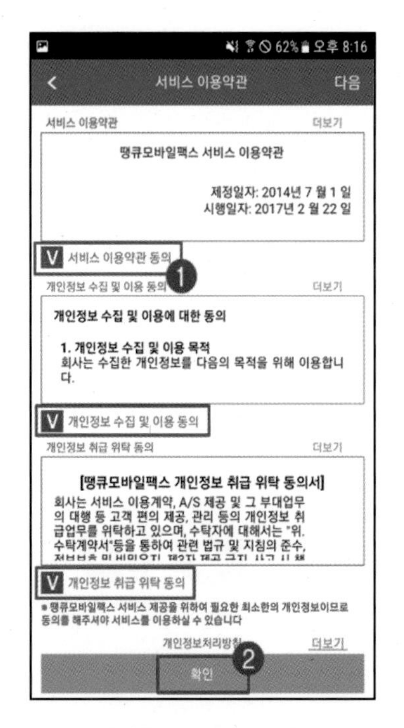

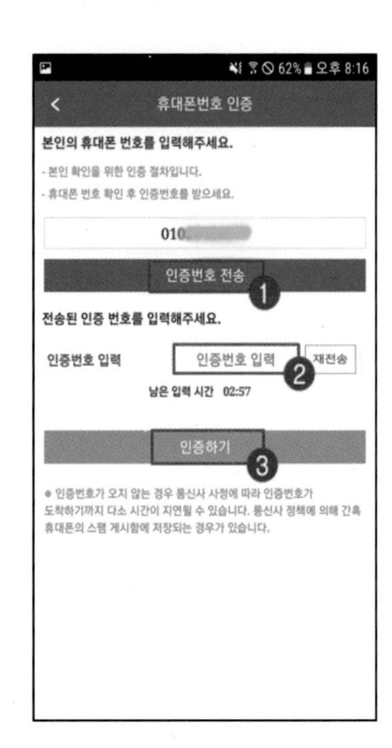

1 탱큐모바일팩스를 사용하기 위해 [**시작하기**]를 터치합니다. 2 ①[**서비스 이용약관**] 등에 모두 체크를 합니다. ②[**확인**]을 터치합니다. 3 ①휴대폰번호 인증을 위해 [**인증번호 전송**]을 터치합니다. ②[**인증번호**]를 입력합니다. ③[**인증하기**]를 터치합니다

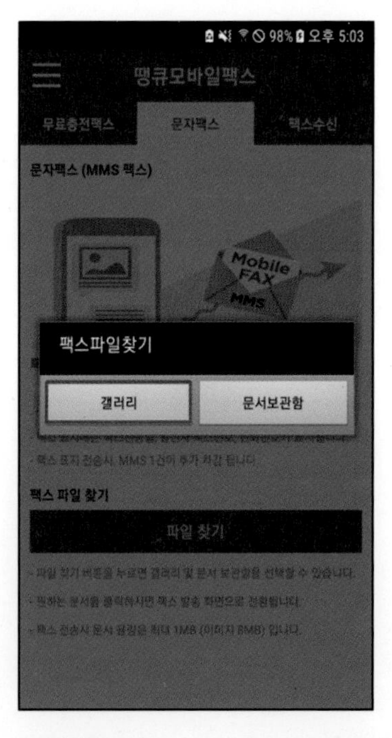

1 [**팩스번호**], [**팩스 수신 E-Mail**]을 확인합니다. ②[**MMS 팩스 보내기**]를 터치합니다.
2 [**갤러리**]와 [**문서보관함**]에서 팩스파일 찾기를 할 수 있습니다. [**갤러리**]를 선택합니다.
3 갤러리에서 보낼 파일을 [**선택**]합니다.

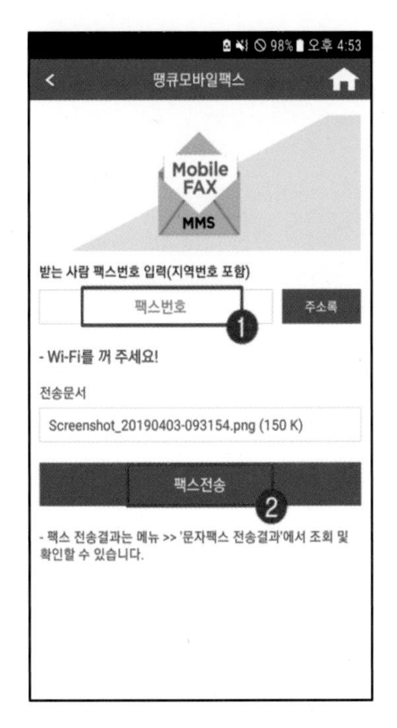

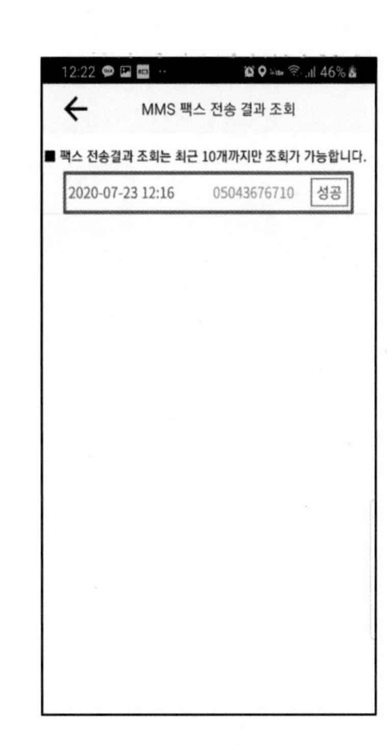

1 ①지역번호를 포함하여 받는 사람 [**팩스번호**]를 입력합니다. ②[**팩스전송**]을 터치합니다.

2 [**MMS 전송 결과**] 탭을 선택합니다. 3 [**문자팩스 전송 결과 조회**]를 보여줍니다.

* 팩스 수신 확인은 E-Mail로

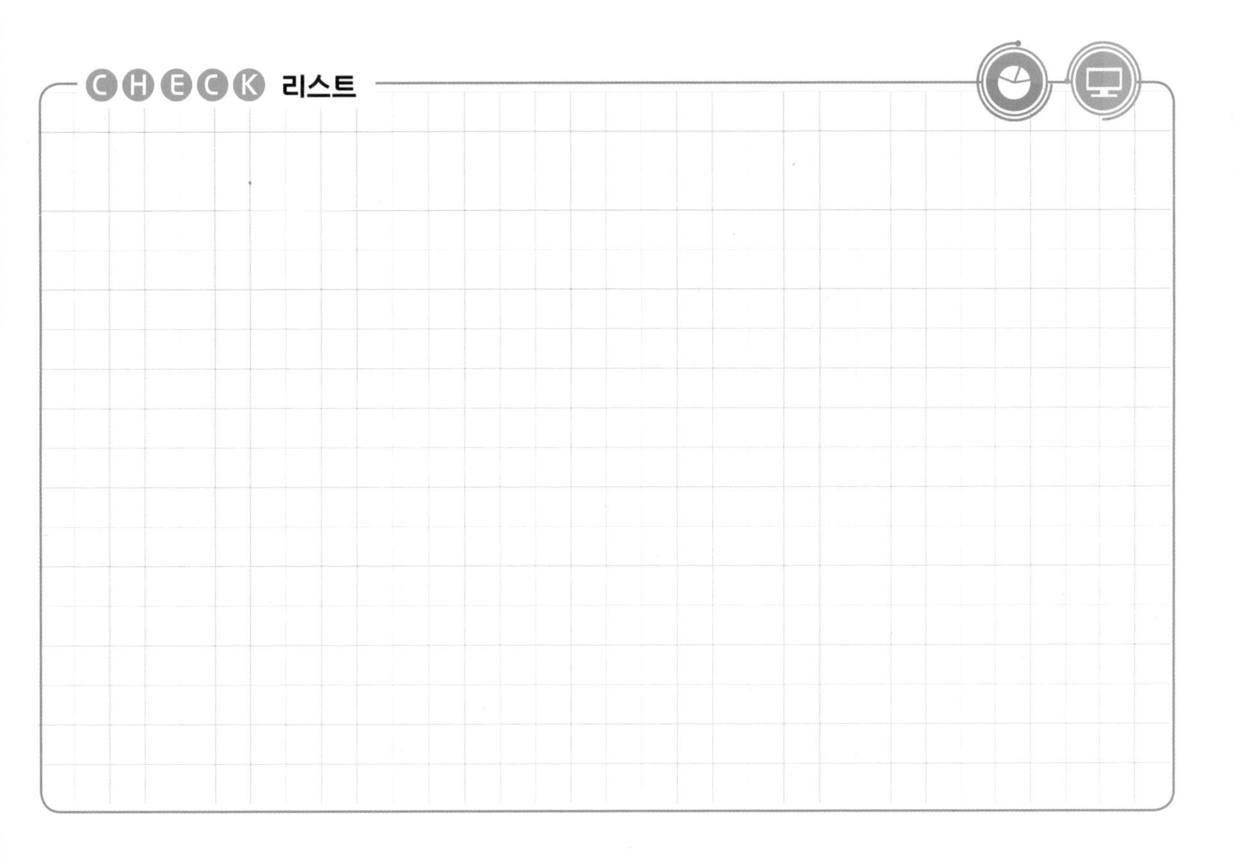

3 텍스트 스캐너 [OCR]

[텍스트 스캐너] 앱(App)은 이미지를 텍스트로 변환할 수 있습니다!

[텍스트 스캐너] 앱(App) 의 장점

- 책이나 브로셔에 있는 내용을 촬영하여 바로 텍스트로 변환할 수 있습니다.
- 갤러리에 있는 사진에서 텍스트를 추출하여 자료로 활용할 수 있습니다.
- 칠판이나 화이트 보드에 적힌 메모를 텍스트로 변환하고 공유할 수 있습니다.

[텍스트 스캐너] 앱(App)의 활용

- 1인 기업가 : 외부 자료를 활용해서 보고서를 만들 때 유용합니다.
- 직장인 : 화이트보드에 적힌 회의 내용을 텍스트로 변환하여 정리합니다.
- 일반인 : 책에 있는 좋은 내용을 텍스트로 발췌하여 공유합니다.
- 학생 : 칠판에 있는 내용을 촬영하여 텍스트 편집을 통해 수정하거나 추가할 수 있습니다.

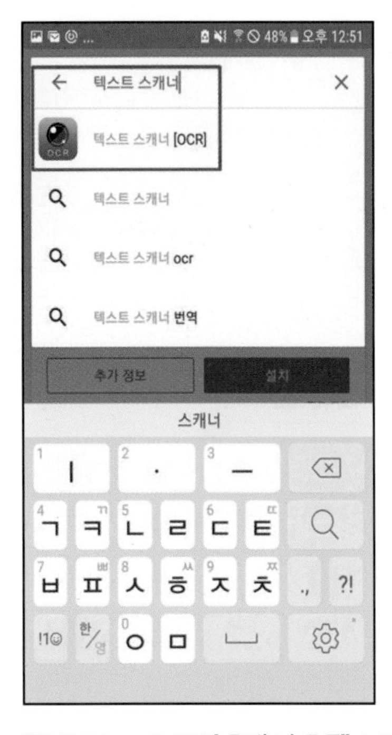

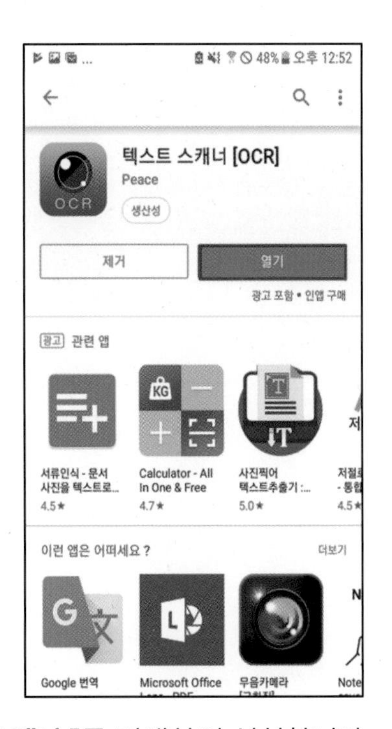

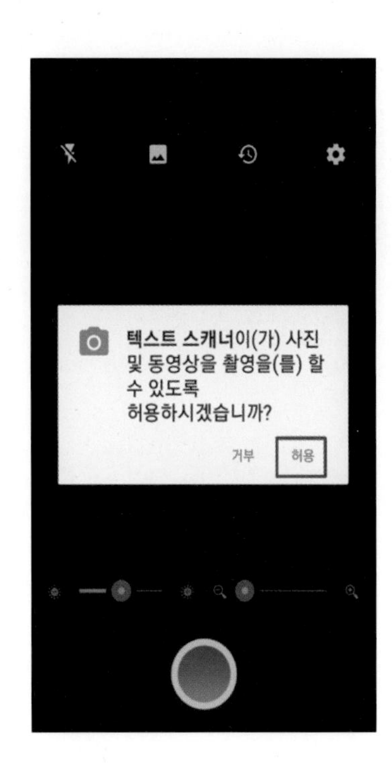

1 [Play스토어]에서 [**텍스트 스캐너**]를 검색하여 설치합니다.

2 [**텍스트 스캐너**] 실행을 위해 [**열기**]를 터치합니다.

3 [**텍스트 스캐너**]가 사진 및 동영상을 촬영할 수 있도록 [**허용**]합니다.

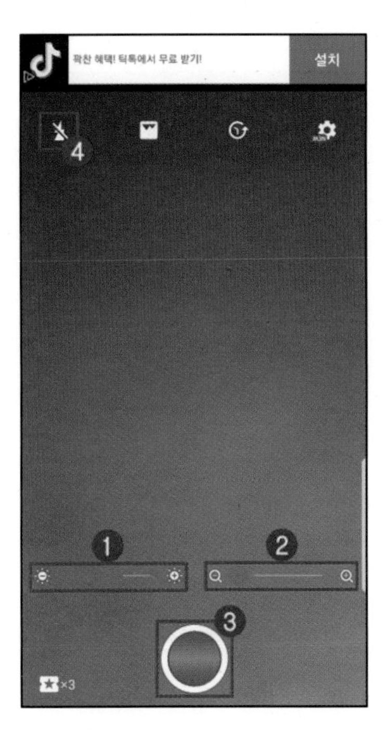

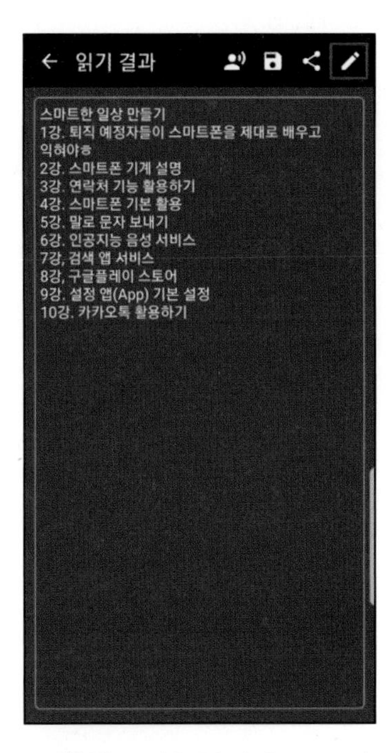

1 ①[**밝기**]를 조절하는 기능입니다. ②[**확대 및 축소**] 기능입니다. ③[**촬영**] 버튼입니다. ④[**조명**] 기능입니다. 2 브로셔에 있는 내용을 [**촬영**] 합니다. 3 [**텍스트 스캐너**]가 텍스트로 변환된 읽기 결과를 보여주며, 수정을 위해 [**편집**] 버튼을 터치합니다.

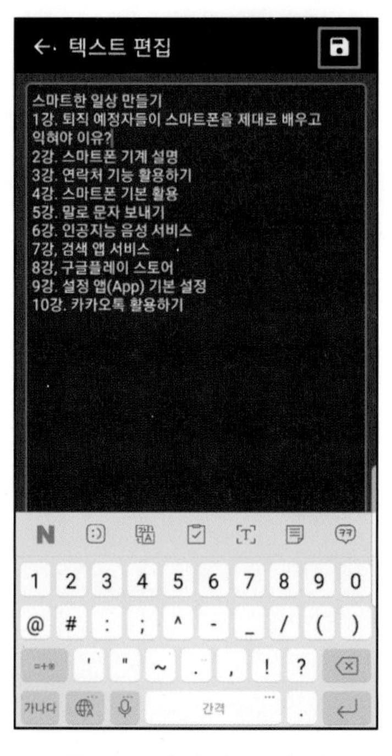

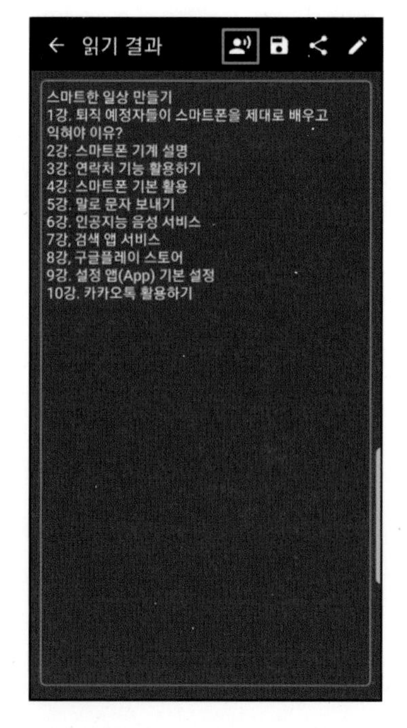

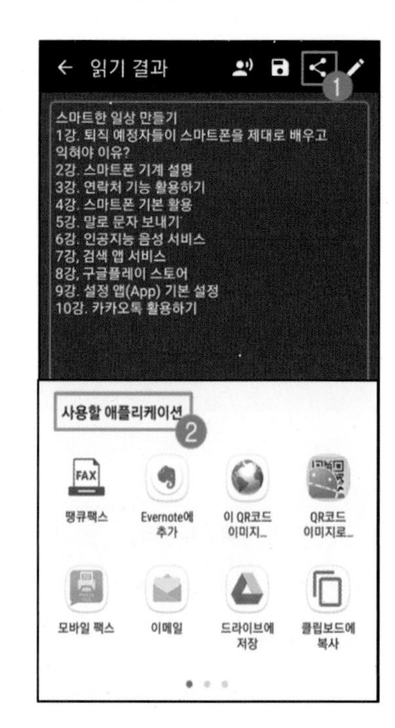

❶ 텍스트 편집이 끝나면 **[저장]**을 터치합니다. ❷ ①읽기 결과를 음성으로 듣기 위해 **[읽기]** 버튼을 터치합니다. ❸ ①읽기 결과를 공유하기 위해 **[공유]** 버튼을 터치합니다. ②공유에 **[사용할 애플리케이션]** 중 하나를 선택합니다. 처음 선택한 애플리케이션으로 자동 연결되니 신중히 선택합니다.

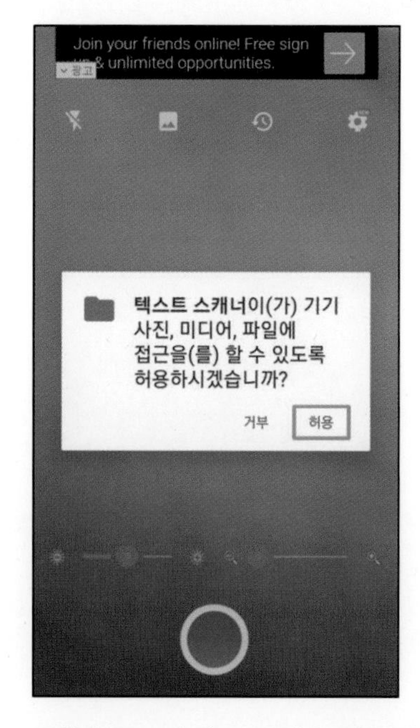

❶ 갤러리에 있는 사진을 **[텍스트 스캐너]**로 가져오고자 **[갤리러]**를 터치합니다.

❷ **[텍스트 스캐너]**가 기기 사진, 미디어, 파일에 접근을 할 수 있도록 **[허용]**합니다.

❸ 원하는 **[사진]**을 선택합니다.

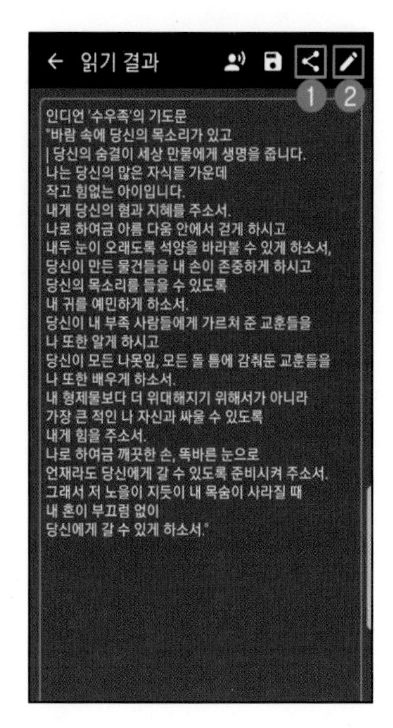

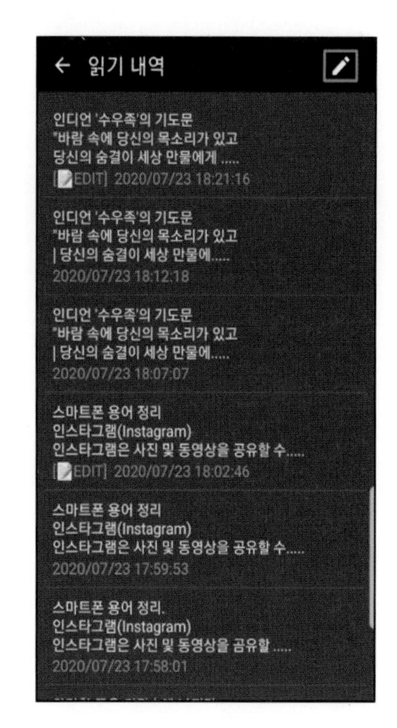

❶ 사진 내용이 텍스트로 변환되어 읽기 결과를 보여 줍니다. ①수정을 위해 **[편집]** 버튼을 터치합니다. ②**[공유]** 버튼을 터치합니다. ❷ **[읽기 내역]**을 터치합니다.

❸ 읽기 내역 중에서 필요 없는 기록 삭제를 위해 **[편집]**를 터치합니다.

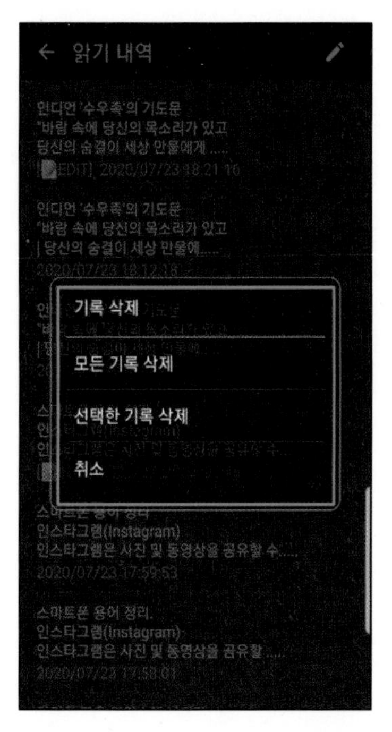

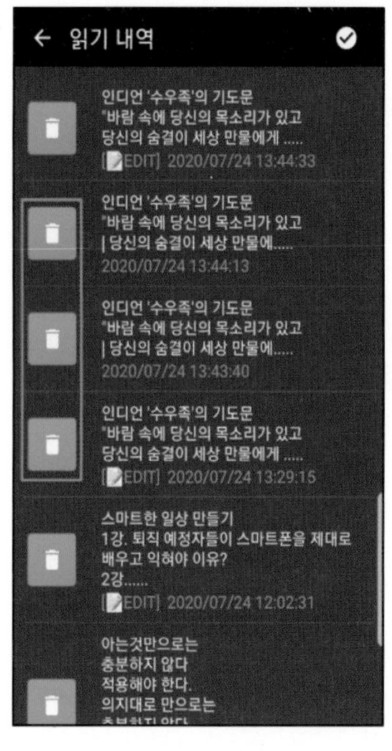

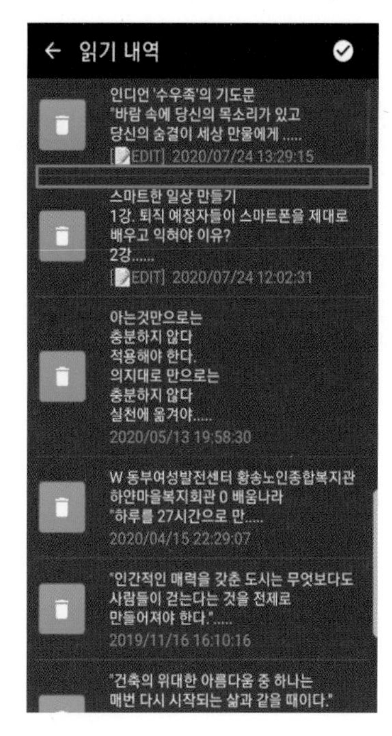

❶ **[모든 기록 삭제]**, **[선택한 기록 삭제]**, **[취소]** 중 원하는 것을 선택합니다.

❷ 선택해서 읽기 내역을 지우고자 할 때 **[삭제]** 버튼을 하나씩 터치합니다.

❸ 삭제한 읽기 내역이 지워졌습니다.

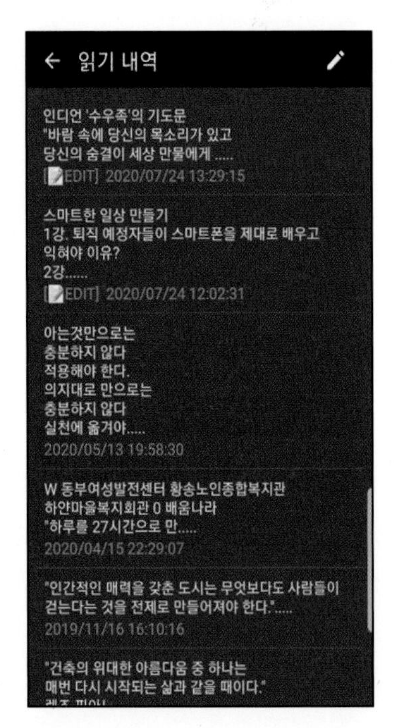

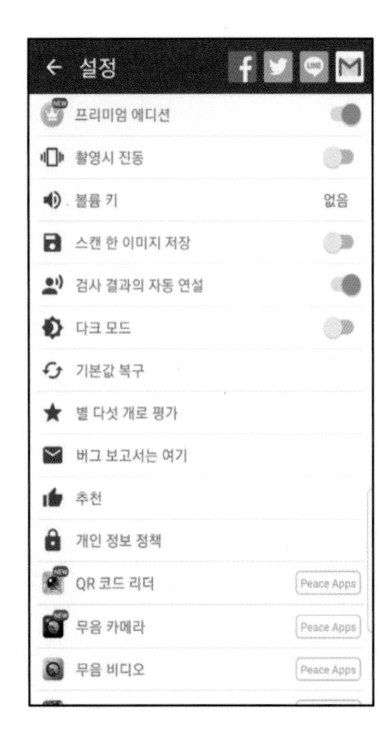

1 편집한 내용을 확인 합니다.

2 [**설정**]을 터치하면 추가정보를 확인할 수 있습니다.

3 필요한 옵션들을 활성화 할 수 있습니다.

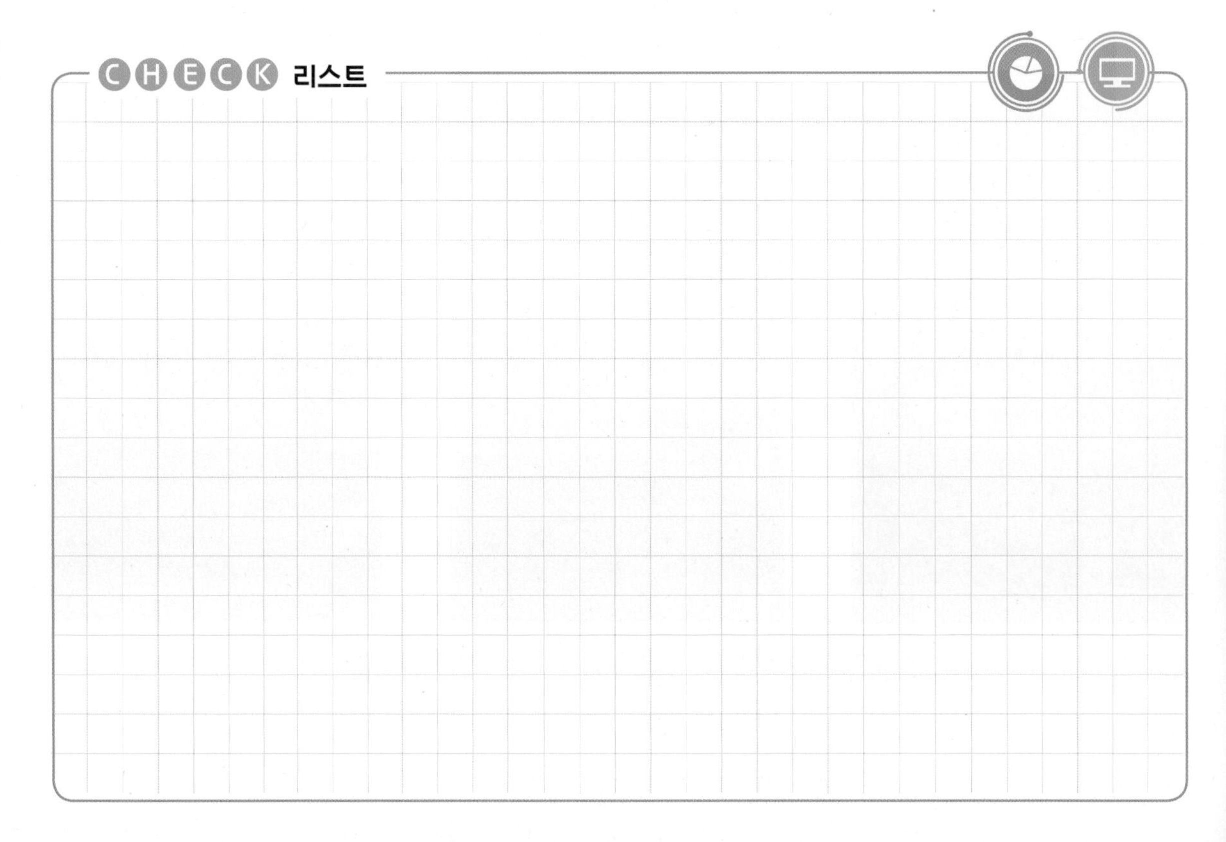

4 샌드애니웨어[Send Anywhere]

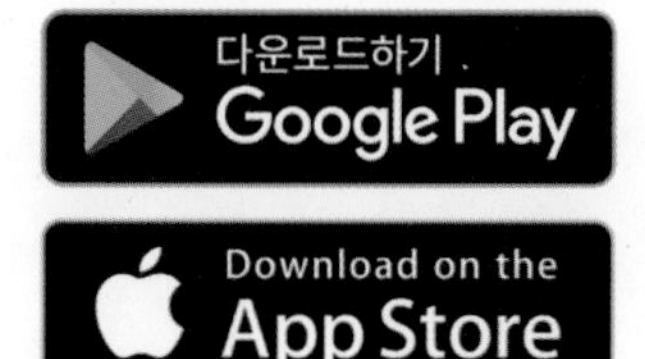

[샌드애니웨어] 앱(App)은 쉽고 빠른 무제한 파일 전송서비스입니다.

[샌드애니웨어] 앱(App) 의 장점

- 저장된 모든 종류의 파일을 원본 그대로 전송합니다.
- 6자리 숫자키만으로 다양한 플랫폼간 쉽고 빠르게 파일을 전송합니다.
- 횟수 제한없이 사용 가능한 파일 공유 링크를 제공 합니다.
- 회원가입을 하면 여러 기기의 링크를 한 번에 관리할 수 있습니다.
- 파일 암호화로 기능을 제공합니다.

[샌드애니웨어] 앱(App)의 활용

- 사진, 동영상, 음악 파일을 pc로 옮길 때 사용합니다.
- 대용량 파일을 공유해야 하는데 모바일 데이터가 없거나 인터넷 연결이 힘들 때 사용합니다.
- 이 외에 파일을 보내고 싶은 모든 순간에 사용합니다.

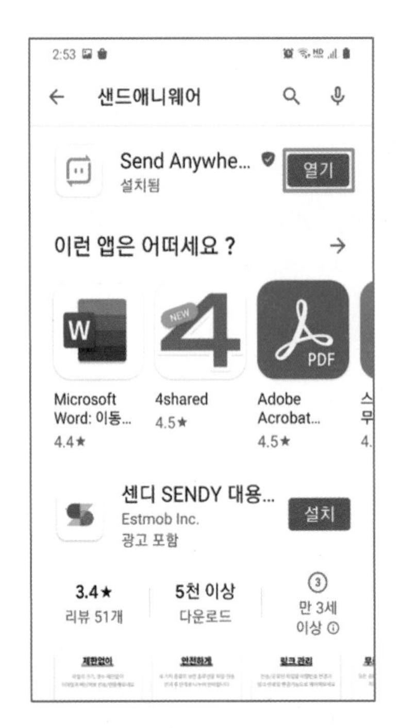

1 [Play스토어]에서 ①[**샌드애니웨어**]를 검색하여 ②설치합니다.

2 [**샌드애니웨어**]를 샐행하기 위해 [**열기**]를 터치합니다.

3 [**샌드애니웨어**]를 사용하기 위해 약관동의와 개인정보 처리방침에 동의하고 확인을 터치 합니다.

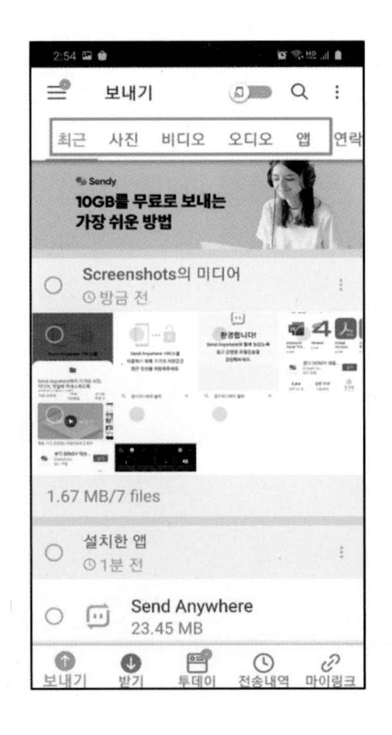

1 저장공간 접근 권한을 허용하기 위해 [**다음**]를 터치합니다.

2 기기의 사진, 미디어, 파일에 엑세스 하도록 [**허용**]을 터치합니다.

3 [**샌드애니웨어**] 화면은 다양한 메뉴가 있어 그 파일 방식으로 선택하여 전송 할 수 있습니다.

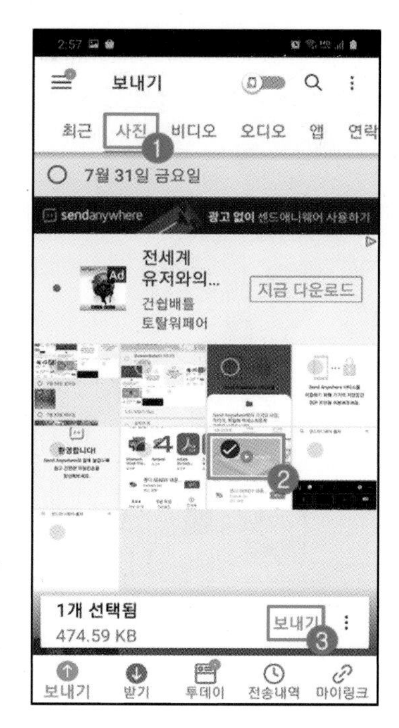

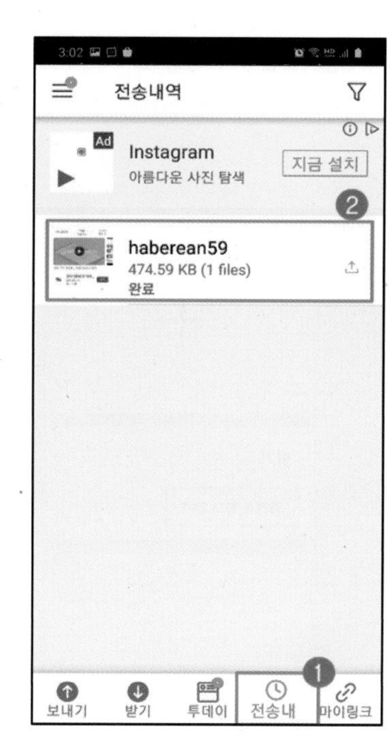

1 ①다양한 메뉴중에서 [**사진**]을 터치합니다. ②전송할 사진을 선택합니다. ③[**보내기**]를 터치합니다. 2 숫자 6자리, QR코드, 링크공유, 주변공유기기 찾기 등 다양한 방법으로 전송이 가능합니다. 3 ①[**전송내역**] 탭에서 ②파일 전송 결과를 확인 할 수 있습니다.

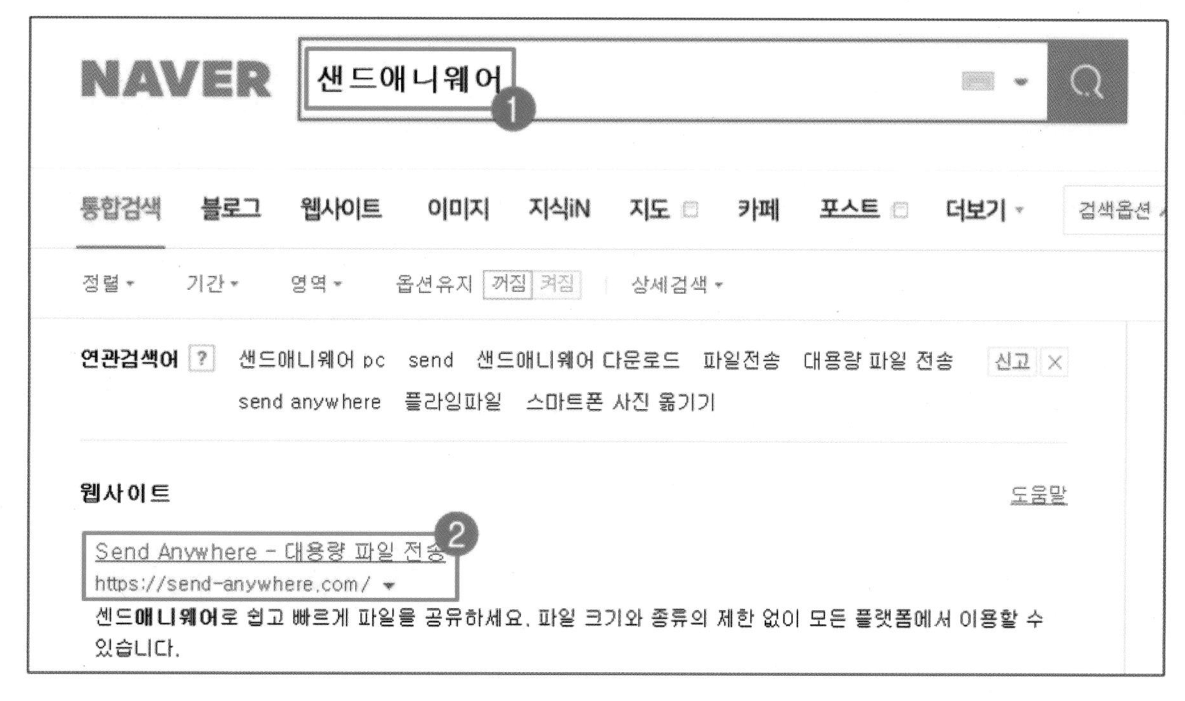

1 스마트폰에 있는 파일을 전송 받기 위해 PC에서 네이버 검색창에 ①[**샌드애니웨어**]을 입력하여 검색합니다.

②[Send Anywhere - **대용량 파일 전송**]을 클릭합니다.

1 샌드애니웨어 첫 화면 왼쪽 아래쪽부분에 스마트폰에서 받은 숫자 6자리를
[키 또는 링크 입력] 부분에 입력합니다.

1 스마트폰에서 전송받은 **[숫자 6자리]**를 입력합니다. 아래로 화살표 **[내려받기]**를 터치합니다.

1 스마트폰에서 전송한 파일을 PC에 저장하기위해 **[저장]**를 터치합니다.
[저장]옆 역삼각형을 터치하여 다른 이름으로 저장 대화상자를 열어 원하는 폴더를 선택하거나 새로 만들어 저장할 수 있습니다.

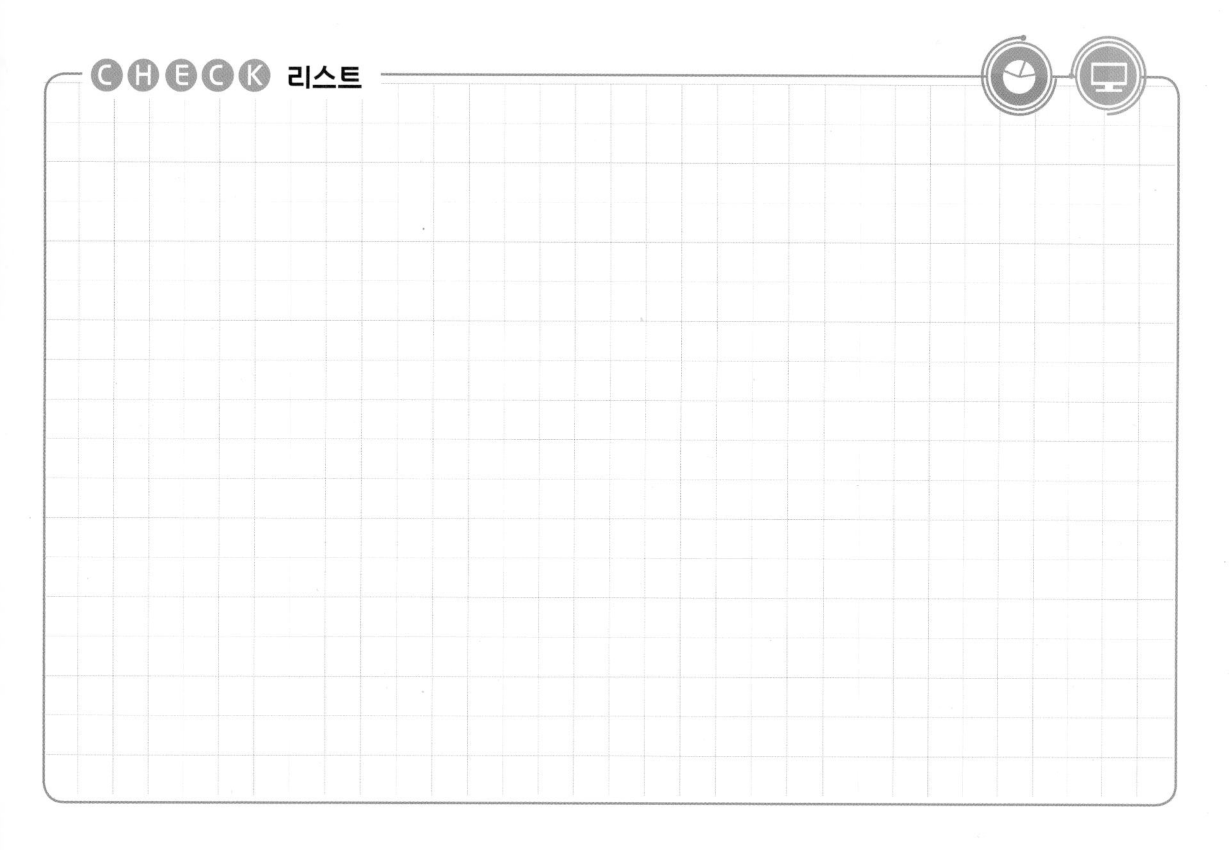

5 구글 클라우드 서비스 활용하기

QR-CODE를 스캔하시면 **[구글 클라우드]** 활용 법에 대한 자세한 영상을 보실 수 있습니다.

[구글 클라우드]는 구글 드라이브·구글 포토(App)를 이용하여 스마트폰과 서버를 동기화하여 자료를 저장 및 공유할 수 있으며, 기본 저장용량으로 15GB(구글드라이버)가 무료로 제공되고 있습니다.

[구글 드라이브] 앱(App)의 장점

- 동영상 스트리밍 화질이 좋으며, 구글 드라이브 내에 저장된 영상파일을 다운로드 없이 스트리밍으로 재생할 수 있습니다.
- 구글 드라이브 내의 문서는 구글 문서와 연동이 가능하며, 간단한 문서편집기로서의 기능도 수행합니다.
- 버전 관리 기능이 있어서 수정된 문서의 지난 버전은 30일간 보존하며, 보존기간 내에 다운로드 할 수 있습니다.
- 네이버 클라우드가 30GB를 제공하고 있지만 사진과 동영상은 구글 포토에서 별도로 제공하고 있어 가장 무난하게 사용할 수 있는 클라우드 서비스입니다.

[구글 드라이브] 앱(App)의 활용

- 1인 기업가 : 구글 드라이브에 저장된 자료는 스마트폰과 PC에서 언제든지 동일한 자료를 활용할 수 있습니다.
- 직장인 : 스마트폰과 업무용 PC에서 동일한 업무 문서작업을 할 수 있으므로 출장지에서도 사용할 수 있습니다.
- 일반인 : 별도의 외부저장장치 없이도 자료관리 및 활용할 수 있어 편리합니다.

1 [Play스토어]에서 [**구글드라이브**]를 검색하여 설치한 후, [**열기**]를 터치합니다.

2 구글드라이브 실행을 위해 홈 화면이나 앱스화면에서 [**구글드라이브**]를 터치해도 됩니다.

3 드라이브 검색에서 [**더보기**]를 터치합니다.

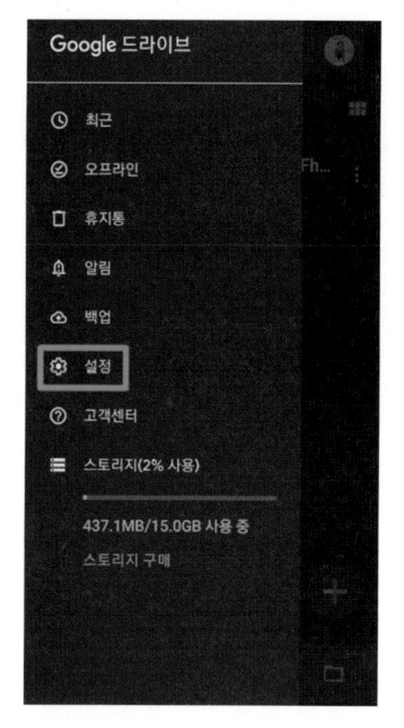

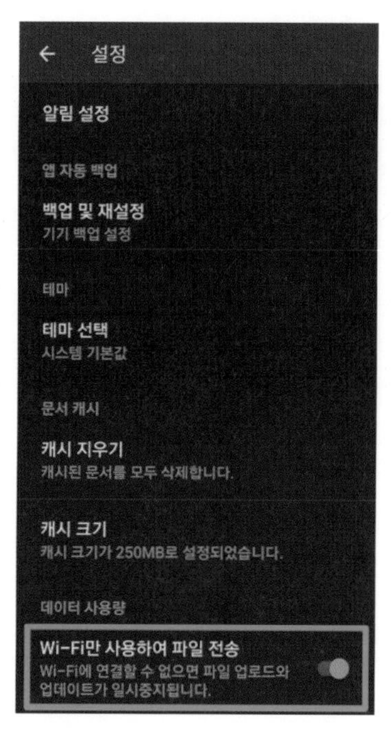

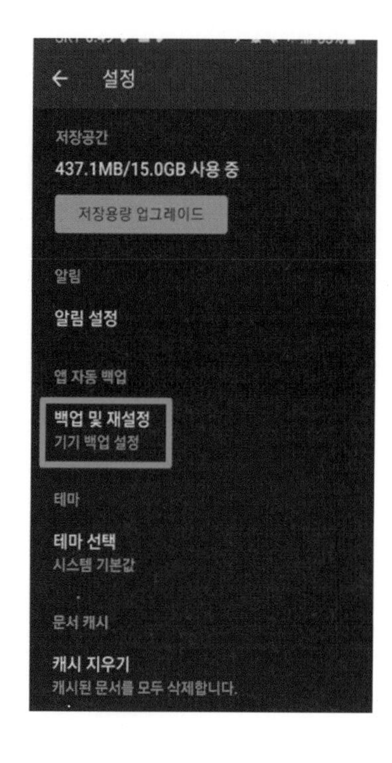

1 [**구글드라이브**]에서 [**설정**]을 터치합니다.

2 설정에서 Wi-Fi만을 사용하려면 파일전송 시 [**Wi-Fi만 사용하여 파일 전송**]을 터치합니다.

3 설정에서 [**백업 및 재설정**]을 터치합니다.

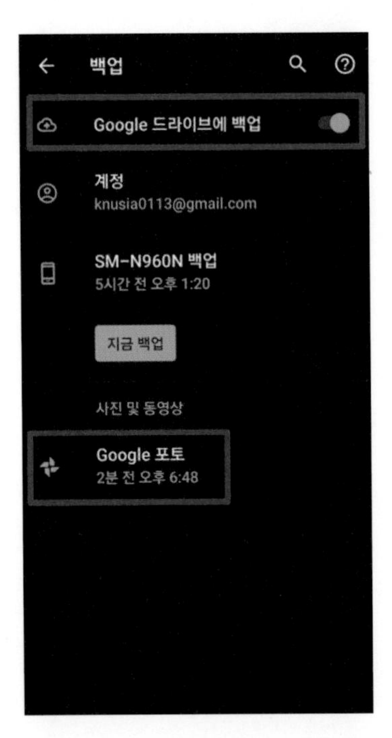

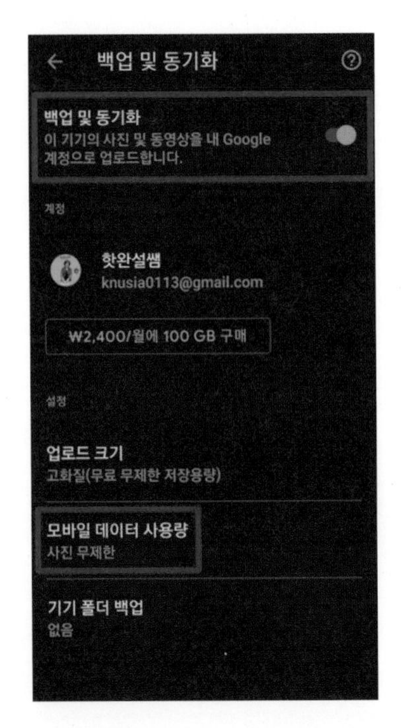

1 백업 및 재설정에서 [**구글드라이브에 백업**]을 터치한 후, [**구글 포토**]를 터치합니다.
2 구글 포토 [**백업 및 동기화**]를 터치한 후, [**모바일 데이터 사용량**]을 터치합니다.
3 모바일 데이터 사용량에서 [**데이터를 사용하여 사진 / 동영상 백업**]을 터치합니다.

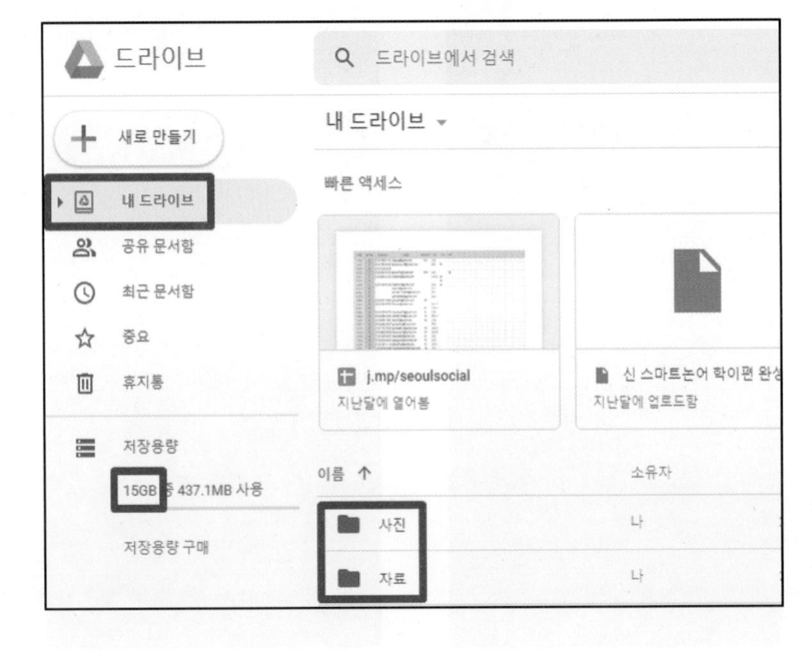

1 구글 홈페이지(PC)에서 구글 드라이브를 클릭합니다.
2 구글드라이브(PC)에 15GB가 제공되어 있으며, 스마트폰과 동기화가 되어 [**내드라이브**]에 동일한 자료가 저장되어 있고, [**폴더**]를 클릭하여 폴더별로 자료를 정리 및 활용할 수 있습니다.

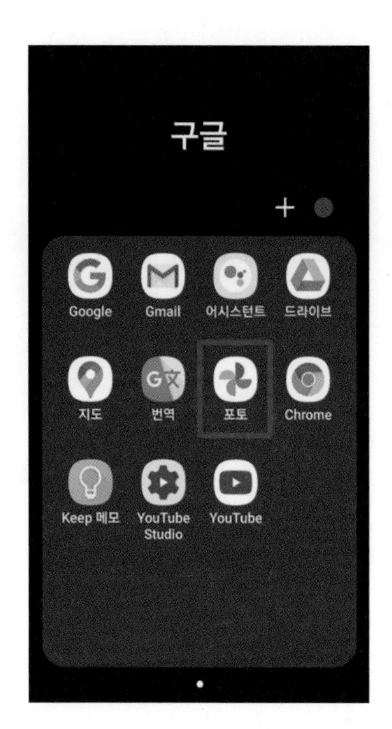

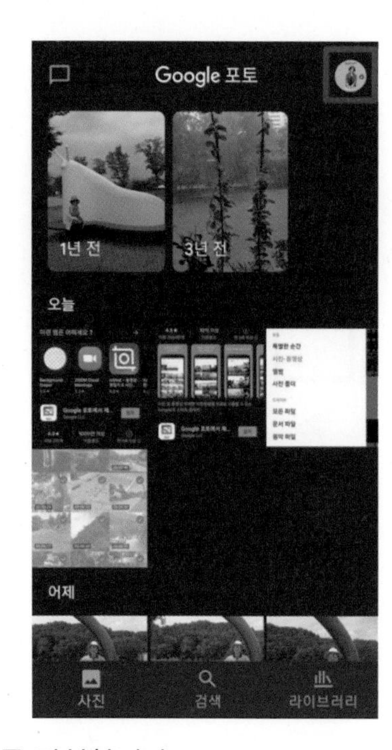

1 [Play스토어]에서 [**구글 포토**]를 검색하여 설치한 후, [**열기**]를 터치합니다.

2 구글포토 실행을 위해 홈화면이나 앱스화면에서 [**구글 포토**]를 터치해도 됩니다.

3 구글포토에서 [**계정**]을 터치합니다.

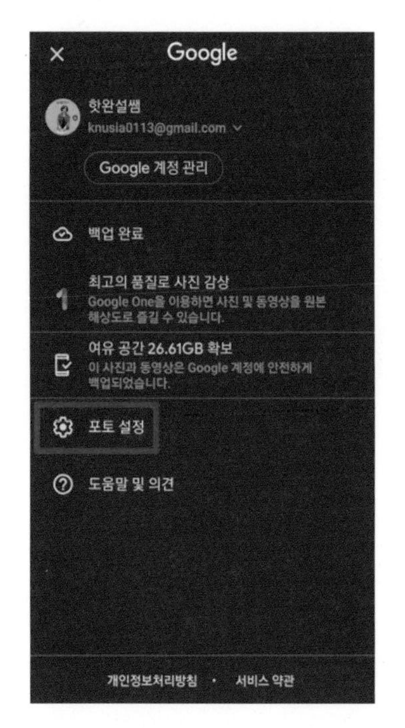

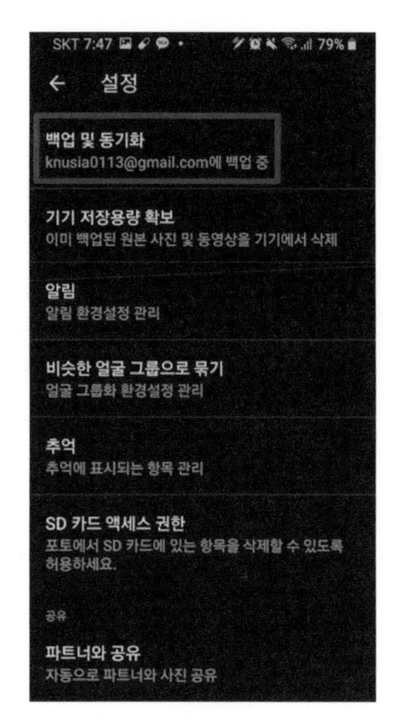

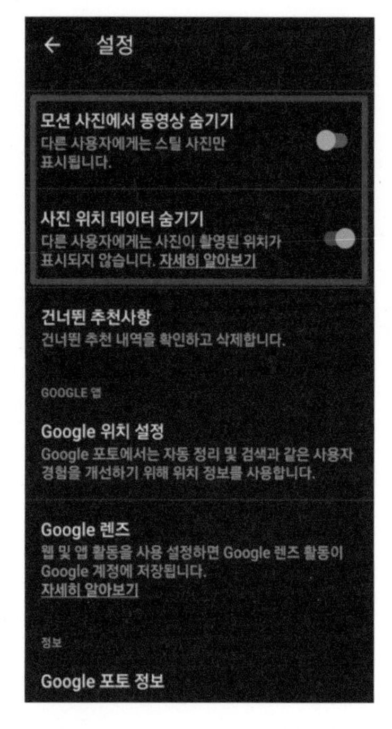

1 [**구글계정**]에서 [**포토 설정**]을 터치합니다. 2 설정에서 [**백업 및 동기화**] 터치여부를 확인합니다. 3 [**구글포토**] 설정에서 필요시 [**사진 위치 데이터 숨기기**]와 [**사진 위치 데이터 숨기기**]를 터치합니다.

❶ 구글 사이트(PC)에서 구글 포토를 클릭합니다.

❷ 구글 포토는 스마트폰과 PC가 동기화가 되어 **[포토]**에 동일한 자료가 저장되어 있으며, **[앨범]**별로 자료를 정리 및 활용할 수 있습니다.

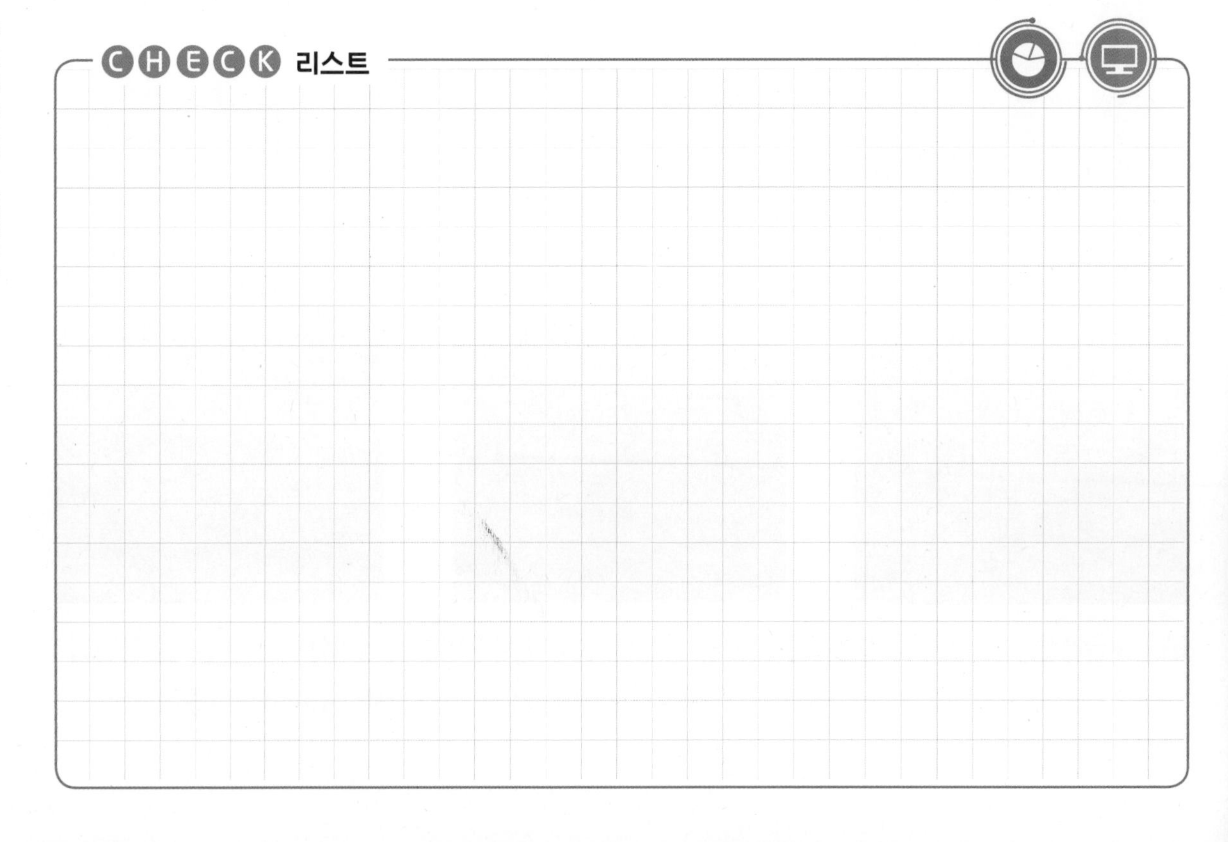

6 네이버 클라우드 서비스 활용하기

QR-CODE를 스캔하시면
[네이버 클라우드] 활용 법에
대한 자세한 영상을
보실 수 있습니다.

[네이버 클라우드]는 네이버 클라우드(App)을 이용하여 스마트폰과 서버를 동기화하여 자료를 장 및 공유할 수 있으며, 기본 저장용량으로 30GB가 무료로 제공되고 있습니다.

[네이버 클라우드] 앱(App)의 장점

- 네이버 클라우드는 무료로 30GB를 제공하고 있어 편리하게 사용할 수 있습니다.
- 링크에 비밀번호를 설정할 수 있는데, 비밀번호 설정은 유료 사용자만 가능합니다.
- 네이버 메일과의 연동으로 첨부파일은 바로 네이버 클라우드에 저장할 수 있어 파일 관리가 용이합니다.
- 업로드 속도가 빨라 동영상 파일과 같은 고용량 파일을 빠르게 옮기고 싶을 때 활용하기 좋습니다.

[네이버 클라우드] 앱(App)의 활용

- 1인 기업가 : 네이버 클라우드에 저장된 자료는 스마트폰과 PC에서 언제든지 동일한 자료를 활용할 수 있습니다.
- 직장인 : 스마트폰과 업무용 PC에서 동일한 업무 문서작업을 할 수 있으므로 출장지에서도 사용할 수 있습니다.
- 일반인 : 별도의 외부저장장치 없이도 자료관리 및 활용할 수 있어 편리합니다.

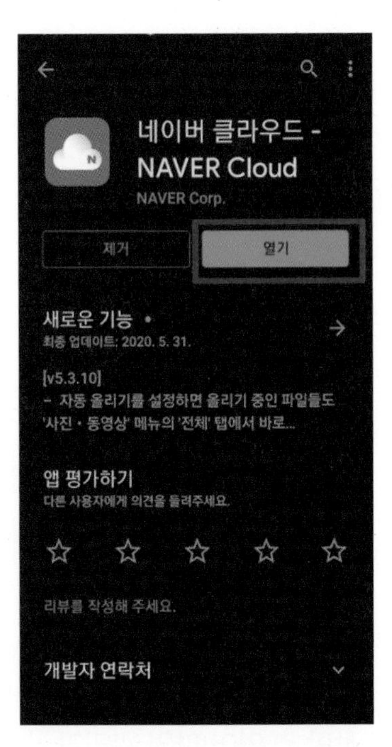

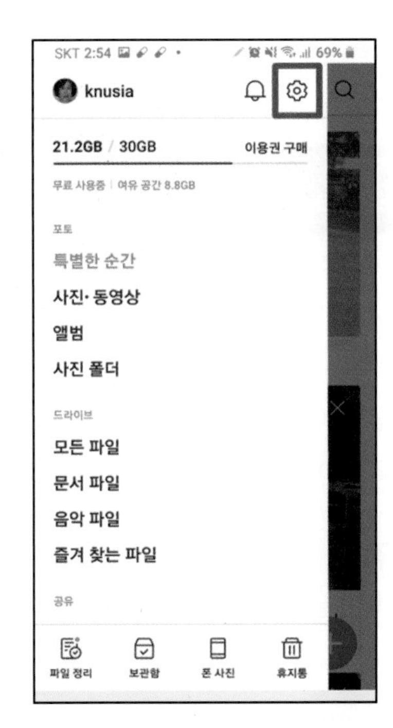

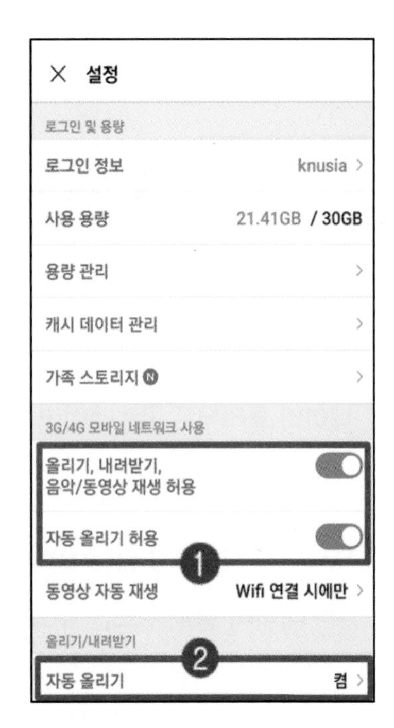

❶ [**Play스토어**]에서 [**네이버클라우드**]를 검색하여 설치 후, [**열기**]를 터치합니다.
❷ 네이버 클라우드 실행을 위해 [**설정**]을 터치합니다. ❸ 설정에서 ①[**올리기, 내려받기, 음악 / 동영상 재생 허용**]과 [**자동올리기 허용**]을 터치하고, ②[**자동올리기**]를 터치합니다.

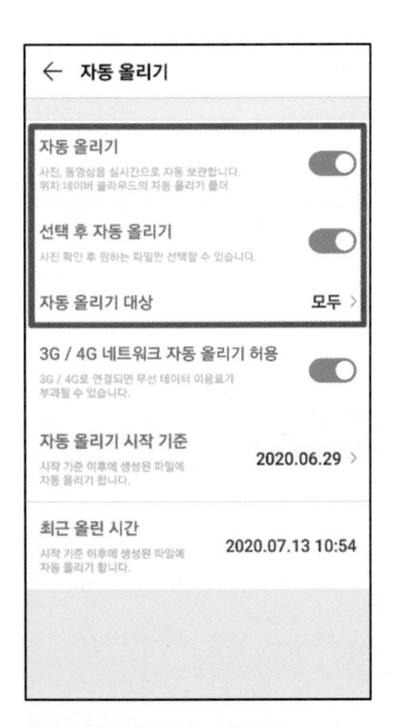

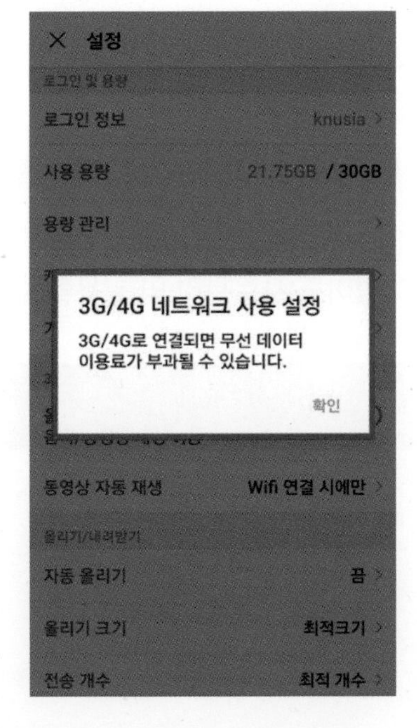

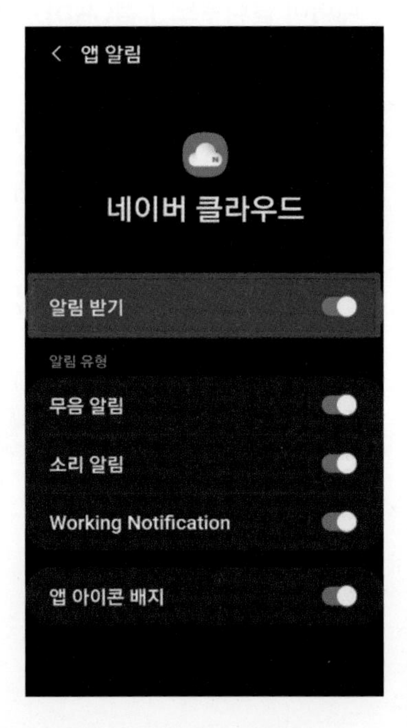

❶ 자동올리기 설정에서 [**자동올리기**], [**선택 후 자동올리기**], [**자동올리기 대상**]을 터치하여 선택합니다. ❷ 설정에서 [**3G/4G 네트워크 자동올리기 허용**]을 터치하면 언제든지 자동올리기가 수행되나 데이타이용료가 부과됩니다. ❸ 설정에서 [**알림받기**]를 허용하지 않으면 자동올리기 사용이 제한됩니다.

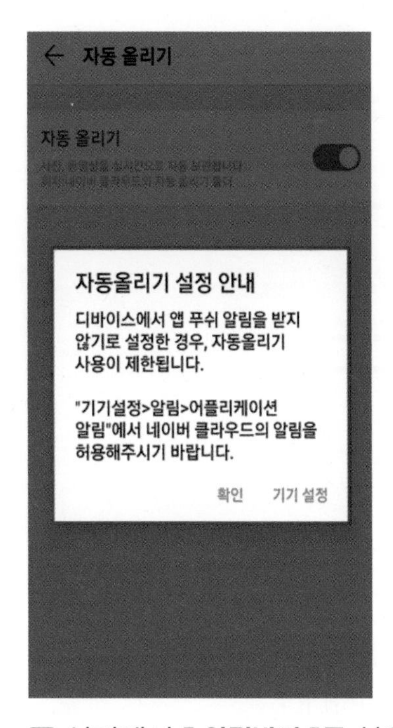

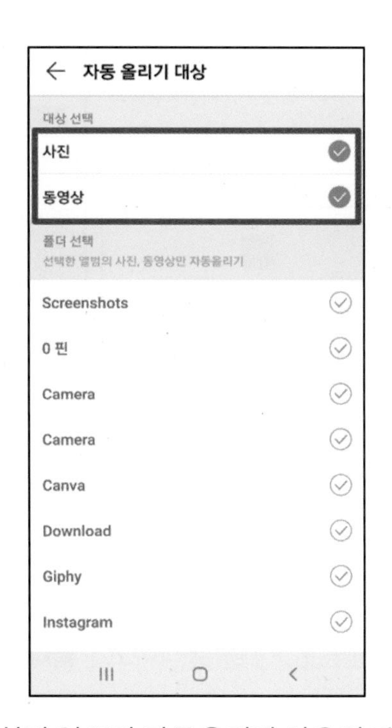

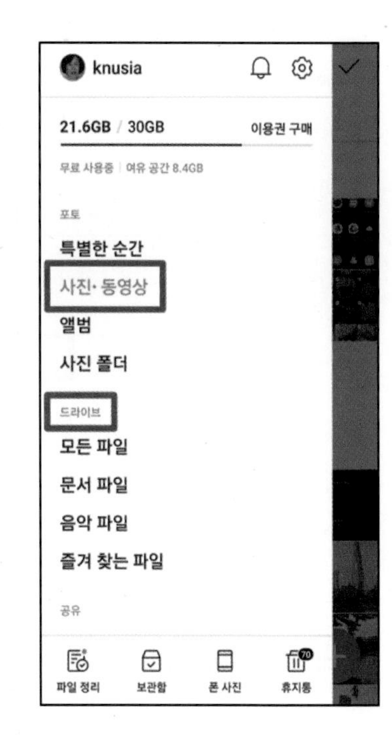

1 설정에서 [**알림받기**]를 허용하지 않으면 자동올리기 사용이 제한됩니다.
2 자동올리기 대상에서 [**사진 / 동영상**]을 선택하여 터치합니다.
3 자동올리기를 실행하기 위해 [**사진, 동영상**]을 터치합니다.

1 자동올리기 파일선택에서 [**올리기 시작**]을 터치합니다.
2 자동올리기 실행 중입니다.
3 자동올리기가 완료되면 [**완료 목록 삭제**]를 터치합니다.

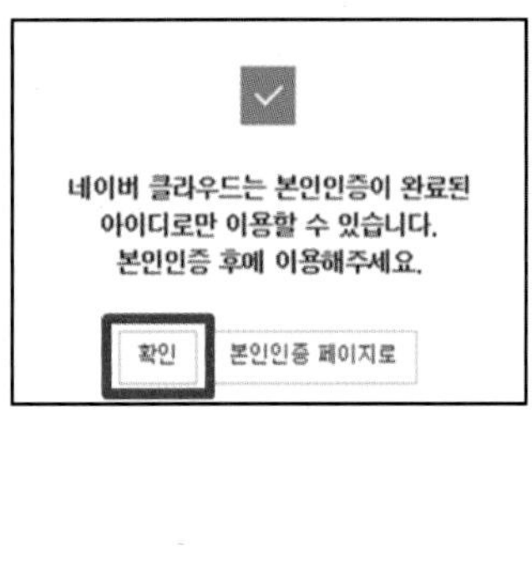

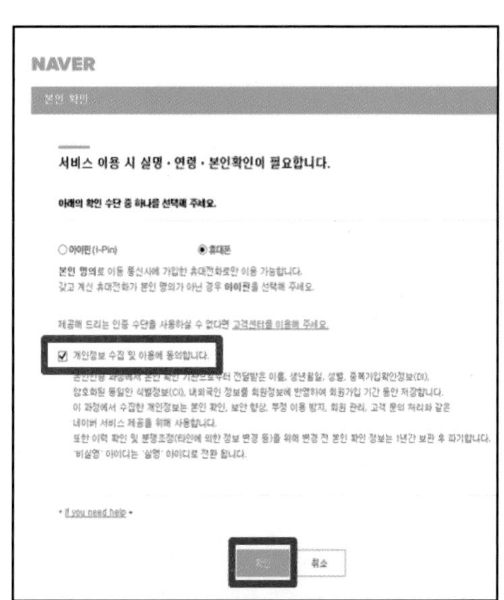

1 네이버 홈페이지(PC)에서 로그인후, **[>]**를 클릭하고 **[클라우드]**를 선택합니다.

2 네이버 클라우드를 처음 사용하는 경우 인증을 위해 **[확인]**을 클릭합니다.

3 '개인정보 수집 및 이용에 동의합니다' [√] 체크를 하고, **[확인]**을 클릭합니다.

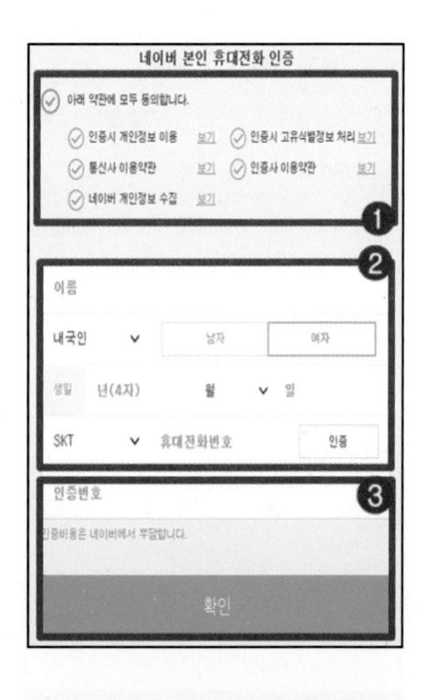

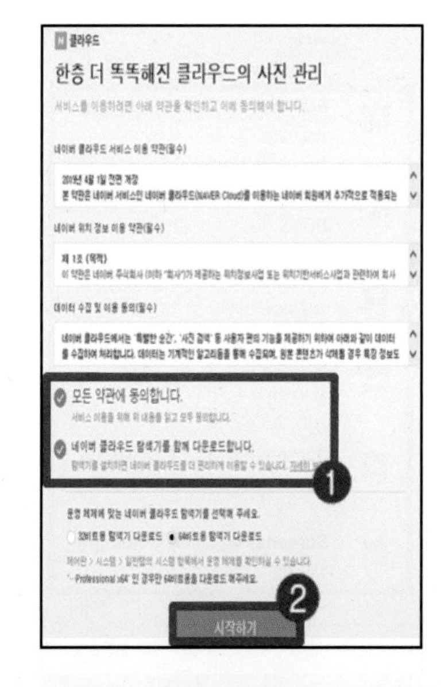

1 ① '아래 약관에 모두 동의합니다' 에 [√] 체크를 합니다. ② 이름·성별·생일·통신사·휴대전화 번호를 입력하고, **[인증]**을 클릭합니다. ③전송된 인증번호를 **[인증번호]**에 입력하고 **[확인]**을 클릭합니다. 2 '모든 약관에 동의합니다', '네이버 클라우드 탐색기를 합쳐 다운로드 됩니다'에 [√] 체크를 하고, **[시작하기]**를 클릭합니다. 3 실명 정보가 등록되었습니다' 메시지가 출력되면 **[확인]**을 클릭합니다.

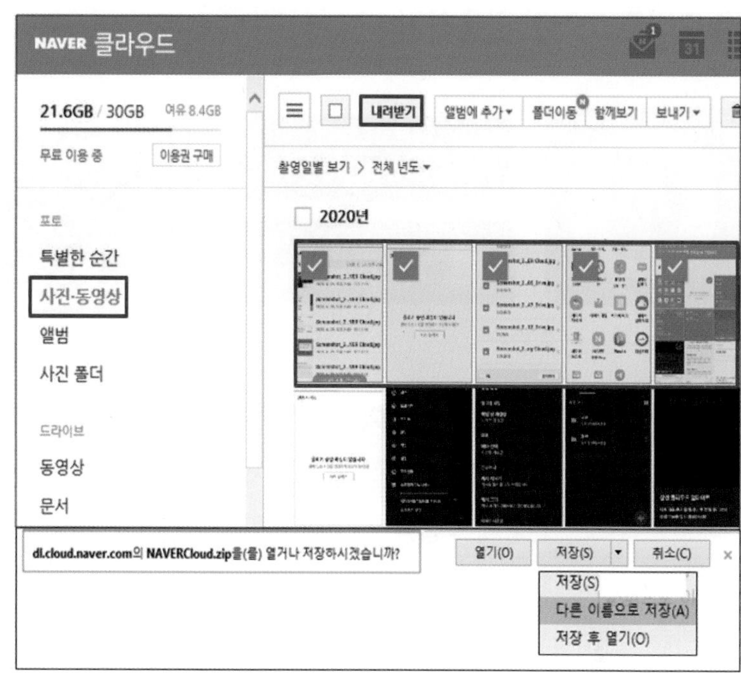

1 네이버 홈페이지(PC)에서 **[클라우드]**를 선택합니다.

2 ①사진·동영상에서 내려받기 할 사진을 선택한 후 **[내려받기]**를 클릭합니다.
②**[다른 이름으로 저장]**을 클릭하고 저장할 위치를 검색하여 저장합니다.

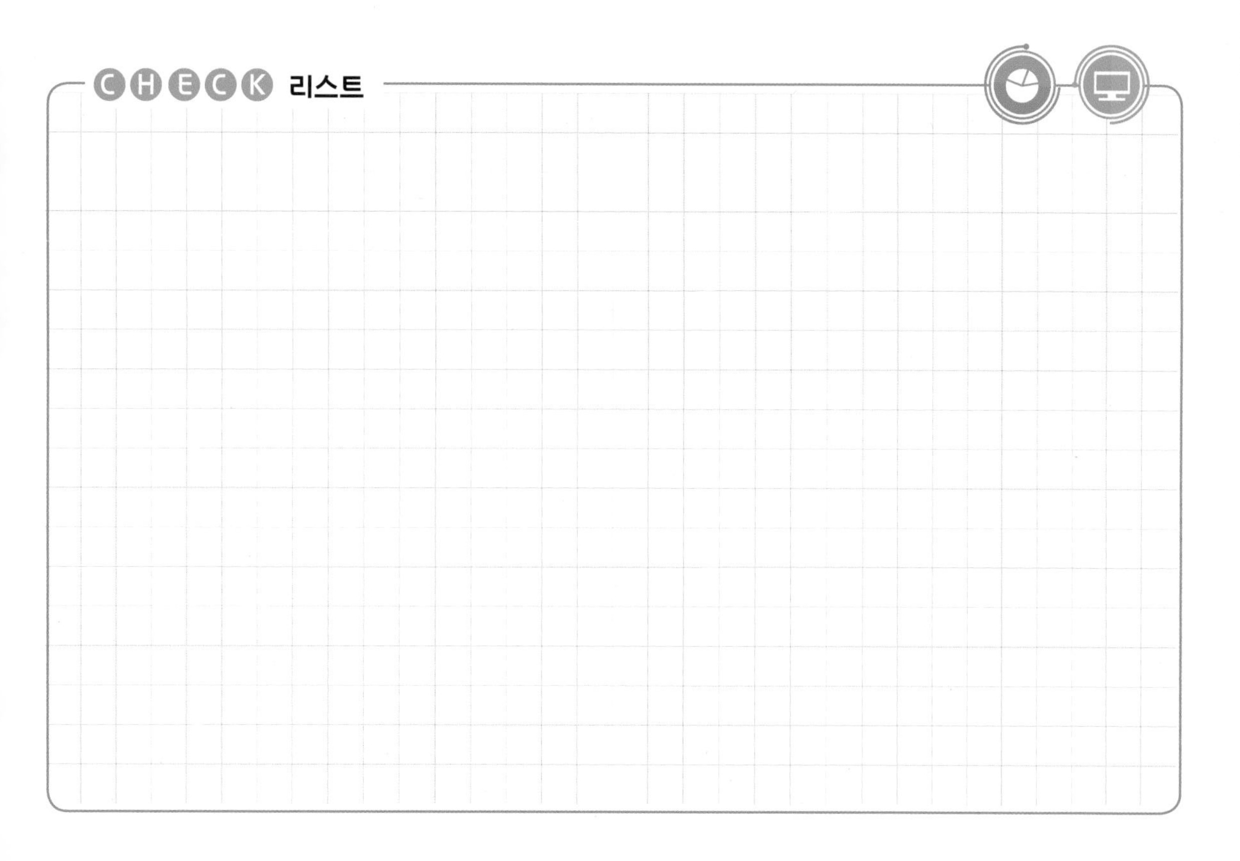

7 모비즌 미러링 활용하기

QR-CODE를 스캔하시면
[모비즌 미러링] 활용법에
대한 자세한 영상을
보실 수 있습니다.

[모비즌 미러링]은 스마트폰과 PC를 동기화하여 스마트폰 작업을 PC에서도 같이 볼 수 있도록 하는 화면 미러링 기능을 제공하고 있습니다. 미러링은 스마트 화면을 주변기기로 전송해서 출력, 제어까지 가능하게 하는 화면 미러링 IT기술입니다.

[모비즌 미러링] 앱(App)의 장점

- PC에서 제공하는 2차인증코드를 스마트폰에서 입력하면 간단하게 연결이 됩니다.
- PC에서 전체 화면 또는 작은 화면으로 스마트폰 작업을 동시에 볼 수 있습니다.
- 키보드로 제어해서 문자(사진 첨부)나 전화연결이 가능합니다.

[모비즌 미러링] 앱(App)의 활용

- 1인 기업가 : 화면 미러링으로 스마트폰 내용을 PC 큰 화면에서 활용할 수 있습니다.
- 직장인 : 화면 미러링으로 PC 큰 화면에서 스마트폰 작업을 확인하면서 작업할 수 있습니다.
- 일반인 : 화면 미러링으로 스마트폰 내용을 PC 큰 화면에서 확인할 수 있습니다.

1 [Play스토어]에서 [**모비즌 미러링**]을 검색하여 설치한 후, [**열기**]를 터치합니다.

2 모비즌 미러링 앱을 실행하기 위해 [**시작하기**]를 터치합니다.

3 모비즌 미러링에서 내 연락처에 액세스 하도록 [**허용**]을 터치합니다.

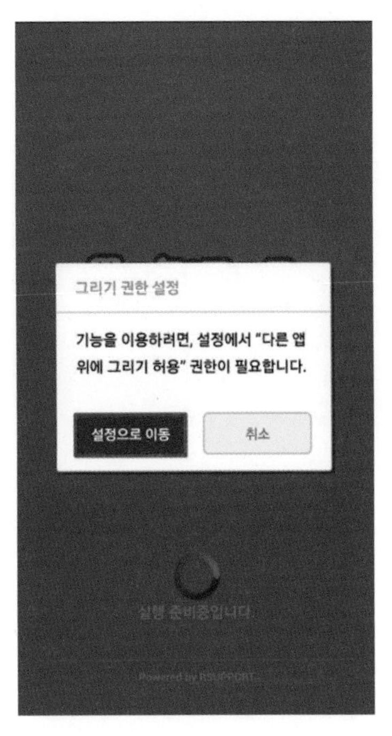

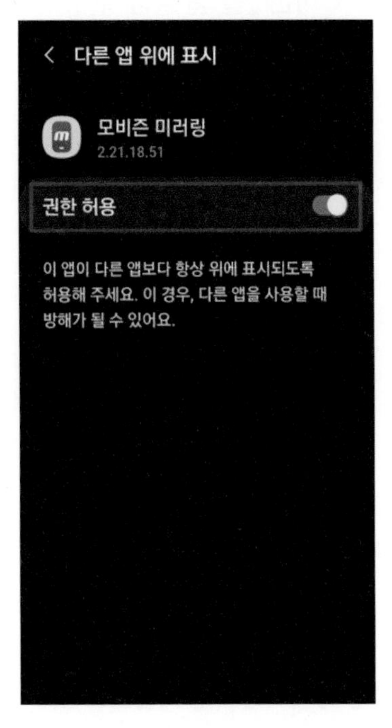

1 '다른 앱 위에 그리기 허용'을 할 수 있도록 [**설정으로 이동**]을 터치합니다.

2 '다른 앱 위에 표시' 할 수 있도록 [**권한 허용**]을 터치합니다.

3 PC와 연결할 수 있도록 [**2차 인증코드 입력**]을 터치합니다.

❶ PC에서 제공하는 2차 인증코드를 입력하고, [**인증**]을 터치합니다. ❷ PC에서 모비즌 프로그램을 설치하고 인증과정을 거치면 스마트폰과 PC가 원격 연결됩니다. 미러링 작업을 종료할 경우 [**연결 종료**]를 터치합니다. ❸ 스마트폰과 PC를 원격 연결하도록 PC에서 프로그램을 설치하기 위해 모비즌 홈페이지에서 [**미러링 PC버전**]을 클릭합니다.

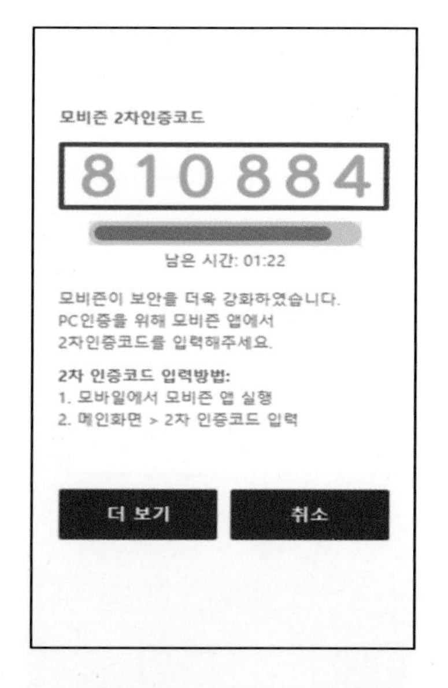

❶ 모비즌 PC버전이 설치되면 구글 [**아이디**]와 [**비밀번호**]를 입력하고 [**로그인하기**]를 클릭합니다. ❷ 최근 연결한 단말기 SM-N960N을 확인하고, [Wireless]와 [**미러링 연결하기**]를 클릭합니다. ❸ PC인증을 위한 [**모비즌 2차 인증코드**]를 스마트폰 모비즌 미러링에서 입력하면 스마트폰과 PC가 원격 연결됩니다.

8 팀뷰어 미러링 활용하기

QR-CODE를 스캔하시면 **[팀뷰어 미러링]** 활용 법에 대한 자세한 영상을 보실 수 있습니다.

[팀뷰어 미러링]은 스마트폰과 PC를 동기화하여 스마트폰 작업을 PC에서도 같이 볼 수 있도록 하는 화면 미러링 기능을 제공하고 있습니다. 미러링은 스마트 화면을 주변기기로 전송해서 출력, 제어까지 가능하게 하는 화면 미러링 IT기술입니다.

[팀뷰어 미러링] 앱(App)의 장점

- 스마트폰 또는 PC에서 제공하는 '귀하의 ID'를 입력하면 간단하게 장치간 송수신이 연결됩니다.
- PC에서 스마트폰 작업을 동시에 볼 수 있습니다.
- 실시간 원격 엑세스 지원으로 스마트폰에서 컴퓨터 작업을 제어할 수 있습니다.

[팀뷰어 미러링] 앱(App)의 활용

- 1인 기업가 : 온라인 협업, 회의 참여 및 다른 사용자와의 채팅으로 편리하게 활용할 수 있습니다.
- 직장인 : 화면 미러링으로 PC에서 스마트폰 작업을 확인하면서 작업할 수 있습니다.
- 일반인 : 화면 미러링으로 스마트폰 내용을 PC에서 확인할 수 있습니다.

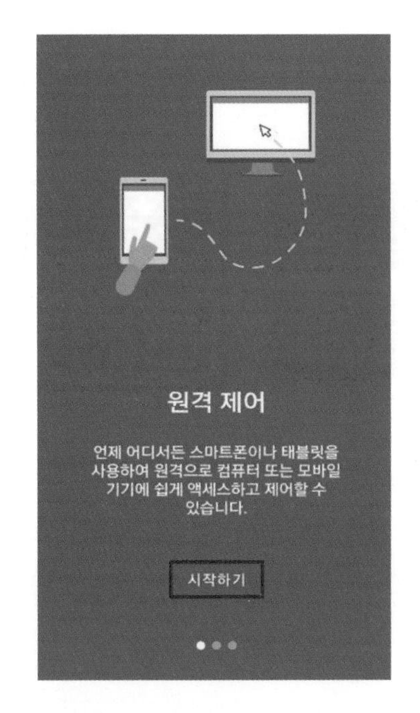

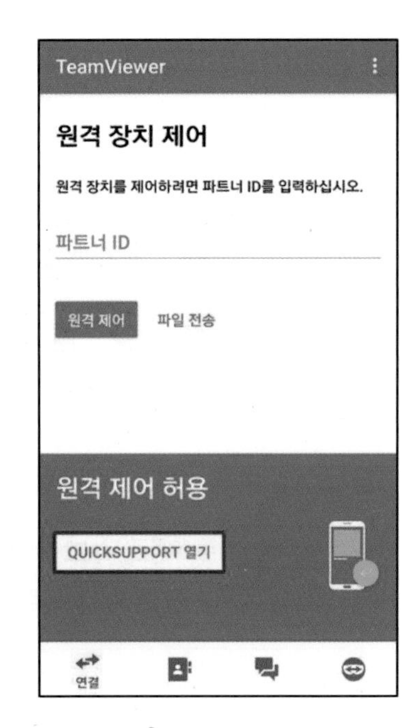

❶ [Play스토어]에서 [**팀뷰어**]를 검색하여 설치한 후, [**열기**]를 터치합니다.

❷ 팀뷰어 미러링 앱을 실행하기 위해 [**시작하기**]를 터치합니다. ❸ 팀뷰어에서 원격제어를 허용하기 위해 [**QUICKSUPPORT 열기**]를 터치합니다. 상단 팀뷰어는 원격장치제어 시 사용합니다.

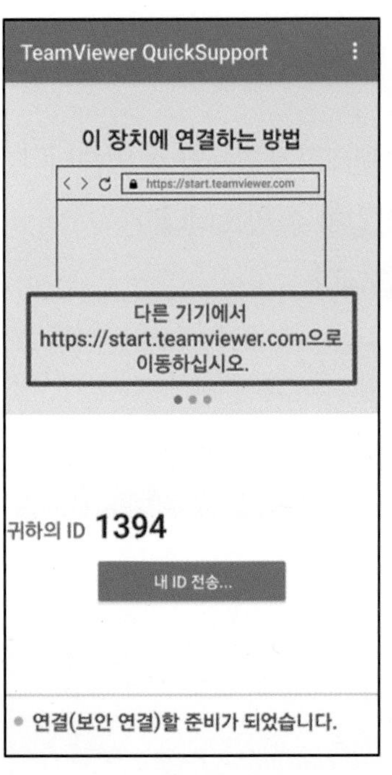

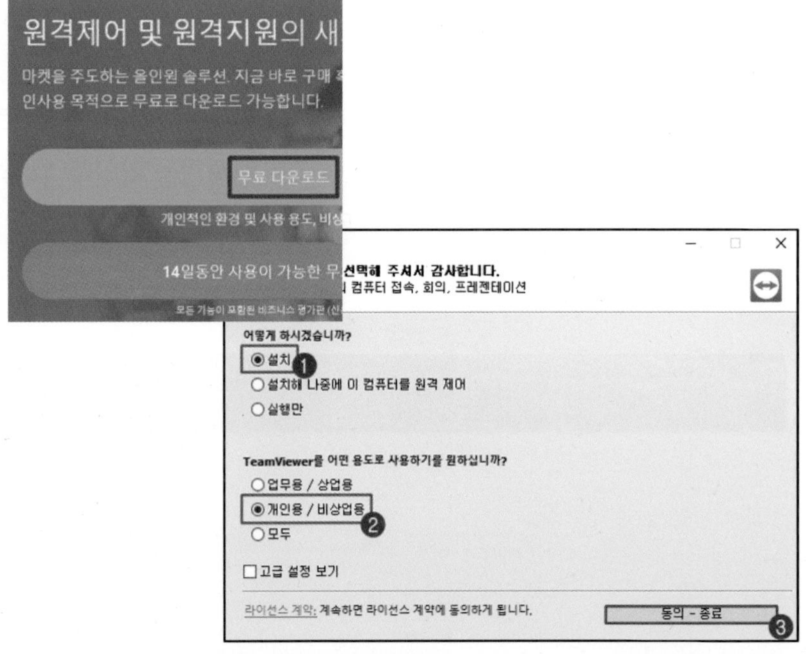

❶ PC에서 팀뷰어를 설치한 후, 원격에서 PC를 제어(원격장치제어)하는 경우에는 위 사이트(PC)로 이동합니다. ❷ PC(구글크롬) http://www.teamviewer.com에서 [**무료다운로드**]를 클릭합니다. ❸ 팀뷰어(PC)를 설치하기 위해 ①[**설치**]와 ②[**개인용 / 비상업용**]에 [√] 체크를 하고, ③[**동의-종료**]를 클릭합니다.

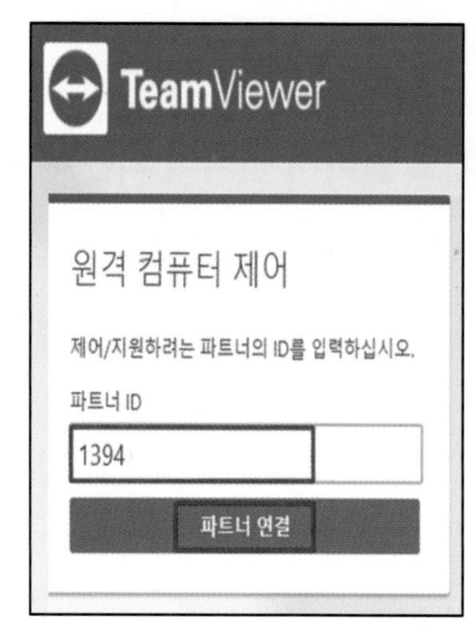

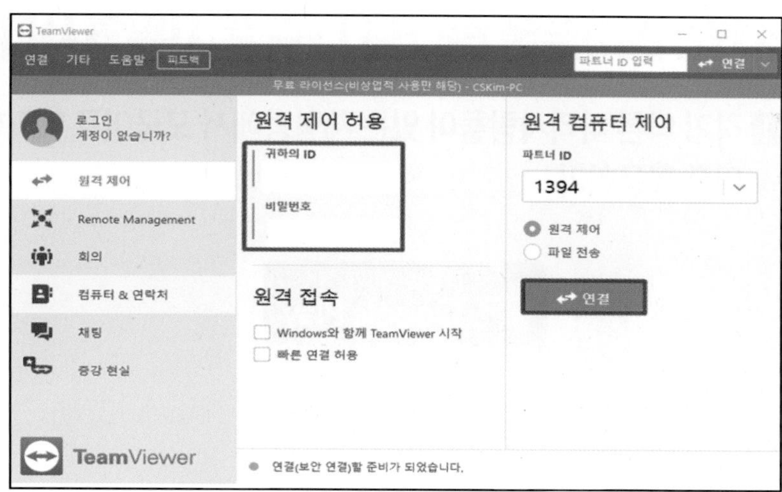

1 팀뷰어(PC)가 설치되면 바탕화면에 있는 팀뷰어를 클릭하거나, 구글크롬 https://start.teamviewer.com에서 스마트폰의 **[파트너 ID]**를 입력하고, **[파트너 연결]**을 클릭합니다. 2 **[연결]**을 클릭한 후, 스마트폰에서 'PC가 스마트폰(안드로이드 장치)을 원격지원하도록 허용' 하면 미러링이 됩니다. 스마트폰에서 PC를 제어(원격장치제어)하는 경우 https://start.teamviewer.com에서 제공되는 **[귀하의 ID]**와 **[비밀번호]**를 확인하고, 스마트폰에서 파트너 ID를 입력하기 위해 대기중인 곳으로 이동합니다.

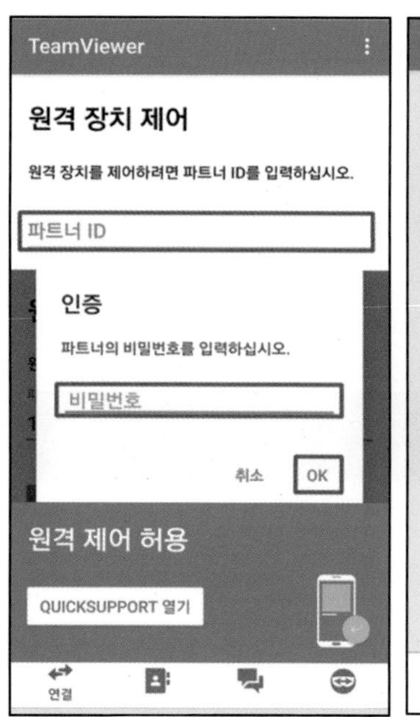

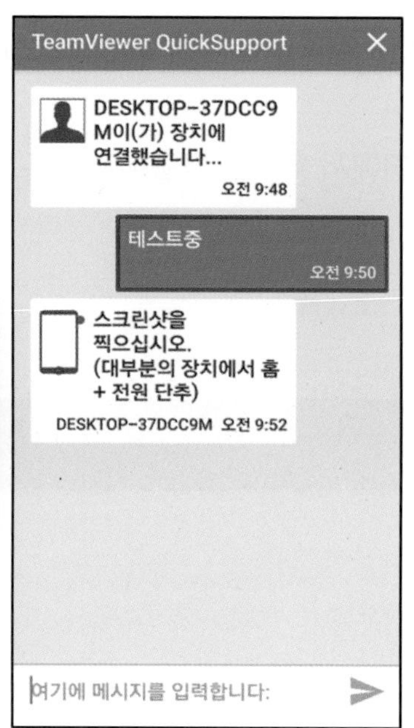

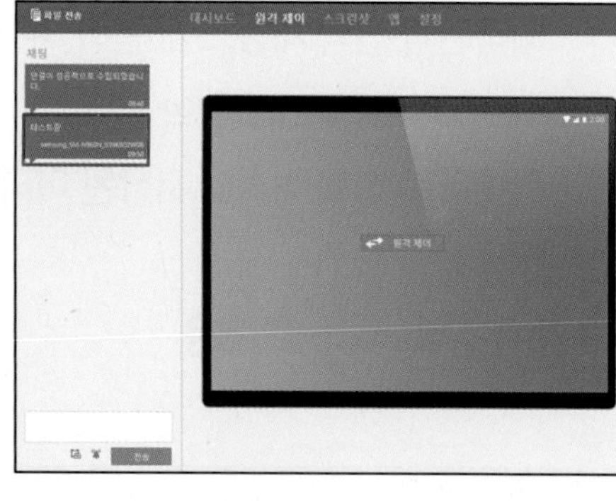

1 스마트폰에서 PC를 제어하는 경우 스마트폰 팀뷰어에서 PC의 **[파트너 ID]**와 **[비밀번호]**를 입력하고, **[OK]**를 터치합니다. 2 스마트폰에서 'PC가 스마트폰(안드로이드 장치)을 원격지원하도록 허용' 하면 원격 연결이 되어 미러링이 됩니다. 3 팀뷰어 미러링이 실행되어 스마트폰에서 작업한 내용이 PC화면에서도 출력됩니다.

10강. 스마트폰 하나면 나도 동시통역사다!

1 각기 다른 나라사람들이 있는 채팅방에서 모국어로 얘기해도 알아서 번역이 되는 어플 활용하기

[콤마 톡] 앱(App)은 전세계 88개언어의 실시간번역, 음성통역, 다국어채팅, 카메라번역기능까지!

[콤마 톡] 앱(App)의 장점

- 음성 통역서비스
  - 음성인식을 통한 실시간 번역, 정확하고 자연스러운 인공지능 번역, 스피커를 이용한 다시 듣기
  - 혼자서도 대화하듯 채팅하며 언어 작문 스터디가 가능한 서비스 제공
- 88개 언어 번역 채팅
  - 외국인과 번역 채팅, 5개 언어 이상 다국어 그룹채팅, 번역된 메시지 음성 듣기
- 이미지번역, 카메라번역
  - 카메라로 바로 찍거나 저장된 이미지에서 문장을 추출해서 자동번역, 저장 및 다시 보기

[콤마 톡] 앱(App)의 활용

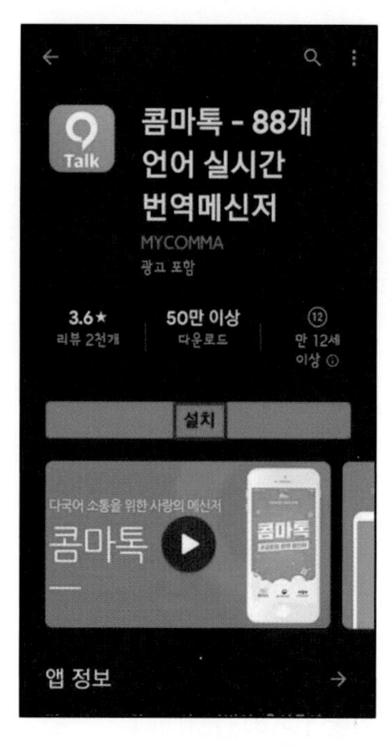

1 [PLAY 스토어]에서 콤마 톡을 검색한다음 설치합니다.
2 [**열기**]를 터치합니다.
3 콤마 톡에서 내 기기 위치에 액세스하도록 [**항상허용**]을 터치합니다.

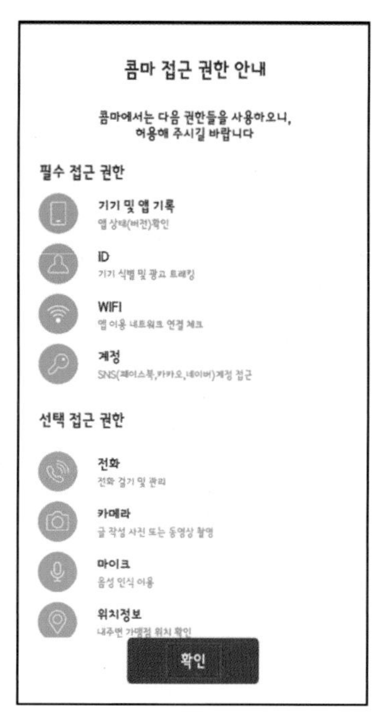

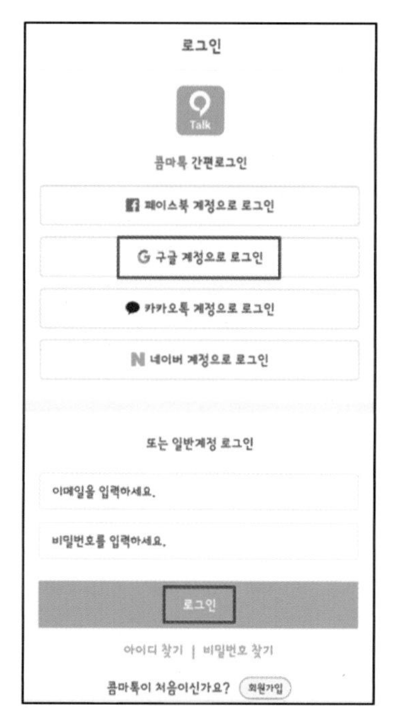

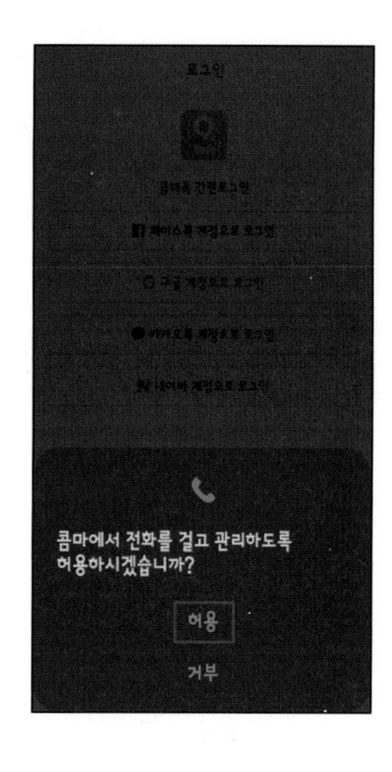

1 콤마 톡 접근 권한 안내에서 [**허용**]을 터치합니다.
2 로그인할 계정을 선택한 후 [**로그인**]을 터치합니다.
3 콤마 톡에서 전화를 걸고 관리하도록 [**허용**]을 터치합니다.

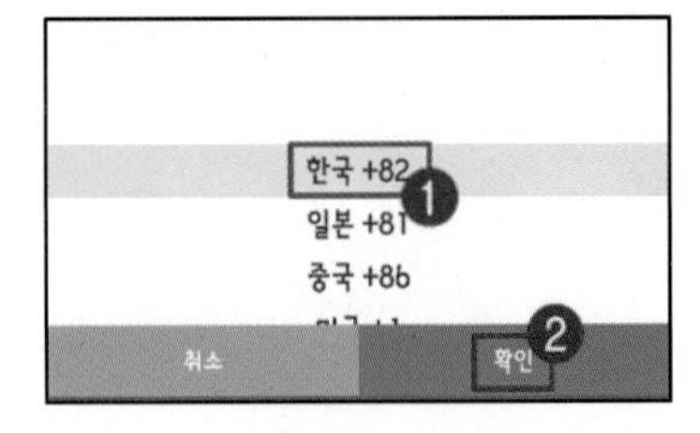

2 ①[**국가번호**]를 확인 후 ②[**확인**]을 터치합니다

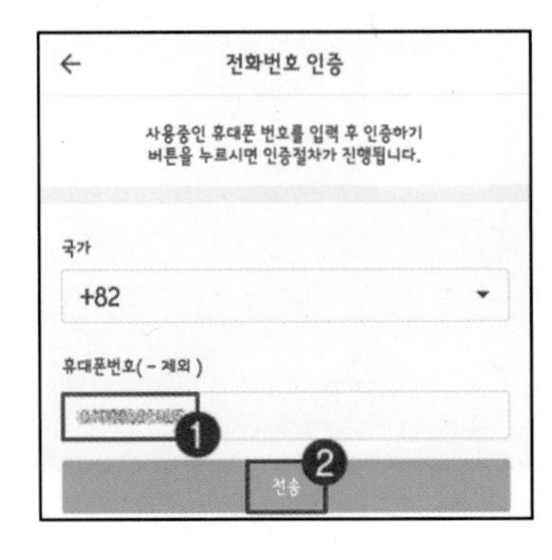

3 ①[**전화번호**]를 입력 후 ②[**전송**]을 터치합니다

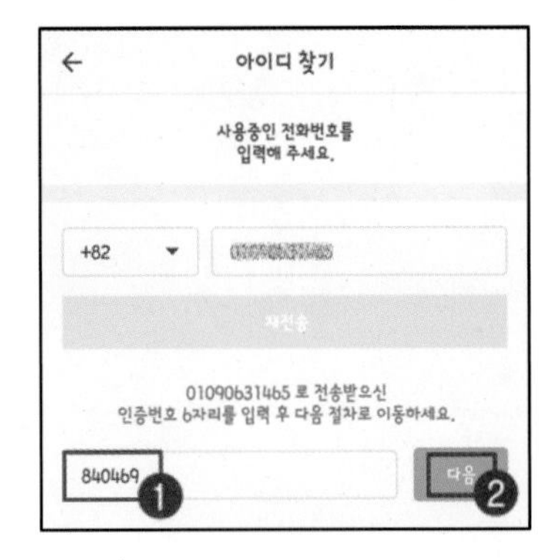

4 입력한 전화번호로 전송된 ①[**인증번호**]를 입력 후 ②[**다음**]을 터치합니다

1 계정 선택창의 여러 개의 계정중 한 개를 선택합니다

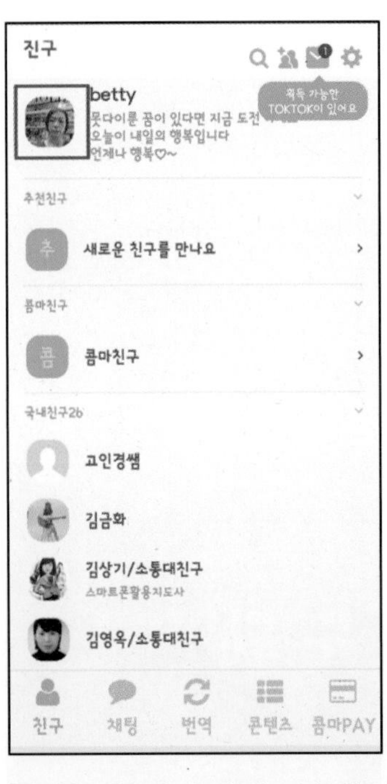

1 친구창에서 사람모양 아이콘을 터치하여 프로필사진 및 닉네임을 작성합니다.

2 ①[**프로필관리**] ②[**나와의 채팅**] ③[**무료충전**]을 터치하여 각각의 기능을 확인합니다.

3 ①[**카메라 아이콘**]을 터치하여 사진을 첨부합니다.

②[**연필 아이콘**]을 터치하여 닉네임을 작성합니다.

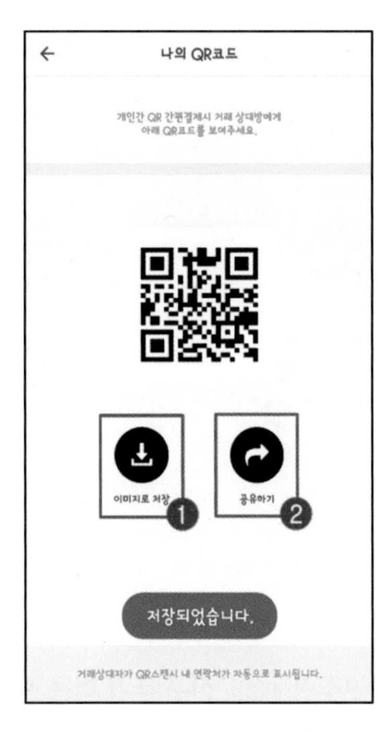

1 ①[**상태 메시지**]를 작성합니다. ②[**내QR코드 보기**]를 터치하면 QR코드를 저장하거나 공유할 수 있습니다. ③[**내C코드**]는 추천코드입니다. 2 나의 QR코드창에서 ①[**이미지 저장**]을 터치하여 이미지를 저장합니다. ②[**공유하기**] 아이콘을 터치하여 친구에게 공유합니다. 3 [**친구 초대 아이콘**]을 터치합니다.

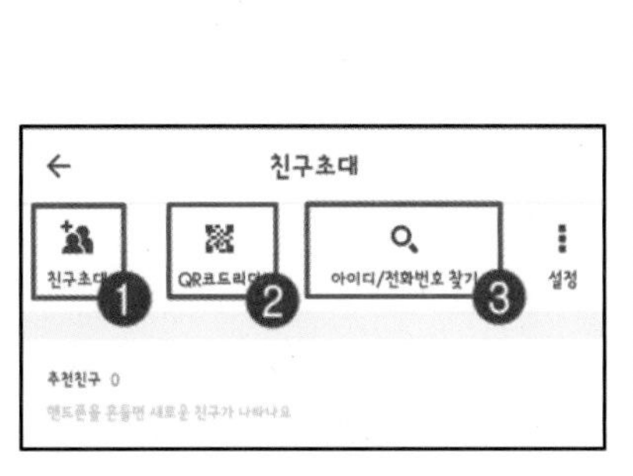

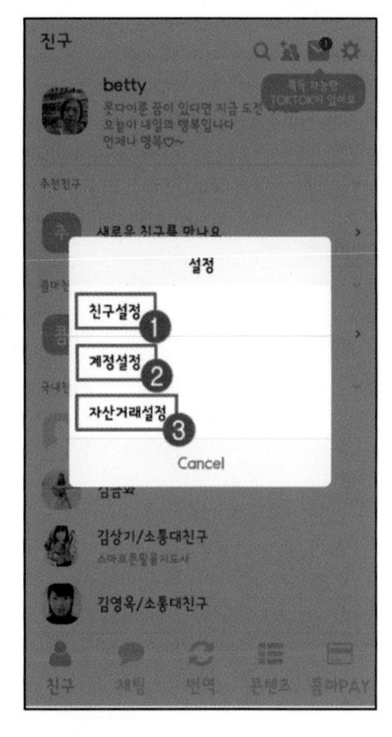

1 친구초대창에서 ①[**친구 초대**] ②[**QR코드리더**] ③[**아이디 및 전화번호 찾기**]로 친구를 초대할 수 있습니다. 2 친구창에서 [**설정**]을 터치합니다. 3 설정창에서 ①[**친구설정**] ②[**계정설정**] ③[**자산거래설정**]을 할 수 있습니다.

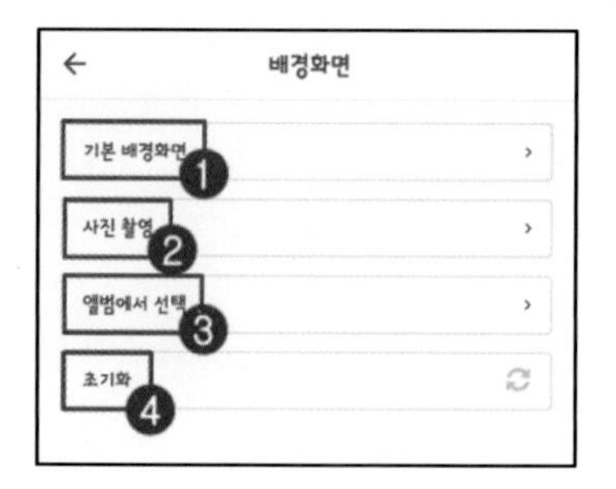

1 친구 설정창에서 ①[**자동으로 친구추가**]②[**친구 추가 허용**]을 활성화합니다. 2 계정 설정 창에서 ①[**채팅방 배경**]②[**앱언어 설정**]③[**잠금 설정**]을 할 수 있습니다. 3 배경 화면창에서 ①[**기본 배경화면**] 단색배경을 선택할 수 있습니다. ②[**사진 촬영**] 사진을 촬영하여 배경을 바꿀 수 있습니다. ③[**앨범에서 선택**] 앨범에서 선택하여 배경을 바꿀 수 있습니다. ④[**초기화**]는 앞에서 설정한 채팅방의 배경을 초기화합니다.

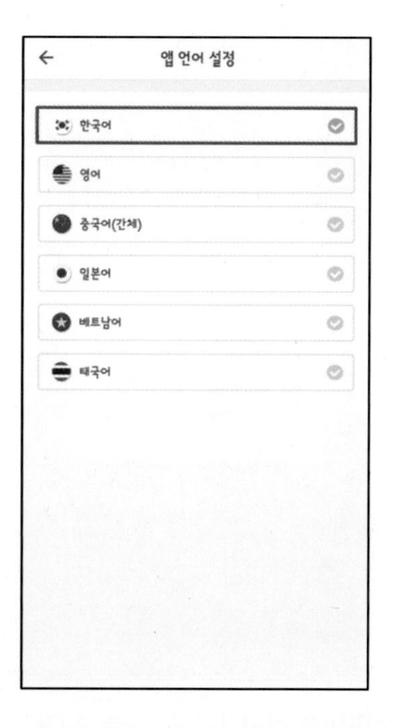

1 앱 언어 설정창에서 사용할 언어를 활성화합니다. 2 친구창에서 ①[**채팅**]②[**번역**]
③[**콘텐츠**]④[**콤마PAY**]를 터치하여 각각의 기능을 확인합니다.
3 ①[**채팅**]을 선택한 다음 ②[**+**] 아이콘을 터치하여 친구를 선택합니다.

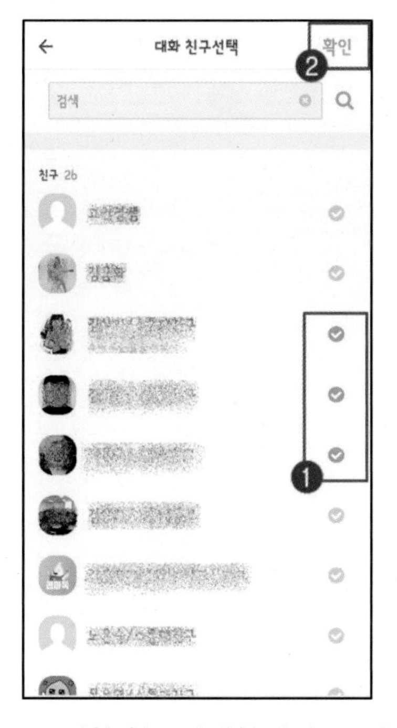

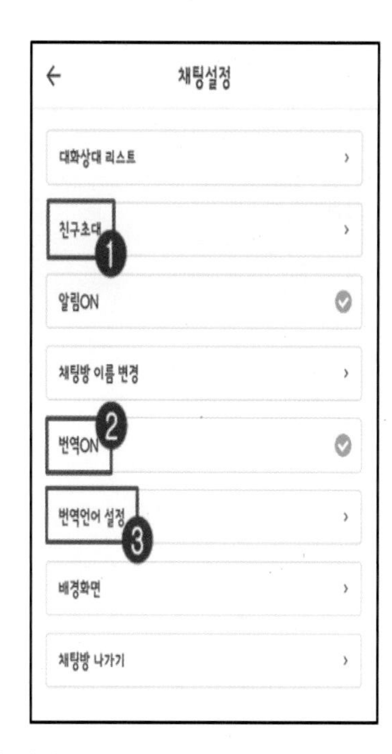

1 대화 친구선택창에서 ①[**친구**]를 선택한 후 ②[**확인**]을 터치합니다. 2 선택된 친구들 옆 [**점3개**]를 터치합니다. 3 채팅설정 창에서 ①[**친구초대**]를 터치하여 친구를 초대합니다. ②[**번역ON**]을 터치하여 활성화합니다. ③[**번역언어 설정**]을 터치하여 내언어와 번역할 언어를 선택합니다. 채팅할 상대도 [**콤마톡**]에 가입되어 있어야 하며 상대방도 내언어와 번역할 언어를 선택해야 합니다.

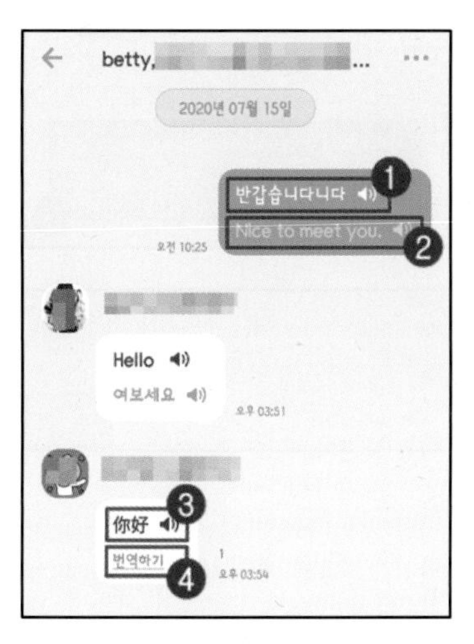

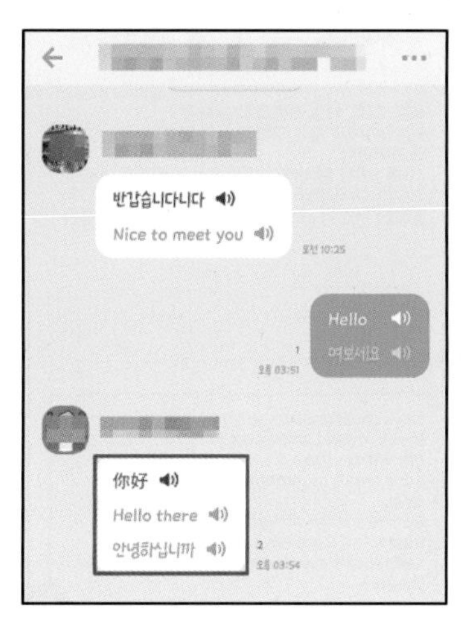

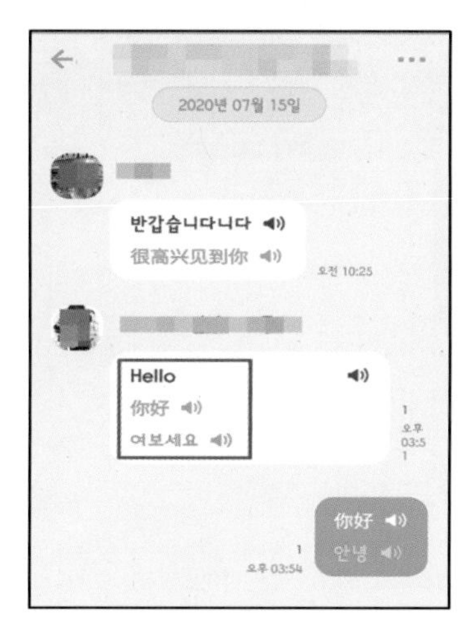

1 채팅창에서 ①자신이 내언어로 텍스트를 입력하거나 음성으로 입력하면 [**내언어**]로 화면에 보여지며 ②[**번역할 언어**]도 동시에 보여줍니다. ③상대방이 자신의 언어로 입력한 [**내 언어**]로 보여지며 ④[**번역하기**]를 터치하면 상대방의 번역할 언어로 보여줍니다.

2 번역하기를 터치하면 상대방들의 각각의 내언어로 보여줍니다.

3 번역하기를 터치하면 상대방들의 각각의 내언어로 보여줍니다.

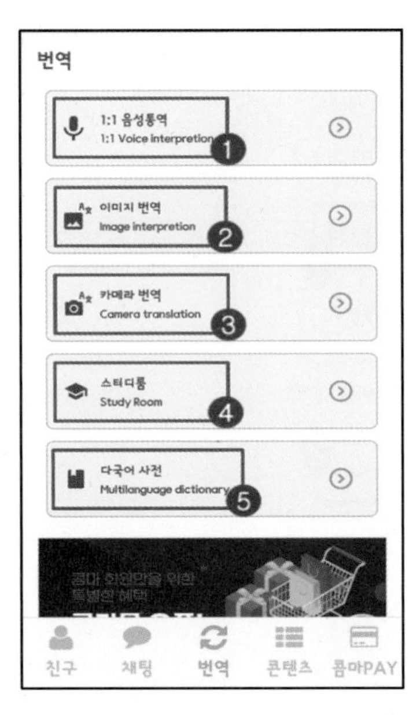

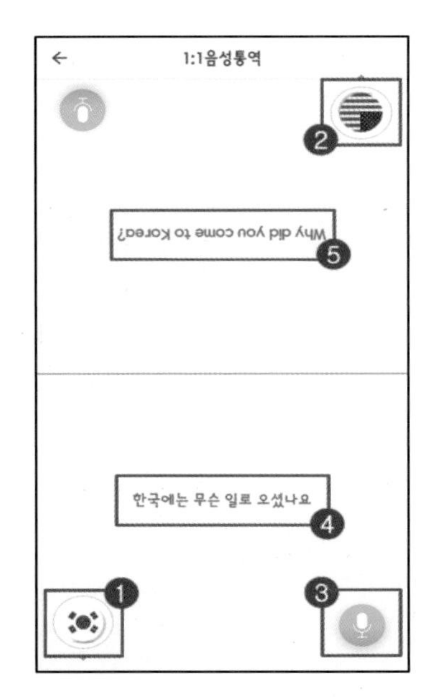

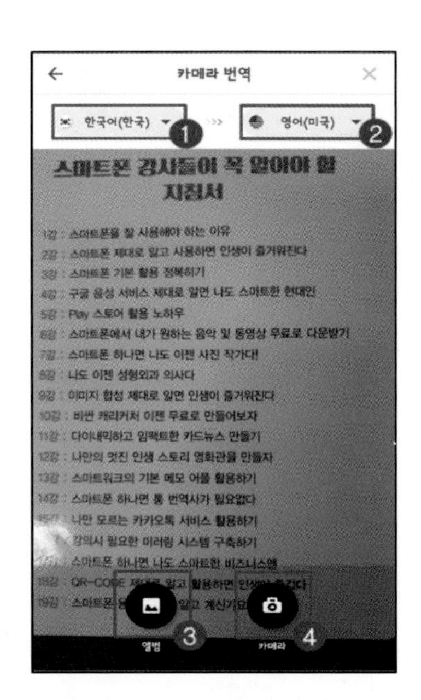

1 번역창에서 ①[**1:1음성통역**]②[**이미지 번역**]③[**카메라 번역**]④[**스터디룸**]⑤[**다국어 사전**]을 터치하여 각각의 기능을 확인합니다. 2 1:1음성통역창에서 ①[**자신의 언어**]를 선택하고 ②[**상대방 언어**]도 선택하고 ③[**마이크**]를 터치하고 말을 합니다. ④[**자신의 언어**]로 텍스트가 표시되고 ⑤[**상대방 언어**]로 보여줍니다. 3 카메라 번역창에서 ①[**입력언어**]를 선택하고 ②[**번역언어**]도 선택합니다. ③[**앨범**]의 이미지를 번역합니다. ④[**카메라**]로 촬영하여 번역합니다.

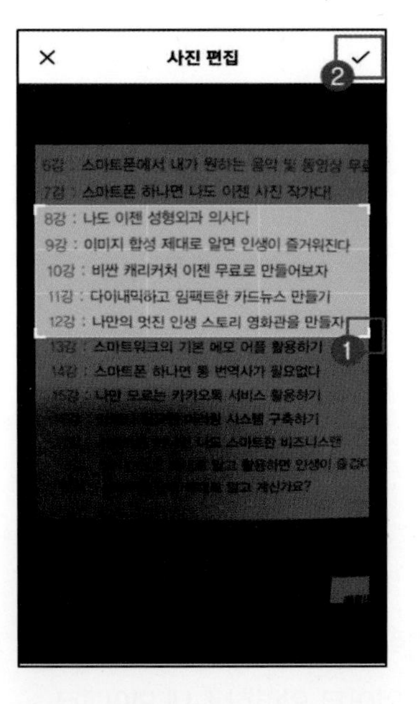

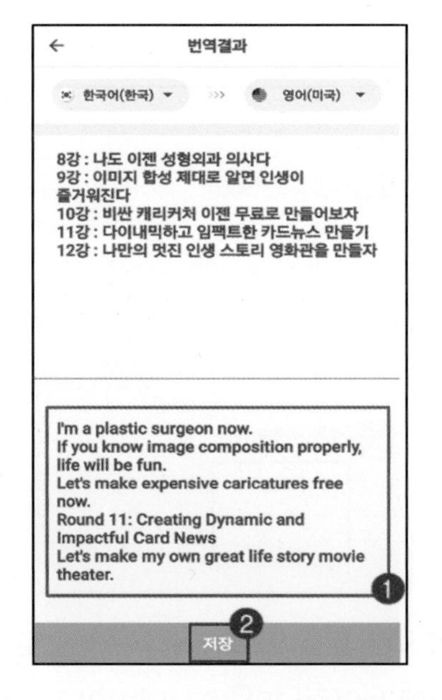

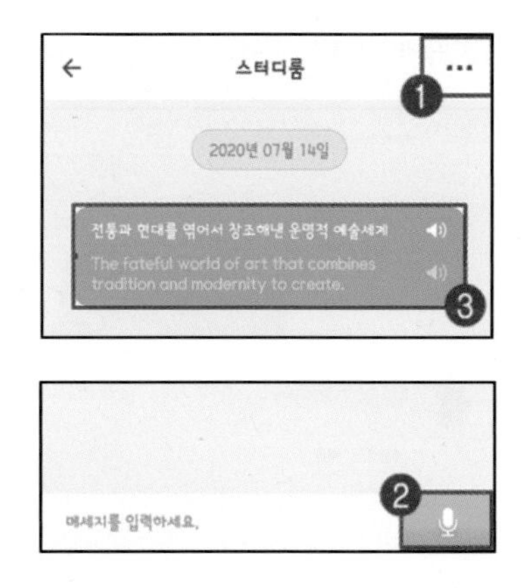

1 사진편집창에서 ①범위를 지정한 다음 ②[√]를 터치합니다. 2 번역결과창에서 ①상단에는 촬영한 텍스트를 하단에는 번역한 텍스트를 보여줍니다. ②저장이 필요한 경우 [**저장**]을 터치합니다. 3 스터디룸창에서 ①[**점3개**]를 터치하여 내 언어와 번역할 언어를 선택합니다. ②[**음성**]를 터치하여 메시지를 입력하고 전송합니다. ③번역된 내용을 확인합니다

1 [**다국어 사전**] 창에서 ①[**검색창**]에 단어입력하고 ②[**내용**]을 확인합니다. ③[**연관**]된 단어를 볼수 있습니다. ④[**파파고**]와 연계하여 번역을 볼수 있습니다.

2 인기뉴스, 연예이슈, 스포츠, 영상등 다양한 콘텐츠를 볼 수 있습니다.

3 콤마PAY 서비스를 합니다.

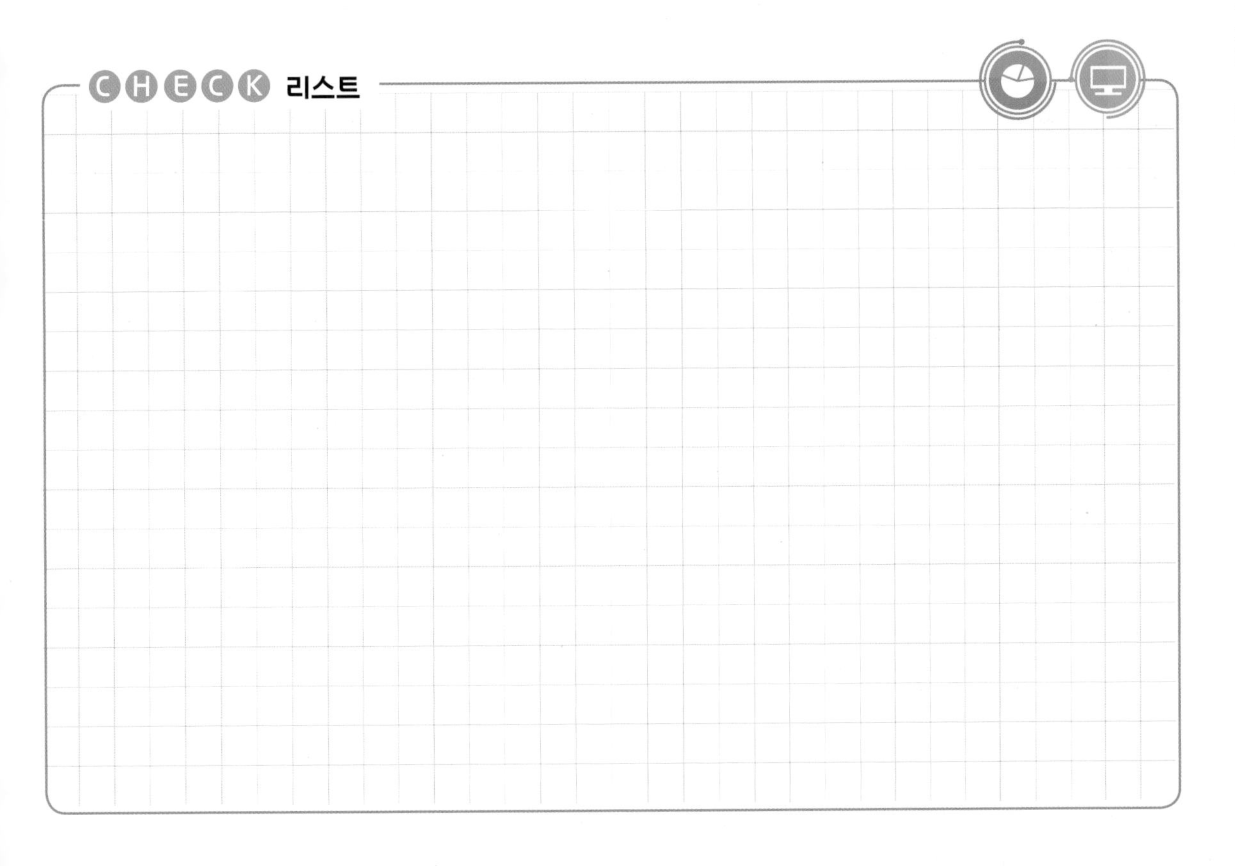

2 구글번역 제대로 활용하기

[구글 번역] 앱(App)은 100여 개 이상의 언어를 통해 세계가 그 어느때보다 가까워집니다!

[구글 번역] 앱(App)의 장점

- 텍스트 번역 - 입력을 통해 103개 언어 번역
- 탭하여 번역 - 어떤 앱에서나 텍스트를 복사하고 Google 번역 아이콘을 탭하여 번역 (모든 언어)
- 오프라인 - 인터넷 연결 없이 번역(59개 언어)
- 즉석 카메라 번역 - 카메라로 가리키기만 하면 이미지의 텍스트를 즉시 번역(88개 언어)
- 사진 - 사진을 찍거나 가져와 고품질로 번역(50개 언어)
- 대화 - 2가지 언어로 된 대화를 실시간으로 번역(43개 언어)
- 필기 입력 - 입력하는 대신 필기로 텍스트 문자쓰기(95개 언어)
- 표현 노트 – 번역된 단어와 구문을 별표표시하고 저장하여 나중에 참고(모든 언어)
- 기기 간 동기화 – 로그인하여 앱과 데스크톱간에 표현 노트 동기화

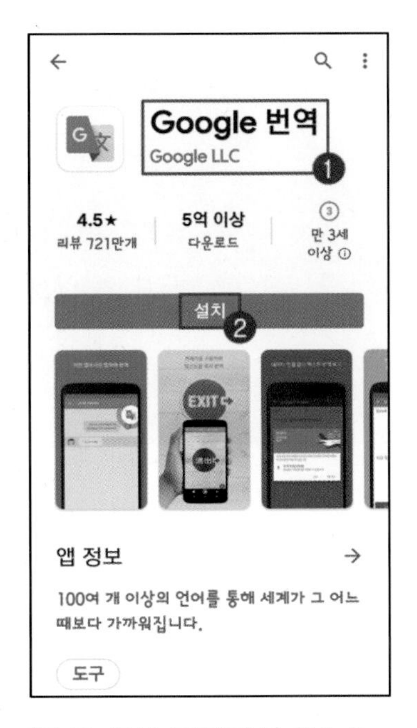

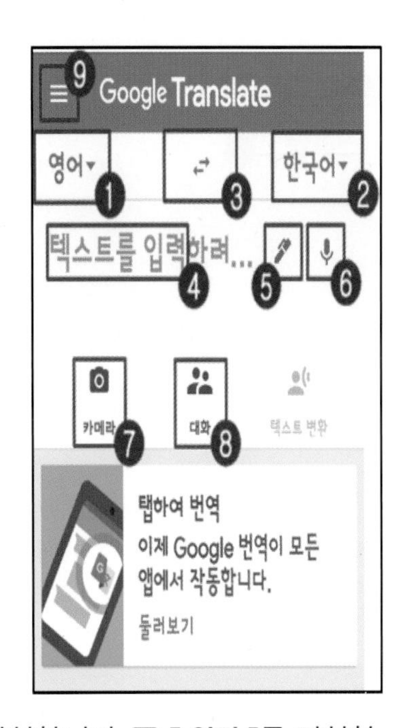

1 PLAY스토어에서 ①[**Google번역**]을 검색하여 ②[**설치**]를 터치합니다. 2 [**열기**]를 터치합니다. 3 ①[**출발언어**]를 설정합니다. ②[**도착언어**]를 설정합니다. ③탭하여 입력언어와 출력언어를 교체합니다. ④탭하여 텍스트를 입력합니다. ⑤문자를 써서 번역합니다. ⑥음성으로 번역합니다. ⑦카메라로 촬영하거나 갤러리의 이미지를 번역합니다. ⑧대화모드로 양방향 즉시 음성과 문자로 번역음성을 인식하여 음성과 문자로 번역합니다. ⑨[**삼선**]을 터치합니다.

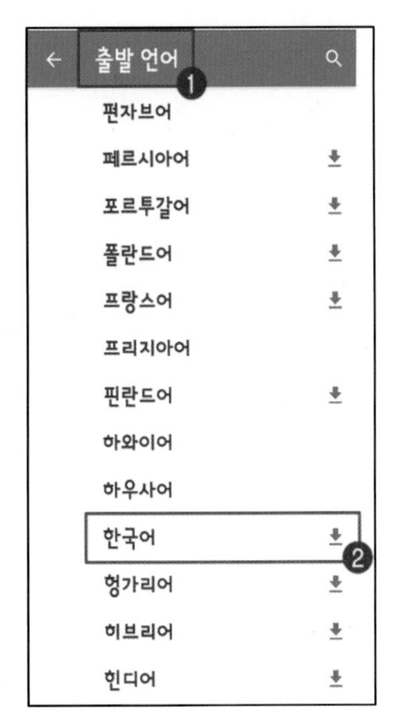

1 ①[**출발언어**] 창에서 ②[**한국어**]를 선택합니다. 2 ①[**도착언어**] 창에서 ②[**영어**]를 선택합니다. 3 ①[**문장**]를 입력합니다. ②[**번역**]된 문장이 보입니다. ③[**음성**]으로 들을 수 있습니다.

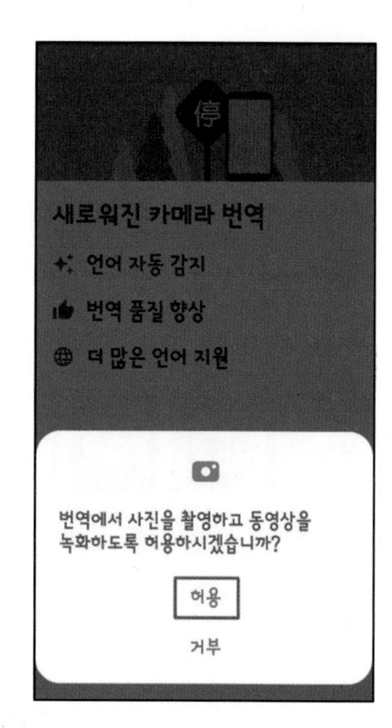

1 ①[텍스트 입력] 창에 입력하거나 ②[손글씨]로 입력합니다. ③[번역]된 내용을 확인합니다. 2 ①[음성으로] 입력합니다. ②[번역]된 내용을 확인합니다. 3 카메라를 터치하여 번역에서 사진을 촬영하고 동영상을 녹화하도록 [허용]를 터치합니다.

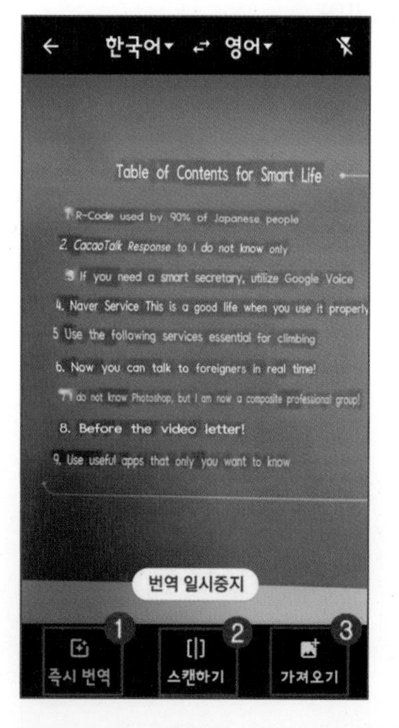

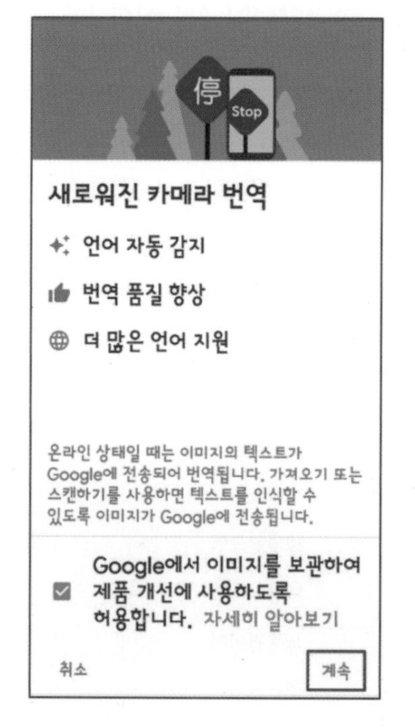

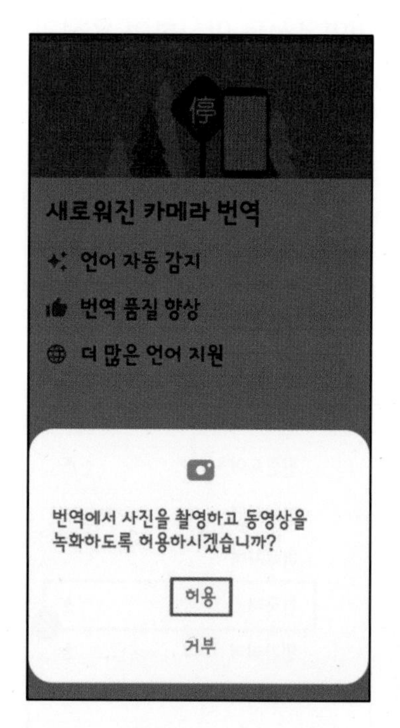

1 ①[즉시번역]하거나 ②문서를 [스캔하기]로 스캔하거나 ③갤러리에서 [가져오기]로 가져와 번역합니다. 2 새로워진 카메라 번역에서 [계속]을 터치합니다. 3 번역에서 사진을 촬영하고 동영상을 녹화하도록 [허용]을 터치합니다.

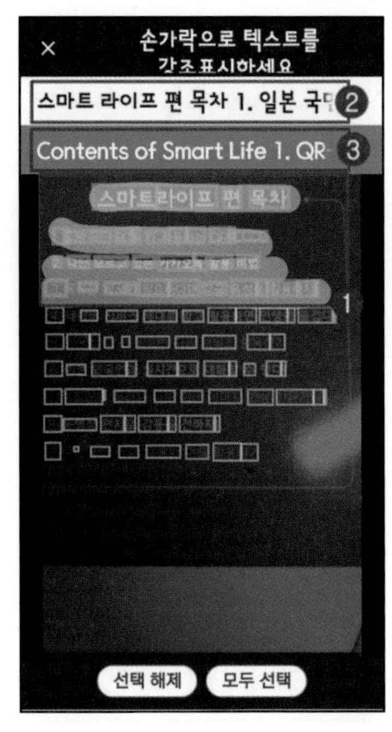

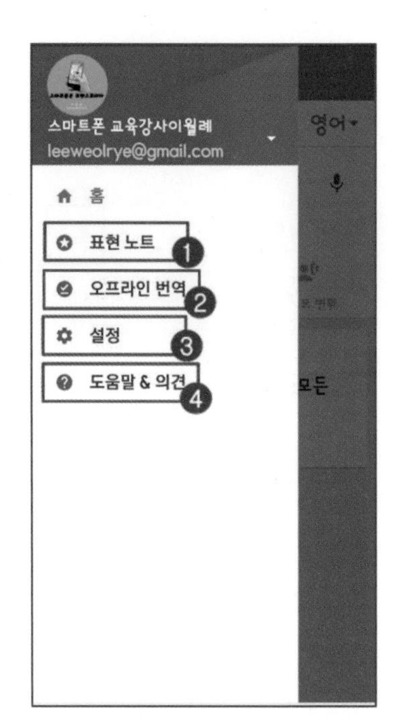

1 ①[**스캔한 문장**]을 손가락으로 드래그 합니다. ②[**한국어**]로 번역되고 ③[**영어**]로 번역됩니다. 2 대화를 터치하여 ①[**한국어**]를 탭하고 한국어로 말하면 영어로 음성과 문자로 번역이 되고 ②[**English**]를 탭하고 영어로 말하면 한국어로 음성과 문자로 번역이 됩니다. ③[**음성**] 터치하여 다시듣기합니다. 3 ①[**표현노트**] ②[**오프라인 번역**] ③[**설정**] ④[**도움말 &의견**]을 터치하여 각각의 기능을 확인합니다

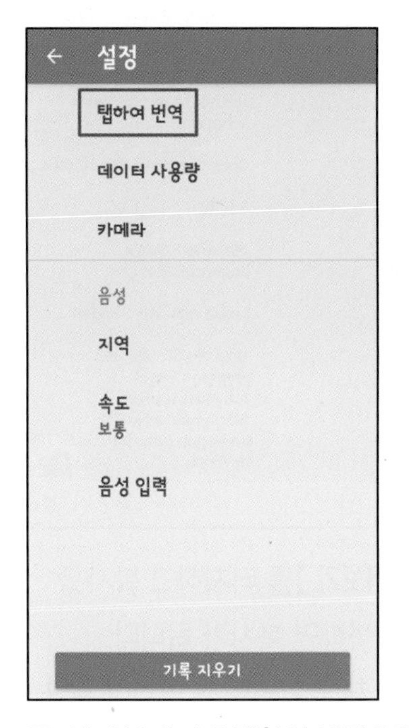

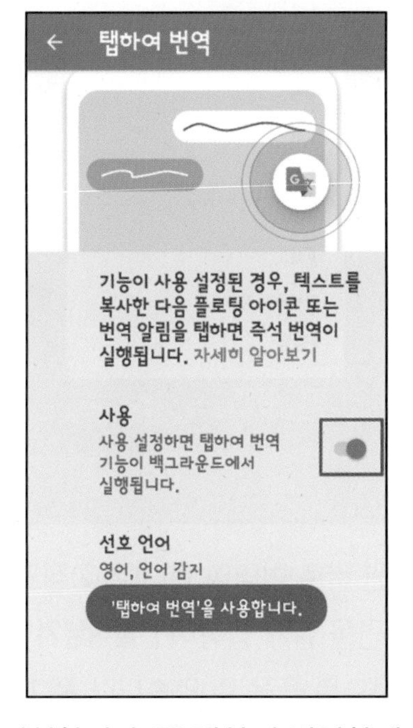

1 설정창에서 [**탭하여 번역**]을 터치합니다. 2 탭하여 번역창에서 [**사용**]을 활성화합니다. 3 다른 앱 위에 그리기 허용 설정에서 [**사용 설정**]을 터치합니다.

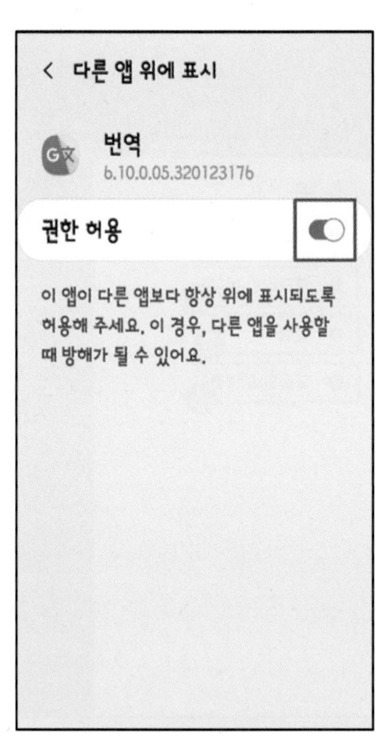

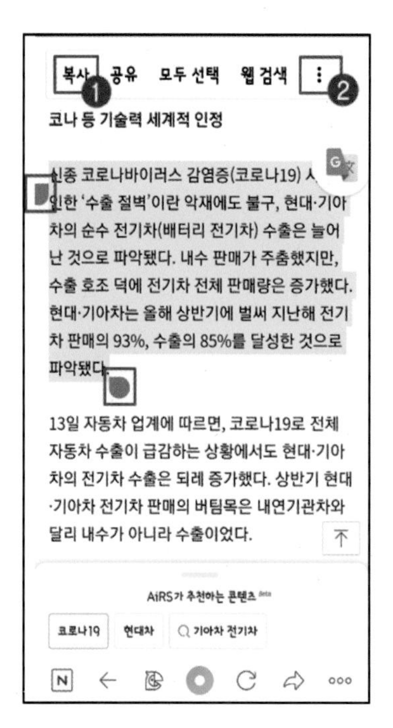

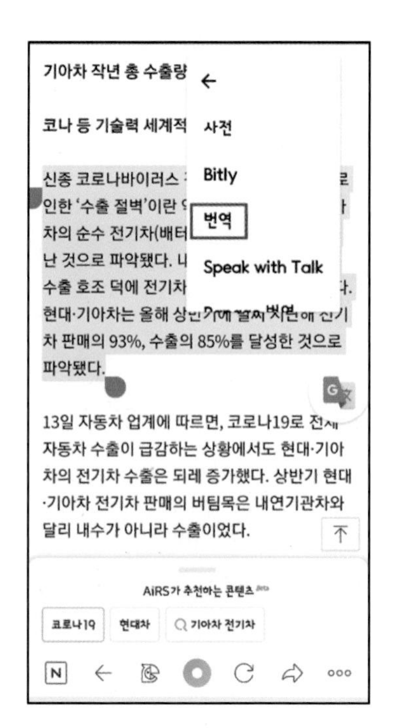

1 다른 앱 위에 표시창에서 **[권한 허용]**을 활성화합니다. 2 ①**[복사]**을 터치하여 물방울 모양으로 범위를 설정합니다. 3 ②**[점3개]**를 터치합니다. 새창에서 **[번역]**을 터치합니다

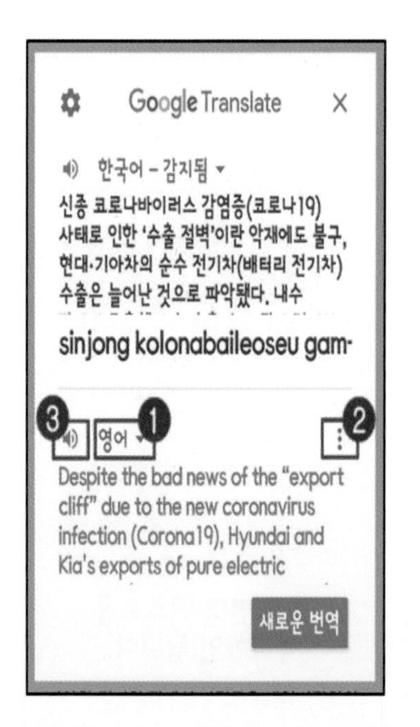

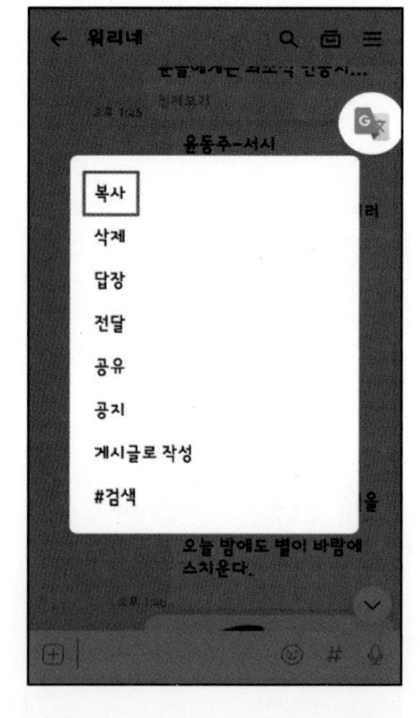

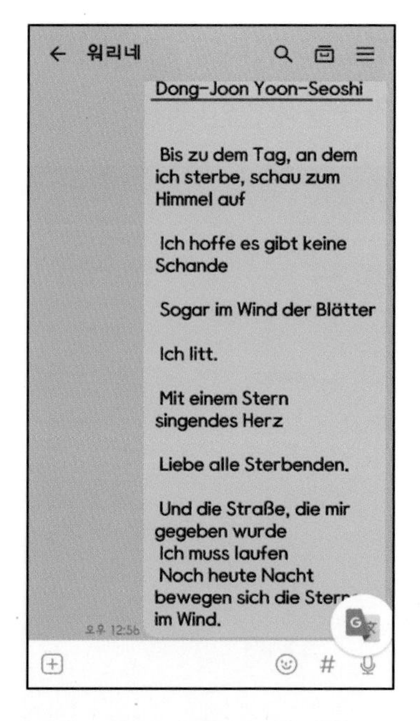

1 ①번역이 필요한 언어를 선택하면 바로 번역이 됩니다. ②점3개 **[더보기]**를 터치하고 복사를 탭하여 다른 화면으로 이동하여 화면을 길게 탭하여 **[붙여넣기]**를 선택하면 복사가 됩니다. ③**[스피커]** 이미지를 선택하면 음성으로 들을 수 있습니다. 2 메시지 채팅 화면에서 번역이 필요한 경우 번역할 부분을 길게 터치하여 나타나는 화면 메뉴에서 **[복사]**를 터치합니다. 3 화면 우측 하단에 **[구글 번역]**의 동그란 로고가 나타나면 탭합니다.

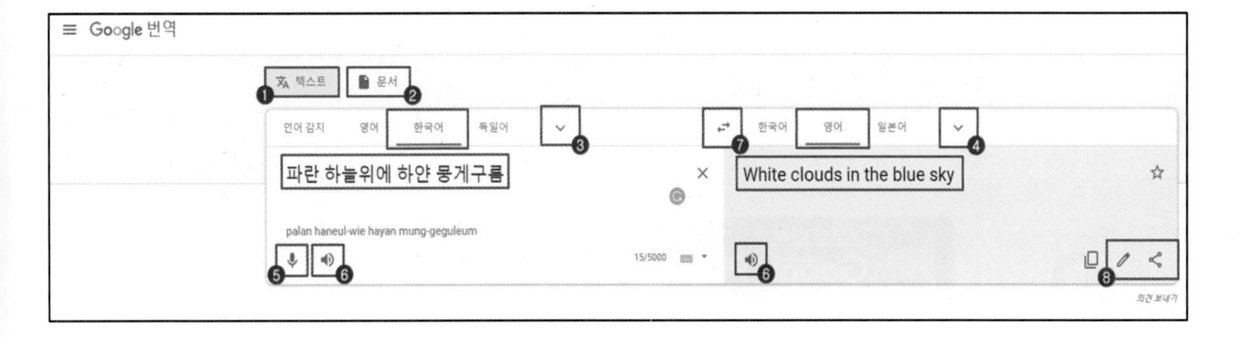

1 PC에서 [구글 번역]을 사용할 경우

①텍스트를 직접 입력하거나 번역 할 내용을 복사하여 붙여넣기 할 때 이용합니다
②PC에 저장되어 있는 문서를 가져와서 번역할때 이용합니다.
③입력언어를 선택하고
④출력언어를 선택합니다.
⑤선택하면 음성으로 입력할 수 있습니다.
⑥선택하면 음성으로 들을 수 있습니다.
⑦출발언어와 도착언어를 교체할 수 있습니다.
⑧수정하거나 공유할 수 있습니다.

1 ①웹사이트등에서 번역이 필요한 부분을 선택하여 복사해 가져와서 붙여넣기를 합니다.
2 ②바로 설정한 언어로 번역이 됩니다.

11강. 업무 효율을 확실히 올려주는 메모 어플 활용하기

1 스피치노트

[스피치노트] 앱(App)은 아주 쉽고 효율적인 음성입력, 연속적 구술로 빠르고 정밀합니다.

[스피치노트] 앱(App)의 장점

- 로그인이나 회원가입이 필요없이 마이크를 클릭하고 구술을 시작하기만 하면 됩니다.
- 문장 부호는 음성 명령으로 입력하거나, 문장부호 키보드로 한 번 클릭하여 입력할 수 있습니다.
- 구글의 음성 인식 엔진을 사용합니다.
- 한글뿐만 아니라 약 100여개의 언어 설정이 가능합니다.

[스피치노트] 앱(App)의 활용

- 블루투스 지원! 블루투스 마이크/헤드셋/자동차에서 말을 하면 - speechnotes가 내용을 모두 저장할 수 있습니다.
- 책의 내용을 말로 표현할 수 있어 빠르고 쉽게 글을 쓸 수 있습니다.
- 여행 장소의 생생한 후기를 말로 기록하여 블로그에 쉽게 올릴 수 있습니다.

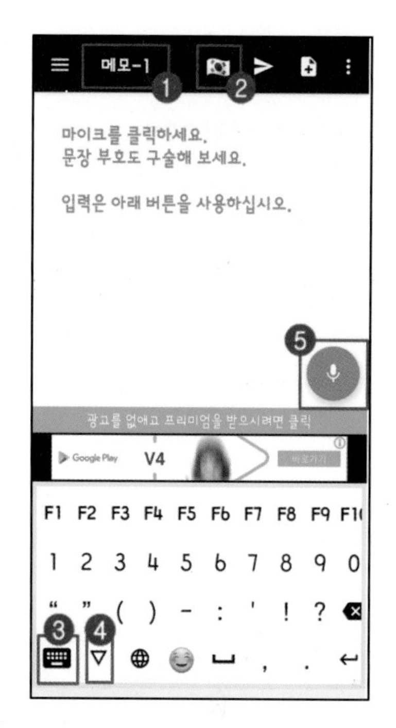

1 [Play스토어]에서 [스피치노트]를 검색하여 설치합니다. 2 오디오 녹음을 [스피치노트]가 접근할 수 있도록 [허용] 합니다. 3 ①[메모이름]을 표시합니다. ②[언어]을 선택합니다. ③[키보드]로 입력할 때 ④키보드 [화면조정]합니다. ⑤[마이크아이콘]입니다.

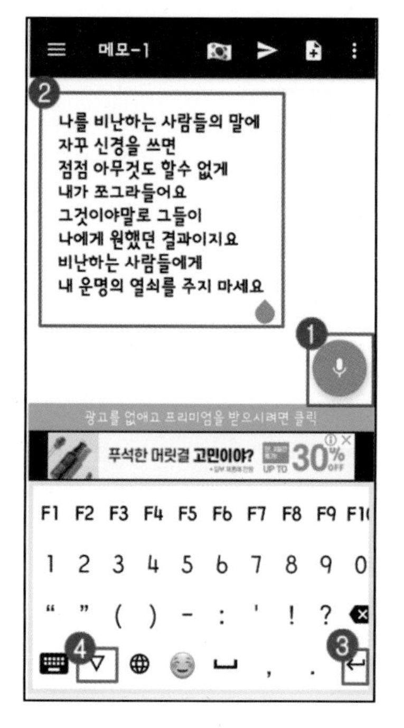

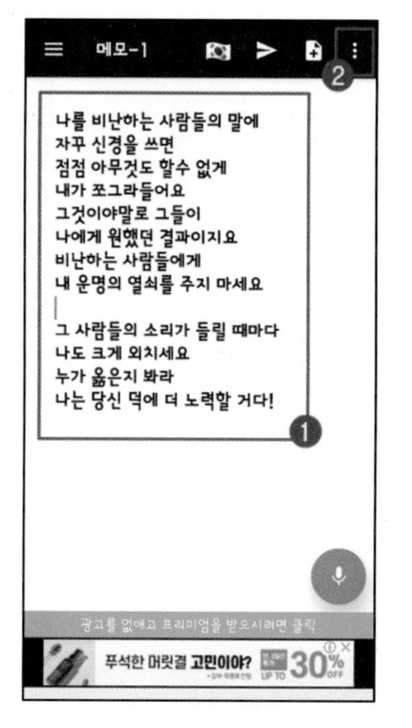

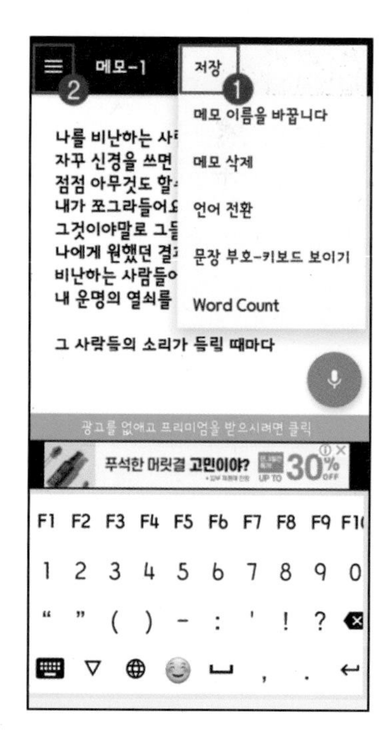

1 ① 마이크 모양 터치 녹음 준비 ② 메모가 기록됩니다. ③ 다음 줄 메모를 바꿉니다. ④ 메모 내용을 더 보고자 할 때 화면조정을 터치합니다. 2 ①[메모 내용]이 길게 표시 됩니다. ② 저장을 위해 터치합니다. 3 ①[저장]을 터치합니다. ② 더보기를 선택합니다.

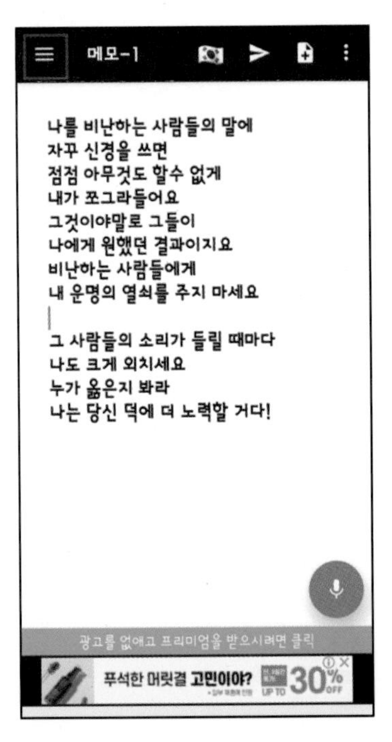

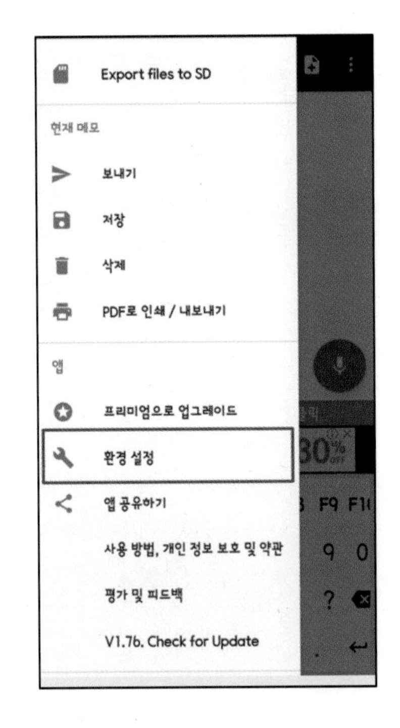

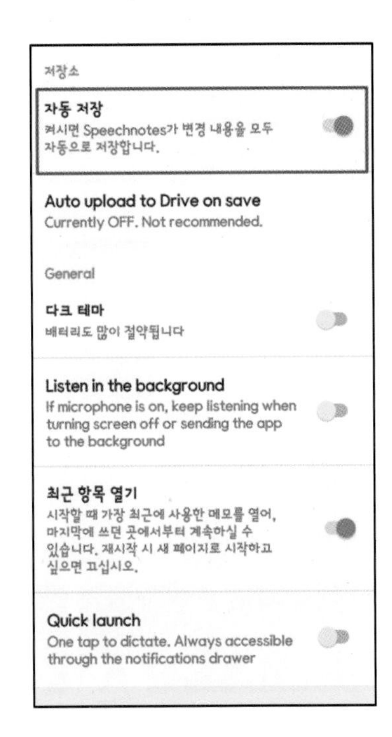

1 [**더보기**]를 선택합니다.

2 [**환경설정**]를 터치합니다.

3 [**자동저장**]를 활성화 하면 따로 저장을 터치하지 않아도 됩니다.

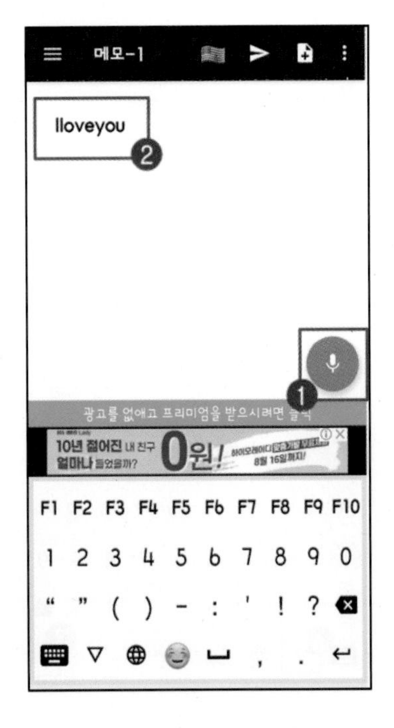

1 다른언어로 메모하기 위해 [**한국어 마크**]를 터치합니다.

2 필요한 언어는 다운로드 받으실 수 있습니다.

3 마이크를 누르고 다운로드한 언어로 말하면 메모가 됩니다,

2 1초 메모

[1초 메모] 앱(App)은 일상 생활 또는 업무 중에 손쉽게 사용할 수 있는 초간단 메모장입니다.

[1초 메모] 앱(App) 의 장점

- 편집 창 밖을 터치하거나 홈 버튼을 누르면 창이 다른 컨텐츠 위에 두둥실, 메모 밑의 게임이나 동영상을 그대로 조작 가능합니다.
- 클라우드 서비스가 지원되어 어디서든 열람할 수 있습니다.
- 키보드와 음성을 사용하여 메모를 기록하고, 메모목록을 볼 수 있습니다.
- 업로드하면 대기열에 저장되므로 오프라인에서도 걱정이 없습니다.

[1초 메모] 앱(App)의 활용

- 사업 아이디어, 할 일들을 바로 메모하고 언제든지 열람할 수 있습니다.
- 앱이 뜨자 마자 바로 메모할 수 있도록 키보드가 준비가 됩니다.
- 주기적인 메모 '청산'이 쉽습니다 : 밀어서 지우기 / 취소, 타이핑하면서 검색 등
- 자동보존으로 안전합니다.

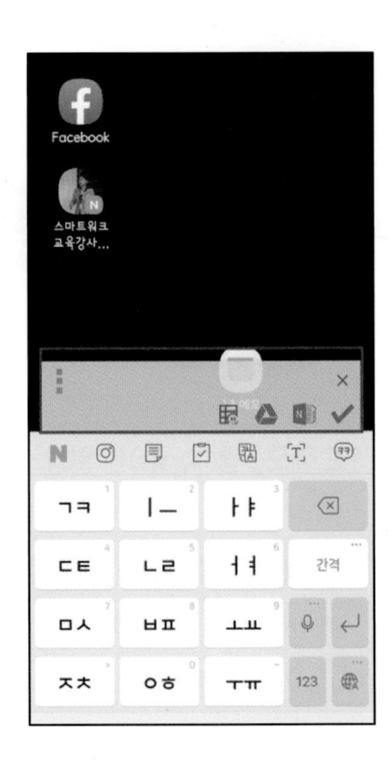

1 [Play스토어]에서 [**1초메모**]를 검색하여 설치합니다.

2 다운로드 받은 [**1초메모**] 어플이 홈 화면에 설치됩니다.

3 1초 메모가 자동으로 실행되며 화면에 [**메모상자**]가 나타납니다.

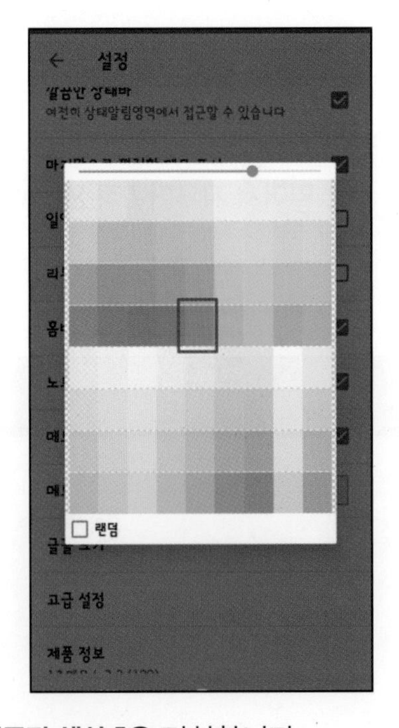

1 메모지 색상 변경을 위해 [**메모지 색상**]을 터치합니다

2 변경할 메모지 색상을 선택합니다.

3 1초메모를 터치한 후 내용을 입력하고 저장합니다.

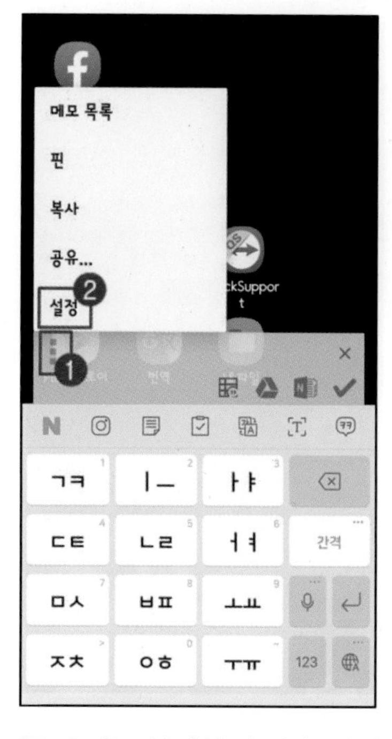

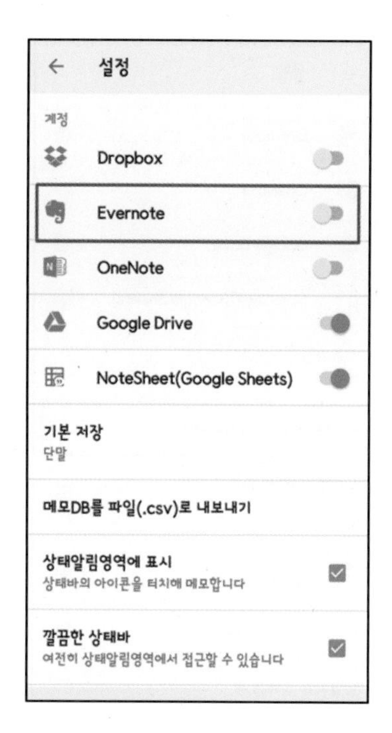

1 ①메모입력창의 좌측 상단 **[더보기]**를 터치합니다. ②**[설정]**를 터치합니다.

2 여러 계정의 클라우드 서비스로 1초 메모를 공유할 수 있습니다. **[에버노트]**를 터치합니다.

3 **[에버노트]** 계정으로 로그인합니다.

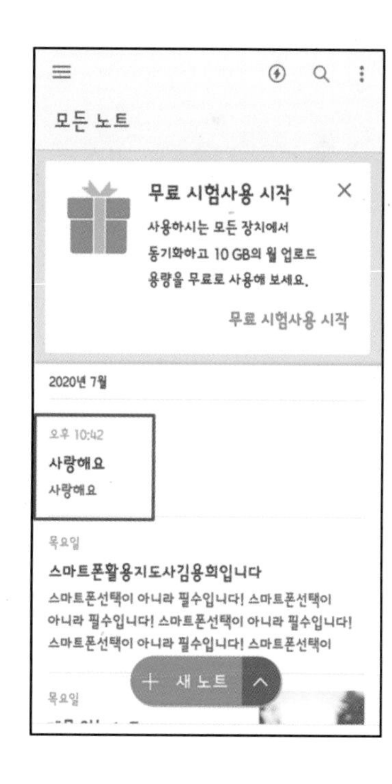

1 인증대상 기간은 **[1년]**으로 설정 **[인증]**을 터치합니다.

2 ①**[메모장]**에 메모를 기록하여 터치하면 기록한 메모가 저장됩니다. **[에버노트]** 계정으로 업로드합니다. **3** **[1초메모]**에서 메모한 내용이 **[에버노트]**에 저장된 것을 확인할 수 있습니다.

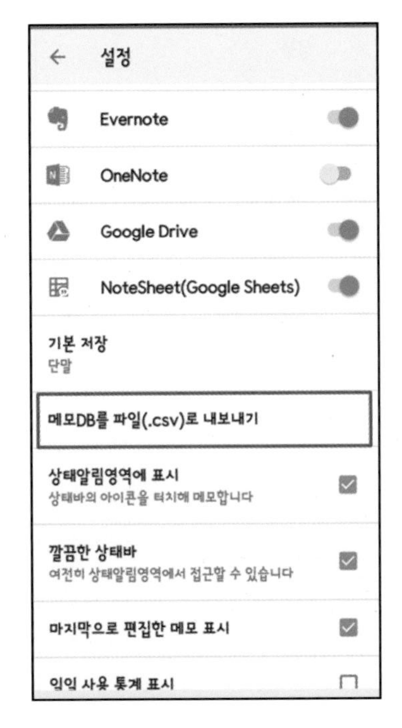

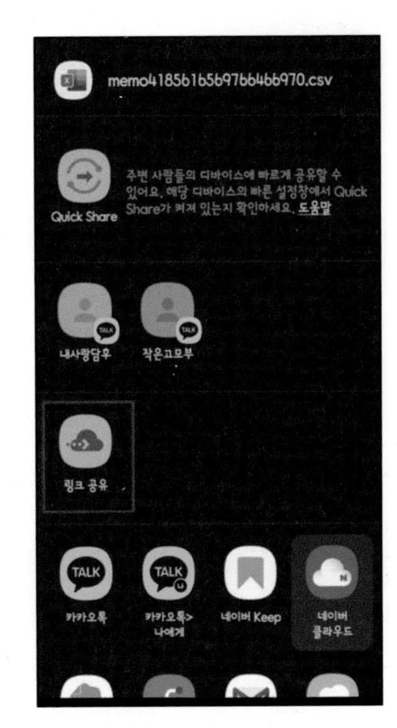

1 1초 메모의 [**노트 목록**]이 보여집니다. [**설정**]을 터치합니다

2 [**메모 DB를 파일로 내보내기**]를 터치합니다.

3 [**링크 공유**]를 위해 원하는 것을 선택합니다.

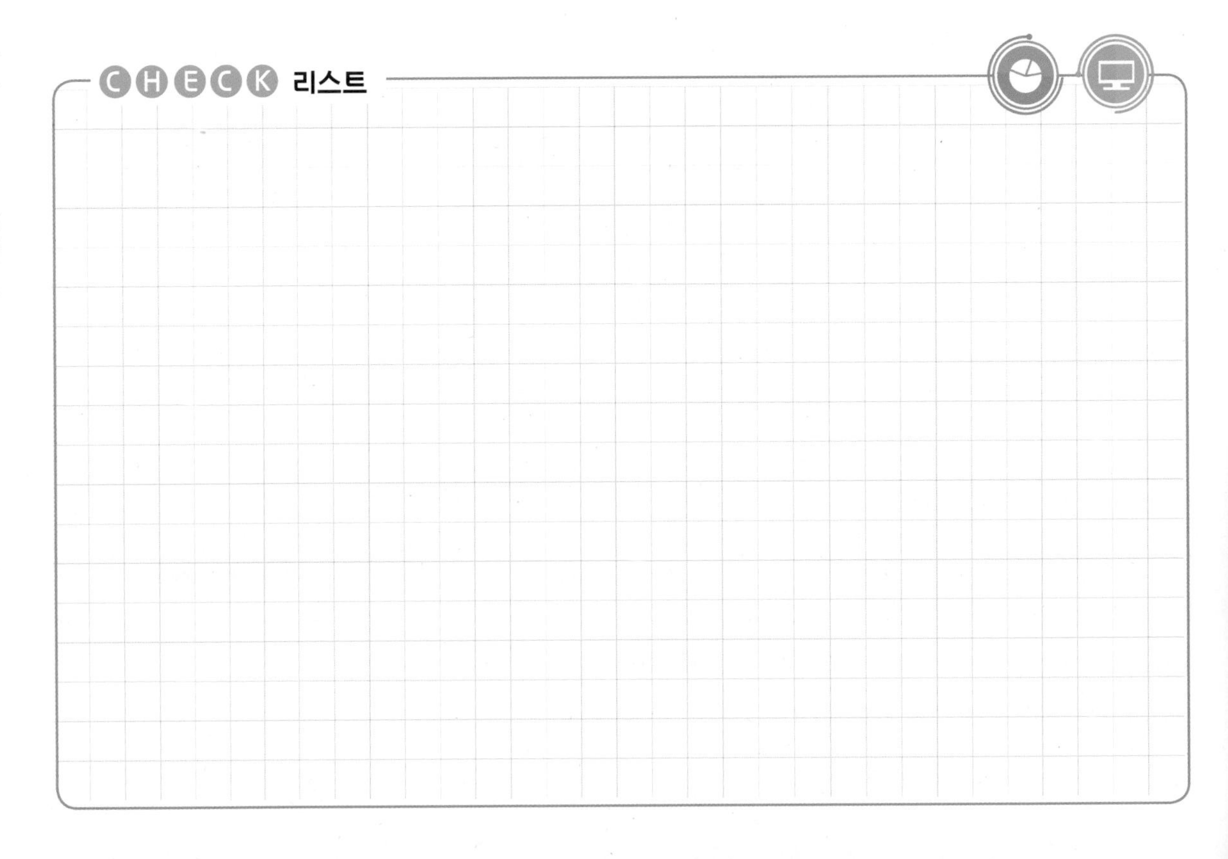

3 에버노트

[에버노트] 앱(App)은 텍스트 노트와 음성메모, 각종 파일, 동영상, 웹 클리닝 등 모든 정보를 저장합니다.

[에버노트] 앱(App) 의 장점

- 타이핑한 노트와 손으로 쓴 노트도 언제 어디서나 볼 수 있도록 스캔할 수 있습니다.
- 모바일 장치의 Evernote 카메라를 사용해 청구서, 영수증, 명함을 촬영하여 보관합니다.
- Evernote는 모든 장치에서 콘텐츠를 동기화하고 주석다는 기능을 제공합니다.
- PC, 스마트폰, 태블릿 등 사용하는 모든 장치에서 자동 동기화 됩니다.
  (베이직은 2개 장치만 동기화)
- 다수의 참가자들에게 접근 권한을 부여하고 가기 다른 부분을 협업하여 생산성을 극대화

[에버노트] 앱(App)의 활용

- 생산성을 발휘하기 위하여 필요한 모든 생각을 모으고, 캡처하고, 보관할 수 있습니다.
- 업무 플래너, 중요한 내용 메모, 정보수집 등 모든 것을 저장하고 검색 할 수 있습니다.
- 회사 프로젝트를 협업하고 관리하고 공유할 수 있습니다.

1 [Play스토어]에서 [**에버노트**]를 검색하여 설치합니다.

2 에버노트를 사용하기 위해 [Google로 **계속하기**]를 터치합니다.

3 [Google **계정**]이 여러 개인 경우 계정하나를 선택합니다.

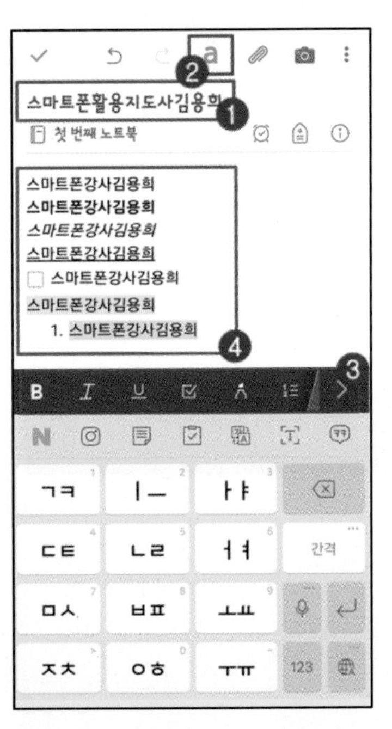

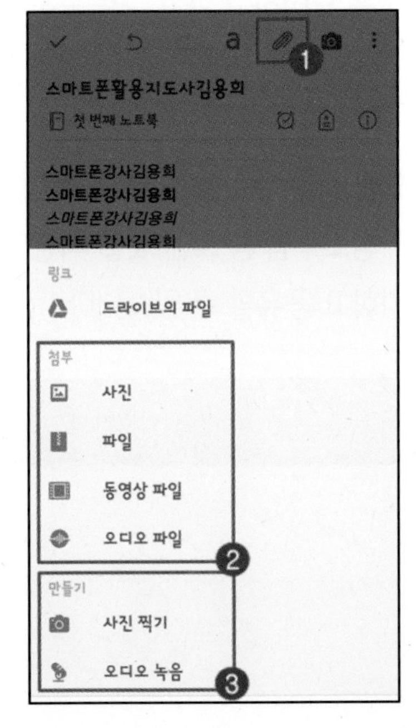

1 ①노트제목을 입력합니다. ②[a]를 터치합니다. ③진하게, 이탤릭체, 밑줄긋기, 체크박스, 형광색등 글자모양속성 이 나타납니다. ④내용을 입력합니다. 2 ①노트 작성시 첨부할 사항이 있으면 [**클립**]을 터치 ②이미 만들어진 파일이나 사진을 선택합니다. ③사진 찍기,오디오 녹음을 바로 할 수 있습니다. 3 다운로드 된 [**파일**]을 첨부합니다.

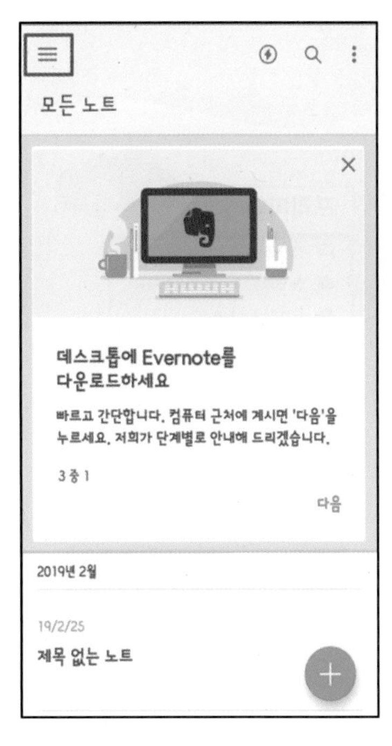

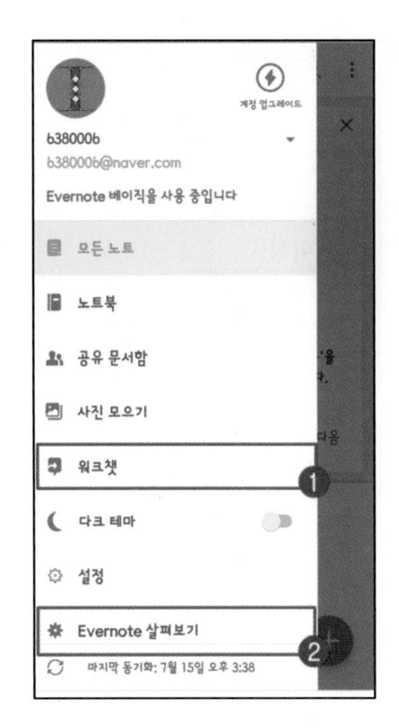

1 [Evernote]를 사용하기 전 [Evernote]공유법과 사용법을 확인합니다. 2 ①채팅을 사용해 작업내용을 공유할 수 있습니다. ②[Evernote] 활용방법이 쉽게 풀이되어있습니다.
3 ①함께 협업할 사람들을 초대합니다. ②누군가 회원님과 공유하면 여기서 그 노트와 노트북에 액세스할 수 있습니다.

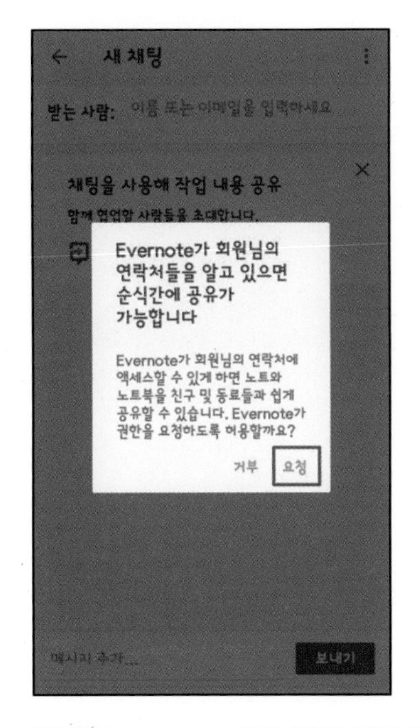

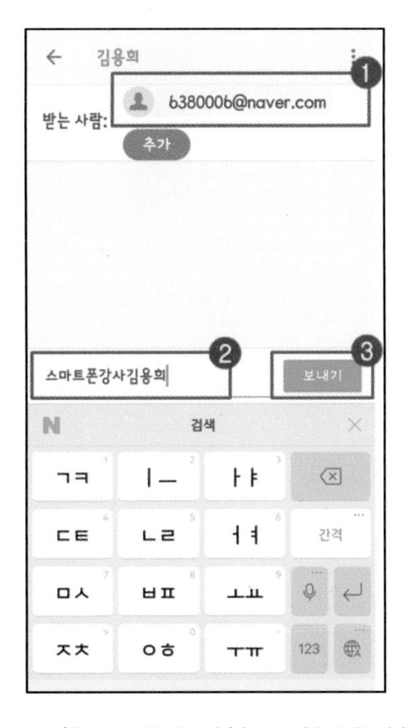

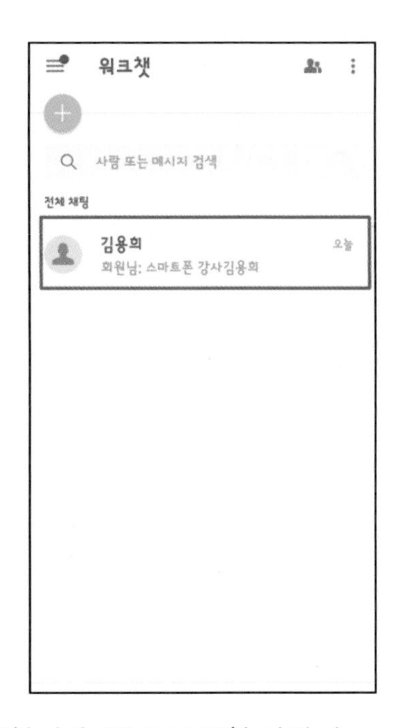

1 [Evernote]가 연락처에 액세스할 수 있게 권한[**요청**]을 허용합니다. 2 ①공유할 사람의 이메일 주소를 입력합니다. ②메시지를 작성합니다. 3 작업내용을 노트나 노트북을 열고 공유하실 수 있습니다.

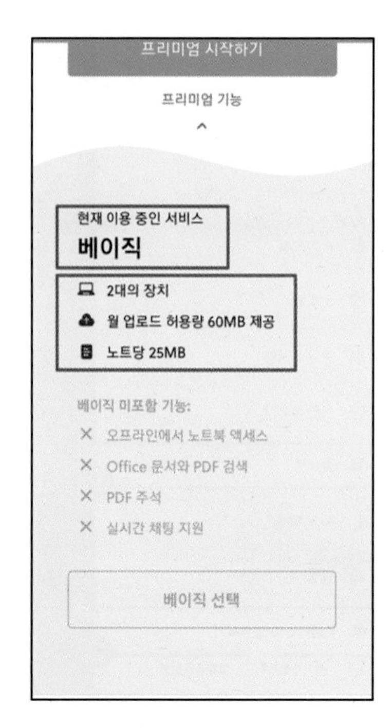

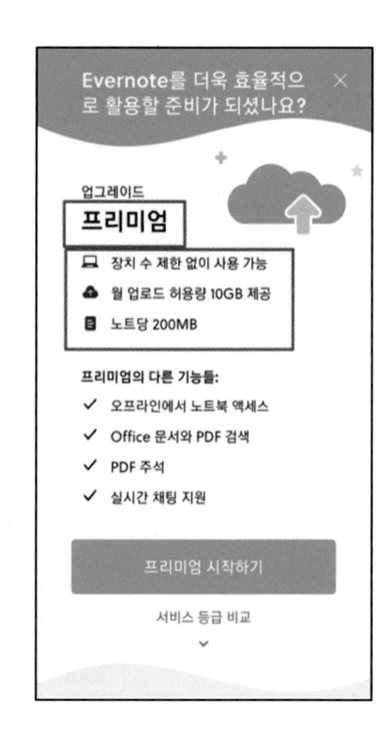

1 [**베이직**]을 무료로 사용하고 있습니다.

2 [**베이직**] 사용에 대한 [**권한 안내**]입니다. [**프리미엄**] 기능 탭을 터치합니다.

3 [**프리미엄**] 사용에 대한 [**권한 안내**]입니다.

CHECK 리스트

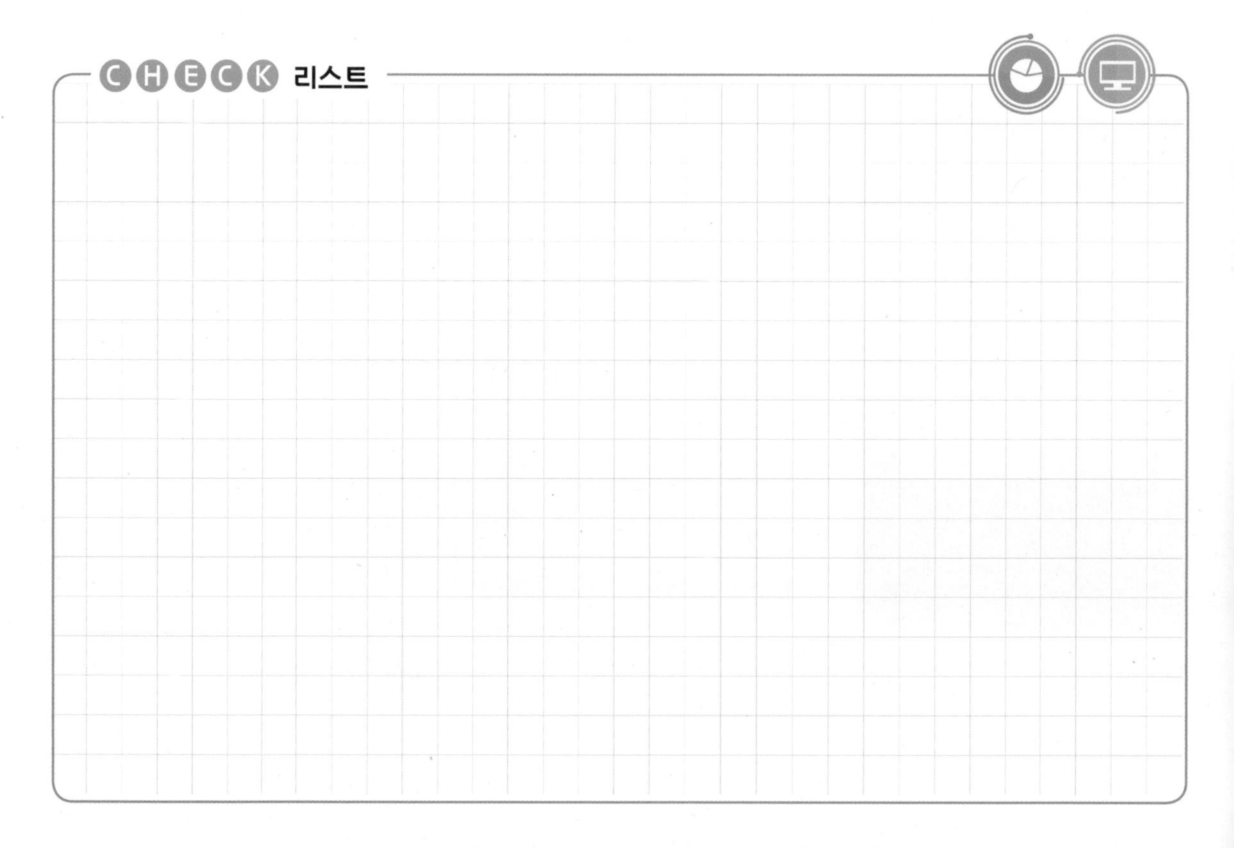

4 토크프리

[토크프리] 앱(App)은 Talk를 하면 휴대전화에서 입력한 내용을 읽어 주는 앱 입니다.

[토크프리] 앱(App) 의 장점

- 텍스트 음성, 웹페이지 읽기가 가능합니다.
- 오디오를 WAV 파일로 내보내기 할 수 있습니다.
- 언어 장애가 있는 사람들에게 도움이 됩니다.
- 시각 장애인에게 도움이 됩니다.

[토크프리] 앱(App)의 활용

- 뉴스 나 책 읽기로 활용하시면 좋습니다.
- 재생 / 일시정지 / 정지가 가능합니다.

[참고]

통화가 작동하려면 전화기에 TTS(텍스트 음성 변환) 기능이 있어야 합니다. 없는 경우 Google Play에서 다운로드 할 수 있습니다. TTS엔진에 따라 앱이 표시되는 일부 언어가 작동하지 않을 수 있습니다.

1 [Play스토어]에서 [**토크프리**]를 검색하여 설치합니다.

2 작업을 수행할 때 사용하는 애플리케이션을 선택합니다. [**삼성 TTS 엔진**]를 선택합니다.

3 작업을 수행하기 전 우측상단에 점 세개를 터치합니다.

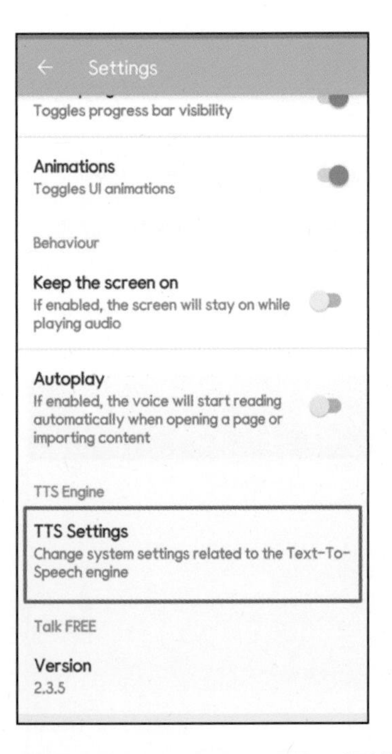

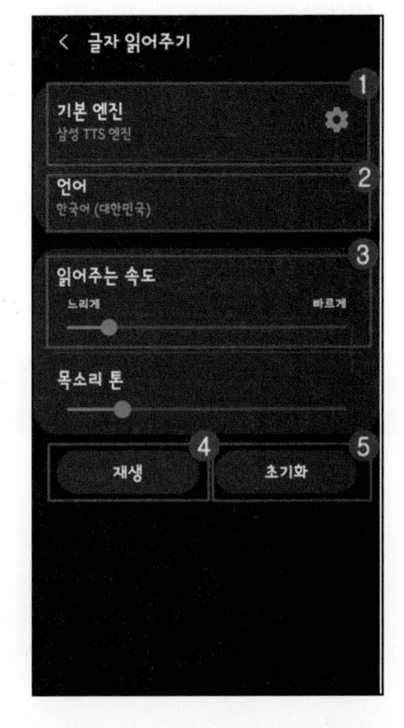

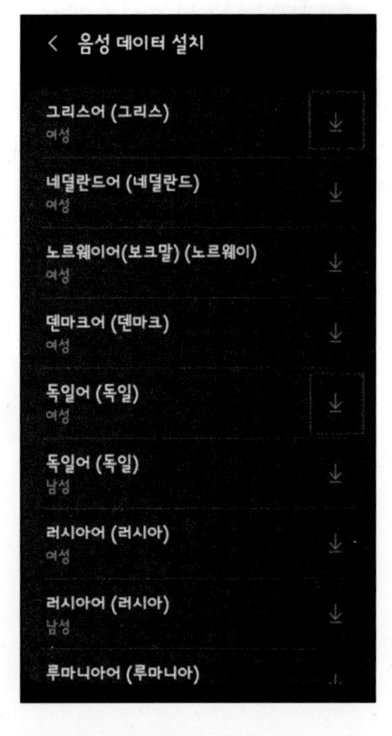

1 [TTS Settings]를 선택합니다. 2 ①기본엔진을 확인합니다. ②언어를 선택해서 들을 수 있습니다. ③읽어주는 속도조절을 할 수 있습니다. ④속도와 톤을 재생하여 미리듣기가 가능합니다. ⑤속도와 톤을 초기화 할수있습니다. 3 사용할 언어를 다운로드하여 들을 수 있습니다.

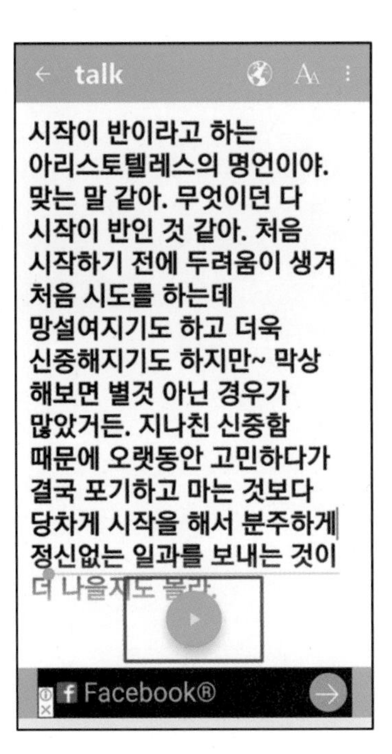

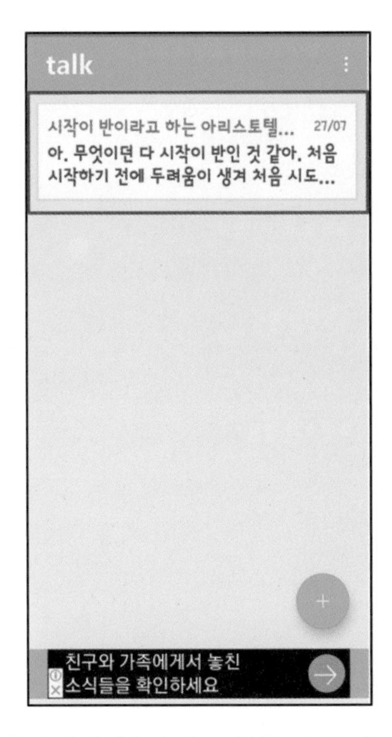

❶ **[메뉴]**를 눌러 시작합니다. ❷ 붙여넣기 하여 저장된 내용이 재생됩니다. 한번더 터치하면 일시정지, 정지가 가능합니다. ❸ 재생하였던 내용을 오른쪽으로 밀면 삭제됩니다.

❺ 화면캡처

❶ [화면캡처] 기능

일반적으로 안드로이드 스마트폰의 화면캡처기능은
'전원버튼 + 음량(하)버튼'
'전원버튼 + 음량(DOWN)버튼'
두 버튼을 동시에 누르면 됩니다.
안드로이드 OS폰은 버튼 위치가 다를 수는 있지만 화면캡처 기능버튼은 똑같습니다.
설정에서 캡처하는 방법입니다.

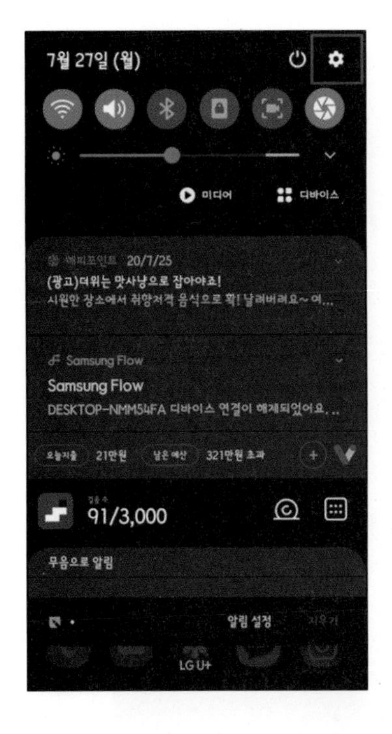

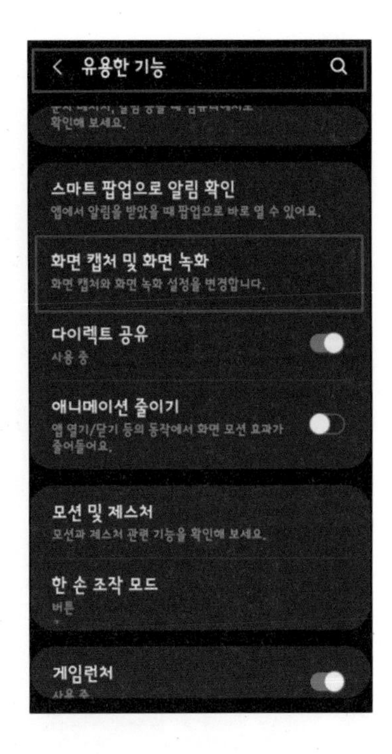

❷ 상단바를 내려 **[설정]**을 터치합니다.
[설정]의 메뉴 중 유용한 기능을 터치화면 캡처 및 화면녹화를 터치합니다.

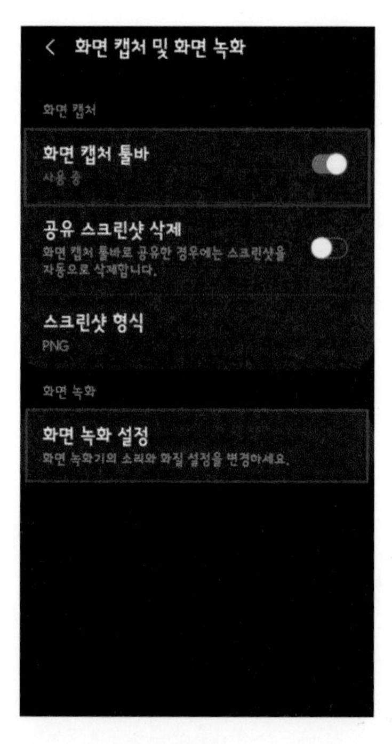

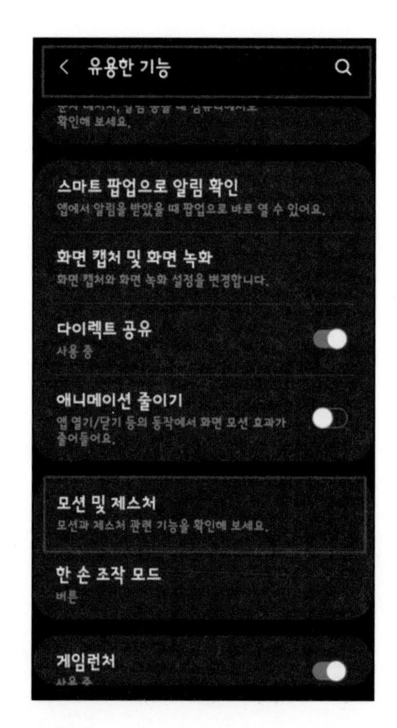

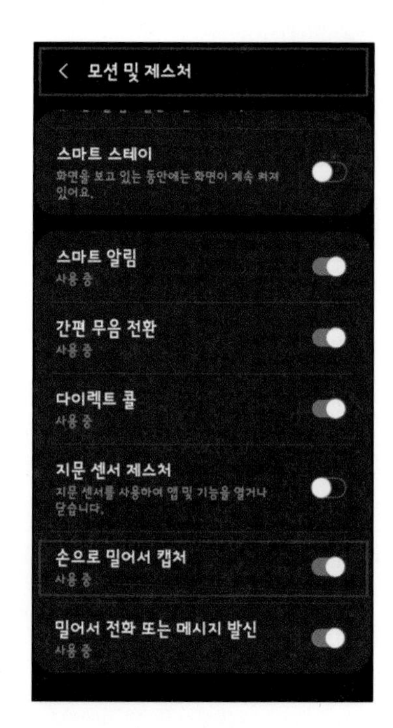

1 화면캡처툴바는 스크린샷을 촬영하면 편집, 공유등 다양한 추가 작업이 가능한 툴바를 보여줍니다. 화면녹화가 가능합니다. 2 모션 및 제스처를 터치하면 관련기능을 확인하실수 있습니다. 3 손으로 밀어서 캡처가 가능합니다.

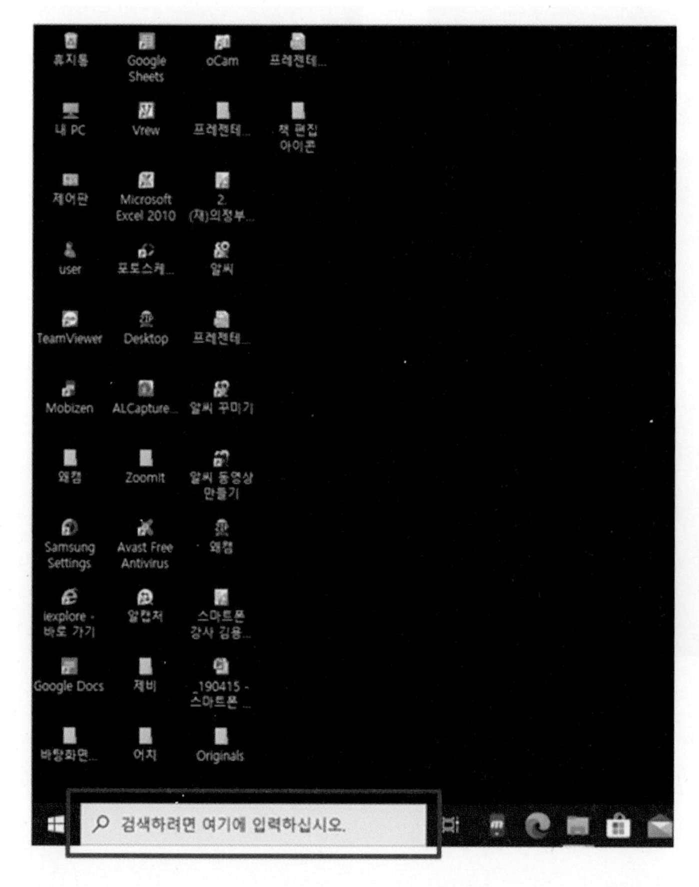

6 PC캡처하기

1 PC캡처기능

편집하거나 저장하기 위해 원래의 영상이나 음성,이미지 정보 중에서 필요한 부분만을 따로 떼어 놓는 것을 말한다.

컴퓨터 화면의 일부분을 잘라내거나, 텍스트 문자열이나 그래픽 파일로 변환하는 등 편집이나 저장을 위해 화면에 나타난 일부 정보를 선택하는 것을 말합니다.

바탕화면에서 좌측 하단의 돋보기 아이콘을 클릭한 뒤 **[캡처]**라고 검색한다

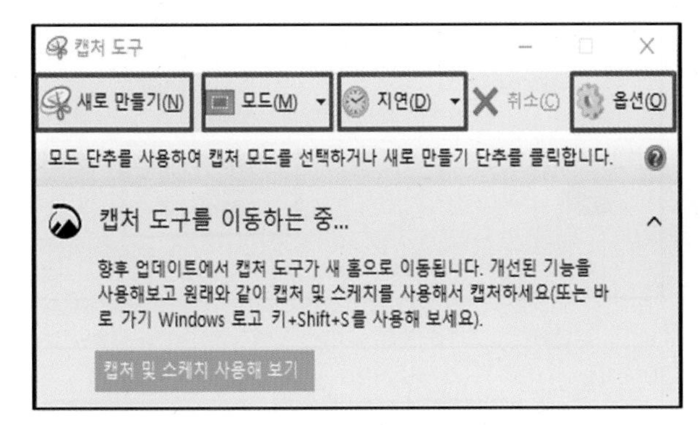

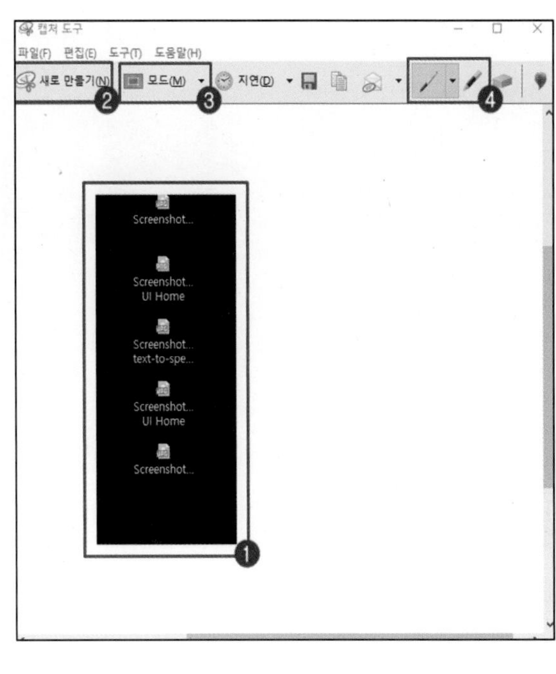

1 **[캡처도구]** 프로그램이 실행되면 상단에 메뉴가 있으며 새로 만들기,캡처모드, 지연, 옵션등의 메뉴가 있습니다,

①캡처한 이미지 ②새로 캡처할수 있습니다.

③모드는 화면캡처 비율을 설정

④캡처한 이미지에 글을 쓸 수있습니다.

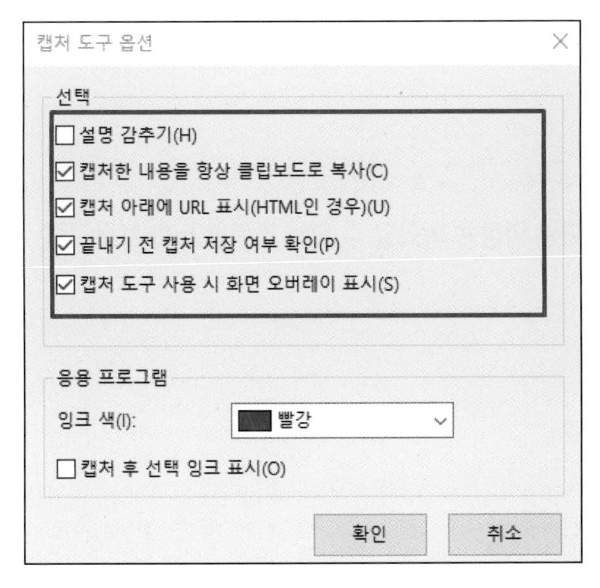

1 기본 옵션 선택 필요에 따라 변경가능

캡처한 이미지 위에 밑줄긋기등 간단한 편집이 가능합니다.

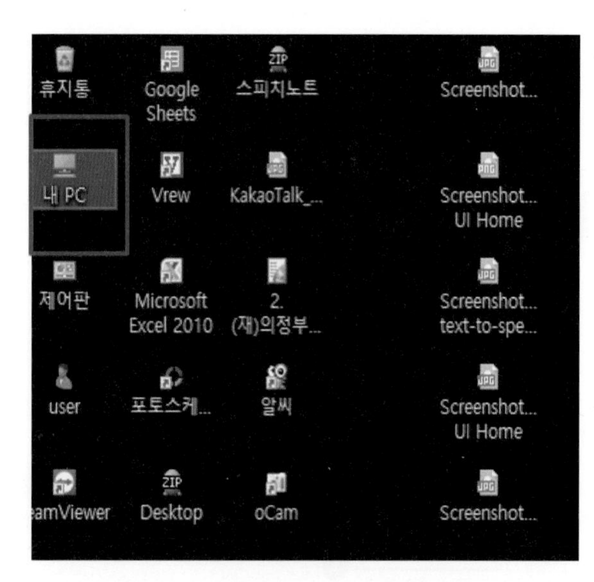

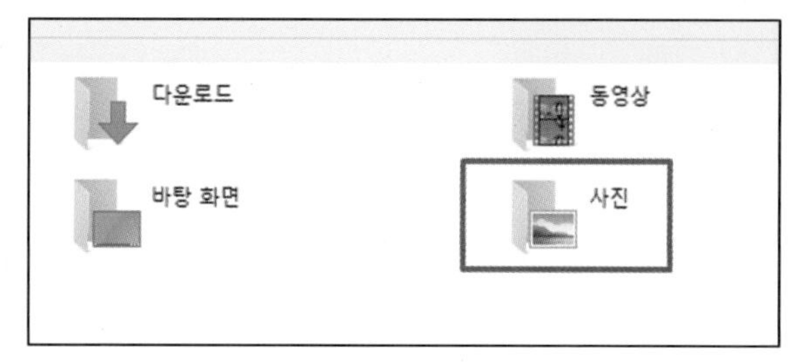

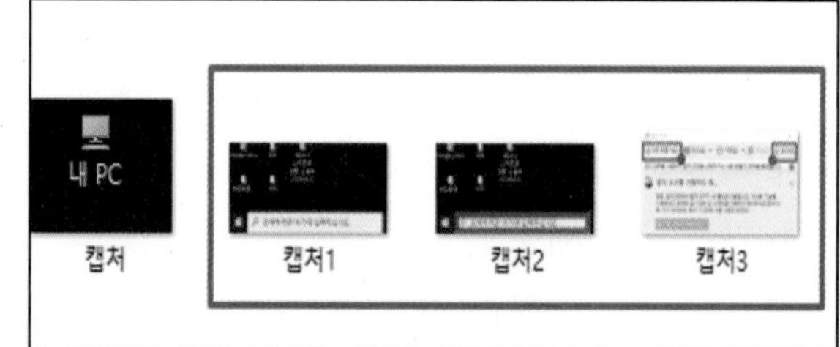

내pc 클릭 후 사진파일에서 확인합니다.

7 오캠

[오캠] 앱(App)은 PC를 통해서 모니터에 플레이 되는 영상을 녹화할 수 있는 강력한 녹화 프로그램 입니다.

[오캠] 앱(App) 의 장점

- ▶ 쉽고 간편한 녹화,원클릭 녹화 시작 및 녹화종료
- ▶ 마우스 드래그 크기조절 기능, 녹화영역 이동
- ▶ 지능적으로 녹화영역을 자동검색, 간편한 단축키 설정

[오캠] 앱(App)의 활용

- ▶ 온라인 게임과 인터넷영상을 효과적으로 녹화할 수 있습니다.
- ▶ 다양한 포맷으로 제한 없는 길이의 녹화를 안정적으로 진행할 수 있습니다.
- ▶ GIF(움짤)녹화 기능 및 전문 게임녹화 기능이 내장되어 있으며 웹캠 녹화기능이 포함되어 있습니다.

1 네이버 소프트웨어 자료실에서 검색하여 다운로드받고 설치 하시면 됩니다.
오소프트 홈페이지에서도 다운로드 가능합니다.

2 설치가 끝난 후 실행을 합니다. 오캠은 개인사용자에게만 무료이고 기업에서 사용시 제품 구매 후 사용해야 하니 참고하시기 바랍니다.

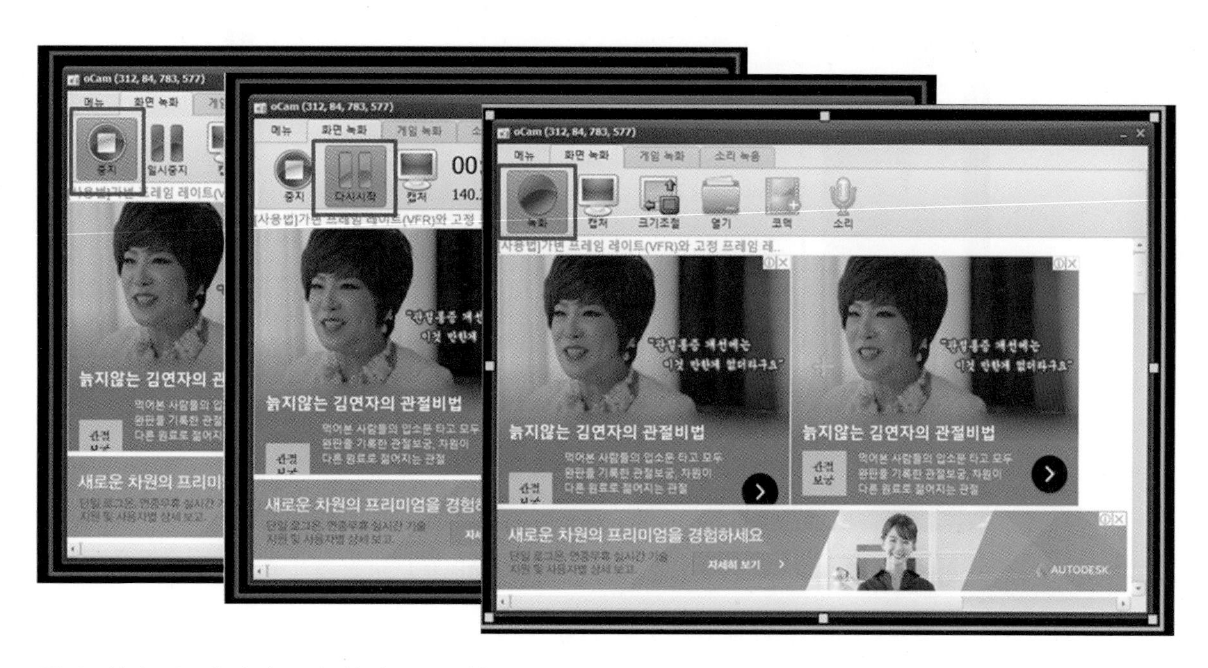

1 녹화 (F2)-라인박스가 적색으로 변함. 일시정지(Shift+F2)-라인박스가 파란색을 변함.
녹화중지 (F2)-라인박스 녹색

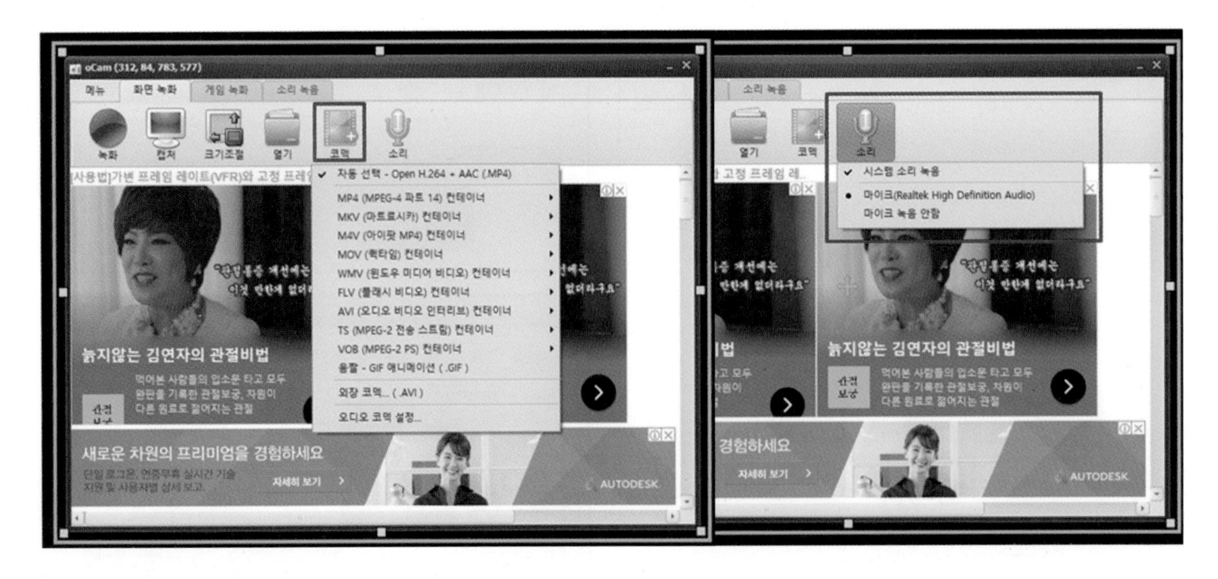

1 저장되는 동영상의 영상코텍을 설정할수있습니다. 주로 공통 코텍인 '자동선택-open H 264+AAC(MP4)'를 선택해줍니다. 2 녹화하기 전 점검해야 할 사항중에 하나가 **[소리]** 점검입니다. 가끔 **[마이크 녹음 안함]**으로 선택되어 있는 경우가 있는데 소리를 녹음하기 위해서는 **[마이크 배열]**에 터치 해야 합니다.

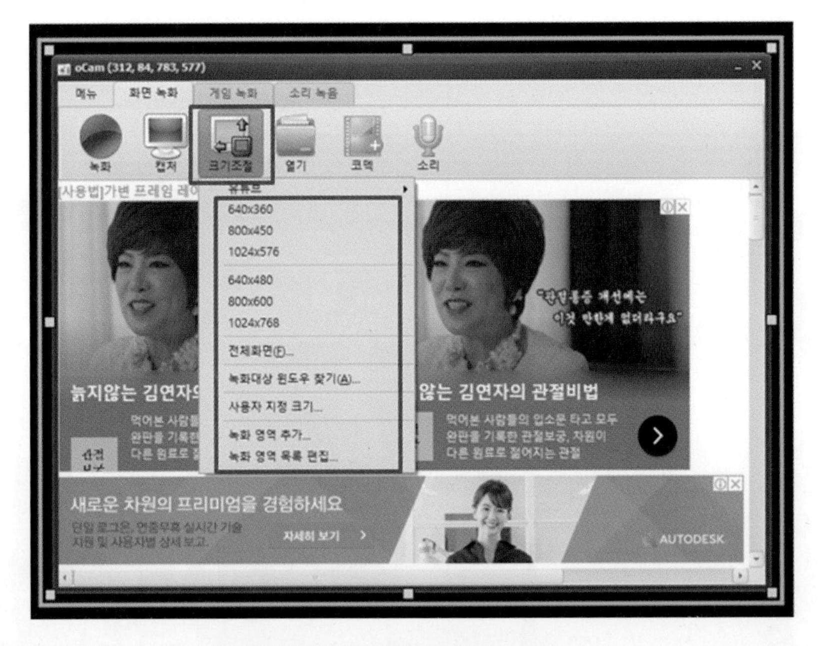

화면 녹화를 하기 위해서는 **[녹색 영역 창]**크기를 조정해야 합니다.

[크기 조절] 메뉴를 클릭합니다. **[전체 화면]**을 클릭합니다.

[녹색 영역 창]상단 가운데 **[사각형 아이콘]**을 마우스커서로 조금 내려줍니다.

[사각형 아이콘]을 살짝 내려주지 않으면 녹화가 시작되면 **[녹색 영역 창]**이 빨간색으로 바뀌면서 **[빨간색 영역 창]**이 보이지 않게 되어 녹화가 제대로 되고 있는지 잘 모를 수 있습니다.

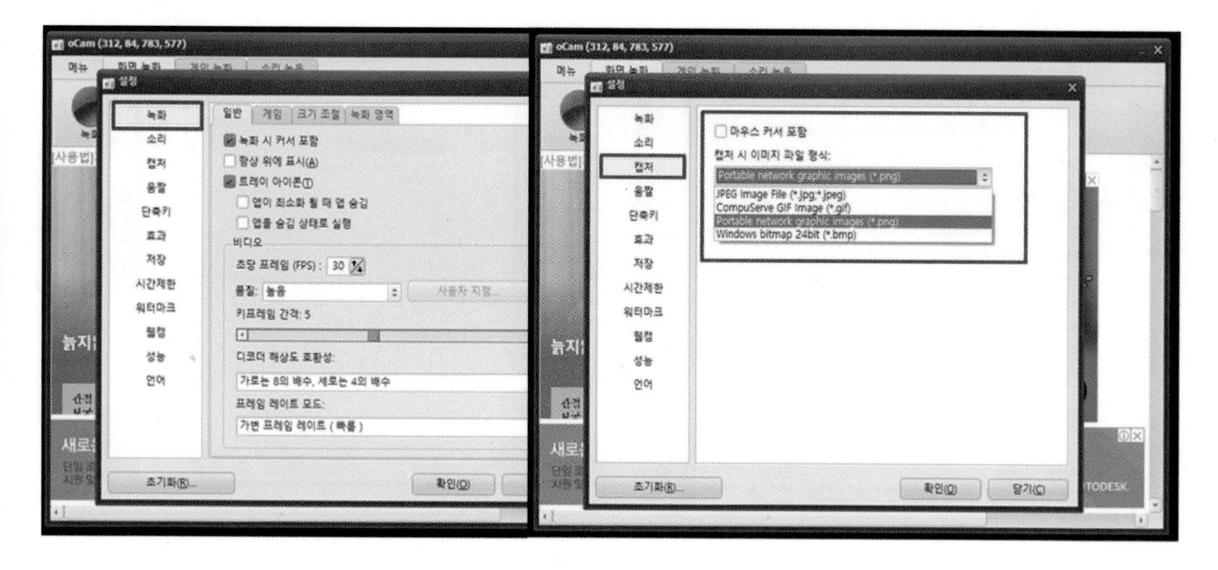

1 [**녹화**]를 터치합니다. 녹화시 마우스 커서가 보이길 원한다면 '녹화시 커서 포함'에 체크 프레임 레이트 모드는 '고정 프레임 레이트'로 설정해야 편집 프로그램에서 파일을 불러올 때 영상과 오디오가 일정하게 재생됩니다.

2 [**캡처**]는 이미지 캡처할때 마우스 커서가 포함되길 원한다면 체크 파일형식은 PNG로 선택해야 화질이 좋습니다.

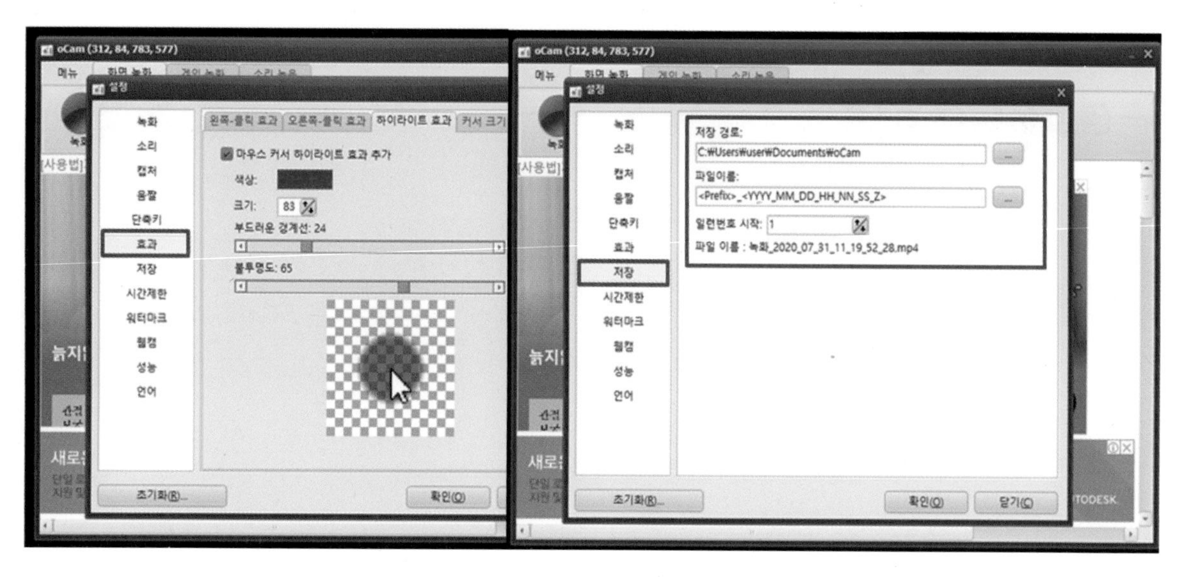

1 [**효과**]는 마우스의 클릭시 나타나는 효과와 크기를 설정해 줄 수 있고 원하는 색감과 크기를 설정해줄 수 있습니다.

2 [**저장**]은 녹화한 영상이 저장되는 경로와 파일이름을 설정해 놓으면 쉽게 확인할 수 있습니다.

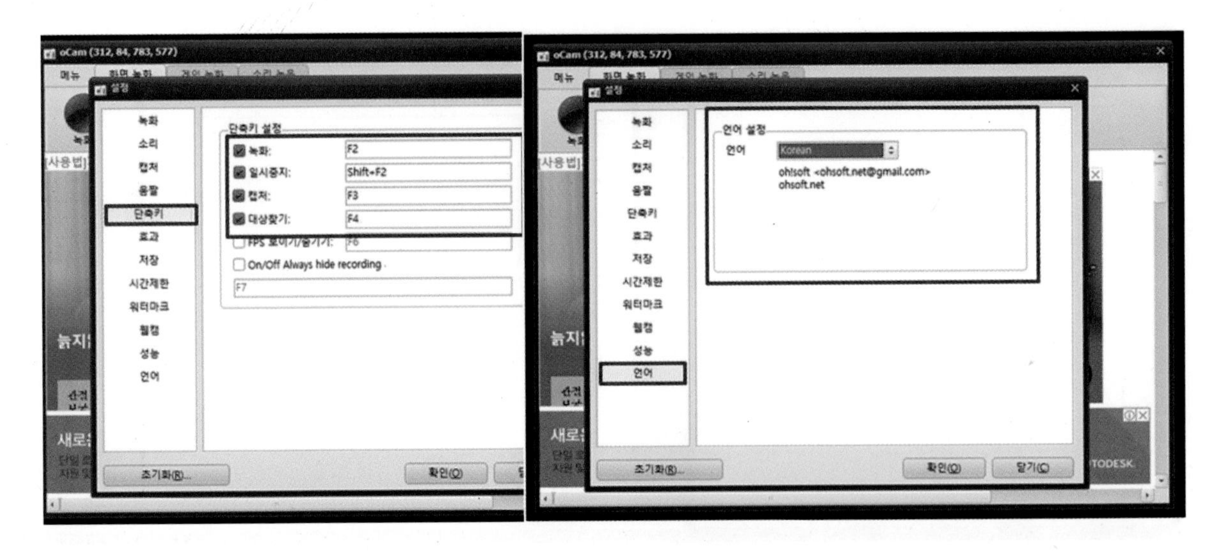

1 [**단축키**]는 기본으로 설정되어 있고 녹화 (F2)일시중지(Shift+F2), 캡처(F3) 이정도는 단축키를 알고 있어야 PC화면을 녹화할 때 오캠 메인창이 노출되지 않게 녹화할 수있습니다.

2 [**언어**] 선택이 가능합니다.

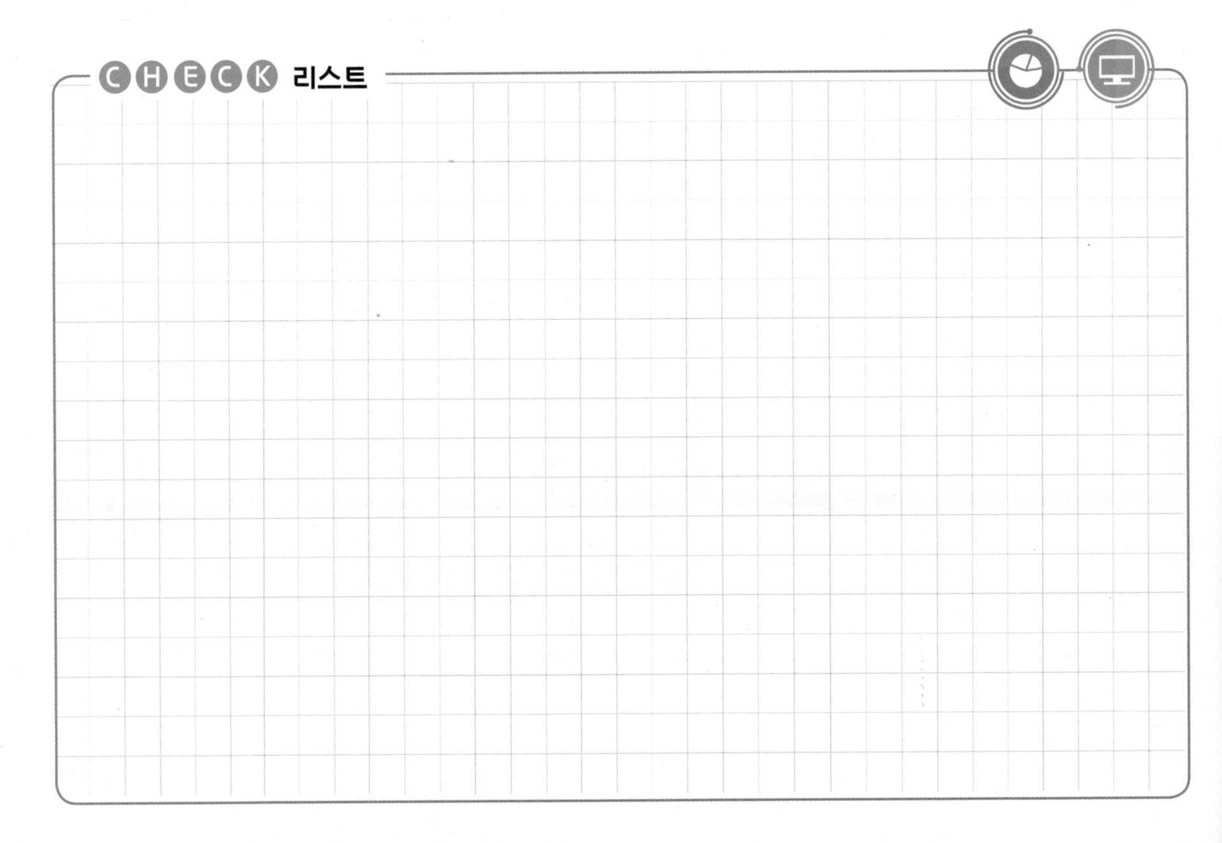

12강. 남들 몇 달 걸려서 쓸 책 일주일 만에 책 쓰기

1 VFLAT

[VFLAT] 앱(App)은 구겨지고 휘어진 페이지도 스캔 할 수 있습니다!

[VFLAT] 앱(App) 의 장점

- 스캔할 문서나 책의 테두리를 자동으로 인식하여 잘라줍니다.
- 문자 인식기능을 통해 스캔한 이미지를 텍스트로 변환할 수 있습니다.
- 변환한 텍스트를 복사하여 친구나 동료에게 간편하게 공유할 수 있습니다.
- 키워드를 입력하고 관련 문서를 빠르게 찾아낼 수 있습니다.
  검색 기능은 문자인식 (OCR)을 완료한 후에 이용할 수 있습니다.
- 스캔 한 이미지를 PDF 파일로 변환할 수 있습니다. 페이지 순서를 정렬하고, PDF 품질을 선택하고, 색을 조정할 수 있습니다. 스캔할 문서나 책의 테두리를 자동으로 인식하여 잘라줍니다.
- 페이지의 곡면을 자동으로 보정하고 손가락을 지워줍니다. 핸드폰으로 전문 책 스캐너로 촬영한 것과 같은 스캔 결과를 얻을 수 있습니다. 두 페이지 촬영 모드에서는 좌우 페이지를 한 번에 촬영하고 분할하여 저장할 수 있습니다

[모바일 팩스] 앱(App)의 활용

- 언제 어디서나 필요한 서류의 스캔이 가능합니다.
- 스캔해 둔 서류를 키워드로 검색 하거나 공유도 가능합니다.
- 스캔할 때 곡면을 자동으로 보정하여 전문 스캐너와 유사한 퀄리티를 갖습니다.

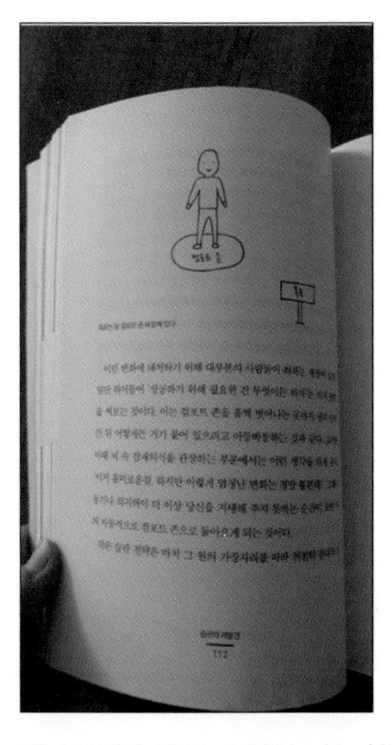

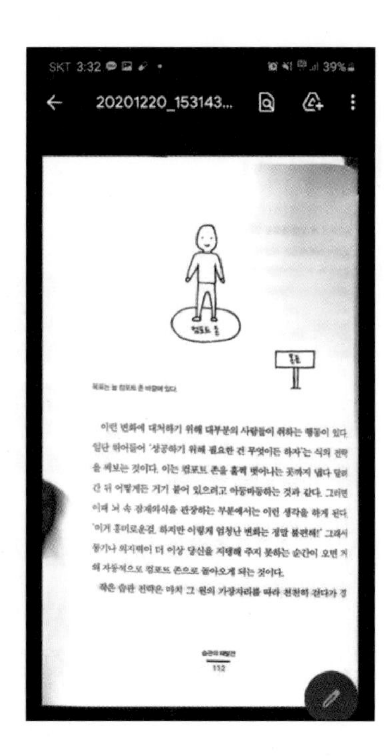

1 굴곡진 책의 스캔이 가능합니다.

2 책 모서리를 인식하려 합니다. 흰 버튼을 눌러 스캔합니다.

3 굴곡져 있던 책의 텍스트들이 평면으로 불러옵니다.

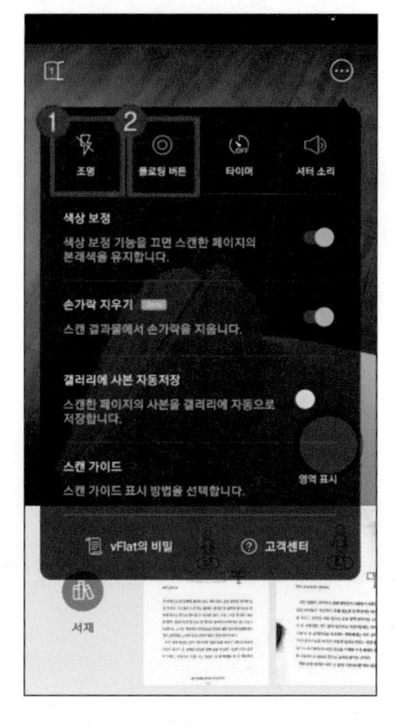

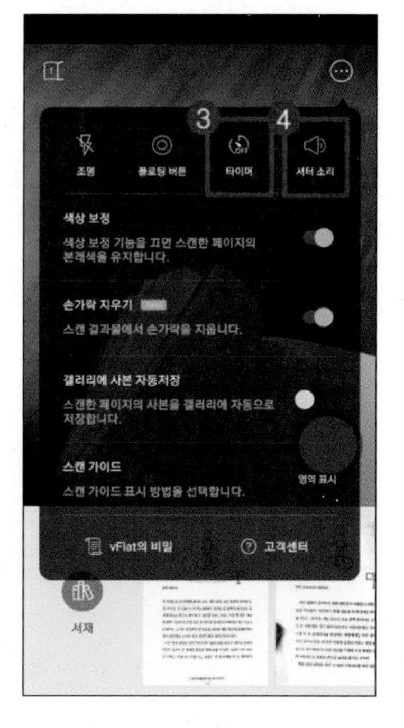

1 우측상단의 점 세 개를 누릅니다. 2 밝기조절을 위해 조명기능이 있습니다. 플로팅 버튼으로 작업이 편리한 위치로 이동 가능합니다. 3 3초, 5초, 7초등 타이머를 이용해 자동으로 촬영이 가능합니다. 셔터 소리를 누름으로 조절 가능합니다.

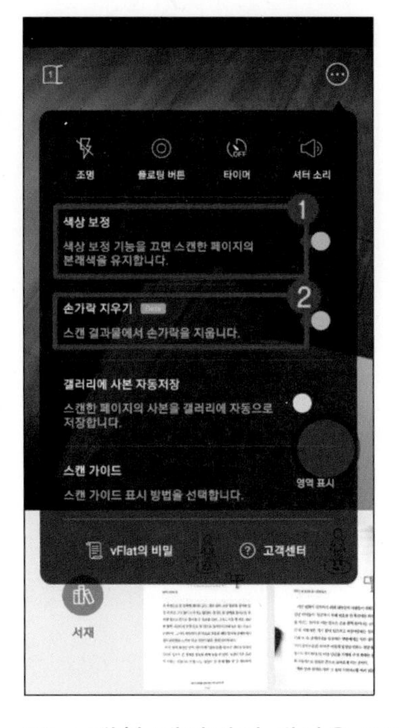

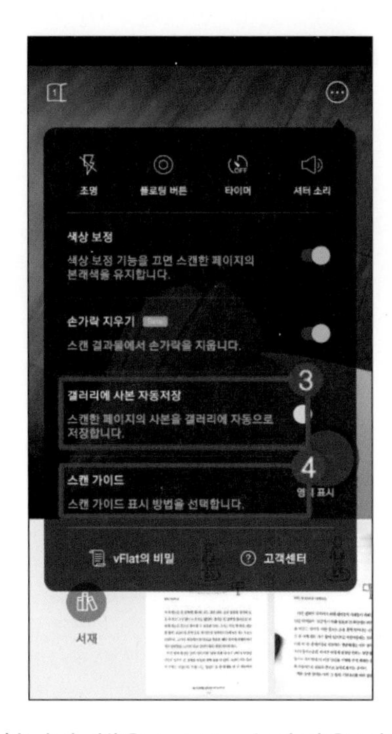

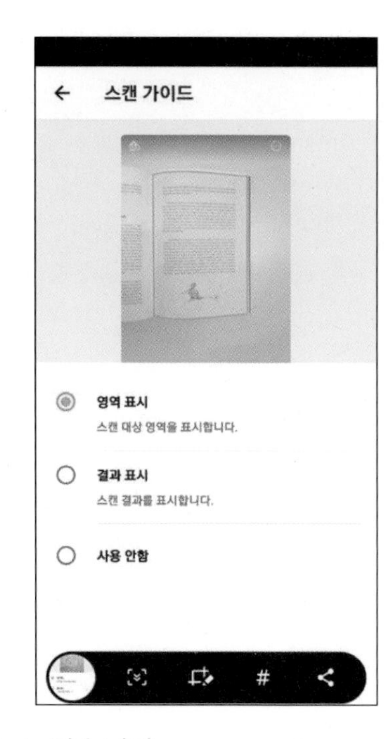

1 스캔한 페이지의 색상을 조절합니다. 책을 누르는 손가락을 지울 수 있습니다.

2 갤러리에 사본을 저장합니다. 스캔 가이드표시 방법을 설정합니다.

3 스캔 영역을 표시해서 알려줍니다. 스캔 후의 결과를 미리 알려줍니다.

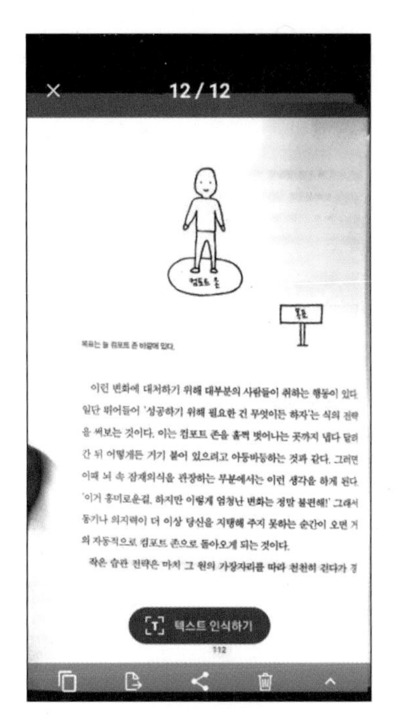

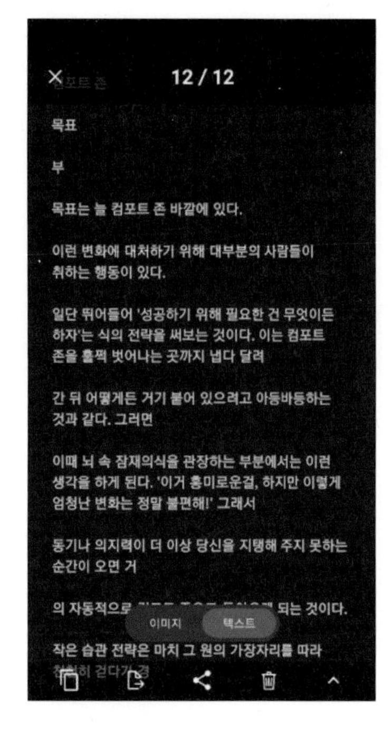

1 이미지 파일로 들어옵니다. 텍스트를 원한다면 **[텍스트 인식하기]**를 누릅니다.

2 **[텍스트 파일]**이 생성되었습니다.

3 **[복사하기]**, **[내보내기]**, **[공유하기]**, **[삭제하기]**가 가능합니다.

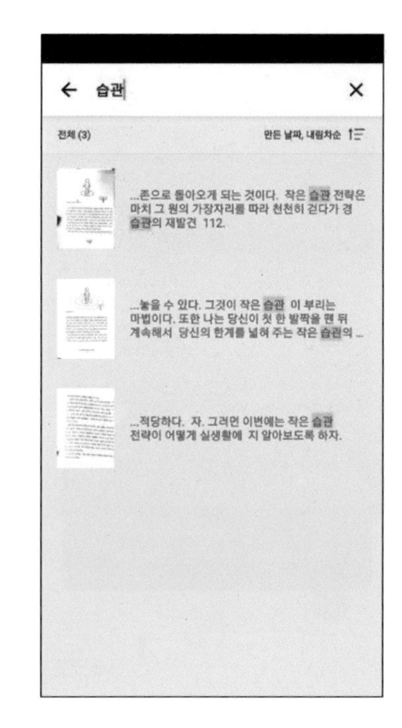

1 [**서재**]를 터치합니다.

2 [**검색**], [**내보내기**], [**텍스트 인식하기**] 메뉴가 있습니다.

3 [**검색**]에서는 원하는 키워드를 넣어 검색이 가능합니다.

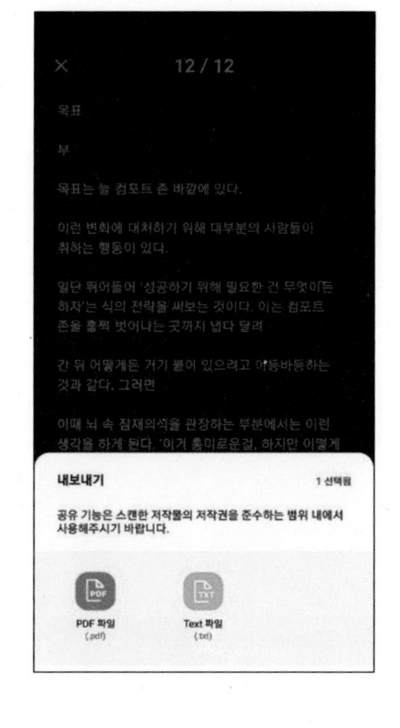

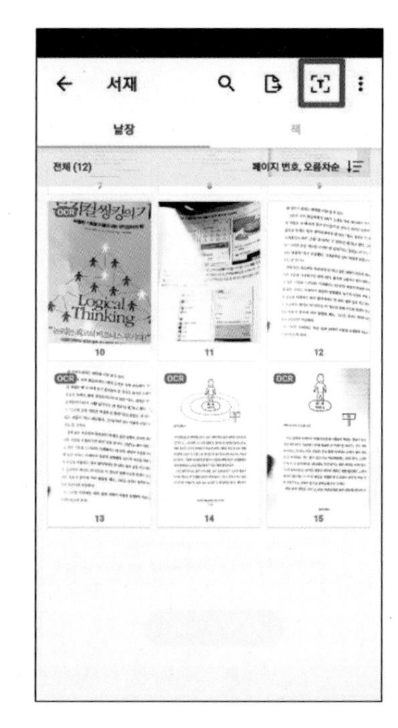

1 [**내보내기**]를 터치합니다.

2 [**내보내기**] 할 때는 PDF 파일인지 TEXT파일인지 선택합니다.

3 [**텍스트 인식하기**]를 터치합니다.

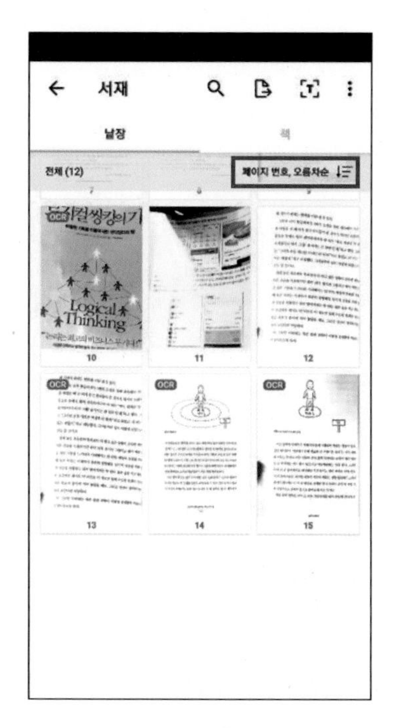

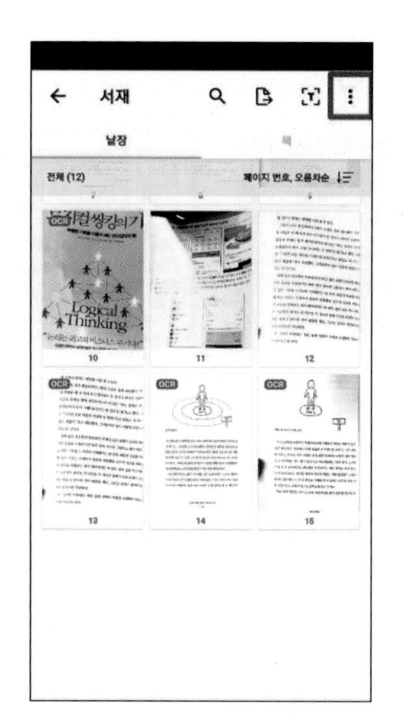

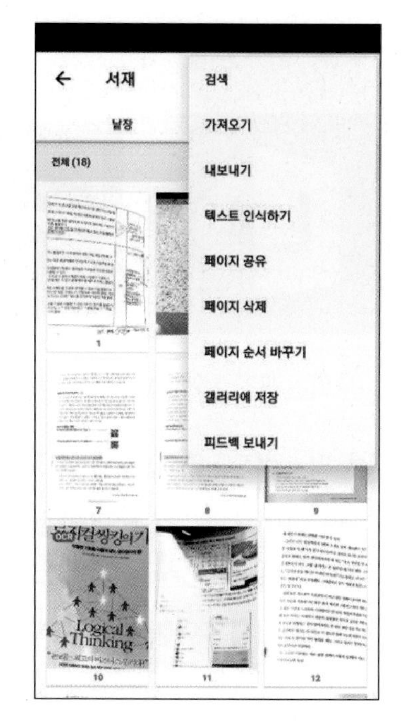

1 **[텍스트 인식하기]**에서는 체이지 번호 순이나 만든 날짜에 따라 올림차순 혹은 내림차순으로 정리도 됩니다.

2 점 세 개를 누르면 메뉴바가 나옵니다.

3 원하는 메뉴를 선택할 수 있습니다.

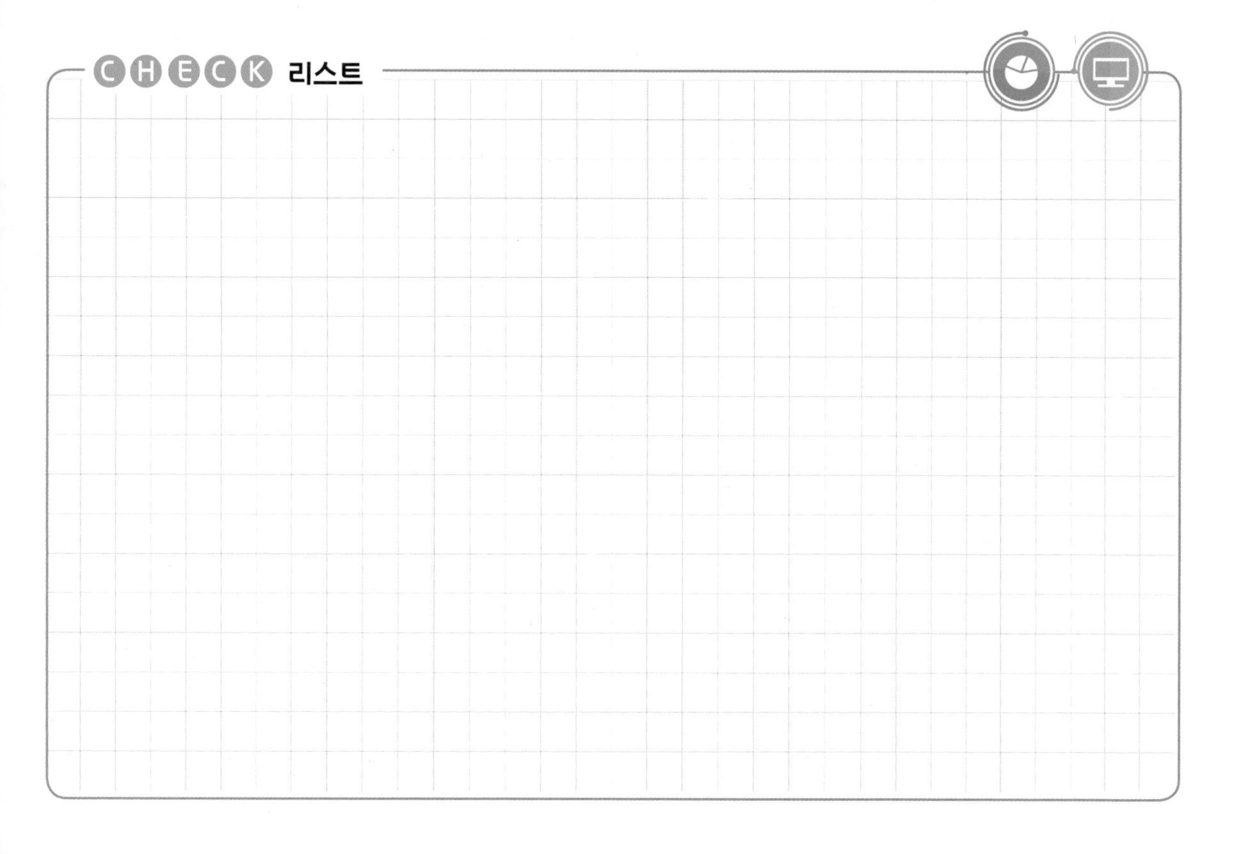

2 오피스 렌즈

[오피스렌즈] 앱(App)은 문서 및 화이트보드 이미지를 스캔하는 포켓 PDF 스캐너입니다

[오피스렌즈] 앱(App) 의 장점

- 화이트보드나 문서의 사진을 자르고 보정하여, 읽기 쉽게 만들어 줍니다.
- 이미지를 PDF, Word, PowerPoint 파일로 변환할 수 있으며, One Note/ OneDrive에 이미지를 저장할 수도 있습니다.
- 주머니 속 스캐너로 화이트보드나 칠판의 노트를 마법같이 디지털 화할 수 있습니다.
- 화이트보드 또는 칠판 사진을 캡처하여 자르고 모임 메모를 동료와 공유합니다.
- 화이트보드 모드 상태에서 Office Lens는 반사광과 그림자를 자르고 정리합니다.

[오피스렌즈] 앱(App)의 활용

- 스캔한 사진을 OneNote, OneDrive에 저장하거나 동료와 공유할 수 있습니다.
- 명함 모드에서는 연락처 정보를 추출하여 주소록과 OneNote에 저장할 수 있습니다. 에 자동으로 저장합니다.
- 인쇄된 문서, 명함 또는 포스터의 디지털 복사본을 만들고 정확하게 잘라냅니다.
- 인쇄된 텍스트 및 필기 텍스트가 OCR을 통해 자동으로 인식되므로 이미지에서 단어를 검색한 다음 복사 및 편집할 수 있습니다

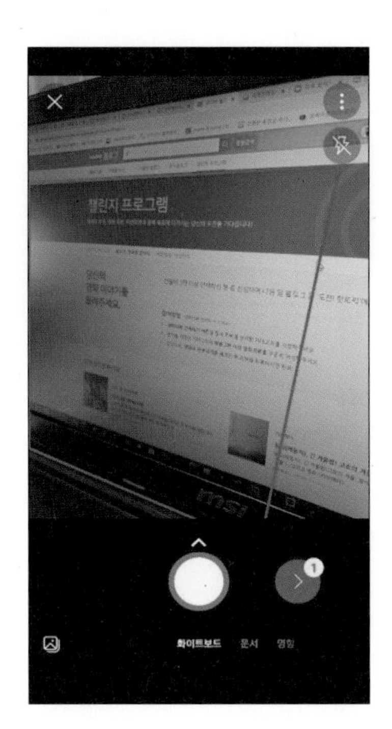

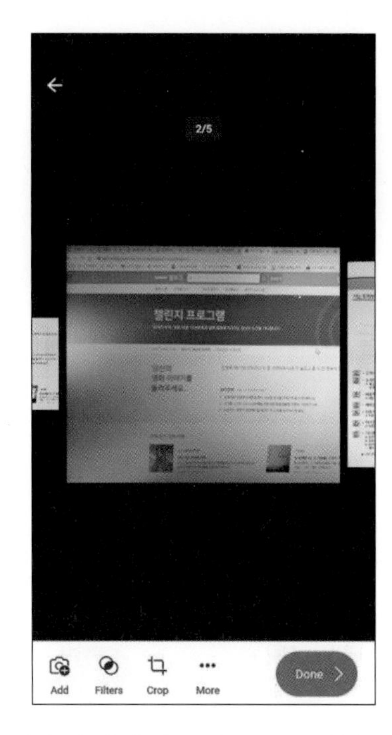

❶ [Play스토어]에서 [**오피스렌즈**]를 검색하여 설치합니다. 이미 다운받았다면 [**열기**]를 터치합니다. ❷ [**오피스 렌즈**] 를 실행 해서 모니터의 사진을 찍습니다. [**화이트보드**], [**문서**], [**명함**], [**사진**] 등 의 카테고리가 있습니다. ❸ 찌그러진 모양의 모니터를 찍었으나 결과물은 반듯하게 나옵니다. 반사광이 있으나 내용을 불러 올 수 있습니다.

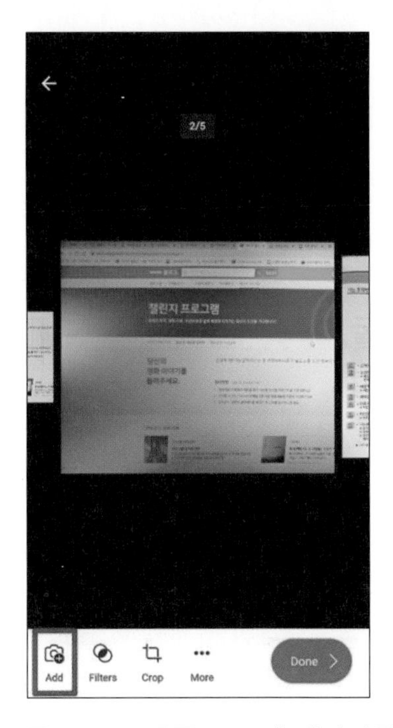

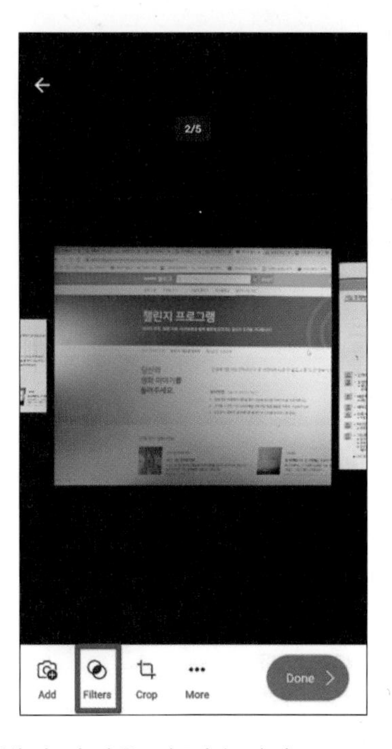

❶ [Add]를 누르면 페이지를 추가할 수 있습니다. ❷ 버튼을 터치해서 사진을 더 찍습니다.
❸ 찍은 사진은 필터를 이용해 보정이 가능합니다.

1 [Filters]를 누르면 다양한 필터를 사용할 수 있습니다.

2 화이트보드 필터입니다.

3 찍은 사진은 다양한 필터를 이용해 보정이 가능합니다.

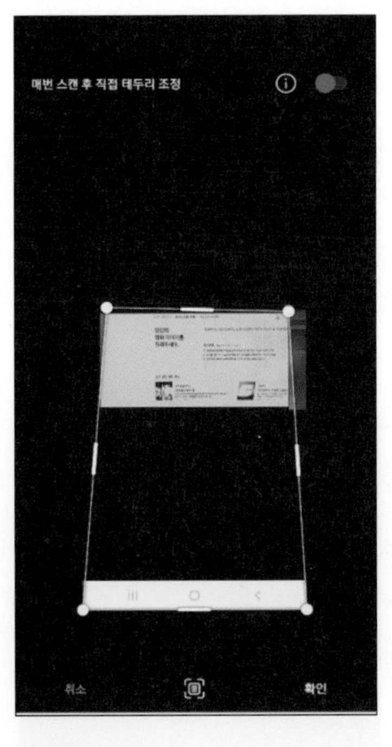

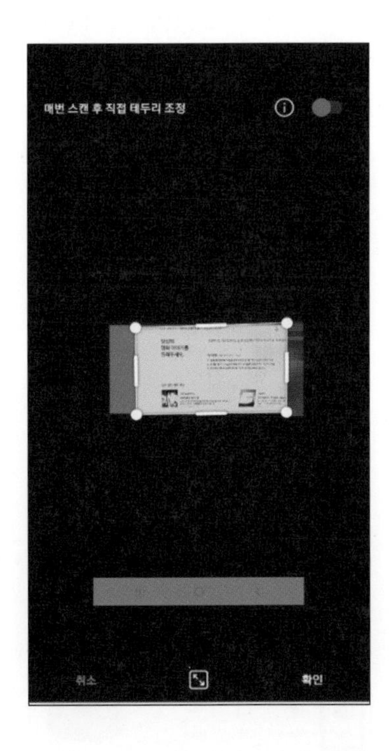

1 [Crop]은 불필요한 부분을 잘라냅니다.

2 작은 원을 손으로 옮기면서 모서리부분을 움직입니다.

3 원하는 부분을 스캔하도록 맞추어 줍니다.

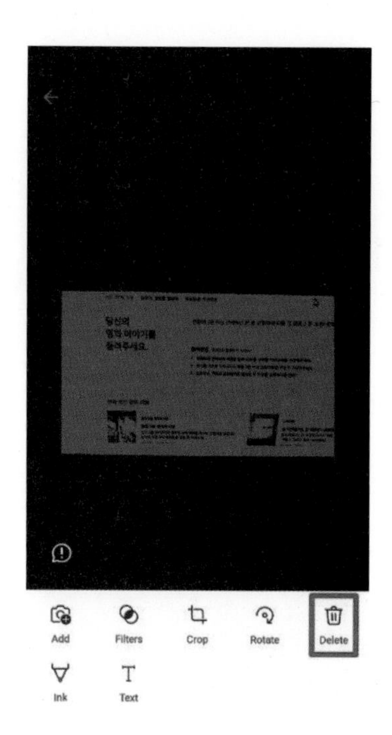

❶ [More]은 다른 기능도 살필 수 있습니다.

❷ [Rotate]는 문서를 회전시킵니다.

❸ [Delete]는 문서를 삭제할 수 있습니다.

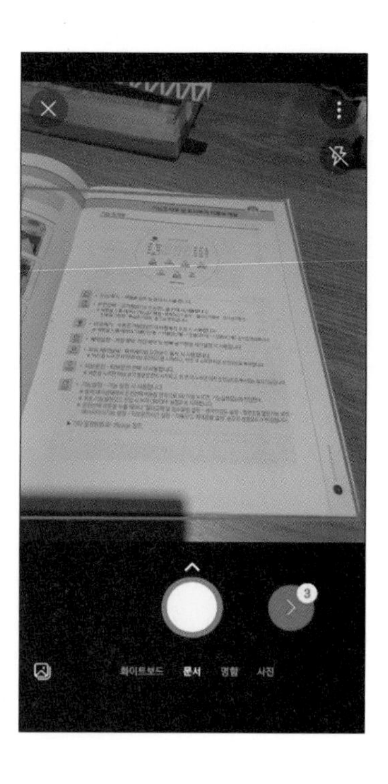

❶ [Ink]은 다양한 색으로 손글씨가 가능합니다.

❷ [Text]는 타이핑이 가능합니다. ❸ [문서] 모드에서 사진을 찍습니다.

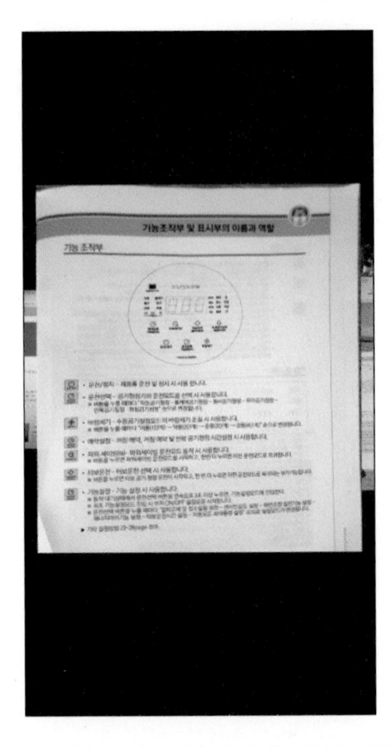

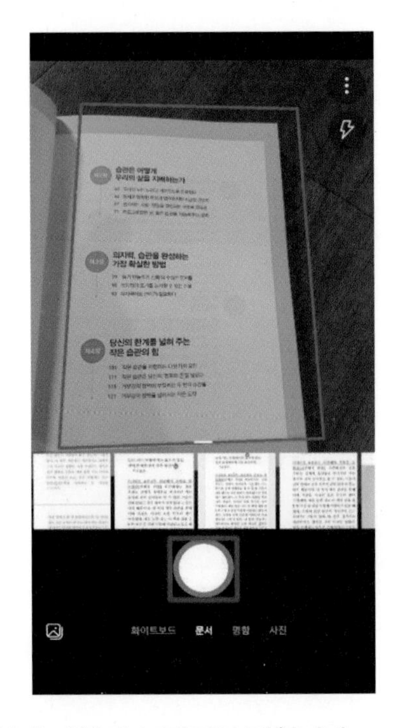

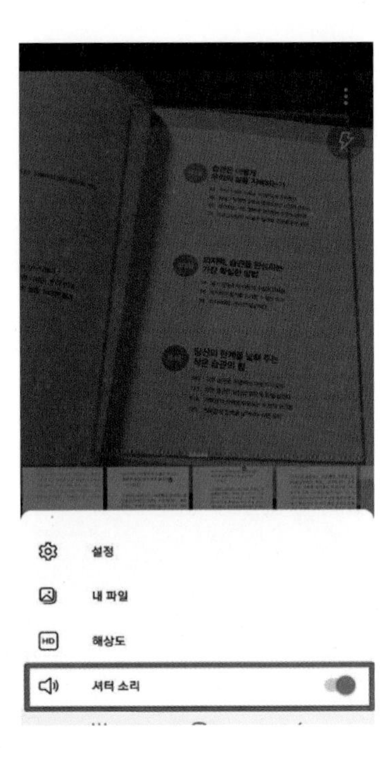

1. 일그러진 형태가 최대한 사각형에 가깝게 보정되어 찍힙니다.
2. 자료조사로 필요한 내용을 스캔합니다.
3. [**셔터소리**]를 터치하면 소리를 무음 처리할 수 있습니다.

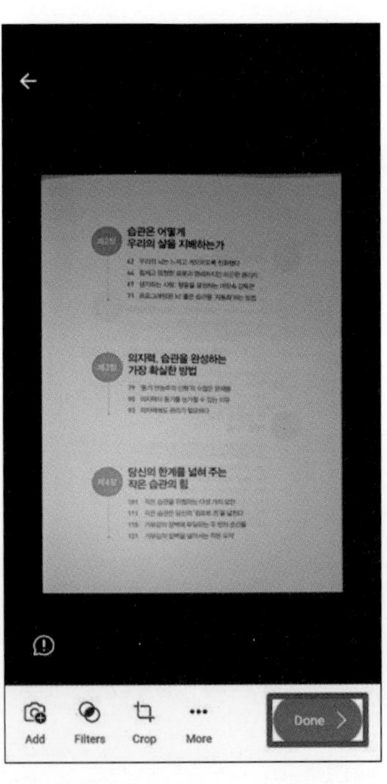

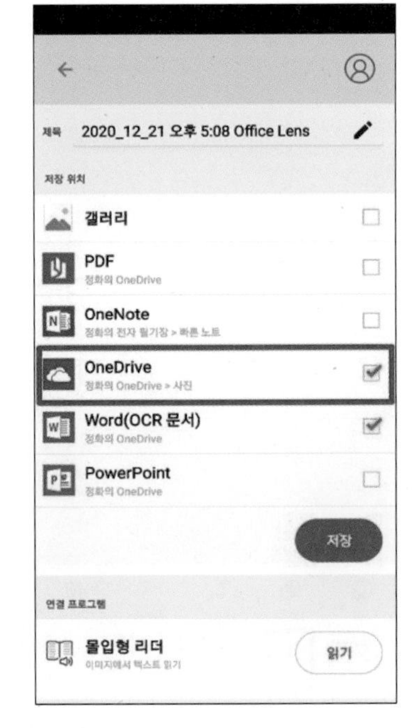

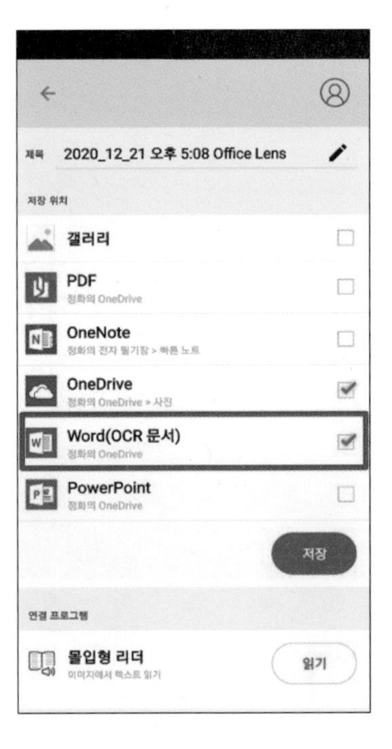

1. [Done] 를 터치하면 스캔이 됩니다.
2. [OneDrive] 를 터치하면 저장됩니다.
3. [Word (OCR문서)] 를 터치하면 이미지를 Text화 시켜서 불러 들입니다.

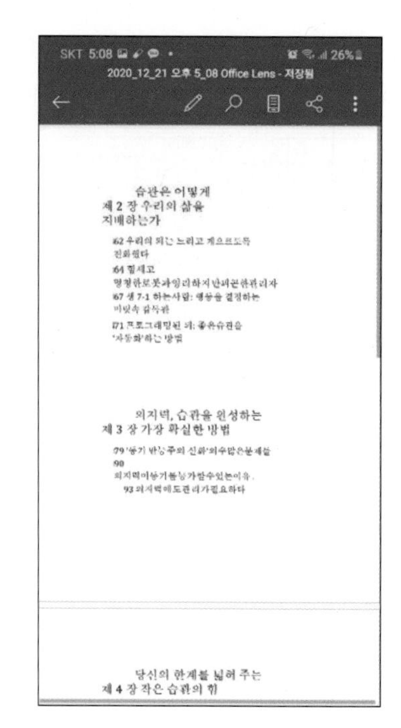

1 [내파일]에서 찾을 수 있습니다. 2 [OneDrive] 폴더에 저장되었습니다.

3 [Word (OCR문서)]를 터치하면 이미지를 Text화 되어서 불러 들입니다.

1 [PC]에서 [OneDrive]를 터치하여 오피스 렌즈에서 스캔한 파일을 불러옵니다.

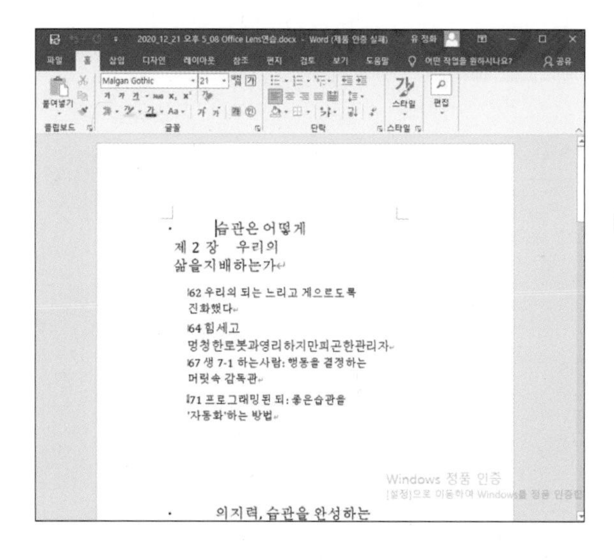

2 [스캔]된 활자들이 텍스트로 불려 옵니다. 필요에 따라 편집을 할 수 있습니다.

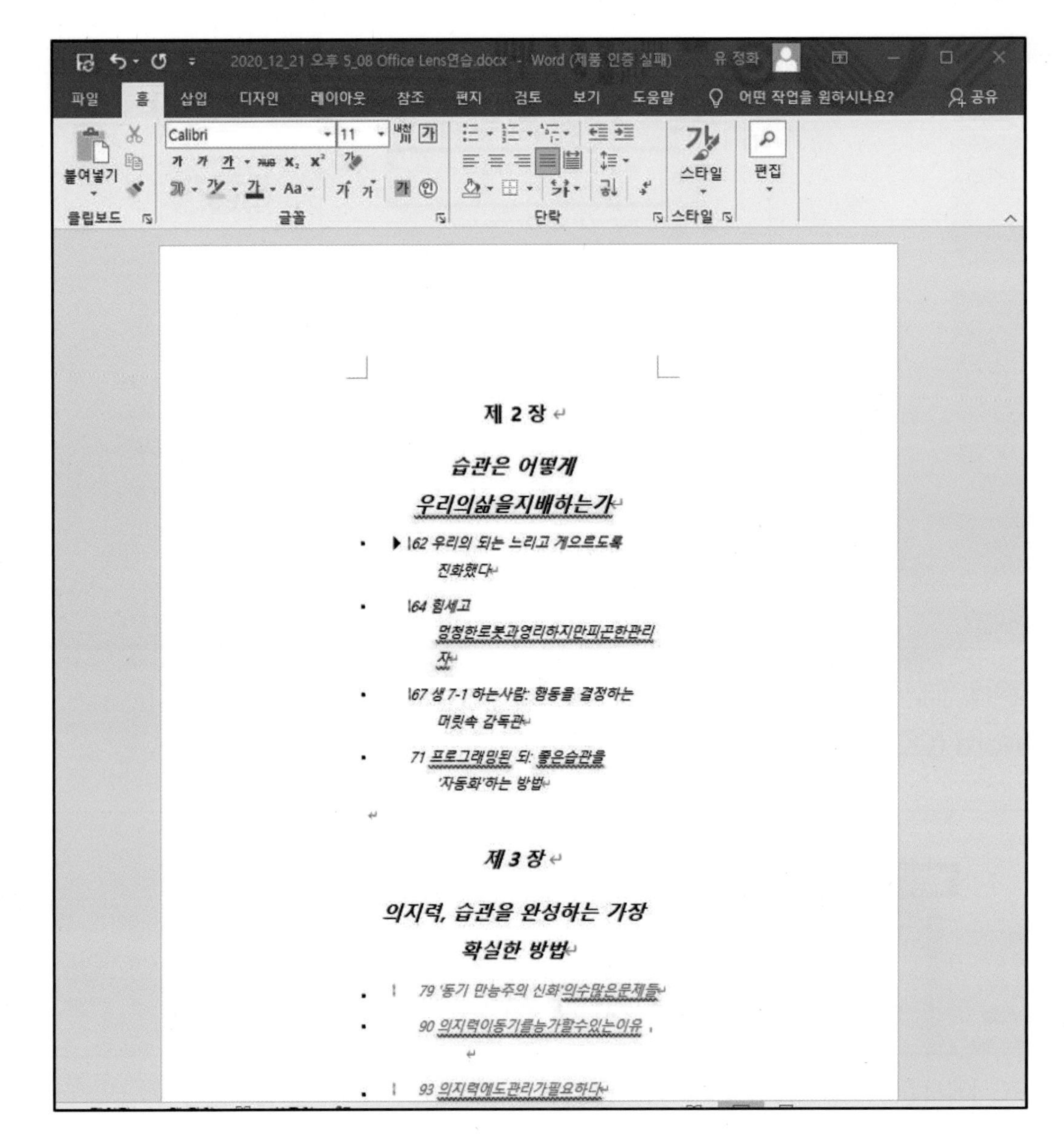

1 예시로 목차를 편집해 봤습니다. 위와 같은 방법으로 자료를 수집하고 집필이 가능합니다.

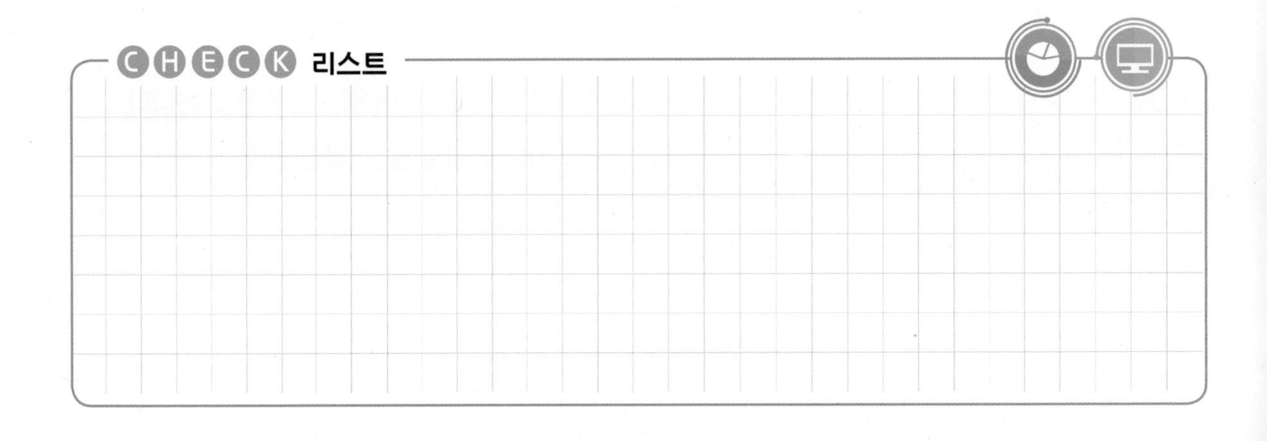

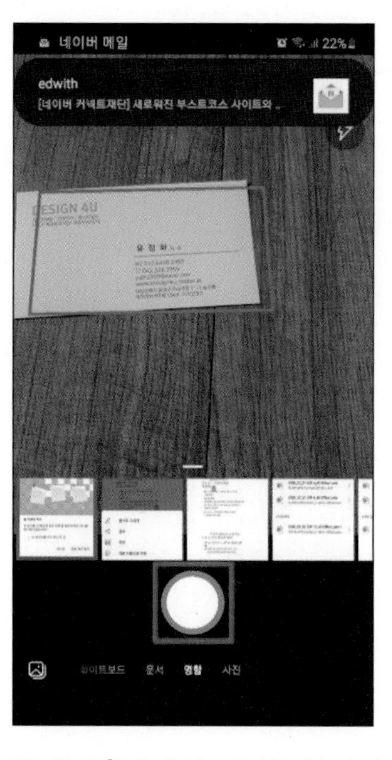

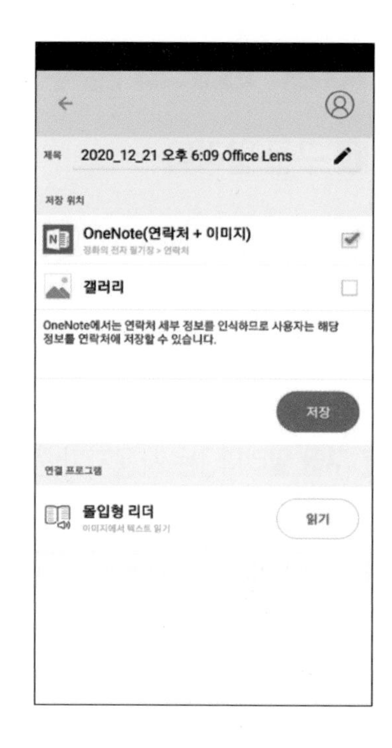

❶ [명함]에서 터치를 합니다. ❷ [명함]을 스캔 합니다.

❸ [One Note]에 자동으로 저장됩니다.

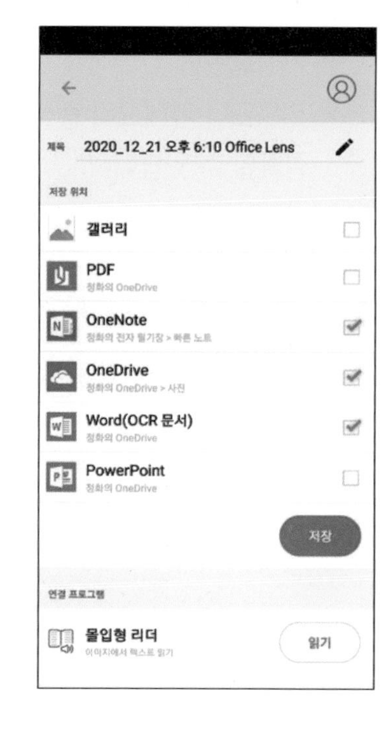

❶ [사진]에서 버튼을 터치를 합니다. ❷ [사진]을 스캔 합니다.

❸ [OneDrive], [OneNote]로 저장됩니다.

13강. 정보의 홍수시대에 꼭 필요한 내게 맞는 자료 수집 노하우

1 구글 알리미

[구글 알리미]는 사용자가 원하는 키워드에 관한 정보를 메일로 알려줍니다.

[구글 알리미] 의 장점

- 콘텐츠 변경 감지 및 알림 서비스로 변경된 정보를 빠르게 받을 수 있습니다.
- 사용자의 검색어와 일치하는 웹, 신문기사, 블로그 또는 과학 연구와 같은 최신 정보를 알려줍니다.
- 사용자가 원하는 키워드의 새로운 결과를 메일로 발송해 줍니다.

[구글 알리미]의 활용

- 원하는 키워드 하나로 변경되는 정보를 받을 수 있습니다.
- 키워드별로 간편하게 정보 수집을 할 수 있어 비지니스 마케팅에 유용합니다.
- 키워드나 카테고리 중심으로 기사나 블로그 포스팅 등을 자동으로 해주기 때문에 시간을 절약할 수 있습니다.

1 [**네이버**] App을 열고 검색창에 [**구글알리미**]를 입력합니다. **2** ①검색창에 [**구글 알리미**]를 확인할 수 있습니다. ②[**alert.google.com**]을 터치합니다. **3** ①[**로그인**]을 합니다. 구글 알리미는 구글에서 제공하는 서비스로 G메일 계정으로 로그인해야 합니다. ②알림 받고자 하는 키워드를 입력합니다.

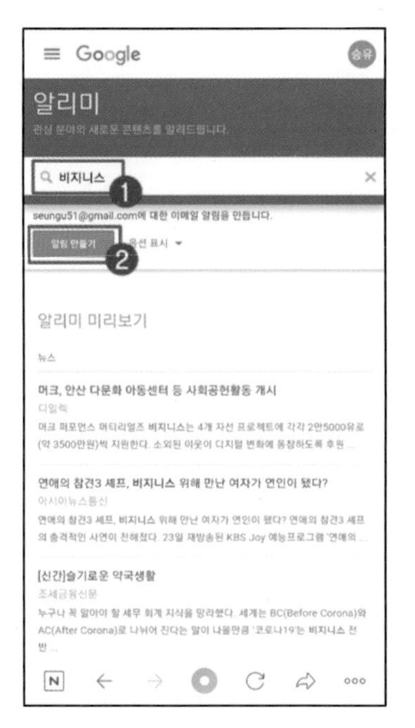

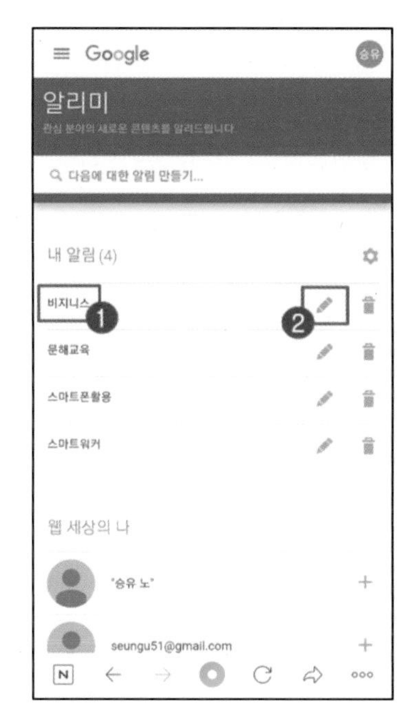

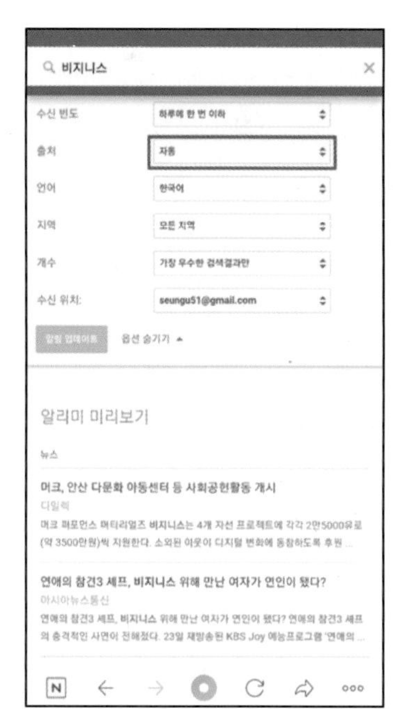

1 ①[**비지니스**]라고 입력합니다. ②[**알림 만들기**]를 터치합니다. **2** ①[**비지니스**] 라는 주제의 알림이 만들어졌습니다. ②연필모양 아이콘을 터치합니다. **3** 수신빈도, 출처, 언어, 지역 등 알림 유형을 변경할 수 있습니다. [**자동**]을 터치합니다.

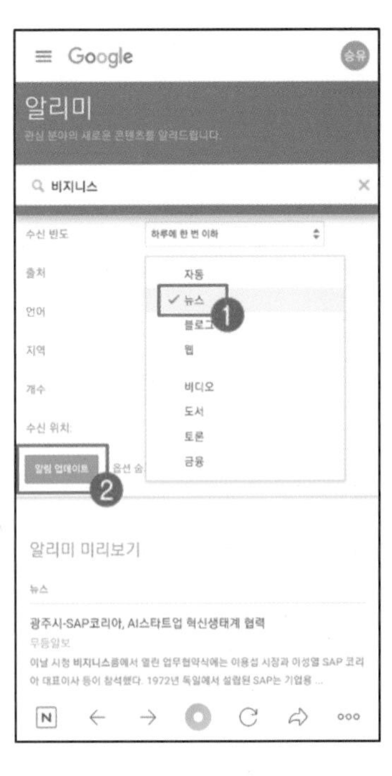

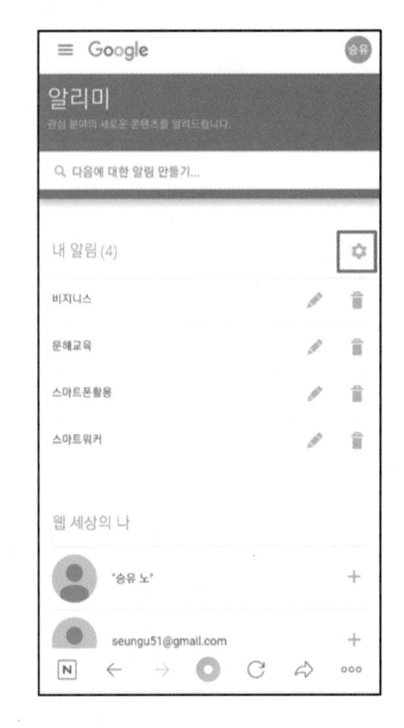

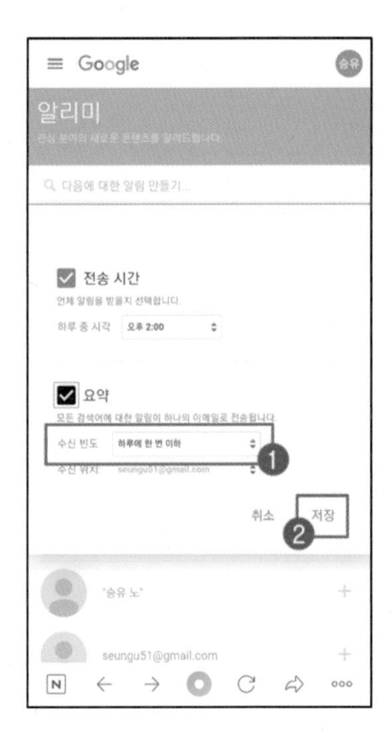

1 어떤 형태의 알림을 받을지 선택할 수 있습니다. ①[**뉴스**]를 터치합니다. ②[**알림 업데이트**]를 터치합니다. 2 [**설정**]에서 알림 시간과 수신빈도를 설정할 수 있습니다.
3 ①[**요약**]에서 수신빈도를 선택합니다. ②[**저장**]을 터치합니다.

1 홈 화면에서 지메일을 열어봅니다. 2 [**구글 알리미**]에서 비즈니스에 관한 뉴스가 이메일로 온 것을 확인한 후 [**뉴스**] 를 터치합니다. 3 메일로 온 뉴스를 저장 할 수도 있고 공유할 수도 있습니다.

[구글링]이란 "구글로 정보를 검색한다"라는 의미로 '구글하기'라는 뜻을 지닌 신조어입니다. 구글에서 목적에 맞는 자료를 찾아내는 행위로 구글이 제공하는 검색용 소프트웨어 같은 도구를 이용해 정보를 찾는다는 뜻도 담겨 있습니다. 넘쳐나는 인터넷 정보의 홍수 속에서 최적의 검색으로 정보를 수집하는 것에 매우 유용합니다.

1 홈 화면에서 [Google] App을 터치합니다.

2 검색창에 키워드를 입력합니다.

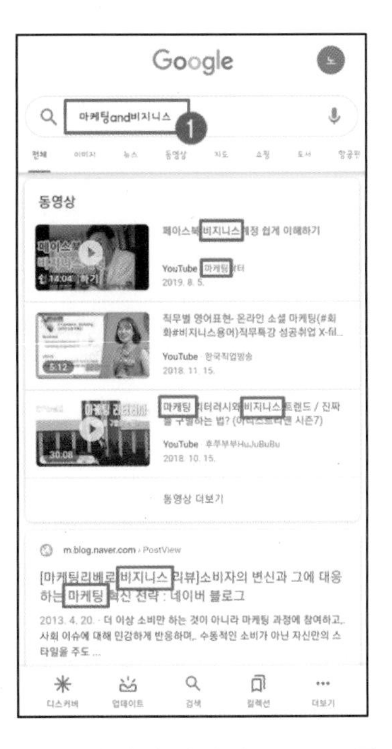

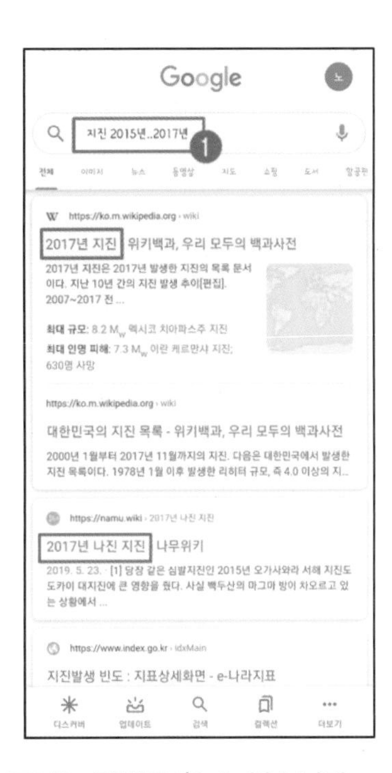

1 ①검색어 사이에 [and]를 사용하여 검색하면 두 검색어가 모두 충족되는 검색을 할 수 있습니다.

2 ①검색에 사이에 [or]를 사용하여 검색하면 둘 중 하나의 검색어가 들어있는 검색을 할 수 있습니다. ①기간 검색을 할 때 3 기간 사이에 [..] 을 사용하여 검색하면 두 기간사이의 정보를 검색 할 수 있습니다.

마케팅 filetype:ppt ❶

신제품 개발을 위한 시장환경분석

마케팅전략 및 사례분석 - K-스타트업

제 1 장 마케팅과 마케팅관리철학 ❷

마케팅의 기본개념

브랜드 전략

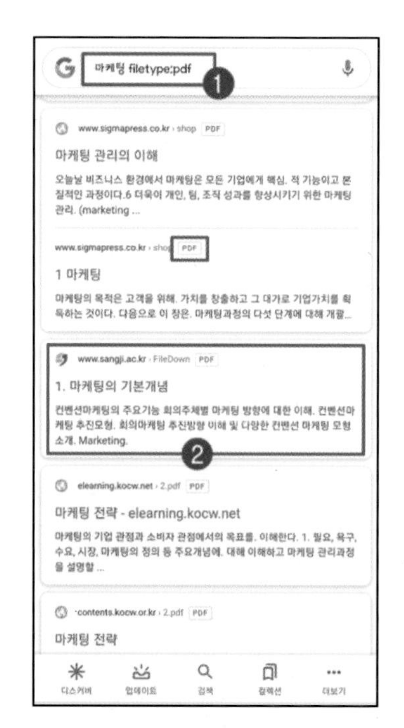

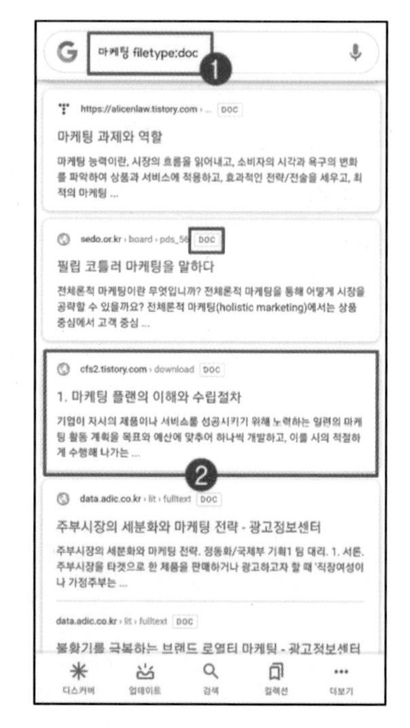

❶ ①[**검색어 filetype:ppt**]를 사용하여 검색하면 검색어에 대한 ppt 자료를 찾을 수 있습니다. ②자료를 터치하면 내 폰에 자동 저장됩니다. ❷ ①[**검색어 filetype:pdf**]를 사용하여 검색하면 검색어에 대한 pdf 자료를 찾을 수 있습니다. ②자료를 터치하면 내 폰에 자동 저장됩니다.
❸ ①[**검색어 filetype:doc**]를 사용하여 검색하면 검색어에 대한 word 자료를 찾을 수 있습니다. ②자료를 터치하면 내 폰에 자동 저장됩니다.

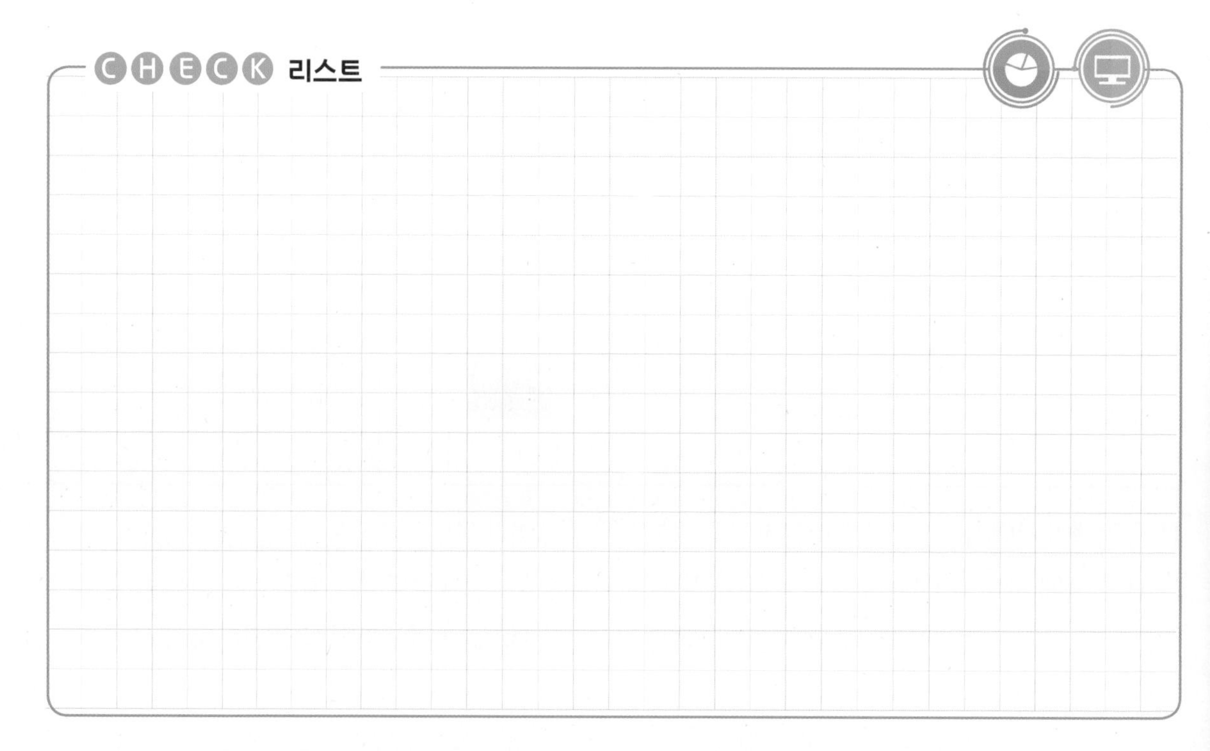

2 슬라이드쉐어

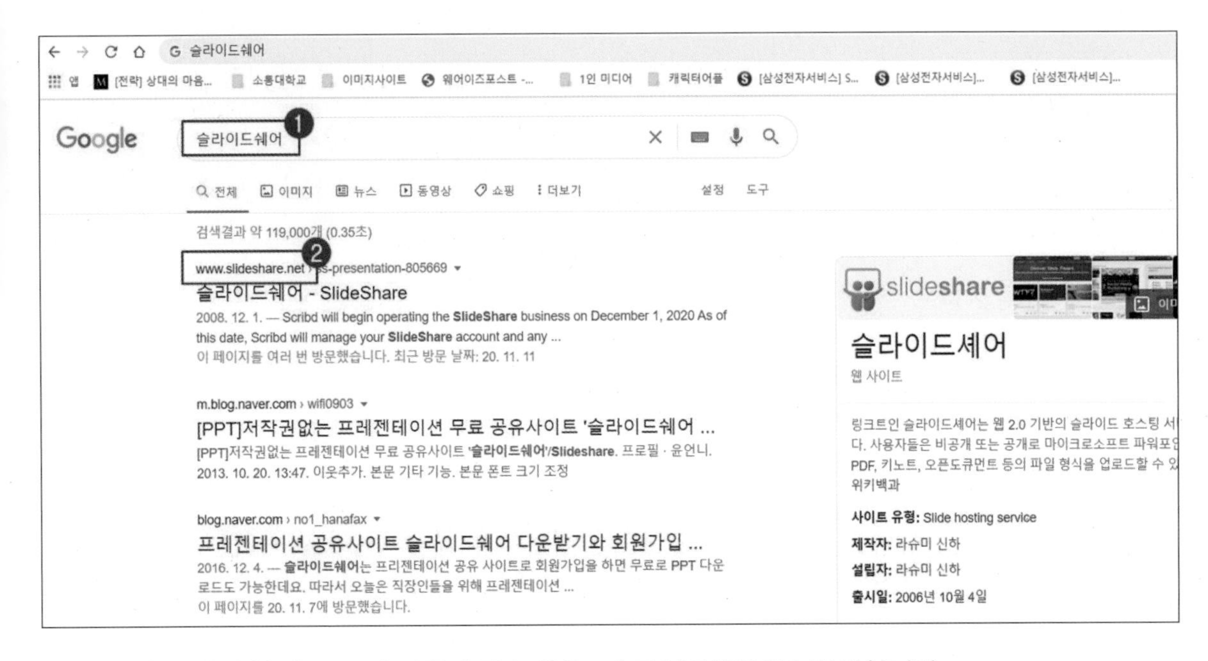

1 ①인터넷 검색 창에 [**13강 자료 수집 노하우 - 슬라이드쉐어**]를 검색합니다.
②[**www.slideshare.net**]를 클릭합니다.

1 13강 자료 수집 노하우 - 슬라이드쉐어에 등록된 자료를 활용하시려면 회원가입이 필수입니다. 사이트 메인화면 우측 상단에 [**signup**]을 클릭합니다.

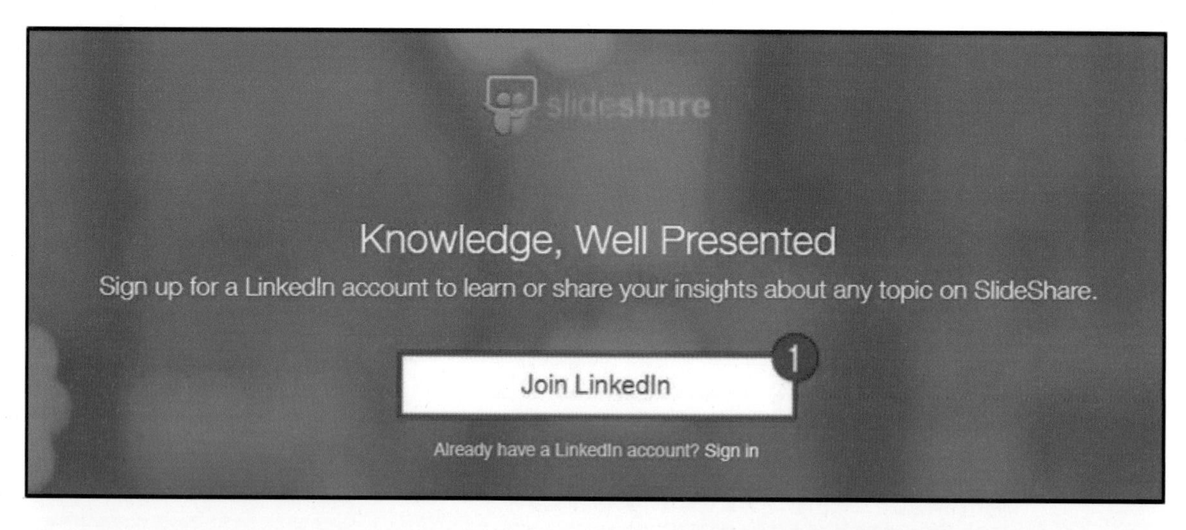

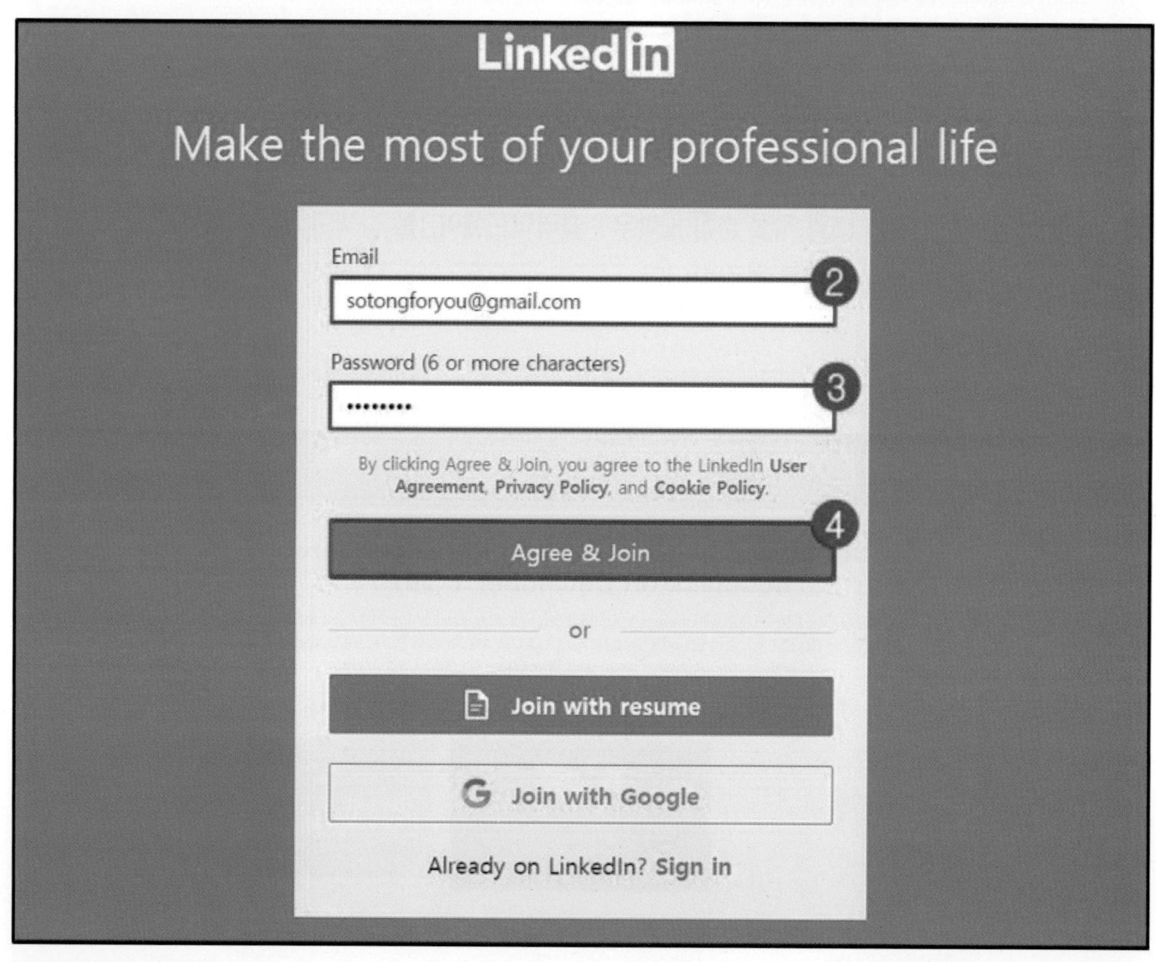

1 ①[Join LinkedIn]을 클릭합니다. 구글 아이디 또는 페이스북 아이디로도 로그인 할 수 있습니다.

2 ②회원가입에 필요한 [**이메일**]을 입력합니다.

③[**비밀번호**]를 입력합니다.

④[Agree & Join]를 클릭하여 회원가입을 진행합니다.

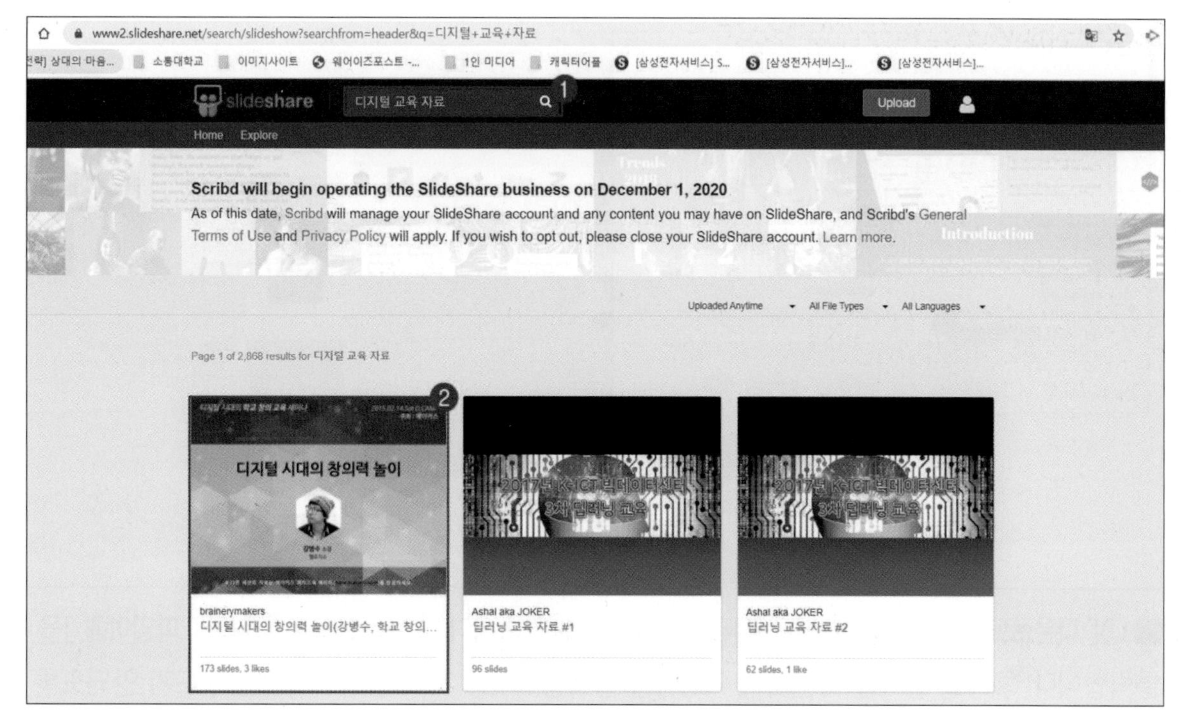

1 ①메인화면의 [Search] 검색창에 원하는 키워드를 입력합니다.
②하단에 검색 결과 중 원하는 자료를 클릭합니다.

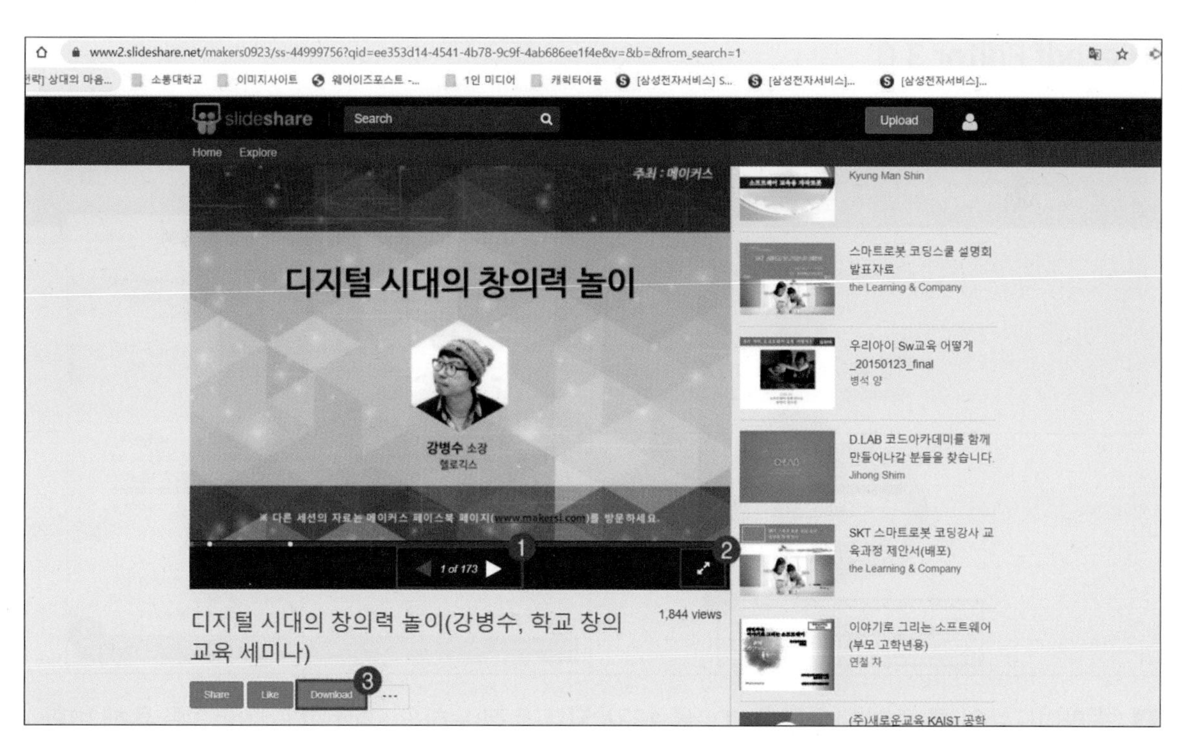

1 화면 오른쪽에는 검색결과와 유사한 자료가 표시됩니다. ①[**방향키**]를 클릭하여 슬라이드 번호를 이동할 수 있습니다. ②[**전체화면**]으로 프레젠테이션을 진행할 수 있습니다. ③자료를 [**다운로드**] 할 수 있습니다.

1 ①[다운로드]를 클릭합니다. 내 컴퓨터에 저장할 수 있습니다. ②다운로드할 위치와 **[파일이름]**을 클릭합니다. ③파일 형식을 확인 후 **[저장]**을 클릭합니다. * 자료 업로드시 다운로드가 안되도록 설정을 할 수 있으므로 간혹 다운로드 안될 경우도 있습니다. 파일 형식도 PPT보다 PDF파일을 더 많이 볼 수 있습니다. 이런 경우 ezPDF로 변환하여 사용 할 수 있습니다.

3 ezpdf Editor 3.0

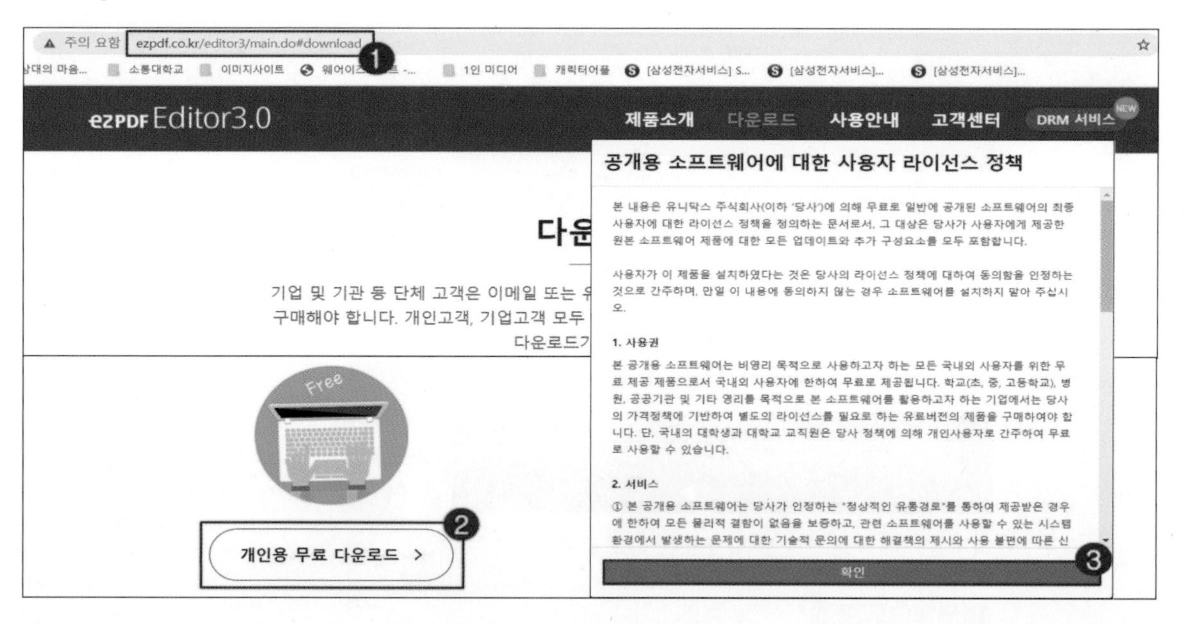

1 "슬라이드쉐어"를 통해 다운받은 PDF를 13강. 자료 수집 노하우 - ezpdf Editor 3.를 통해 변환 활용할 수 있습니다. ①인터넷 검색 창에 **[13강 자료 수집 노하우 - ezpdf Editor 3.0]**를 검색합니다. ②**[개인용 무료 다운로드]**를 클릭합니다. ③라이센스 정책에 관한 안내문을 읽어 본 후 **[확인]**을 클릭하여 진행합니다.

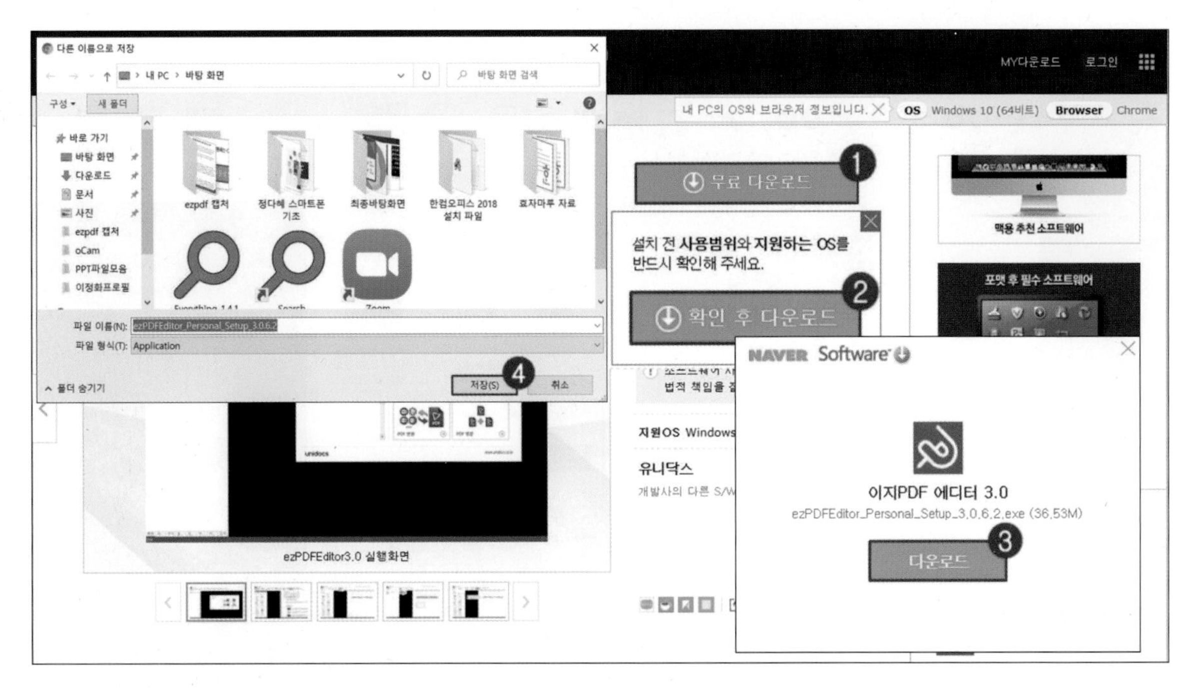

1 ①[**무료 다운로드**]를 클릭합니다. ②[**확인 후 다운로드**]를 클릭합니다.
③최종 [**다운로드**]를 클릭합니다. ④파일을 내 PC에 [**저장**]합니다.

1 ①[**ezPDF Editor 설치 파일**]을 클릭하여 설치합니다.
②[**다음**]을 클릭 후 동의하여 진행합니다.

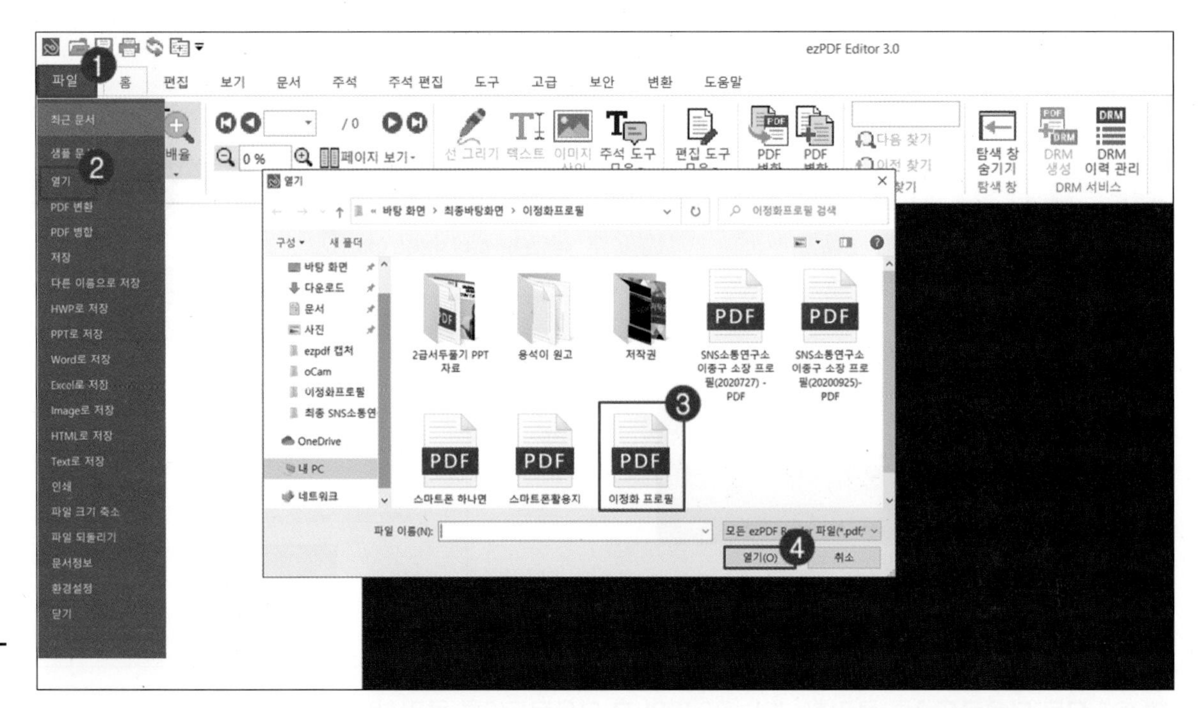

1 설치가 완료 되었다면 프로그램을 실행하여 PDF 파일을 PPT로 변환해 보겠습니다. ①[**파일**]을 클릭합니다. ②[**열기**]을 클릭합니다. ③변환할 PDF파일을 선택합니다. ④[**열기**]를 클릭합니다.

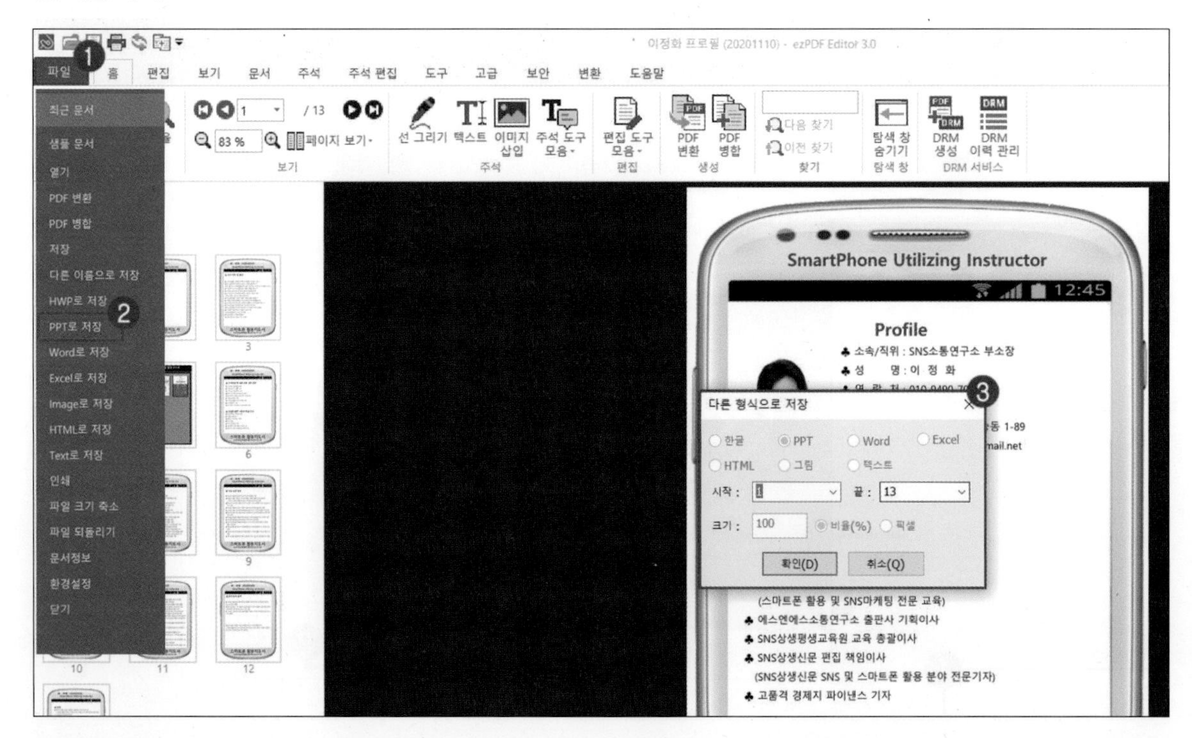

1 계속해서 PDF 파일을 PPT파일로 저장해 보겠습니다. ①PDF 파일을 연 상태에서 다시 [**파일**]을 클릭합니다. ②HWP, Word, Excel, Image, HTML, Text 등 다양하게 변환이 가능하며 [**PPT로 저장**]을 클릭합니다. ③[**다른 형식으로 저장**] 팝업창에서 저장 페이지 및 크기 조정 후 확인합니다.

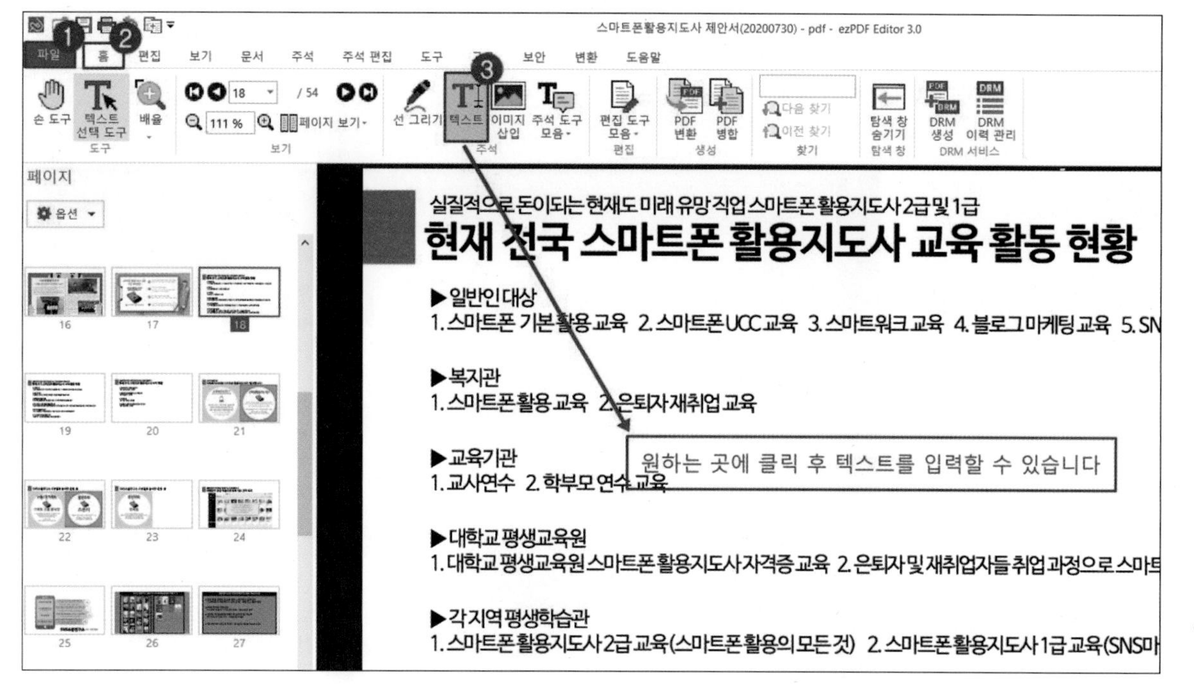

1 ①[**파일**]를 불러올 수 있습니다. ②[**홈**] 메뉴에서 주요 도구를 알아봅니다.
③[**텍스트 삽입**] 기능으로 원하는 곳에 클릭 후 텍스트를 입력할 수 있습니다.

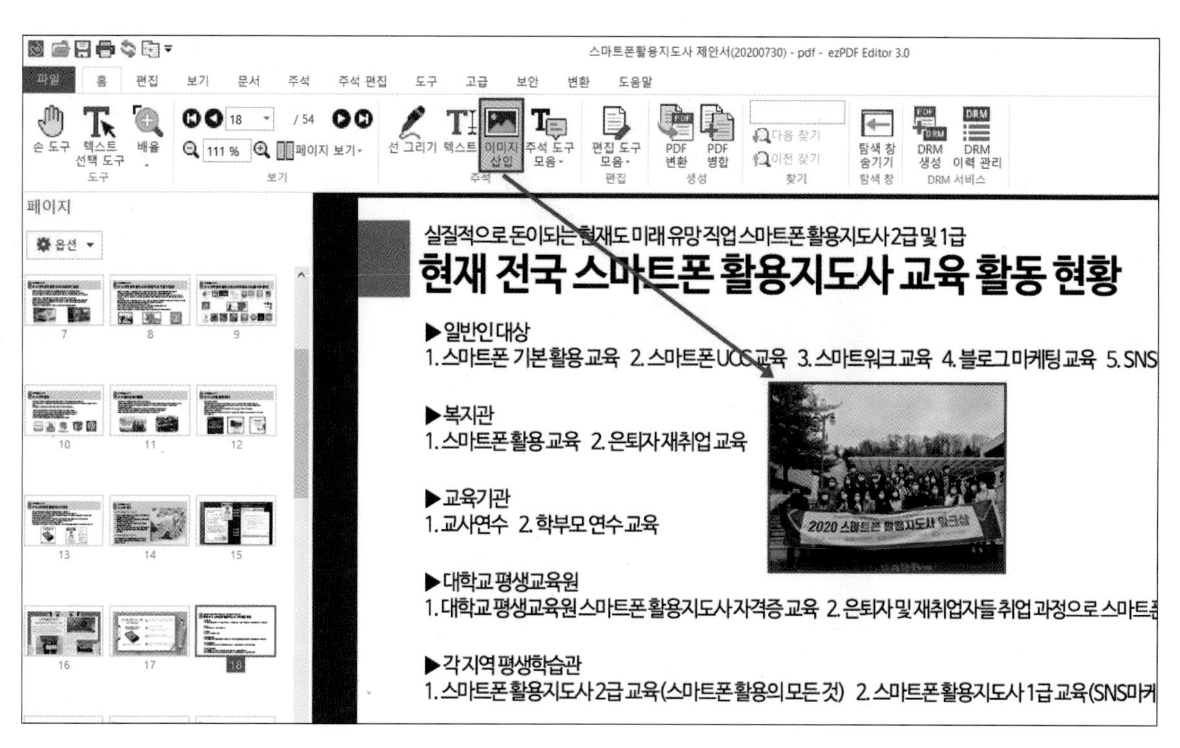

1 파일에 [**이미지**]를 삽입할 수 있습니다.

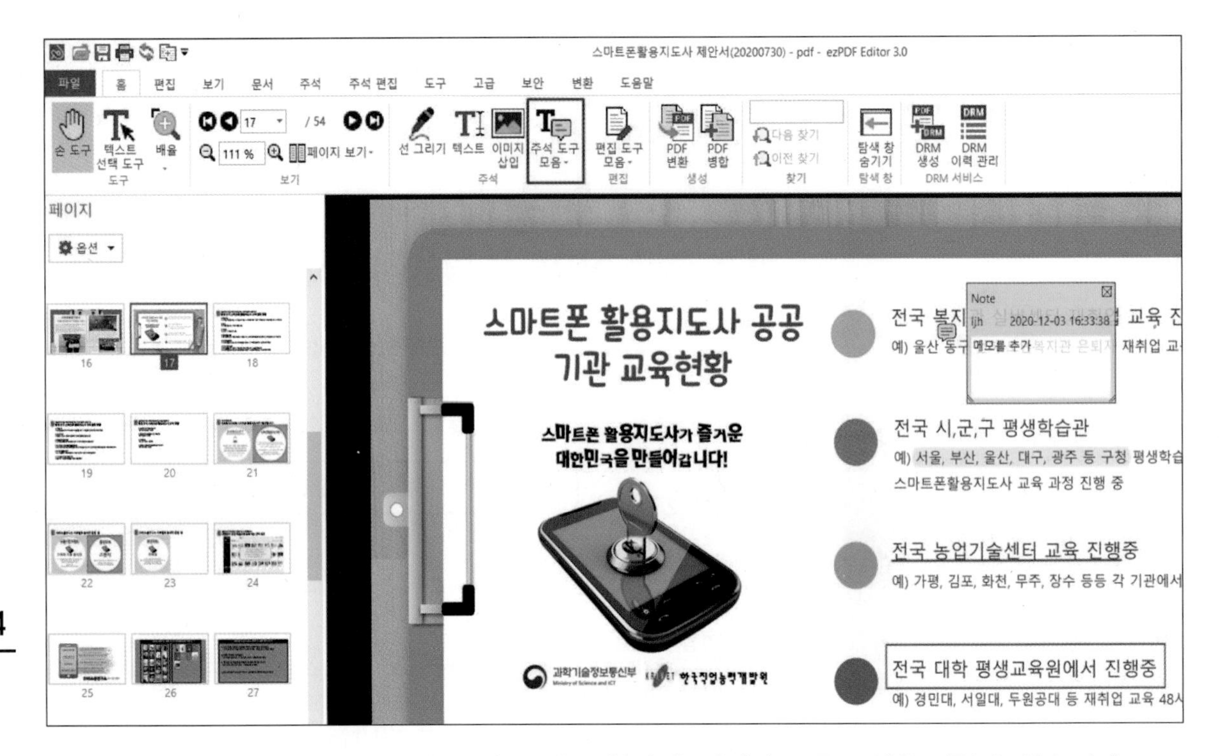

1 [**주석 도구모음**]에서 텍스트박스, 메모, 밑줄, 형광펜, 영역강조 등 주석을 남길 수 있습니다.

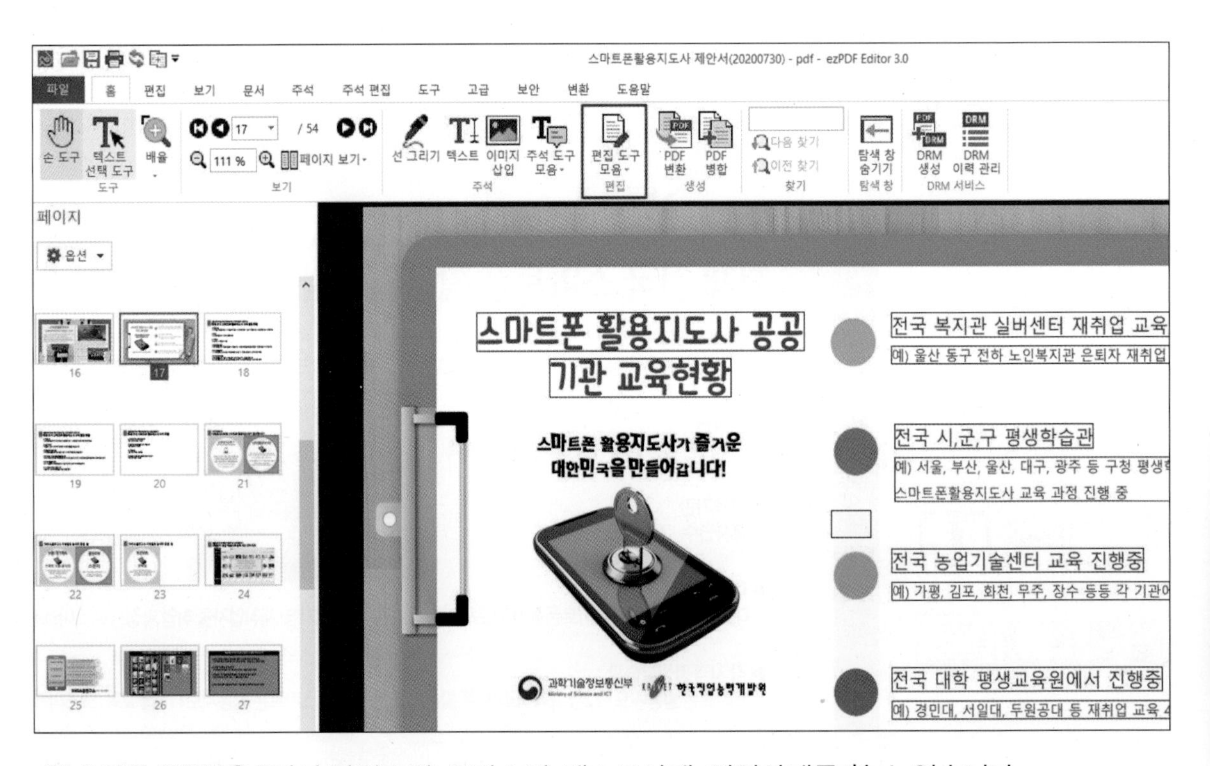

1 [**편집 도구모음**]에서 단어수정, 문장수정, 텍스트삭제, 영역삭제를 할 수 있습니다.

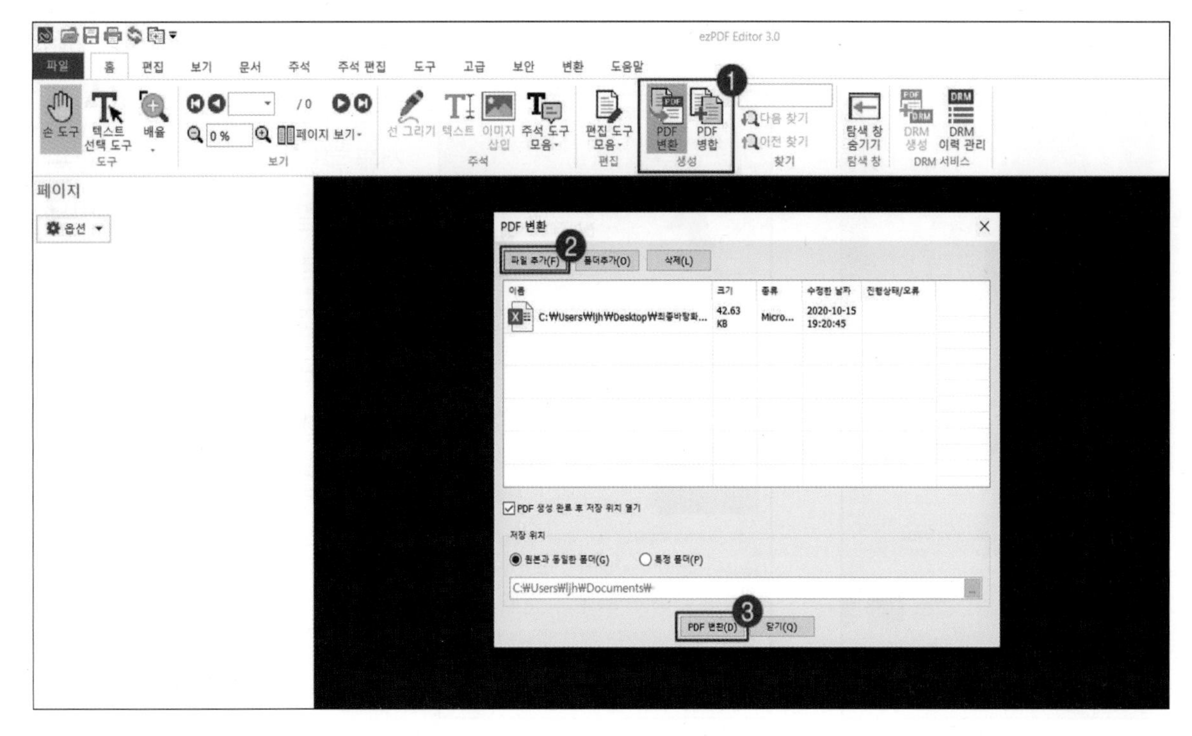

1 13강 자료 수집 노하우 - ezpdf Editor 3.0에서 가장 중요한 기능입니다. ①어떤 형식의 파일도 PDF 파일로 변환 할 수 있으며 여러 파일을 PDF로 병합할 수도 있습니다. ②**[파일추가]**를 클릭하여 PDF로 변환할 파일을 불러옵니다. ③**[PDF변환]**을 클릭하여 변환해줍니다.

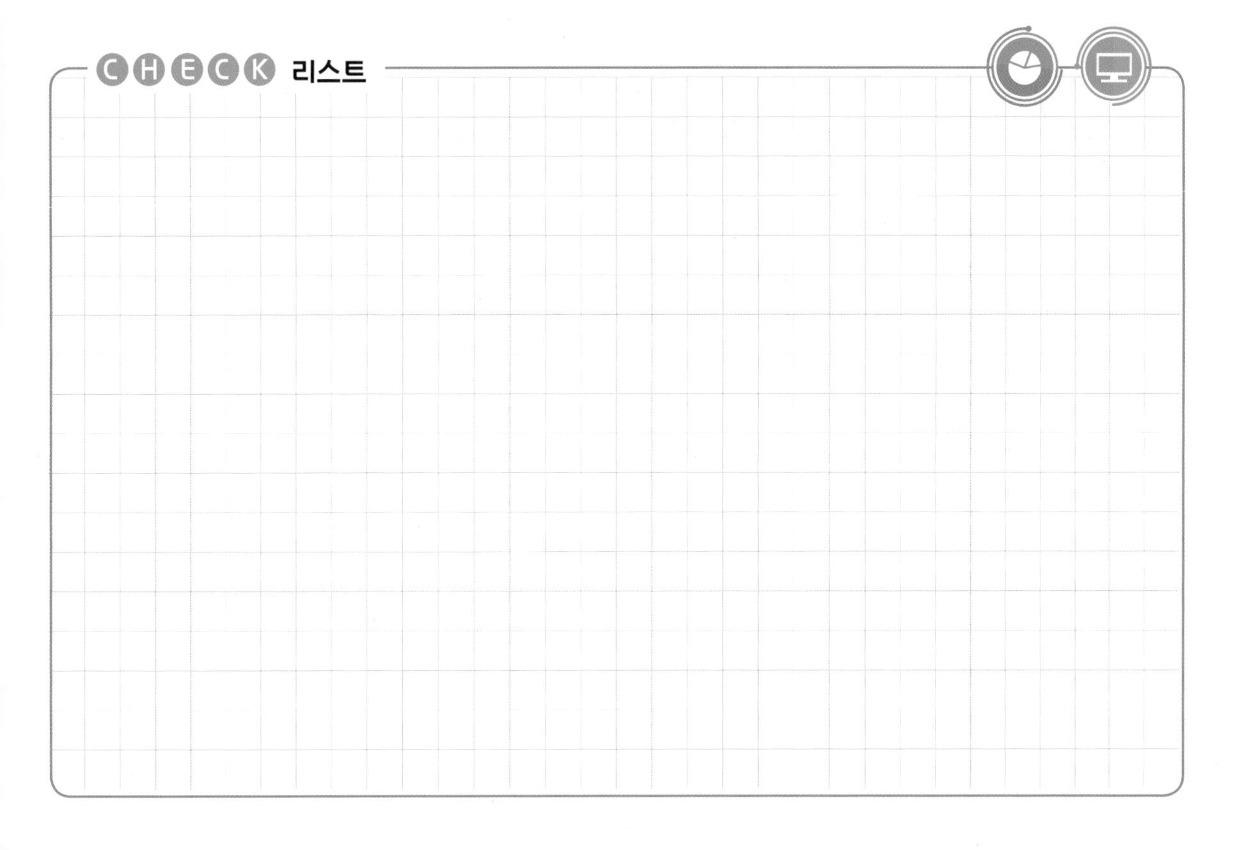

4 네이버 비즈니스판

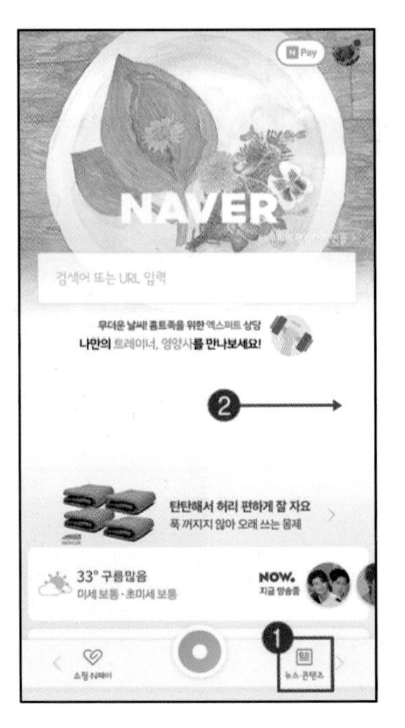

2 [네이버 비즈니스 판]은 경영 전문 콘텐츠를 주로 다룸으로써 기사와 칼럼을 비롯해 품격있는 콘텐츠로 비즈니스맨들의 실무 능력을 증진시키는 환경을 제공합니다. 비즈니스맨이라면 반드시 알아야 할 글로벌 산업동향과 4차 산업혁명에 필요한 다양한 비즈니스 콘텐츠를 제공합니다.

1 ①[뉴스, 콘텐츠]를 터치합니다. ② 슬라이드로 화면을 열 수도 있습니다. 상단 메뉴바에서 [+] 버튼을 터치합니다.

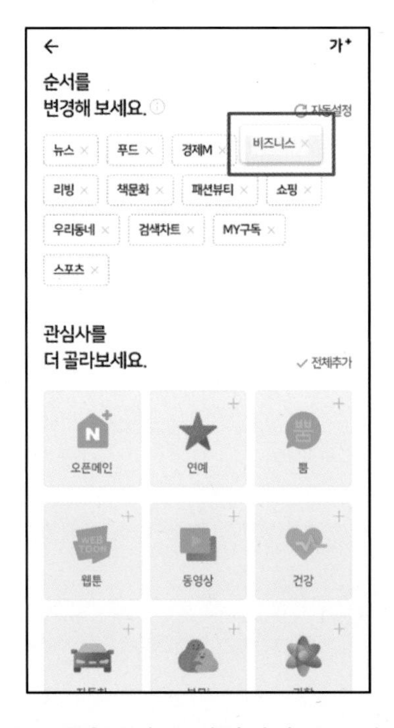

1 ①[스포츠]를 터치합니다. ②[스포츠]가 표시됩니다. ③[저장]을 터치합니다.
2 [비즈니스]를 롱 탭 합니다. 3 [비즈니스] 메뉴를 원하는 자리에 끌어 놓은 뒤 [저장]을 터치합니다.

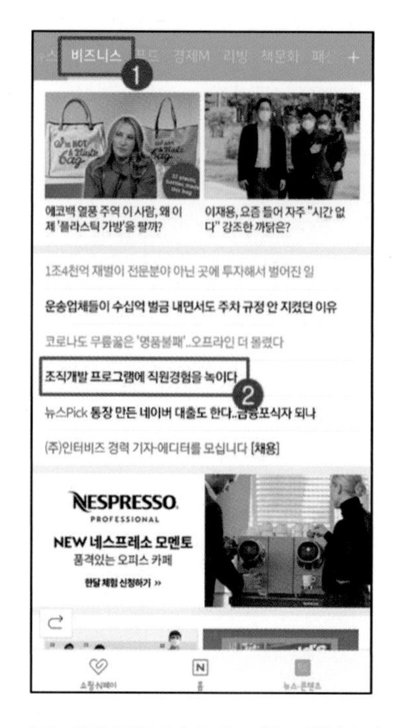

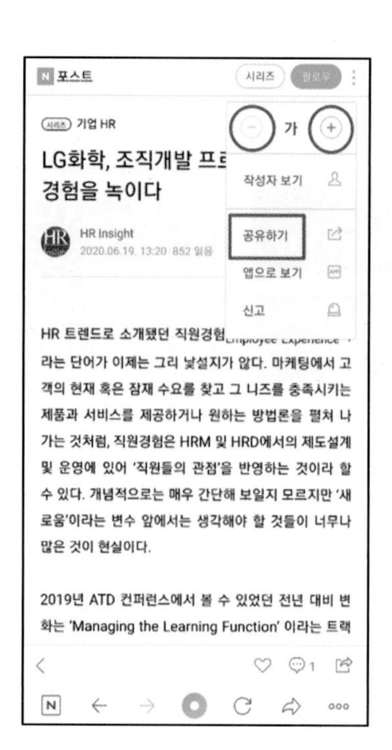

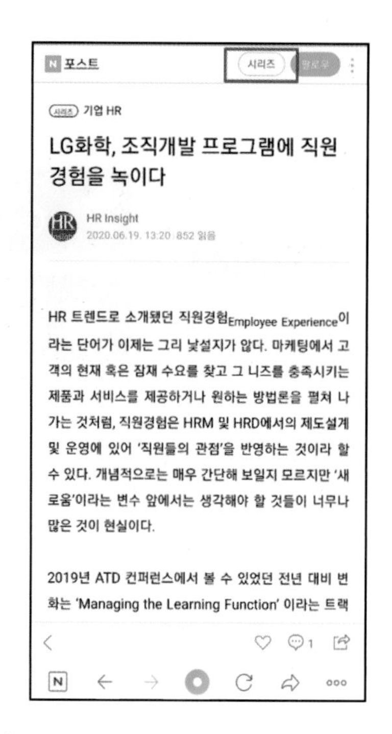

1 ①[비즈니스] 메뉴 위치가 바뀐 것을 확인 할 수 있습니다. ②원하는 뉴스를 터치합니다.
2 글씨 크기를 조정할 수 있고 뉴스를 공유할 수 있습니다. 3 해당 뉴스 기업의 [시리즈] 정보를 확인 할 수 있습니다.

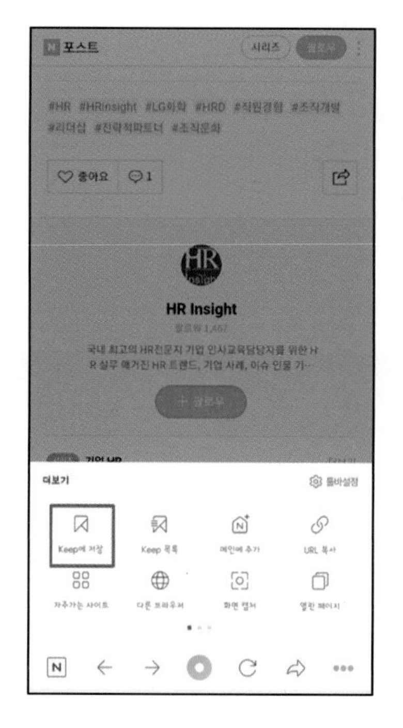

1 ①네이버의 [설정] 기능으로 정보를 저장할 수 있습니다. ②정보를 공유할 수 있습니다.
2 [설정]에서 keep기능, 화면 캡처등 다양한 기능을 활용할 수 있습니다.
3 블로그와 카카오톡 등으로 공유할 수 있습니다.

5 티타임즈

[티타임즈] 앱(App)은 간결하게 뉴스를 읽을 수 있습니다.

[티타임즈] 앱(App)의 장점

- [티타임즈] 는 Ten Lines News로 10줄짜리 뉴스입니다.
- 꼭 봐야할 뉴스를 골라 간결한 문체로 전달합니다.
- 과다한 설명을 자제하며 정확하고 간략한 정보만 전달합니다.
- 원하는 뉴스를 이메일, SNS, 카카오톡으로 공유하고 보관할 수 있습니다.

[티타임즈] 앱(App)의 활용

- 비즈니스로 바쁜 일상 속에서 간결한 문체로 정리된 뉴스를 볼 수 있습니다.
- 선택한 뉴스를 내 보관함에 저장할 수 있고 SNS, 카카오톡으로 공유합니다.
- SNS마케팅에 필요한 정보를 수집할 수 있습니다

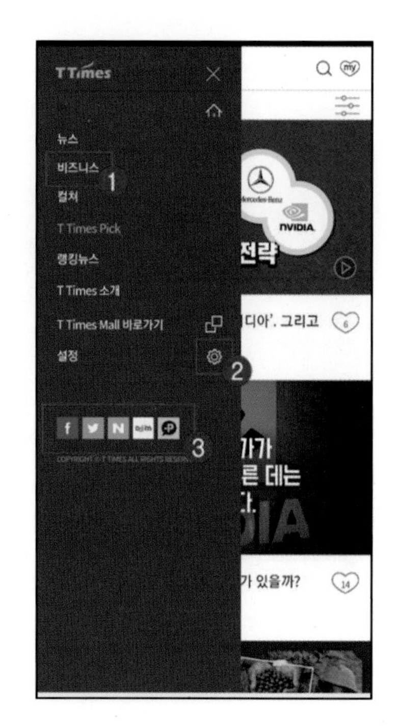

1 Play 스토어에서 [**티타임즈**]를 설치하여 [**열기**]를 터치합니다.

2 좌측 상단의 [**메뉴**] 버튼을 터치합니다. 3 ①[**비즈니스**]에 관련된 뉴스를 볼 수 있습니다. ②[**설정**]을 변경할 수 있습니다. ③SNS로 공유할 수 있습니다.

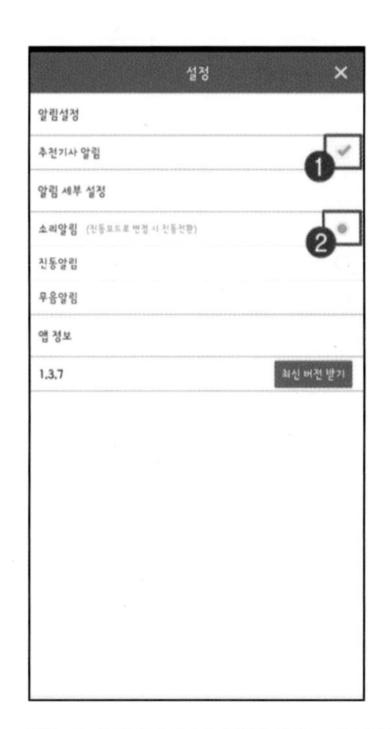

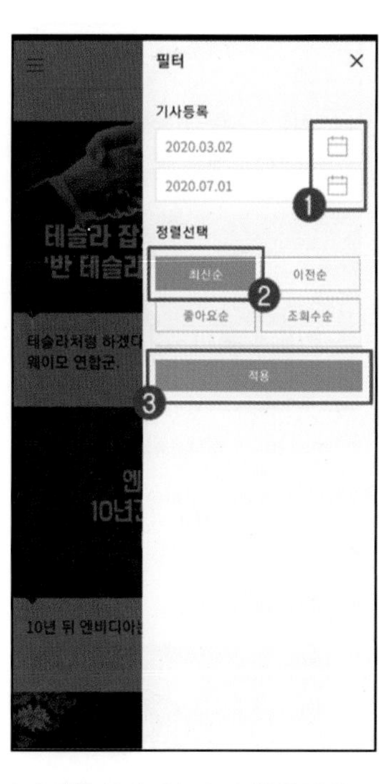

1 ①[**추천기사 알림**]을 터치합니다. ②[**소리알림**]을 설정할 수 있습니다. 2 우측상단의 [**필터**] 버튼을 터치합니다. 3 ① 검색날짜를 수정할 수 있습니다. ②[**최신순**]을 터치합니다. ③[**적용**]을 터치합니다.

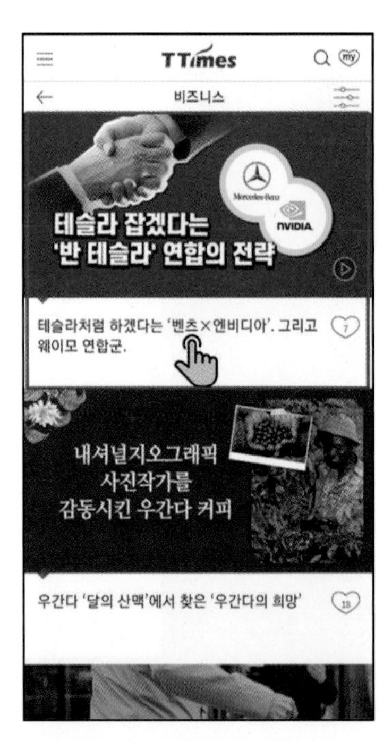

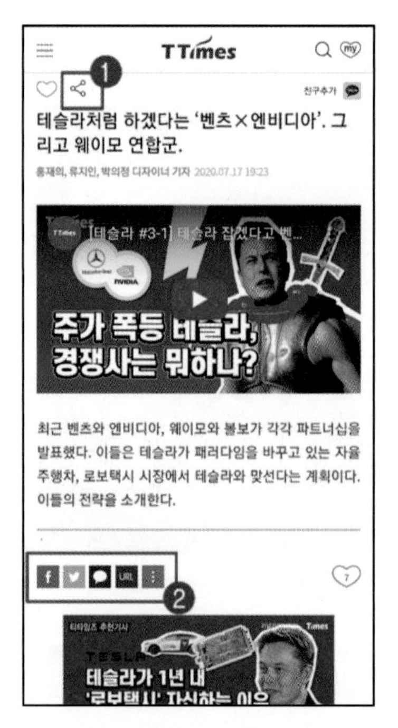

1 읽을 기사를 터치합니다. 2 ①[**공유**] 버튼을 터치합니다. ②SNS로 공유할 수 있습니다.
3 ①or ②[**찜**] 버튼을 터치합니다.
③나의 찜 목록에 추가됩니다.

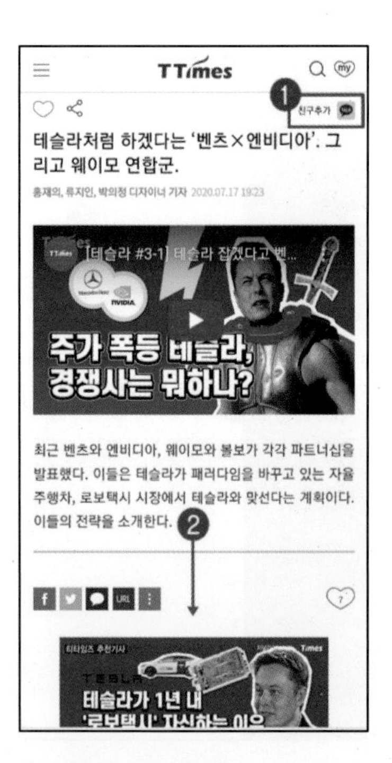

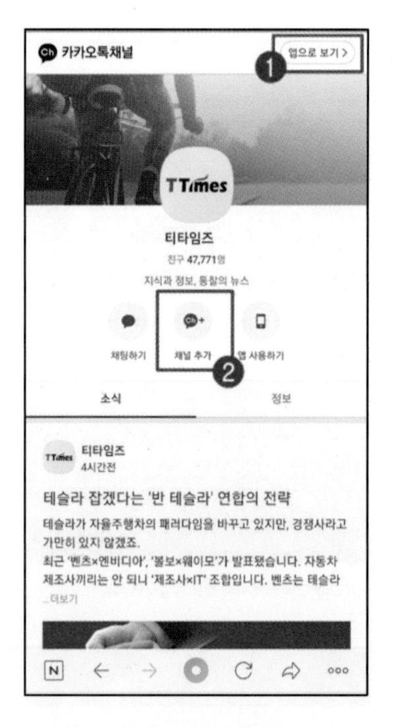

1 ①카카오톡에 친구추가를 할 수 있습니다. ②아래쪽에 더 다양한 뉴스를 확인할 수 있습니다.
2 ①카카오톡 앱으로 채널을 추가할 수 있습니다. ②채널을 추가하여 더 간편하게 뉴스를 볼 수 있습니다. 3 선택한 뉴스의 하단쪽으로 드래그를 하면 [**베스트클릭**] 뉴스를 볼 수 있습니다.

6 모두의 신문

[모두의신문] 앱(App)은 국내외 신문을 간편하게 연결하여 볼 수 있습니다.

[모두의신문] 앱(App)의 장점

- **[모두의신문]**은 국내 인터넷 신문모음, 해외뉴스, 지방뉴스, 지자체 홈페이지를 간편하게 연결합니다.
- 원하는 날짜를 설정하여 국내외 인터넷 신문의 정보를 찾아볼 수 있습니다.
- 여러 다양한 인터넷 신문을 간편하게 찾아볼 수 있습니다.
- 원하는 기사를 보관하고 SNS, 카카오톡으로 공유할 수 있습니다.

[모두의신문] 앱(App)의 활용

- 국내 인터넷신문과 해외뉴스를 간편하게 연결하여 기사를 찾아볼 수 있습니다.
- 원하는 기사를 보관하고 SNS나 이메일로 공유할 수 있습니다.
- 북마크를 설정하여 자주 검색하는 인터넷신문을 간편하게 연결하여 볼 수 있습니다.
- 섹션별로 SNS마케팅에 필요한 정보를 간편하게 찾아볼 수 있습니다.

1 **[모두의 신문]**을 설치하고 **[열기]**를 터치합니다. **2** ①원하는 신문을 터치합니다. ②**[경제]**에 관련된 신문 목록을 확인 할 수 있습니다. **3** ①**[목록]**에서 뉴스를 검색하고 원하는 섹션을 선택할 수 있습니다. ②**[관심뉴스]**에서 조회, 댓글, 공유순으로 뉴스를 검색할 수 있습니다.

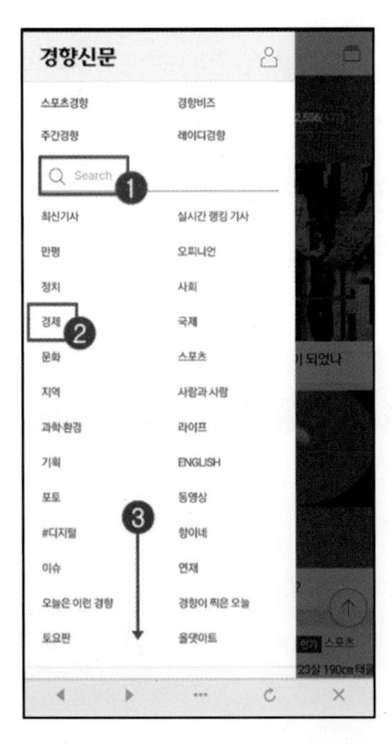

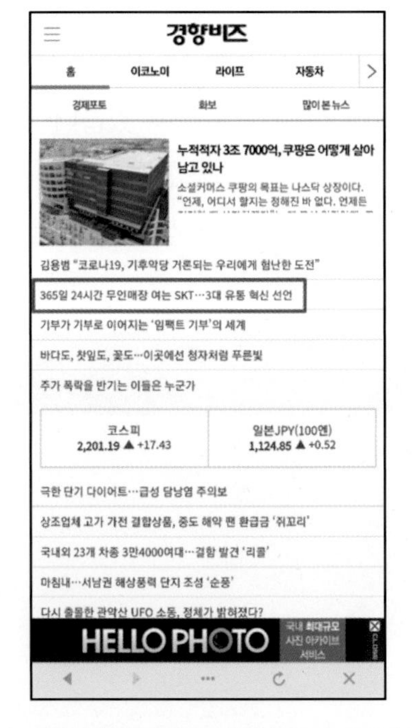

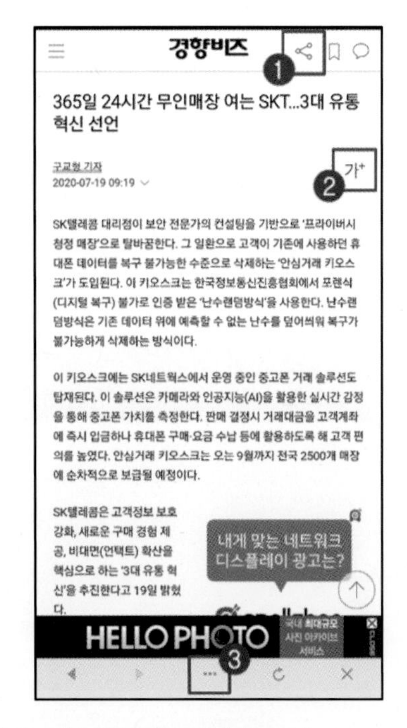

1 ①원하는 키워드를 검색합니다. ②**[경제]**를 터치합니다. ③더 많은 메뉴를 볼 수 있습니다.
2 관심있는 **[기사]**를 터치합니다. **3** ①SNS로 공유할 수 있습니다.② 글씨 크기를 변경할 수 있습니다. ③**[더보기]** 버튼을 터치합니다.

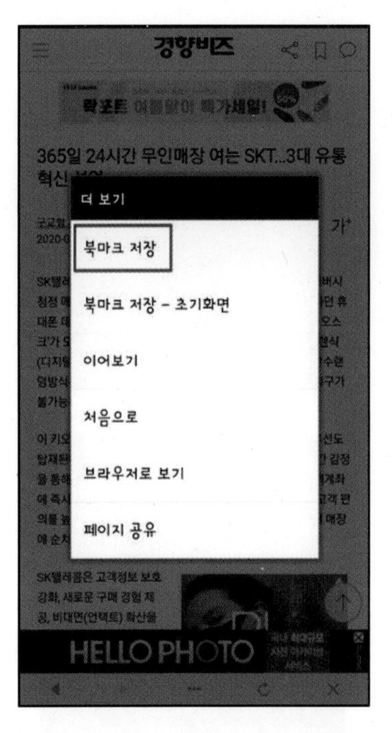

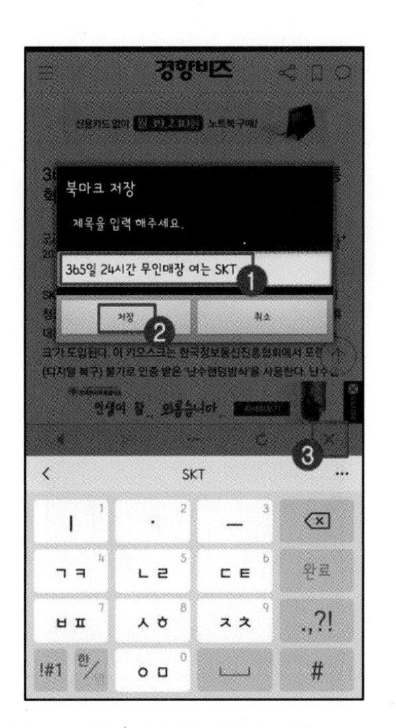

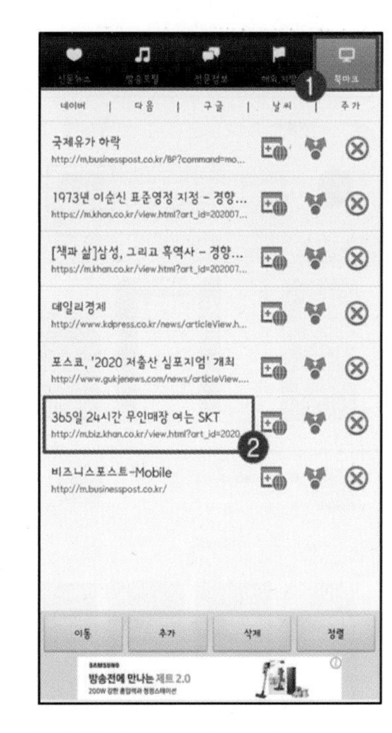

1 [북마트 저장]을 터치합니다. 2 ①제목을 변경할 수 있습니다. ②[저장] 버튼을 터치합니다. ③[닫기] 버튼을 터치하고 메인화면에서 [북마크]를 확인합니다.

3 ①[북마크] 버튼을 터치합니다. ②[북마크]에 기사가 추가된 것을 확인할 수 있습니다.

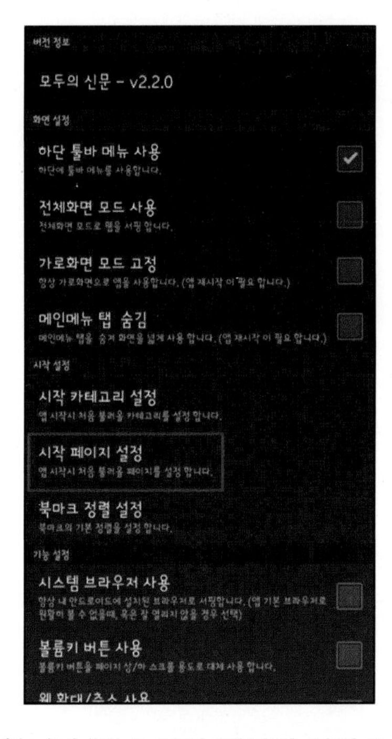

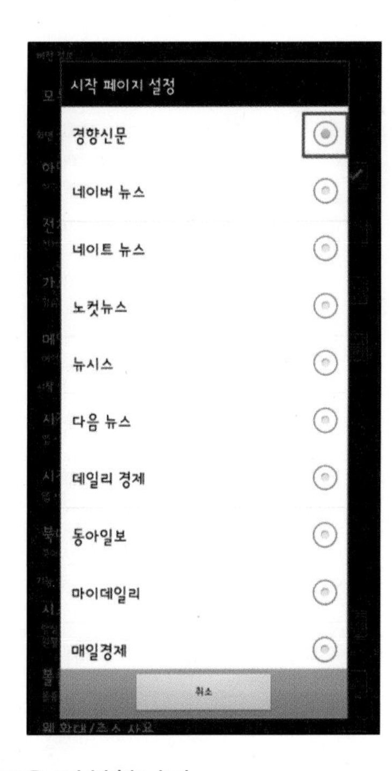

1 메인화면에서 [설정]을 터치합니다. 2 [시작 페이지 설정] 버튼을 터치합니다.

3 [모두의 신문] 시작 페이지 신문을 선택합니다.

7 픽사베이(Pixabay) / 무료이미지

1 [로열티가 없는 이미지 및 비디오 Pixabay]를 설치하고 [열기] 를터치합니다.

2 [pixabay] 버튼을 터치합니다.

3 검색창에서 찾는 이미지 키워드를 입력한 뒤 [사진] 버튼을 터치합니다.

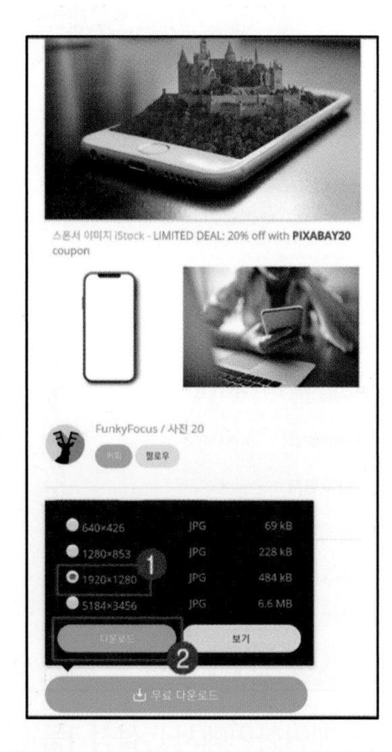

1 원하는 이미지를 선택합니다. 2 사진 하단의 [무료 다운로드] 버튼을 터치합니다. 3 ①원하는 이미지 사이즈를 선택합니다. ②[다운로드] 버튼을 터치하면 내 폰 갤러리에 저장이 됩니다.

8 눈누(noonnu.cc) / 무료폰트사이트

1 ①인터넷 주소창에 [https://noonnu.cc]를 입력한 후 엔터키를 누릅니다.
②화면을 위로 밀어 올리며 원하는 폰트를 찾습니다.

1 ①선택한 폰트에서 글씨를 입력하여 글씨체를 확인해 봅니다.
②[**다운로드**]를 클릭하여 폰트를 다운로드 합니다.

◈ 컴퓨터의 다운로드 폴더에 다운로드 된 폰트파일의 압축을 풀어 준 후, 파일 안의 폰트를 더블 클릭하면 왼쪽 상단에 보이는 [**설치**]를 클릭하면 자동으로 설치됩니다.

9 플랫아이콘 / 무료 아이콘

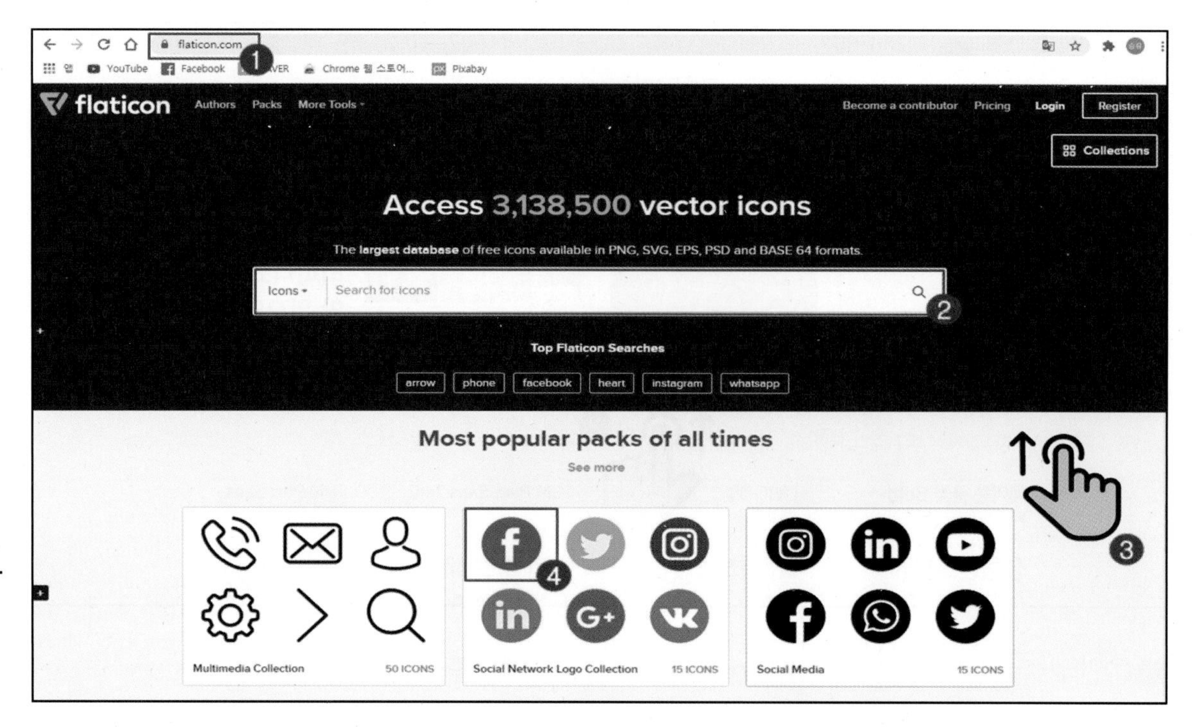

1 ①인터넷 주소창에 [https://www.flaticon.com]을 입력한 후 엔터키를 누릅니다. ②원하는 아이콘을 검색합니다. ③화면을 위로 드래그하여 원하는 아이콘을 찾습니다. ④원하는 아이콘을 클릭합니다.

1 ①다운받을 아이콘을 선택한 후 [PNG] 오른쪽에 [▼]를 클릭해 아이콘 사이즈를 선택합니다. ②[PNG]를 클릭해 다음화면에서 [Free download]합니다.

◈ 다운로드 된 아이콘은 컴퓨터 다운로드 폴더에 저장됩니다.

⑩ 튜브메이트 / 무료 음악

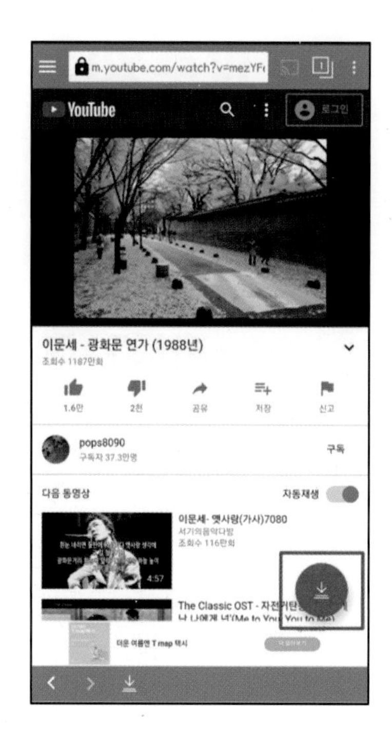

■ [**원스토어**]에서 [**튜브메이트3**]를 설치하고 [**실행**]을 터치합니다.

■ [**검색창**]에 원하는 노래를 검색합니다.

■ 다운받을 노래를 터치하여 왼쪽하단 빨간 원형 아이콘 모양의 [**다운로드**]를 터치합니다.

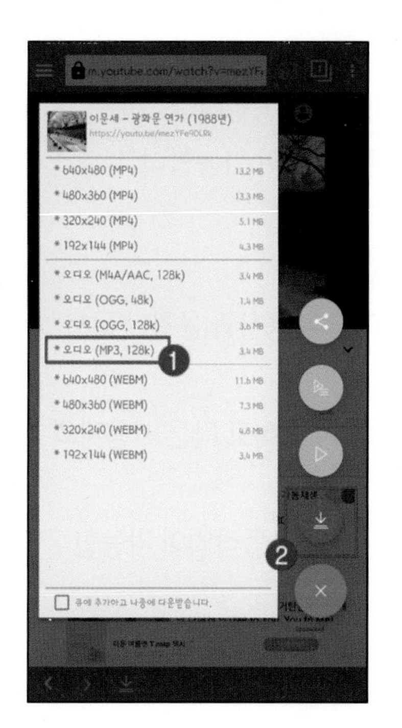

■ ①[**오디오 MP3**]를 터치합니다. ②빨간색 아이콘을 터치합니다. ■ ①제목을 변경할 수 있습니다. ②[**확인**]을 터치합니다. ■ 왼쪽으로 드래그하면 다운된 음악을 확인 할 수 있습니다.

14강. 협업 시스템 구축하면 일의 효율성과 효과성을 극대화 할 수 있다

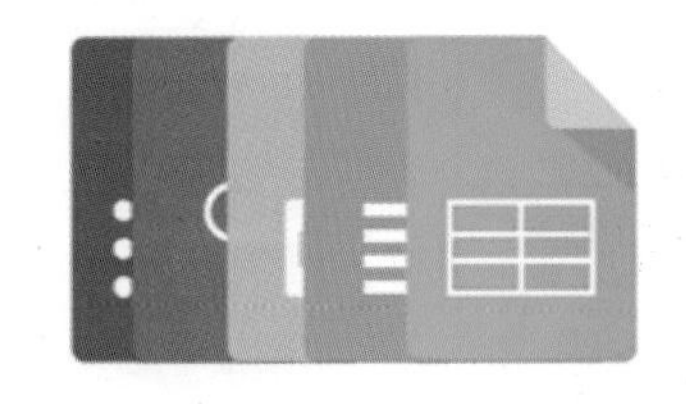

[마인드 42 : 생각을 시각화, 구조화 하여 정리하는 프로그램] 앱 활용

- 사용자가 자신의 생각을 시각화 할 수 있는 온라인 마인드 매핑 응용 프로그램입니다.
- 이미지와 키워드, 색과 부호 등을 사용하여 제안서, 강의안 등을 창의적이고 일목요연하게 정리 할 수 있는 프로그램입니다.
- 지식의 구조화 및 협력 작업에 널리 사용되어 일의 효율성과 효과성을 극대화 할 수 있는 협업 프로그램 입니다.

[줌 : 온라인화상 업무시스템] 의 활용

- 줌 비디오 커뮤니케이션사에서 제공하는 화상회의 서비스 프로그램입니다.
- 화상회의, 온라인교육, 채팅, 모바일 협업이 가능한 원격업무 서비스를 제공합니다.
- 1:1은 무제한 사용이 가능하며, 3인이상은 100명까지 40분간 무료사용이 가능합니다.

[구글문서도구 : Google Docs]의 활용

- 구글문서 : 문서 작성용 워드프로세서로, 문서를 작성, 공유하고 다른 사용자와 동일한 문서에서 공동작업을 할 수 있습니다.
- 구글스프레드시트 : 표 계산을 할 수 있는 스프레드시트를 만들거나 수정하고 다른 사용자와 공동작업이 가능합니다.
- 구글프레젠테이션 : 프레젠테이션을 만들거나 수정하고 다른 사용자와 공동작업이 가능합니다.

[마인드 42 : 생각을 시각화, 구조화 하여 정리하는 프로그램]의 활용

회원 가입 또는 로그인 하기

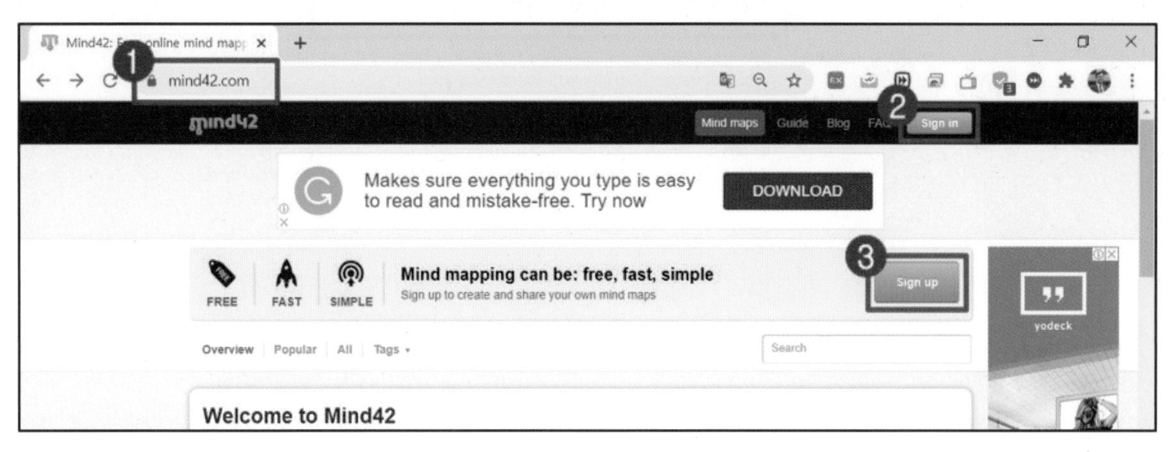

1 마인드42 사이트에 접속하기 위해, ①인터넷 주소창에 [mind42.com]을 입력한 후 엔터키를 누릅니다.

②이미 회원가입이 되어 있으면 [Sign in]을 터치하고,

③회원 가입을 하고자 할 때는 [Sign up]을 터치합니다.

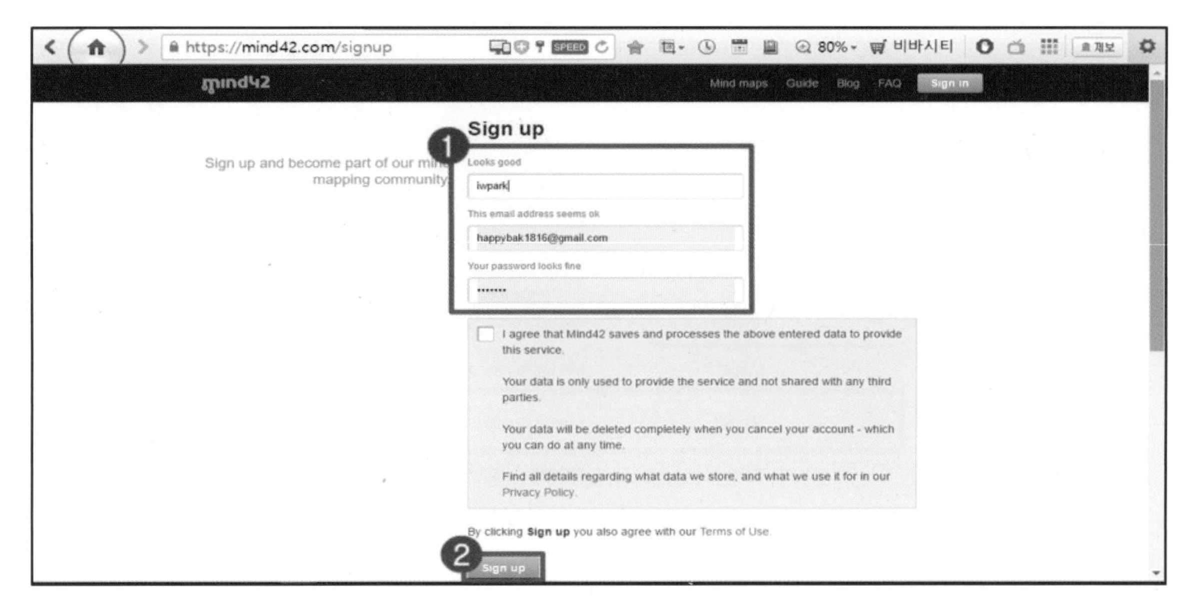

1 회원 가입을 하려면,

①[아이디], [이메일 주소], [비밀번호]를 한 후, ②[Sign up]을 터치 합니다.

※ 아이디, 이메일 주소, 비밀번호 입력시 조건에 맞으면 녹색으로 표시되고, 조건에 맞지 않으면 적색으로 표시됩니다.

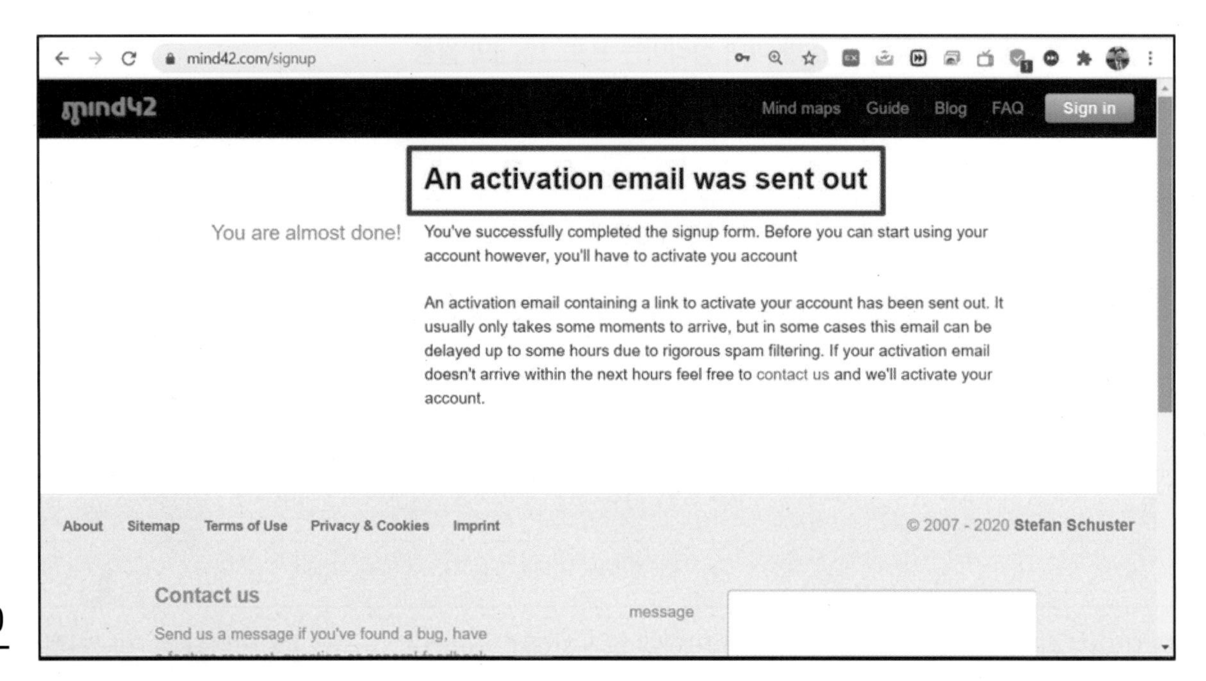

1 회원 가입을 하고 나면,
[인증을 위한 이메일이 전송되었습니다] 라는 문구가 나타납니다.

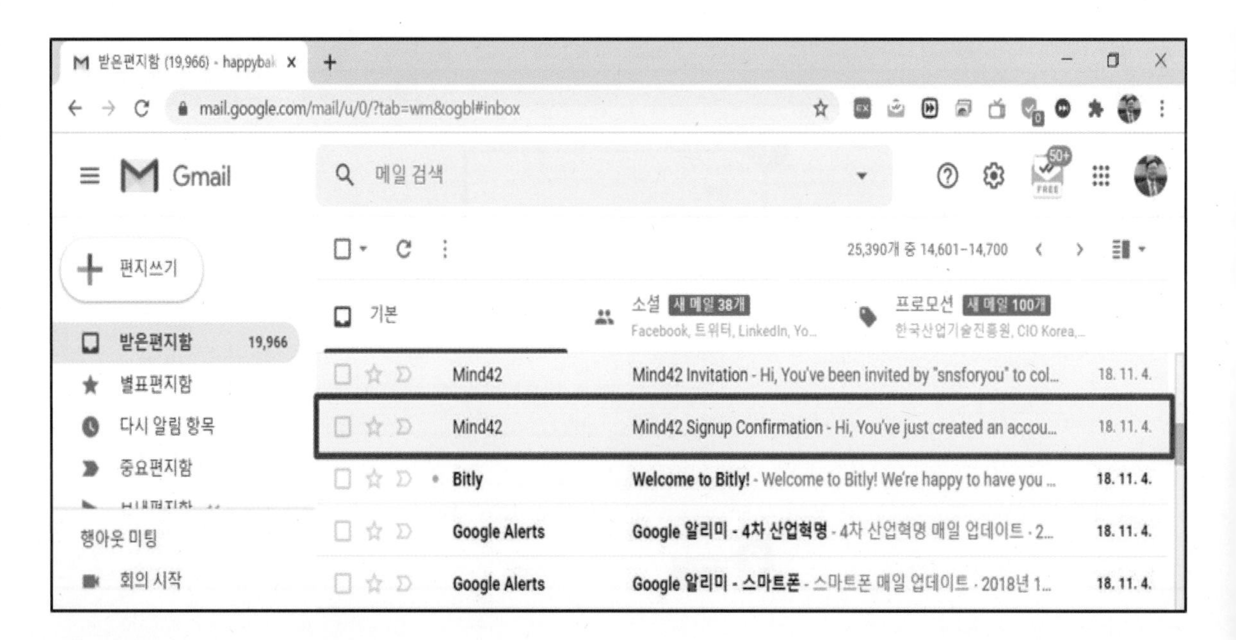

1 가입시 입력한 이메일을 확인 해 보면,
[Mind42 Sign up Confirmation] 이라는 확인 메일이 수신됩니다.

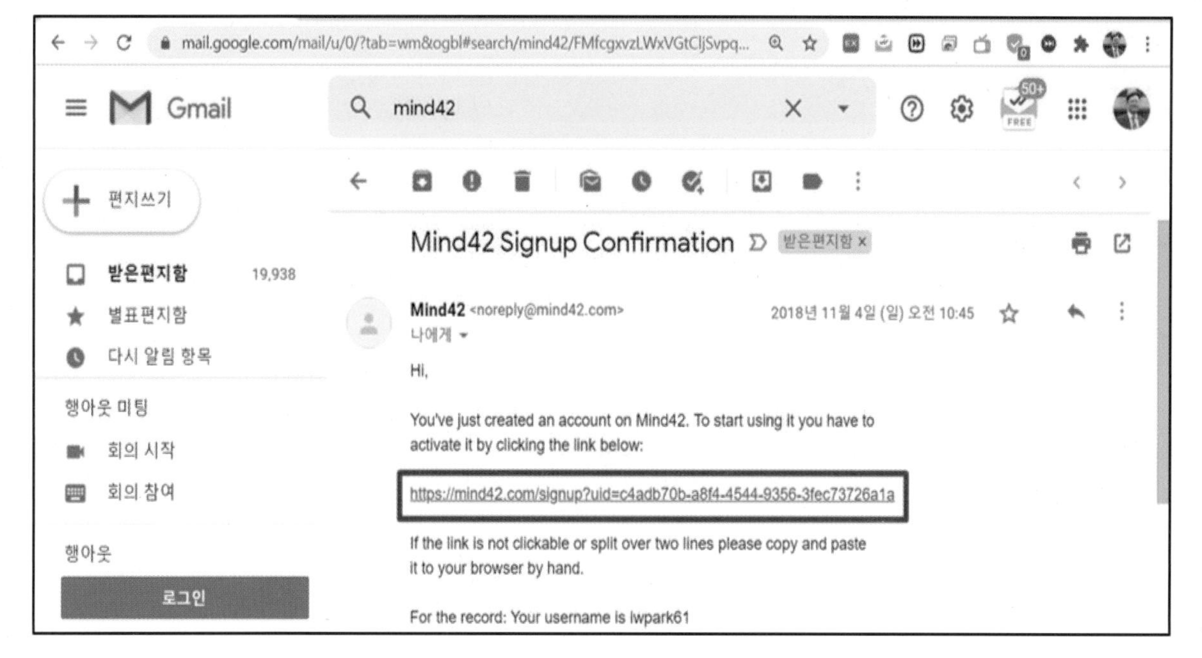

1 인증 메일을 클릭하여,

[인증 주소]를 터치하여, **[아이디]**와 **[비밀번호]**를 입력 한 후 [Sign in]을 누르면 인증이 완료되며 사이트에 접속이 됩니다.

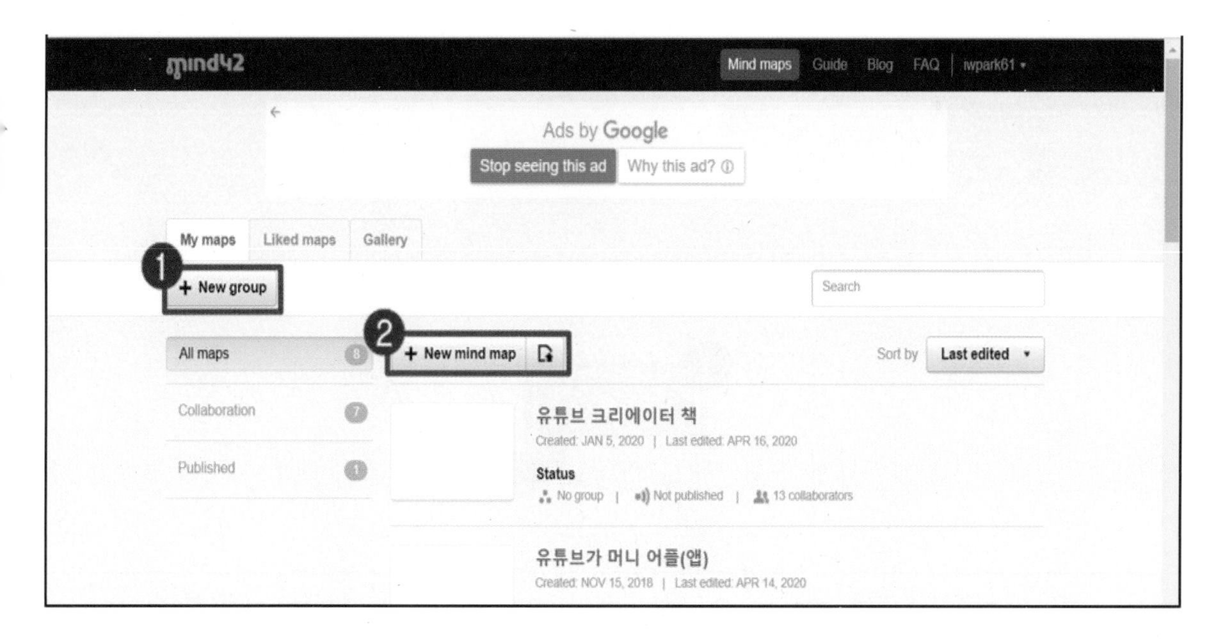

1 마인드 맵을 작성하기 위해,

①[New group]을 터치하여 그룹을 만들거나, ②[New mind map]을 터치 합니다.

1 새로운 마인드 맵을 작성하기 위해,
①[**마인드 맵 이름**]을 입력한 후,
②[Create]를 터치 합니다.

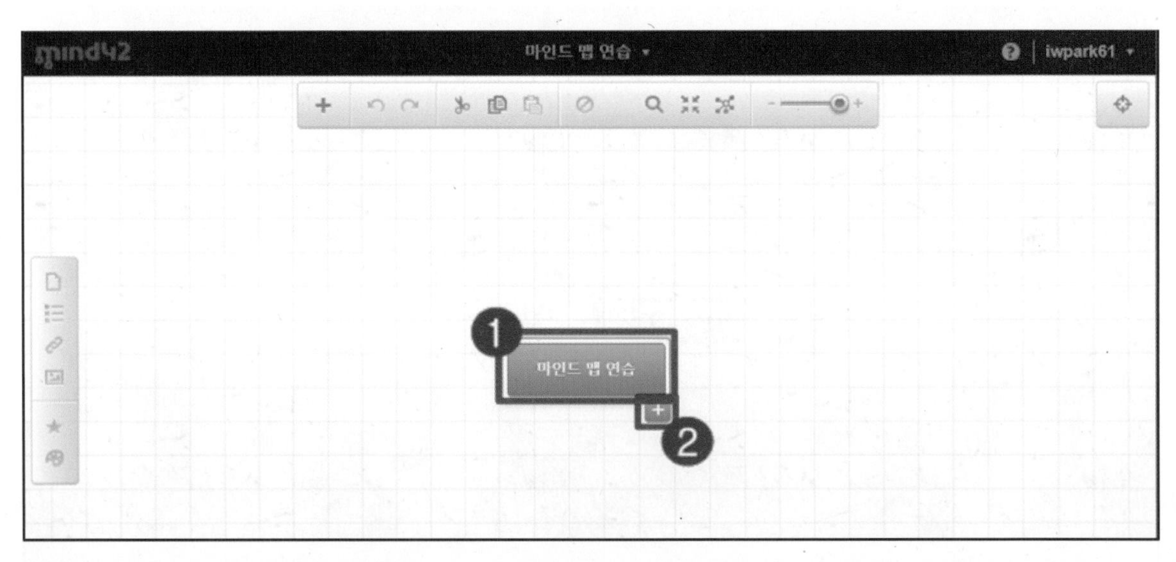

1 빈 도화지 가운데 입력한 이름의 노드가 만들어지고 이 도화지에서 자신의 생각을 시각화하고 구조화 할 수 있는데,
①[**마인드 맵 연습**]이란 노드를 클릭하면 노드에 사각 테두리가 생성되어 메뉴를 적용 할 수 있고,
②[+]을 터치하면 오른쪽 옆으로 새로운 노드가 만들어 집니다.

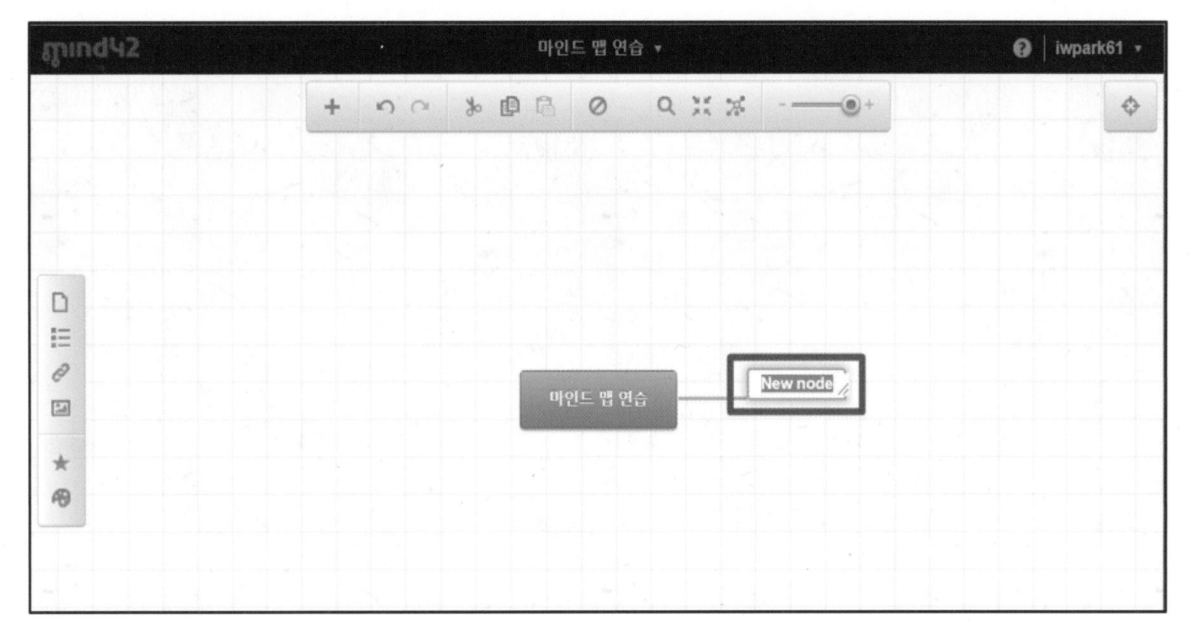

1 새로운 노드가 만들어 지면 [Enter] 키를 입력하면 노드가 선택되어 내용을 입력 할 수가 있습니다.

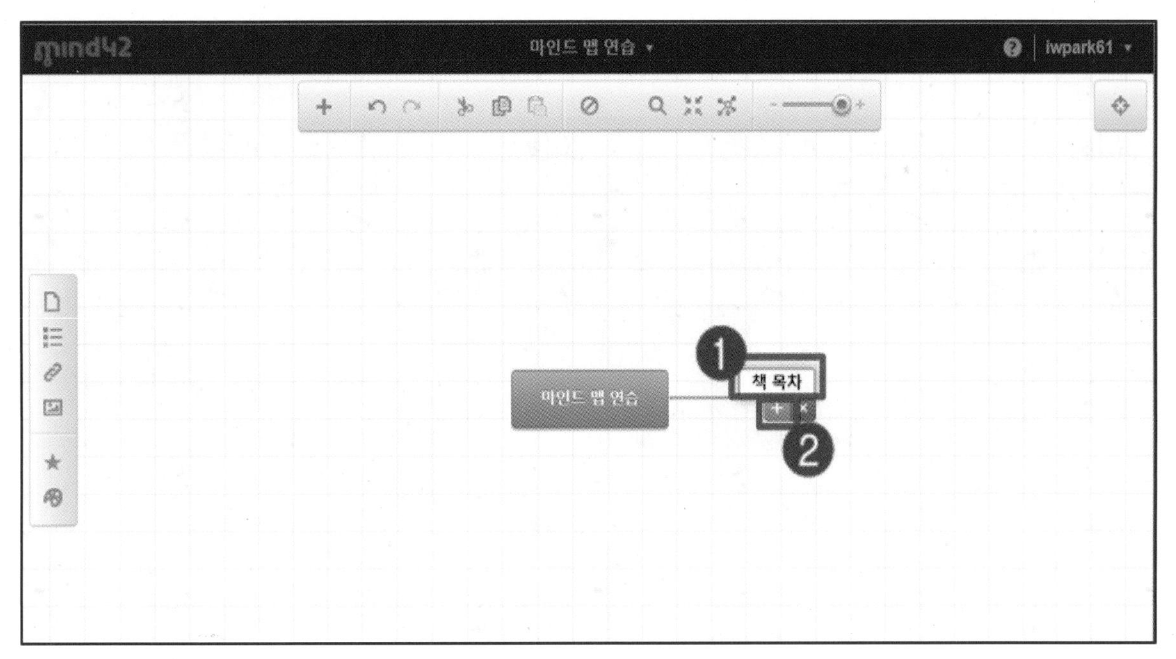

1 노드가 선택되면,

①[**책 목차**]와 같이 내용을 입력하고,

②[+]을 터치하면 오른쪽 옆으로 새로운 노드가 만들어 집니다.

※ 선택된 노드의 [+] 를 누르거나, [Tab] 키를 터치하면 옆으로 노드가 만들어 집니다.

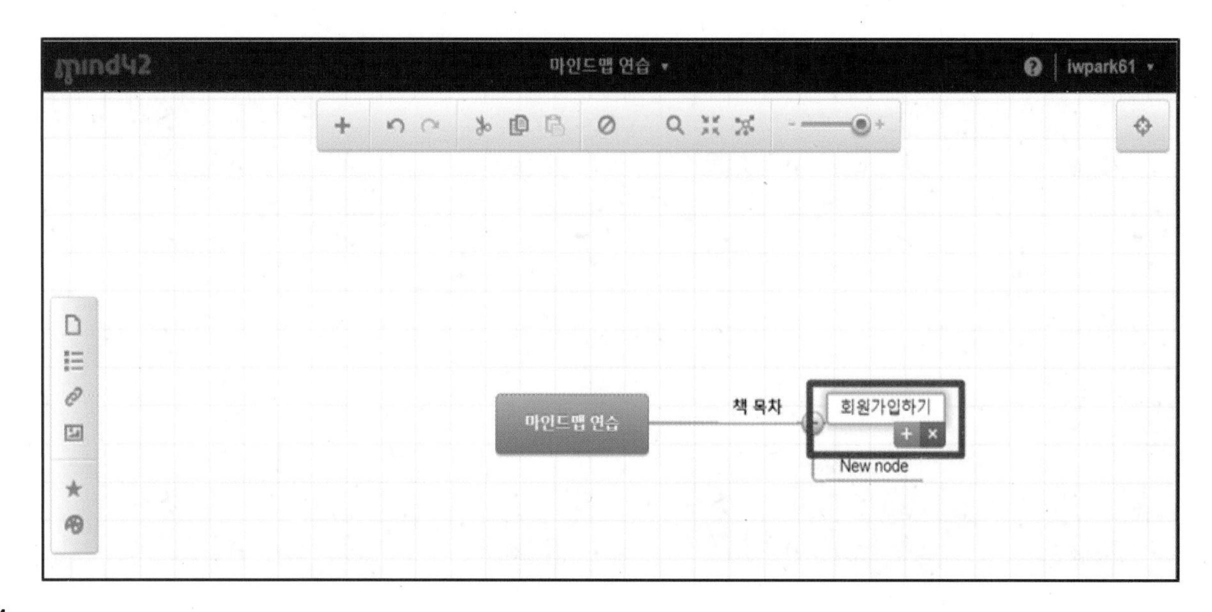

1 옆으로 만들어진 새로운 노드에 내용을 입력한 후, 밑으로 새로운 노드를 만들고 할 때는 [Shift] 키 + [Tab] 키를 입력하면 노드가 만들어 집니다.

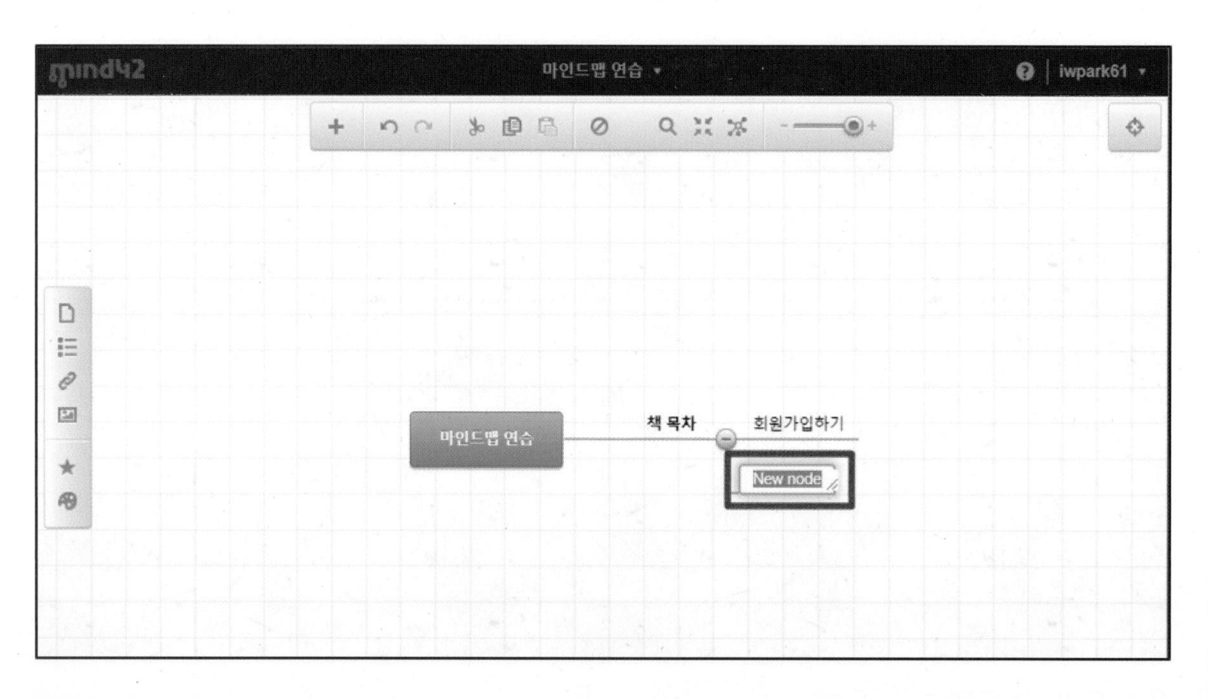

1 노드에 내용을 입력한 후, [Shift] 키 + [Tab] 키를 입력하면 밑으로 새로운 노드가 만들어 짐을 보여줍니다.

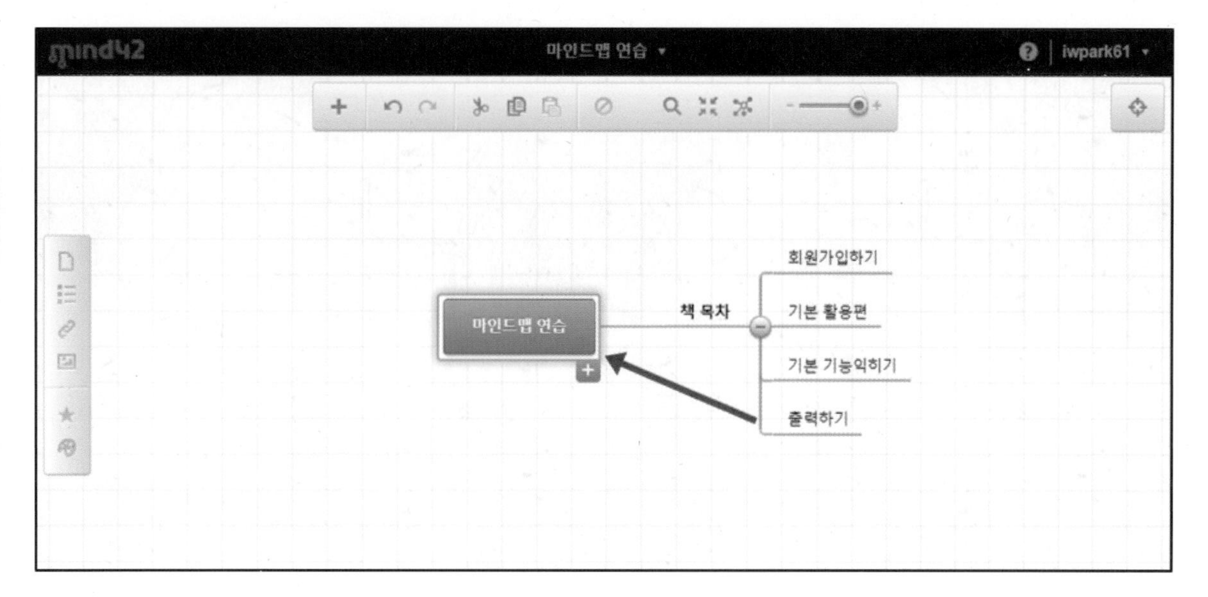

1 맵 작성 중에 다른 노드로 이동하고자 할 때는 마우스를 이용해 해당 노드를 바로 클릭하거나, 키보드의 방향키 [←], [↑], [↓], [→]를 이용하여 이동 할 수 있습니다.

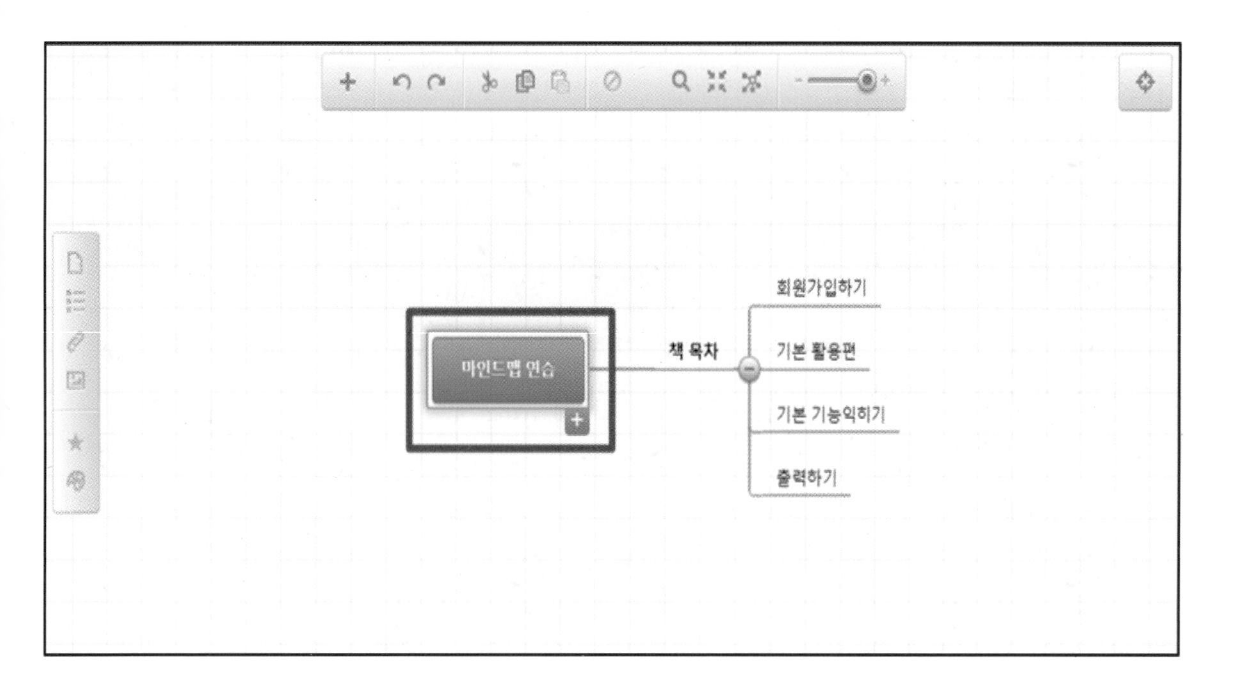

1 마인드 맵 작성 중에 제목 노드를 터치한후, [+] 키를 터치하면, 제목 노드 좌측에 새로운 노드가 생성 됩니다.

※ **마인드 맵을 작성할 때 보통 1단계(여기서는 책 목차)는 좌우 대칭으로 맞추어 집니다.**

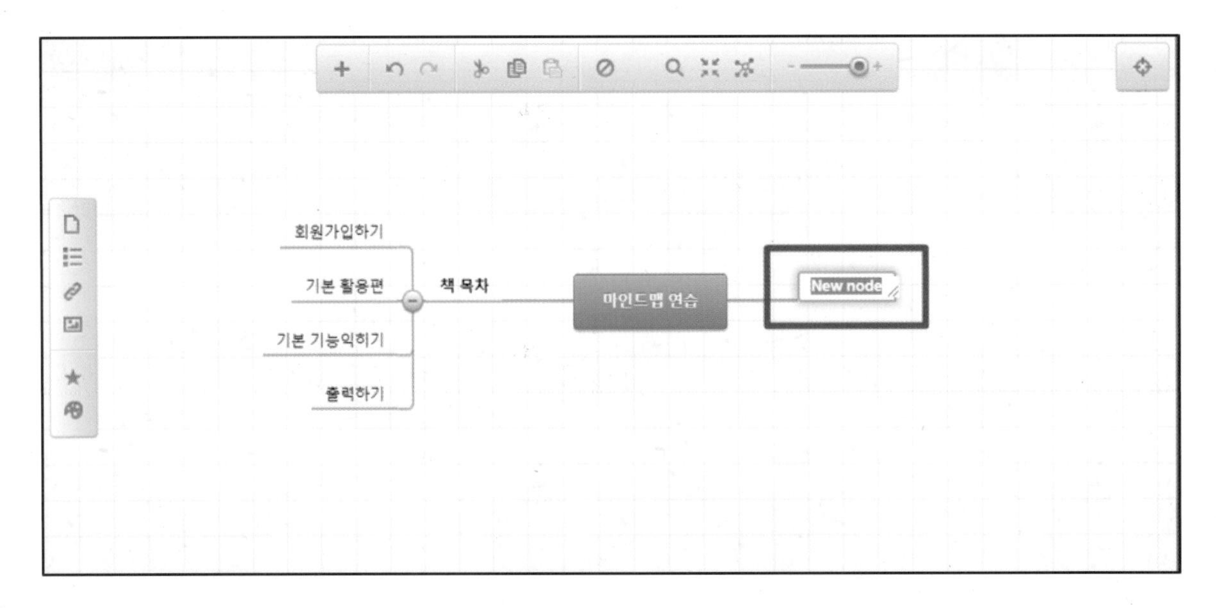

1 맵 작성 중에 제목 노드의 [+]를 눌렀을 때 기 작성된 노드들은 왼쪽으로 이동하고 , 새로운 1단계 노드가 대칭으로 우측에 만들어집니다.

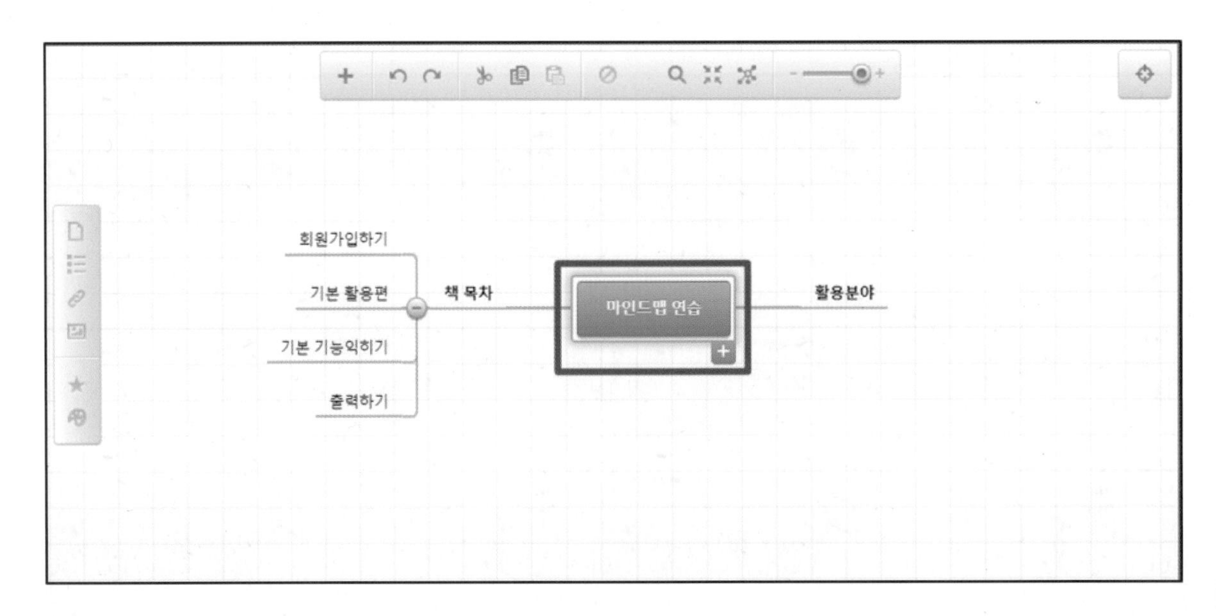

1 좌우 대칭으로 1단계 노드가 생성된 상태에서, 1단계 노드의 밑에 새로운 노드를 생성하기 위하여 제목 노드를 터치한후, [+] 키를 터치 합니다.

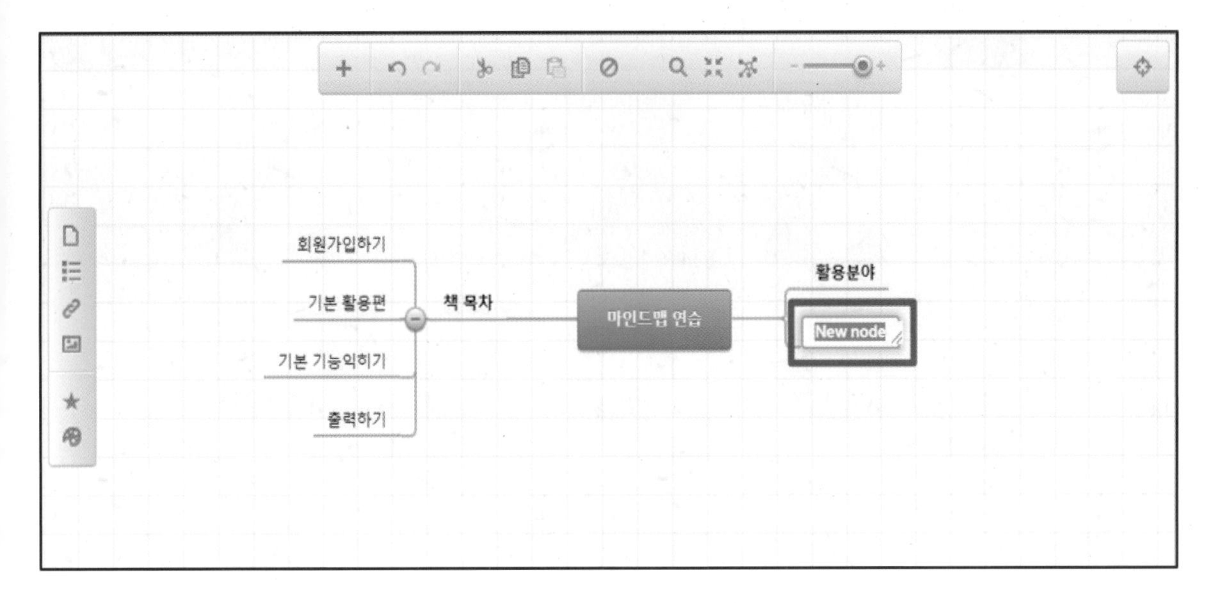

1 제목 노드를 터치한후, [+] 키를 터치하였을 때, 1단계 노드의 밑에 새로운 노드가 생성 됨을 보여 줍니다.

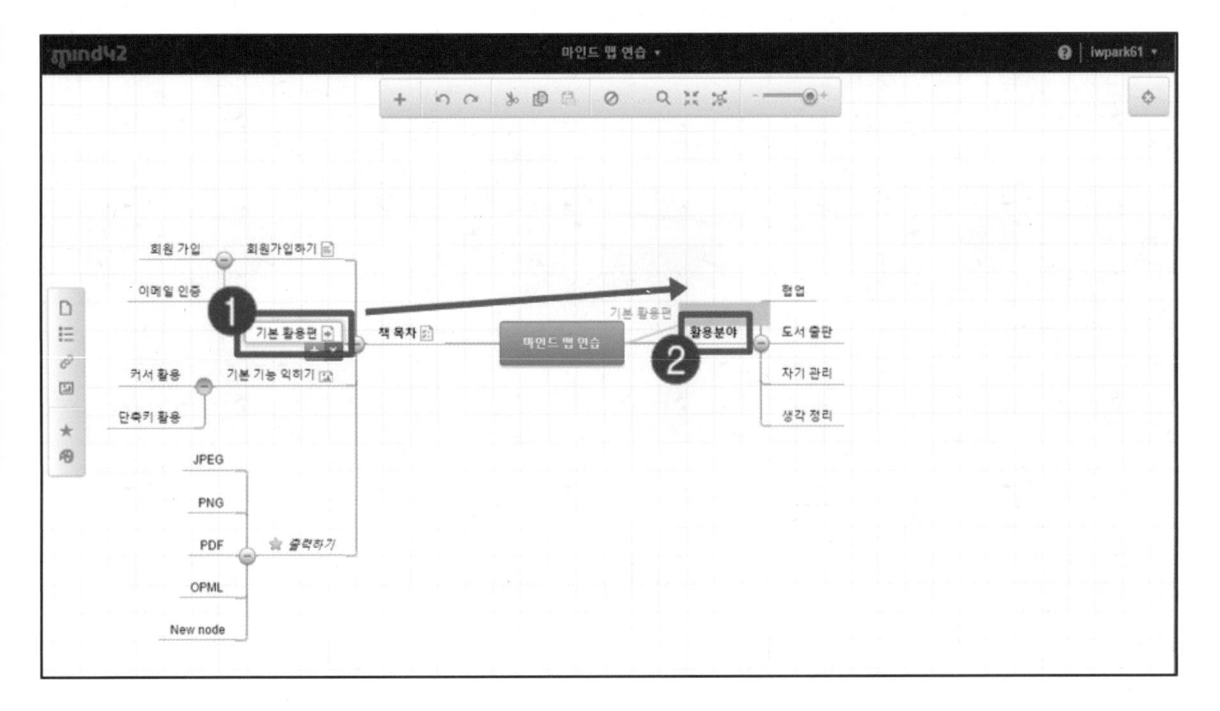

1 노드를 자유롭게 이동을 할 수 있는데, 좌측의 2단계 노드(기본 활용편)를 우측의 1단계 노드(활용분야)로 옮기려면,

①이동할 노드 [**기본 활용편**]을 마우스로 클릭한 상태에서,

②우측 1단계 노드 [**활용분야**] 위에 끌어 놓습니다.

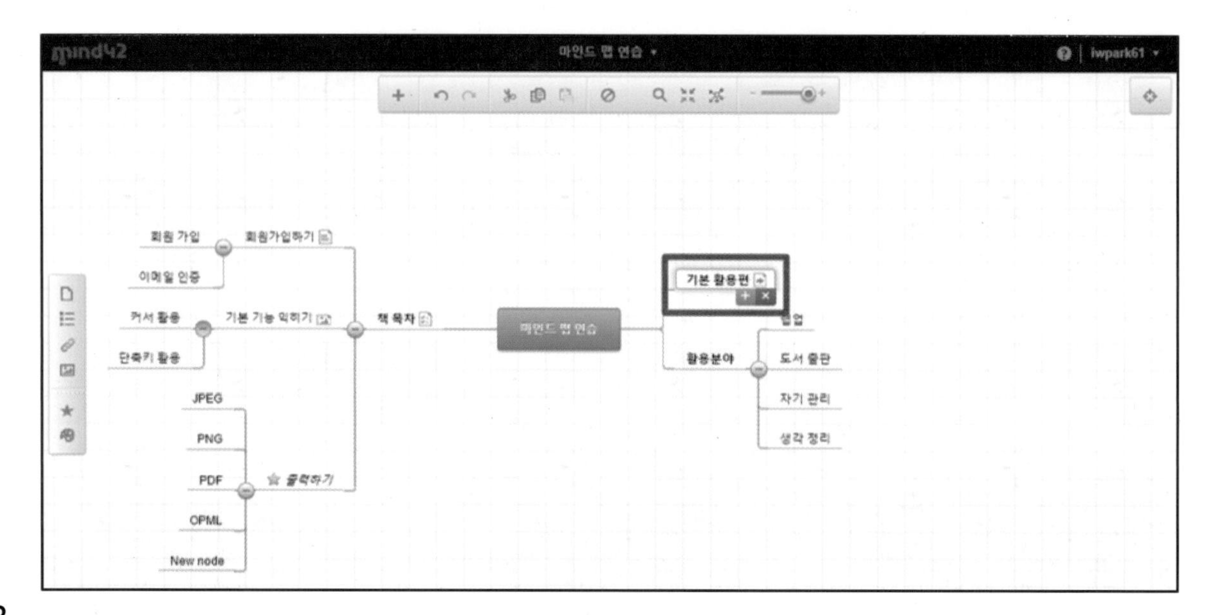

1 이동하고자 하는 **[기본 활용편]** 노드가 좌측으로 이동되어 **[활용분야]** 위에 위치하였음을 보여줍니다.

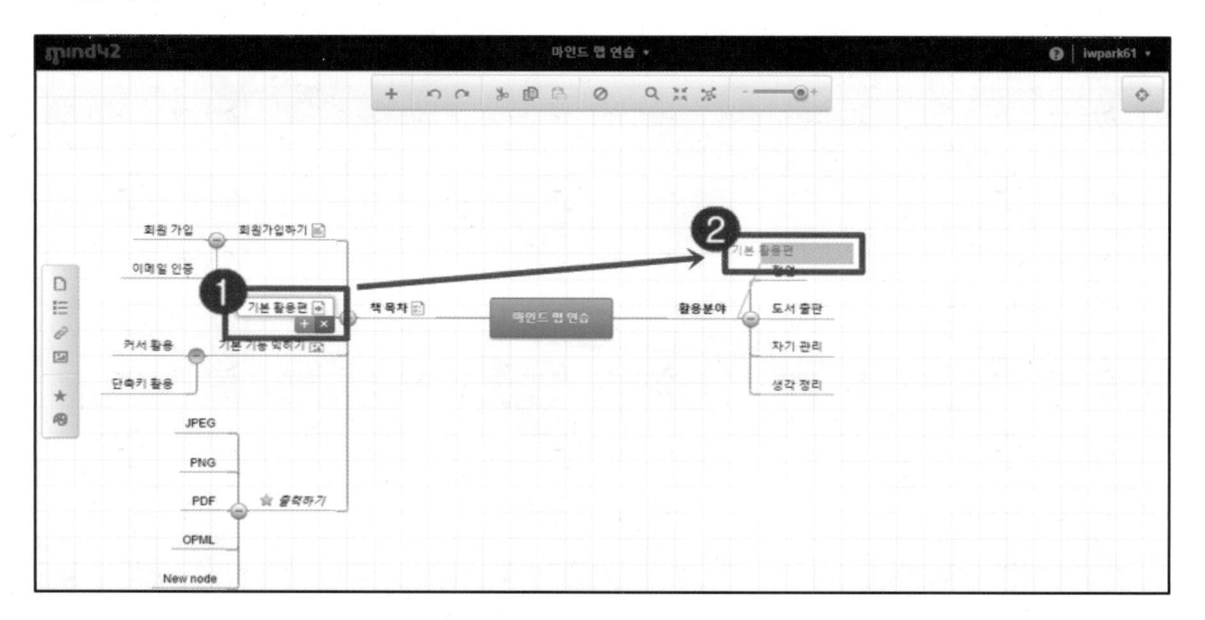

1 이동하고자 하는 노드를 이동하여 위치시키고자 하는 위치에 놓으면 되는데, 여기서는 좌측 2단계 노드에서 우측2단계 노드로 옮깁니다.

①이동할 노드 **[기본 활용편]**을 마우스로 클릭한 상태에서,
②우측 2단계 노드 **[협업]** 위에 위치 시킵니다.

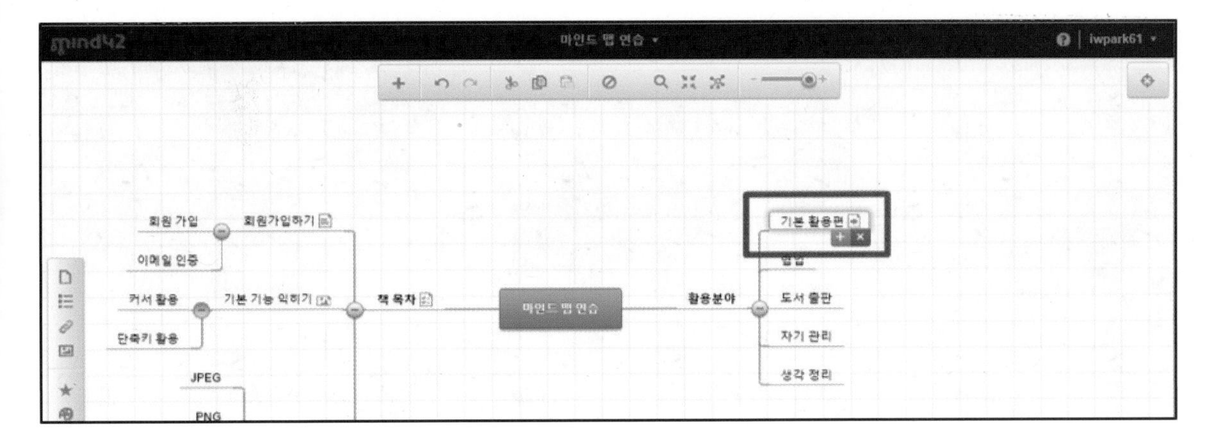

1 이동하고자 하는 **[기본 활용편]** 노드가 좌측으로 이동되어 2단계 **[협업]** 위에 위치하였음을 보여줍니다.

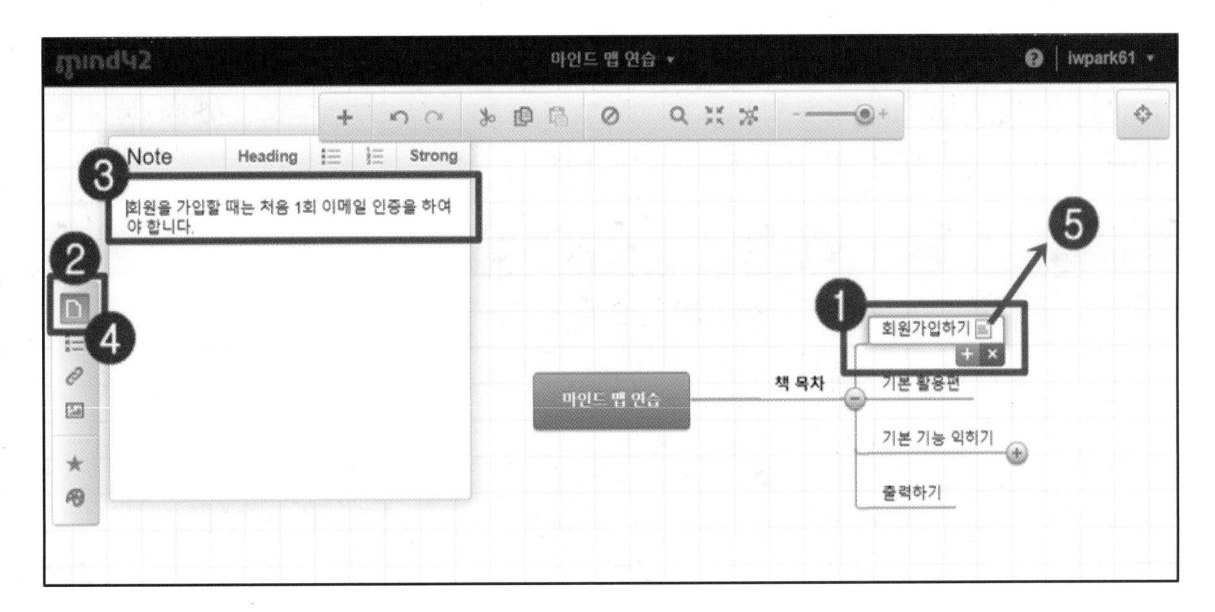

1 마인드 42는 자신의 생각을 시각화, 구조화 하여 정리하는 프로그램입니다. 따라서, 각 노드마다 부가설명 등 다양한 기능을 추가 할 수 있습니다.

노드에 부가 설명을 하고자 할 때는,

①부가 설명을 하고자 하는 노드를 마우스로 클릭한 다음,

②좌측의 **[노트]** 아이콘을 클릭한 후,

③부가 설명을 입력합니다.

④부가 설명을 입력한 후 **[노트]** 아이콘을 누르면 설명 입력창이 사라집니다.

⑤부가설명을 입력한 노드에 노트아이콘이 보이고 아이콘을 클릭하면 설명을 볼 수 있습니다.

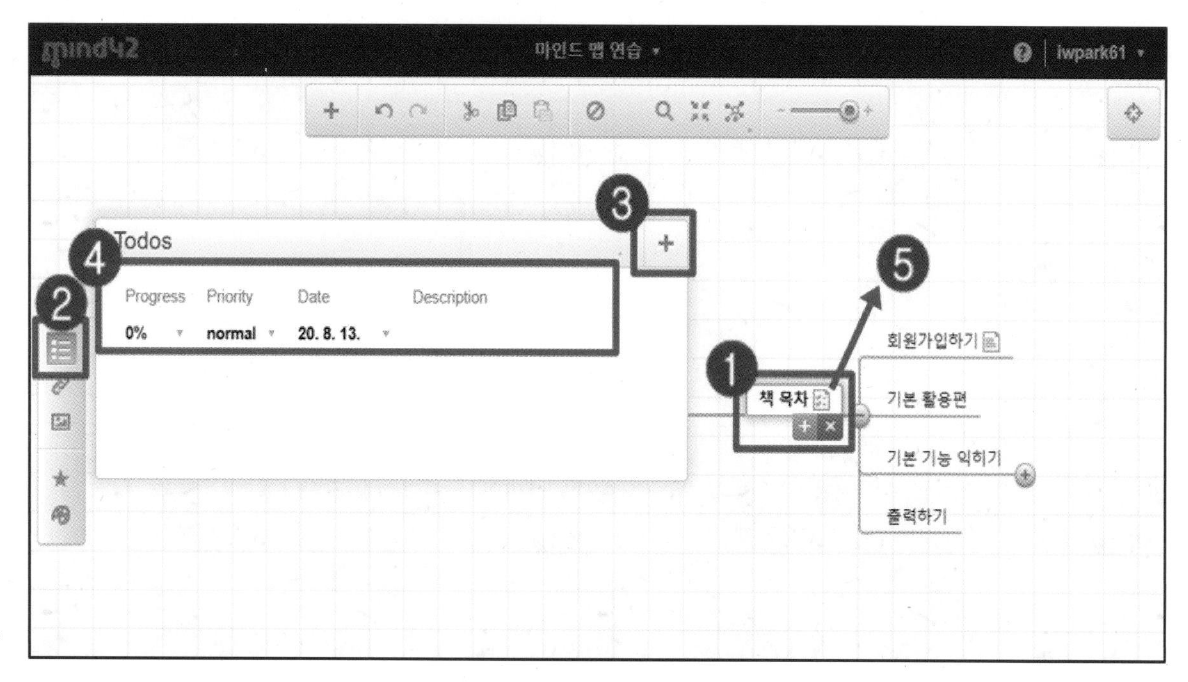

1 노드에 Todos(해야할 일) 를 입력 하고자 할 때는, ①입력 하고자 하는 노드를 클릭한 다음, ②좌측의 [Todos] 아이콘을 클릭한 후, ③[+]를 터치 합니다. ④[Progress], [Priority], [Date], [Description] 등을 입력합니다. ⑤[Todos] 가 입력되면 노드 우측에 아이콘이 표시되고, 내용을 보고자 할 때는 아이콘을 클릭하면 됩니다.

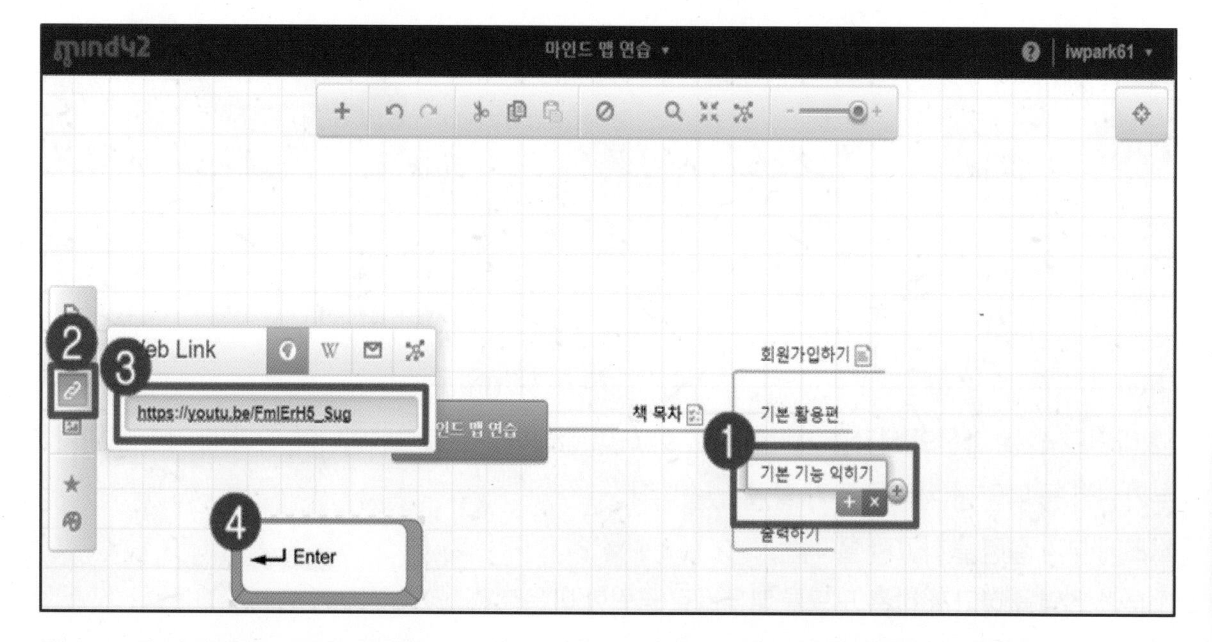

1 노드에 인터넷 주소등의 정보를 링크 할 수 있는데, 인터넷 주소를 링크하고자 할 때는, ①입력 하고자 하는 노드를 클릭한 다음, ②좌측의 [Web Link] 아이콘을 클릭한 후, ③[**링크 주소**]를 입력 합니다. ④[Enter] 키를 터치 합니다.

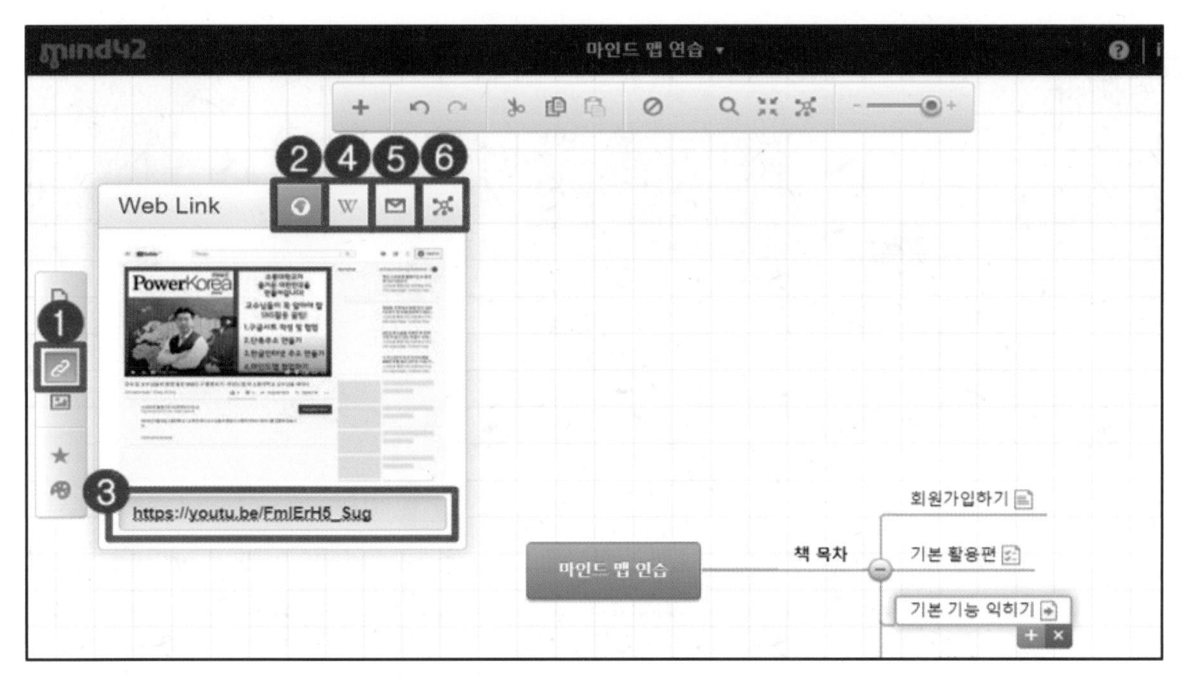

1 노드에 Web Link를 하고자 할 경우에는 해당 노드를 클릭한 후에,
①[Web Link]를 터치 하면, ②[Web link]가 기본으로 나타나고, ③[Link URL]을 입력하면 됩니다. ④[Search article] 을 링크하고, ⑤[Email address]를 링크하고,
⑥[Choose mind map]을 입력하는 메뉴입니다.

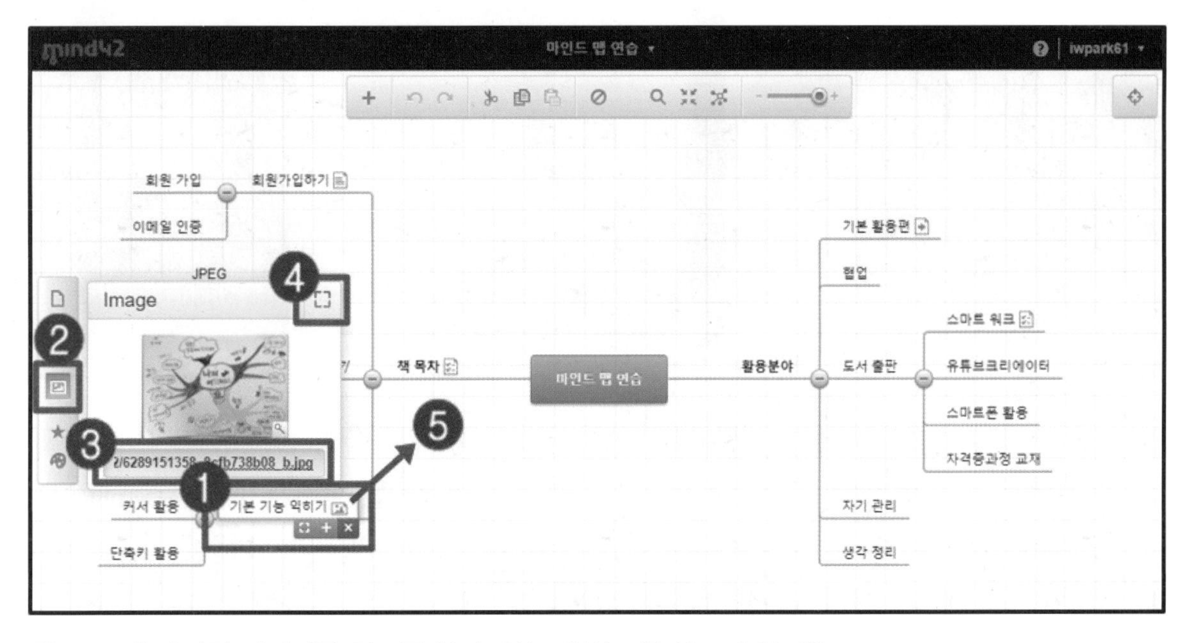

1 노드에 관련된 이미지를 링크를 할 수 있는데 링크를 하고자 할 때는,
①해당 노드 [**기본 기능 익히기**]를 클릭 하고, ②[Image] 아이콘을 눌러,
③[Image URL]을 입력합니다. ④이미지를 Text mode로 전환하는 아이콘이며,
⑤노드에 이미지가 링크되어 있으면 아이콘이 표시됩니다.

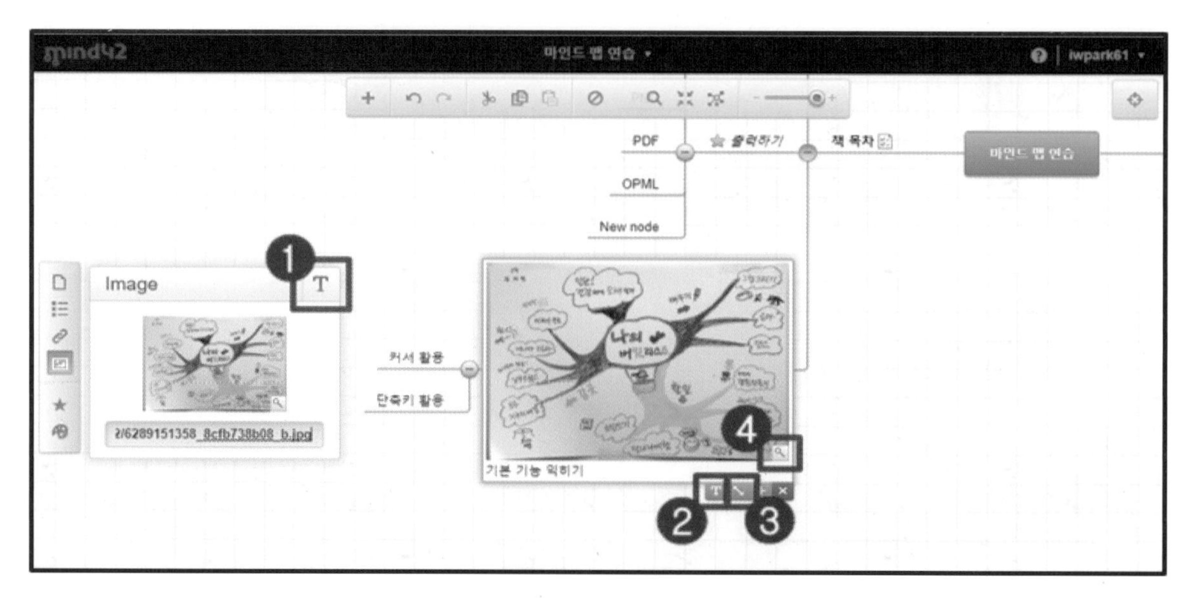

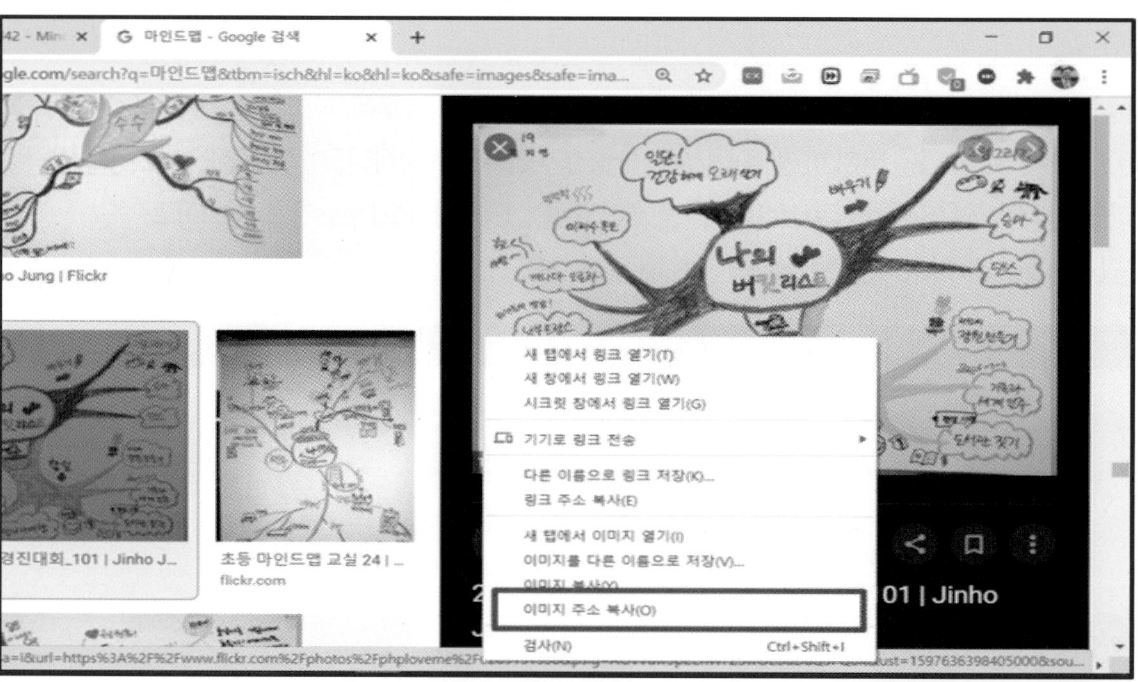

1 노드에 이미지가 링크되어 있는 경우에 좌측의 [Image] 아이콘을 터치하여, ①이미지 아이콘을 터치하면 Text mode로 바뀌며 우측과 같이 이미지가 확대되어 표시됩니다. ②[T]를 누르면 이미지 모드로 복귀하며, ③[**대각선 화살표**]를 누른 상태에서 마우스를 이동하여 이미지를 확대/축소 할 수 있으며, ④[**돋보기**]를 클릭하면 이미지가 최대화 됩니다.

※ 노드에 관련된 이미지를 링크를 할 때는, 링크하고자 하는 이미지 위 또는, 링크할 이미지를 선택한 후, 그 이미지 위에서 마우스 오른쪽 버튼을 클릭하여 [이미지 주소 복사(C)]를 클릭 하여 이미지 링크 주소를 복사하여야 합니다.

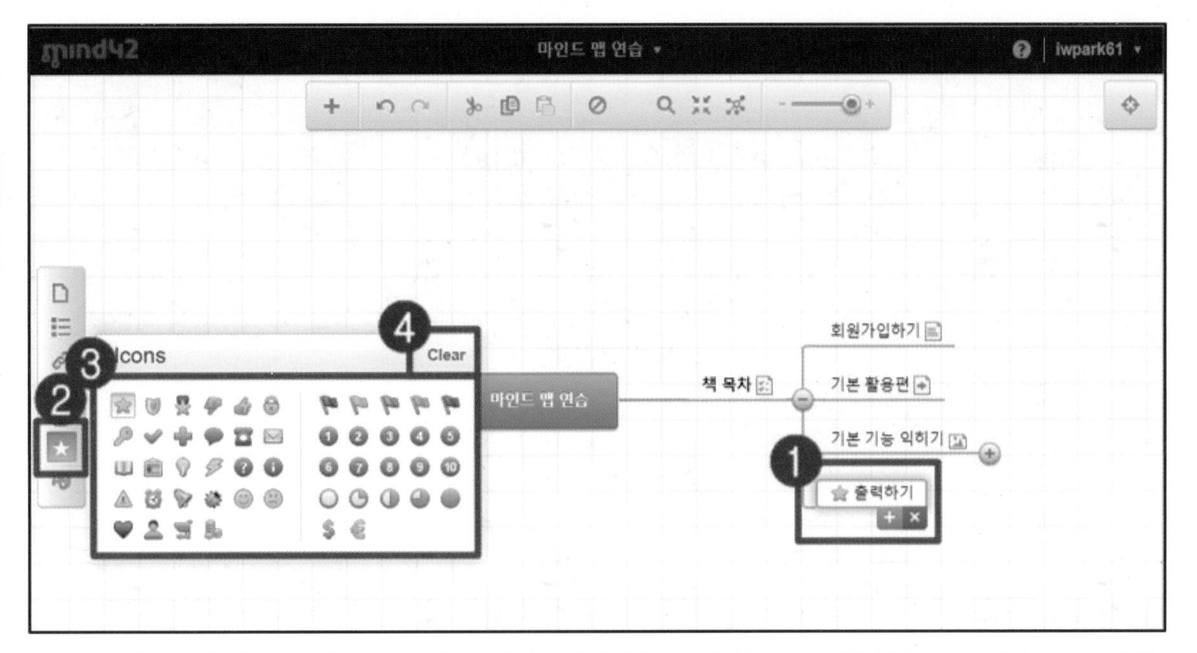

1 노드에 아이콘을 삽입하고자 하면, ①아이콘을 삽입하고자 하는 노드를 클릭 하고, ②[Icons]를 눌러, ③[**아이콘 모음**]에서 원하는 아이콘을 선택하면 해당 노드에 아이콘이 삽입됩니다.
④아이콘 삽입을 취소 하고자 할 때는, [Clear]를 클릭하면 아이콘이 제거됩니다.

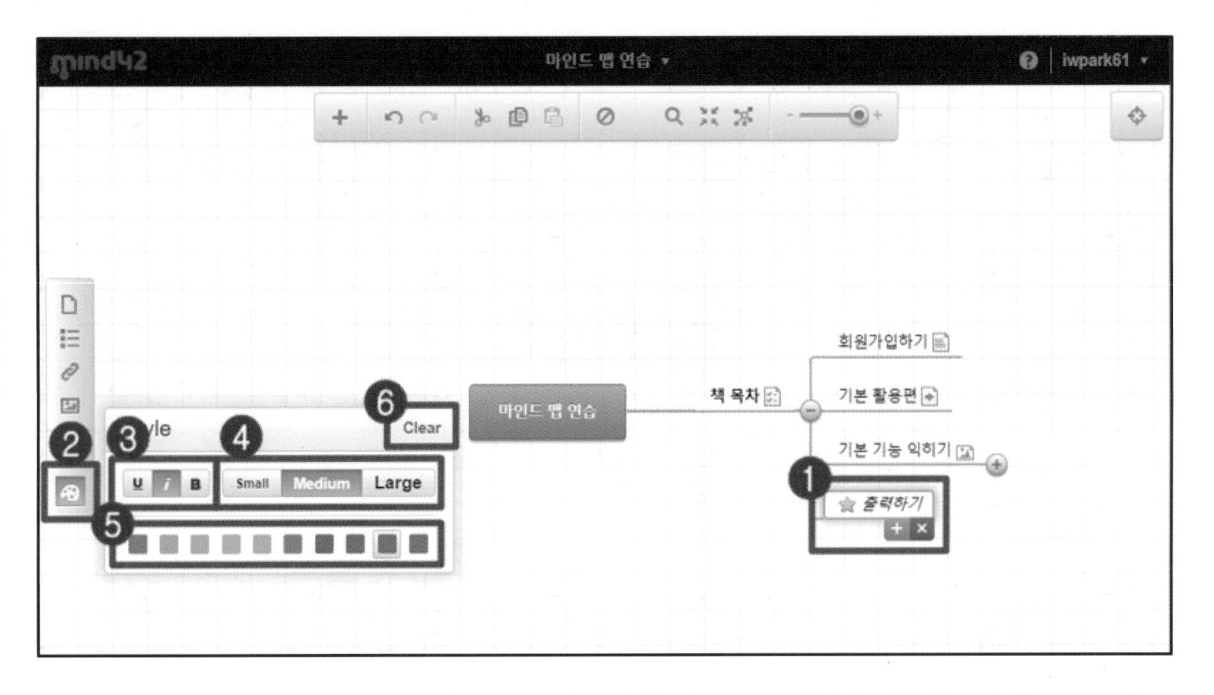

1 노드의 글씨크기나 색상, 스타일등을 변경하고자 할 때는, ①스타일을 적용하고자 하는 노드를 클릭한 후, ②[Styles]를 누릅니다. ③글씨에 [진하게, 기울임, 밑줄] 등을 적용 할 수 있고, ④글씨 크기를 [**작게, 보통, 크게**]를 적용할 수 있으며, ⑤[**색상 팔렛트**]에서 글씨 색상을 변경 하고, ⑥적용을 취소 할 때 는 [Clear]를 누릅니다.

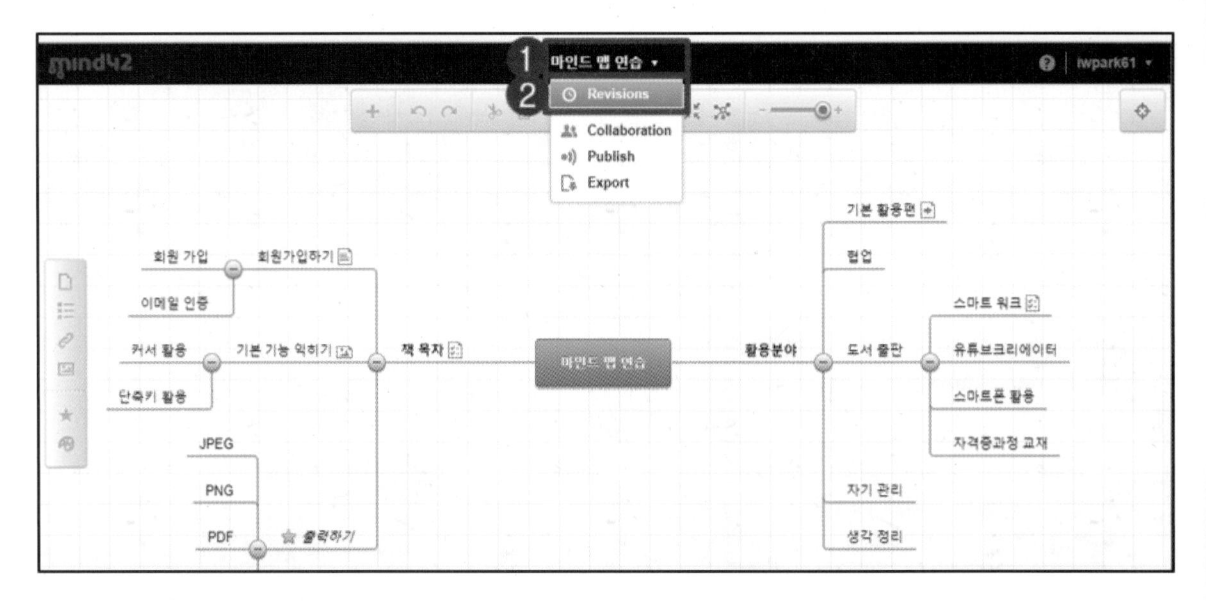

1 Mind42에서 개인 또는 협업을 하여 문서를 작성할 경우 기존에 작업했던 사항들을 확인할 수 있는 기능에 대해서 알아보겠습니다.

①[**문서 이름 또는 우측의 역삼각형**]을 클릭 하여, ②[Revision]을 클릭합니다.

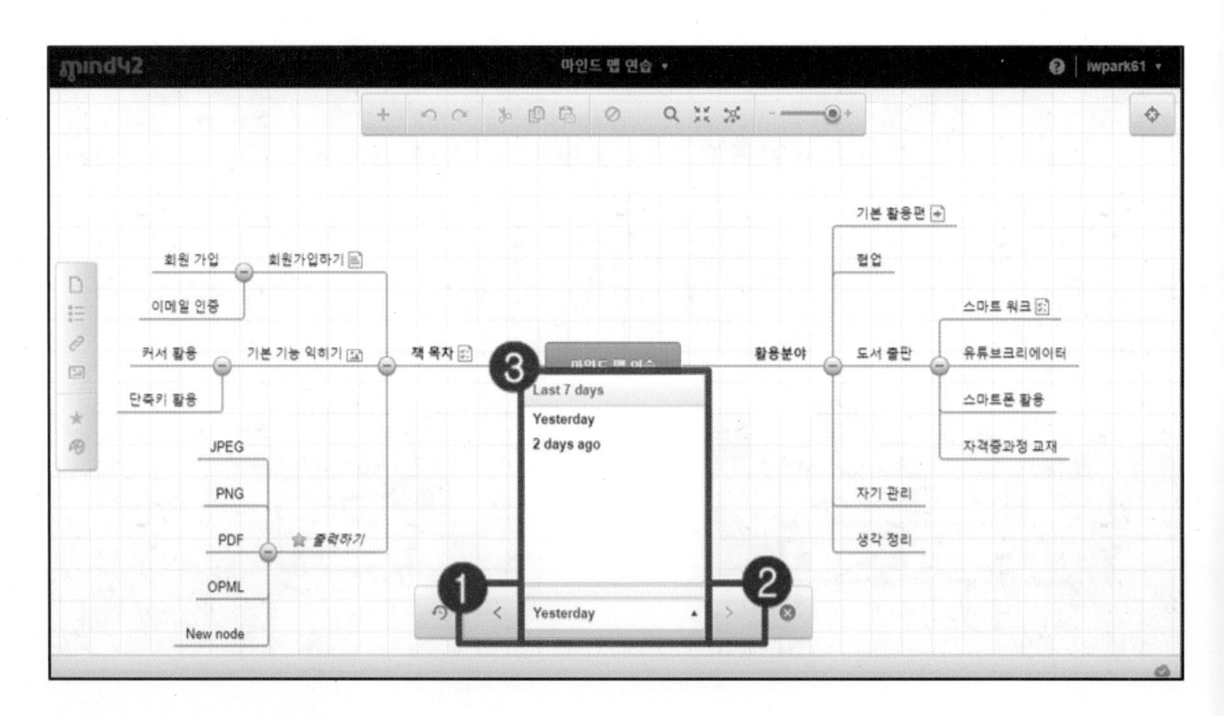

1 문서 Revision 창에서,

①[<]를 누를 때 마다 한 단계씩 이전 단계로 이동하고,

②[>]를 누를 때 마다, 한 단계씩 이후 단계로 이동합니다.

③Revision 창을 마우스로 클릭하여 해당 시점을 클릭하여 바로 이동 할 수 있습니다.

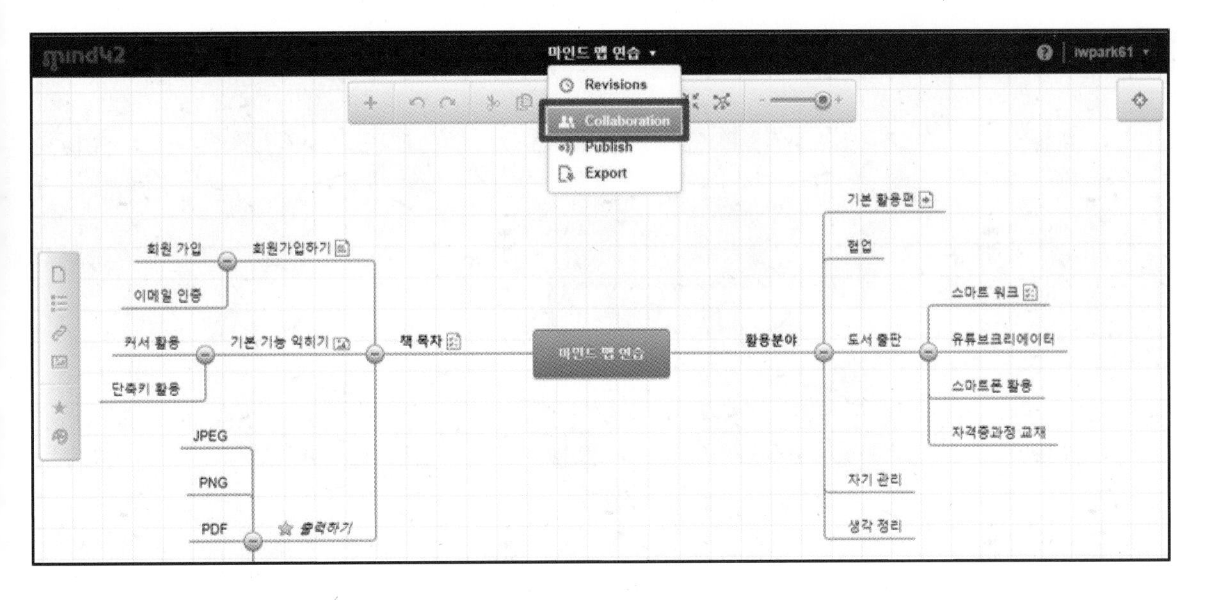

1 Mind 42의 큰 장점 중에 하나는 여러 사람과 협업을 할 수 있다는 점인데, 협업을 하기위해서는 문서를 공유하여야 하는데, 문서를 공유를 하기위해서 문서 이름을 클릭하여 [Collaboration]을 클릭합니다.

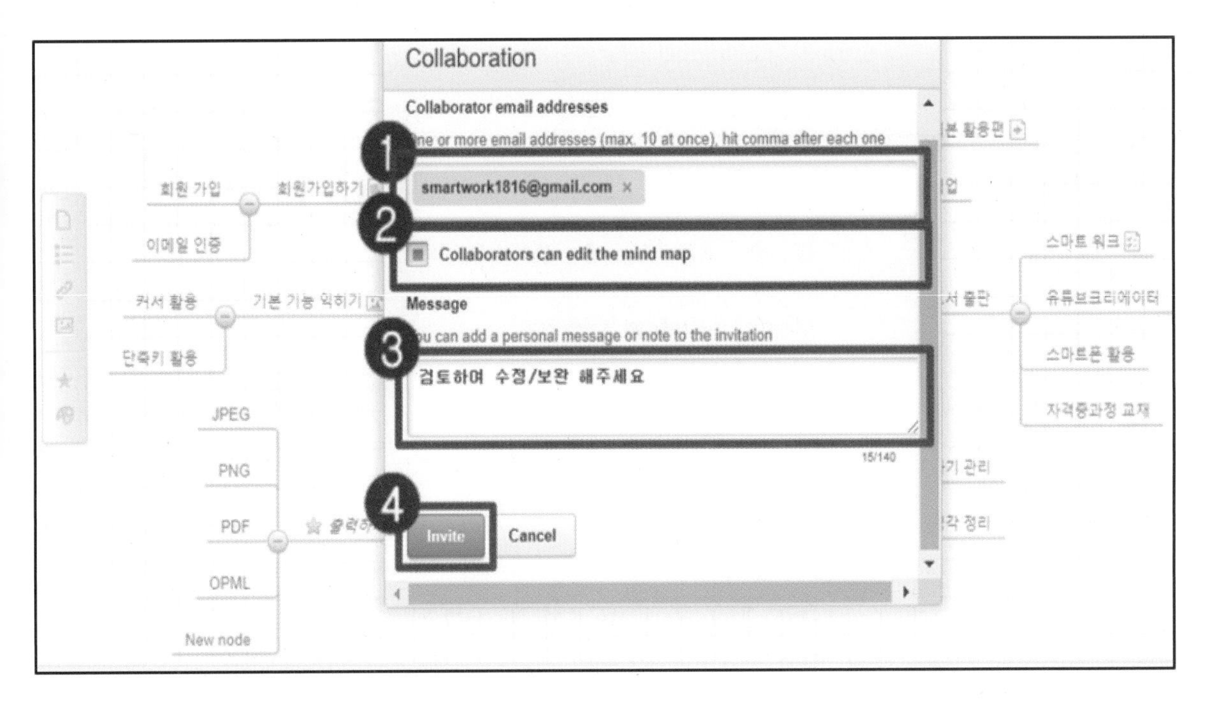

1 Collaboration 창이 열리면,

①초대할 사람의 [**이메일 주소**]를 입력하고, ②초대받은 사람이 문서를 편집할 수 있도록 권한을 부여하려면 체크하고, ※ **체크하지않으면 문서를 수정을 할 수 없고 보기만 가능합니다.**

③공유문서와 관련된 메시지가 있을 경우 입력한 후, ④[Invite]를 터치 합니다.

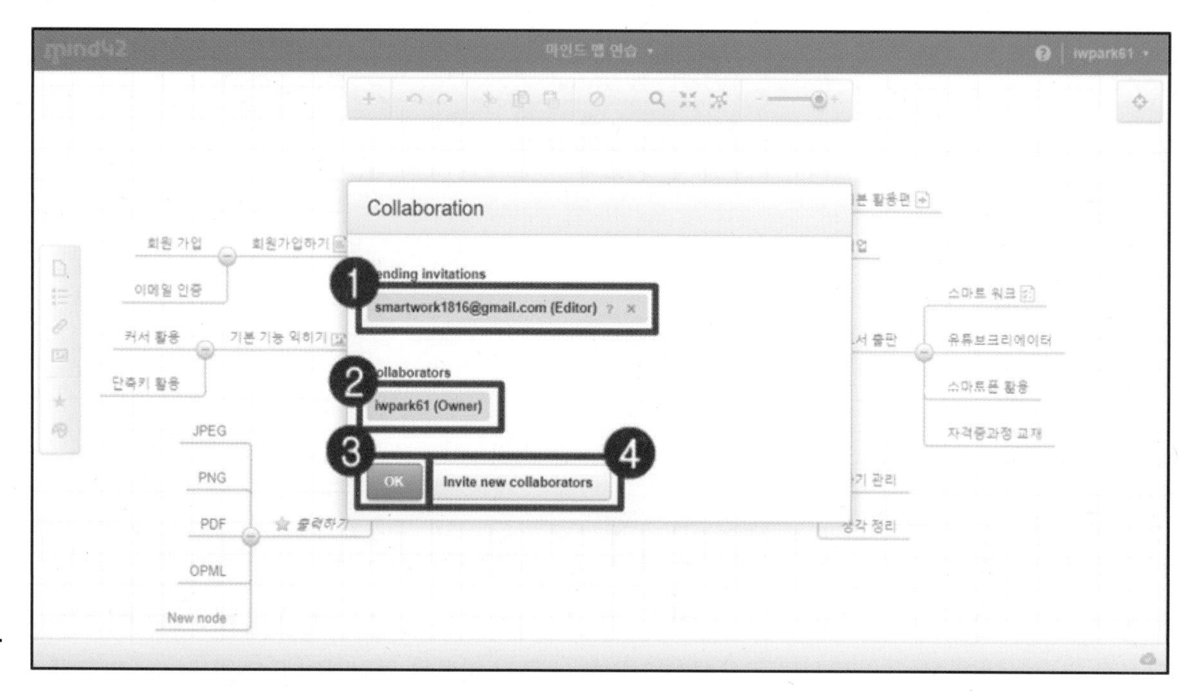

1 Collaboration 창에서 최종적으로 메일을 전송하기 전에,
①초대할 사람의 **[이메일 주소]**를 확인하고, ②초대한 사람의 **[사용자 이름]**을 확인한 후, ③발송 하고자 하면 [OK]를 클릭 합니다. ④새로운 사람을 초대하려면 여기를 눌러 초대를 계속 할 수 있습니다.

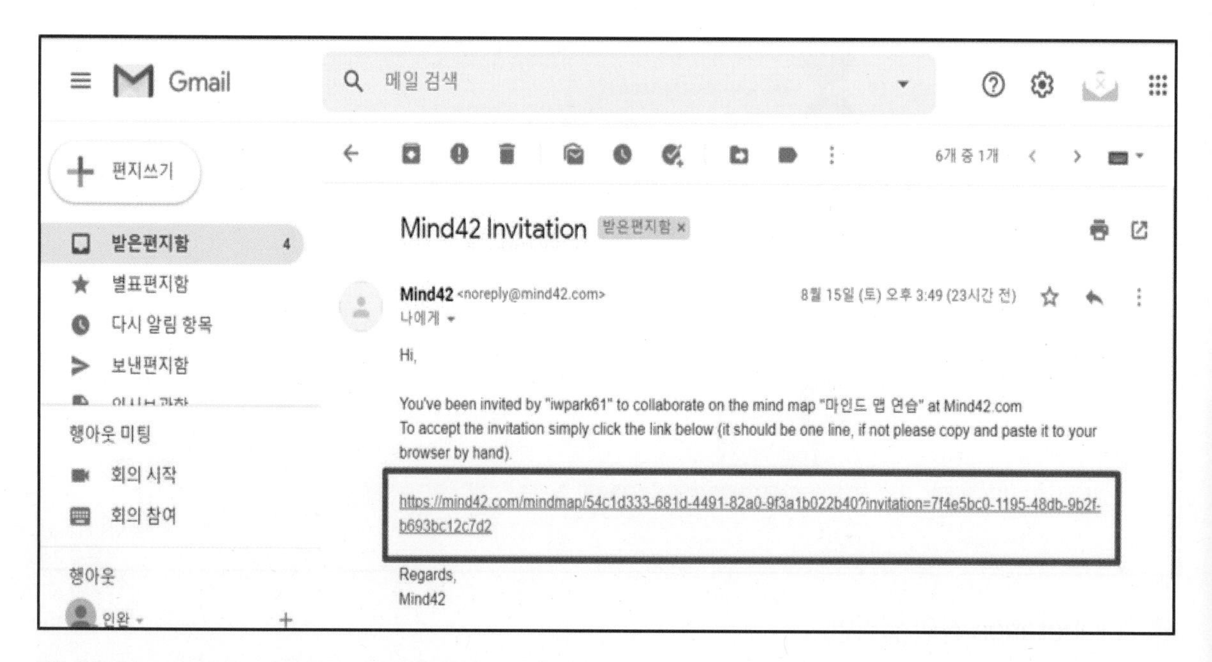

1 마인드 42에서 이메일로 초대를 받은 사람은 자신의 받은 편지함에서 초대 메일을 열어, **[링크 주소]**를 클릭하여 문서를 확인하고 편집합니다.

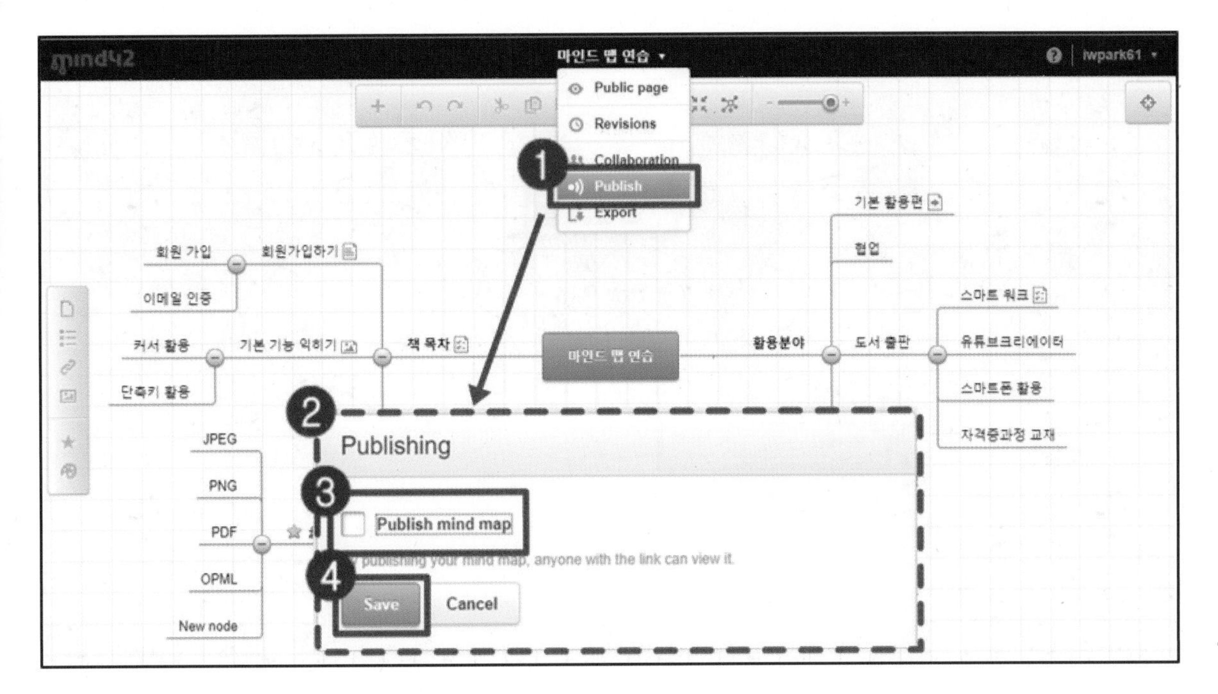

1 Mind 42에서 작성한 내용을 웹상에서 여러 사람과 공유 하고자 할 때 사용하는 Publish 기능에 대해서 알아보겠습니다.
①문서명을 클릭하여 [Publish]를 클릭하여, ②[Publish] 창이 열리면,
③[Publish mind map]을 클릭하고, ④[Save]를 터치합니다.

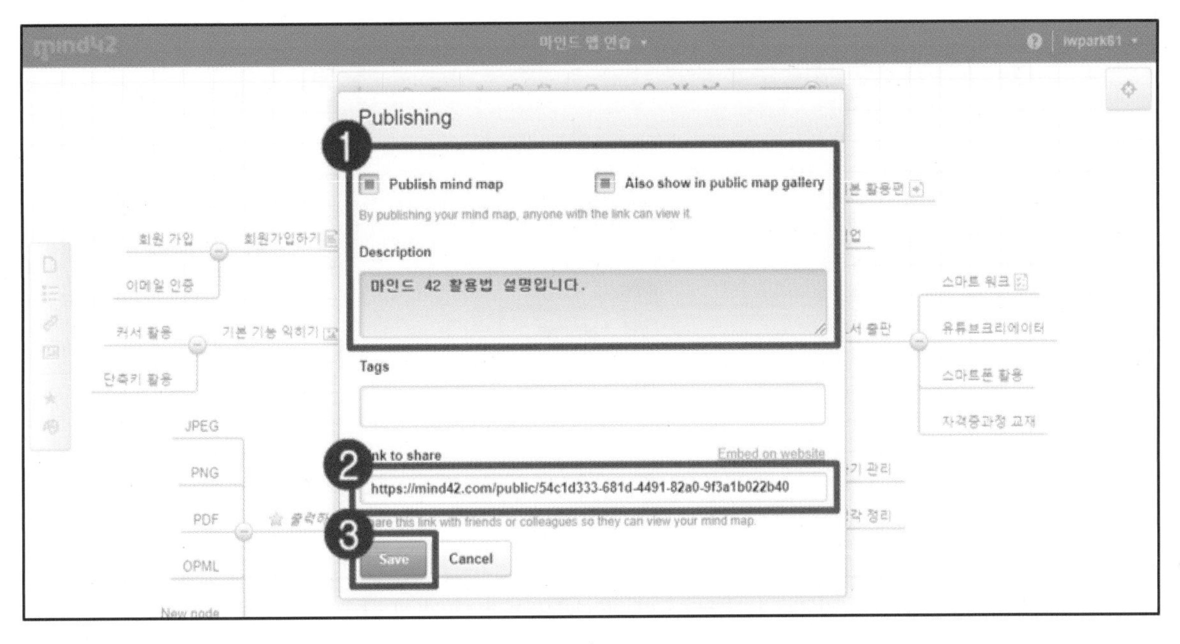

1 Publishing 창에서,
①해당 내용을 체크하고, 설명을 입력한 다음, ②회원에 가입이 되어있자 않는 사람에게 공유를 할 경우 링크주소를 복사하여 초대를 하고, ③[Save]를 터치합니다.

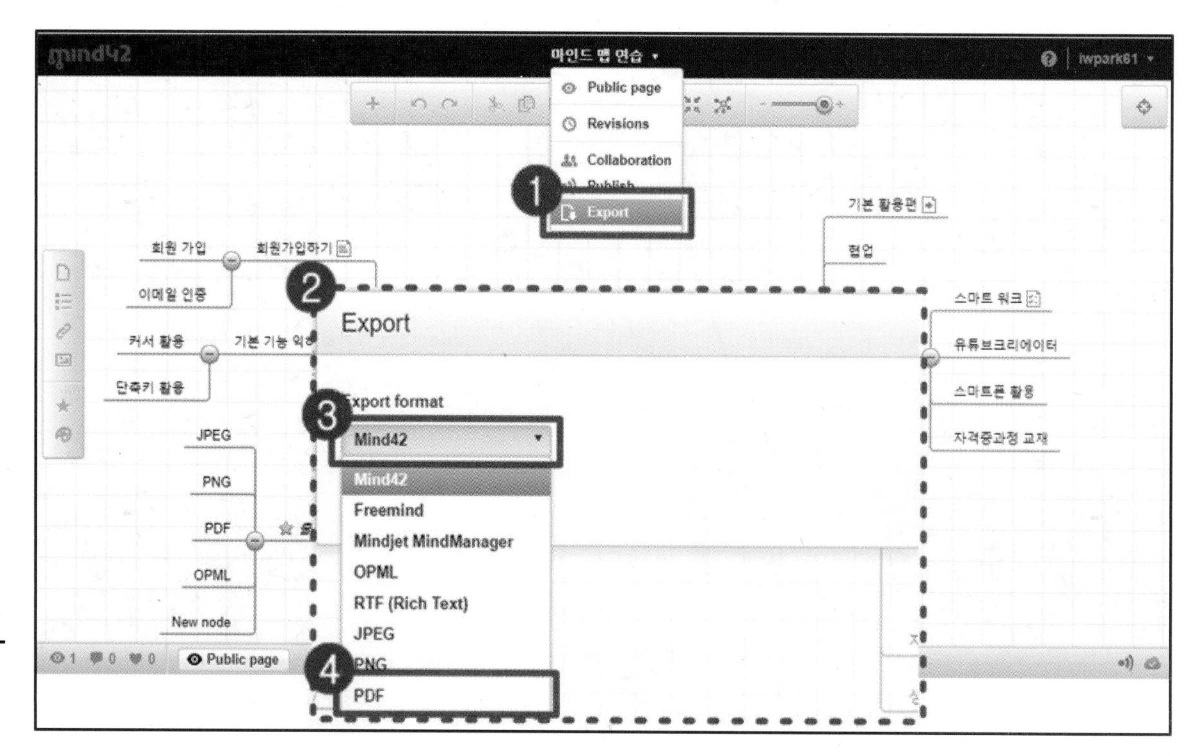

1 Mind 42에서 작성한 내용을 Word 파일이나 이미지 또는 PDF파일로 저장을 할 수 있는데 여기서는 PDF파일로 저장하는 방법을 설명합니다. ①문서명을 클릭하여 [Export]를 클릭하여, ②[Export] 창이 열리면, ③[Mind42] 창을 클릭하여, ④[PDF]를 선택합니다.

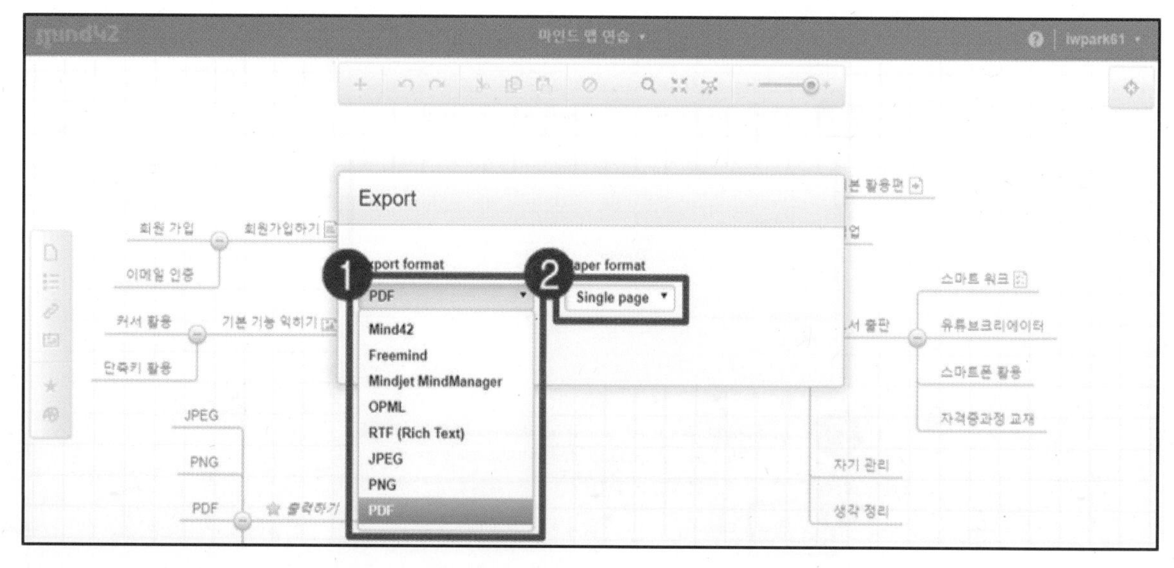

1 Export 창에서,

①Export format 창을 눌러서 [PDF]를 선택하고,

②Paper format 창을 눌러, [Single page] 창을 터치합니다.

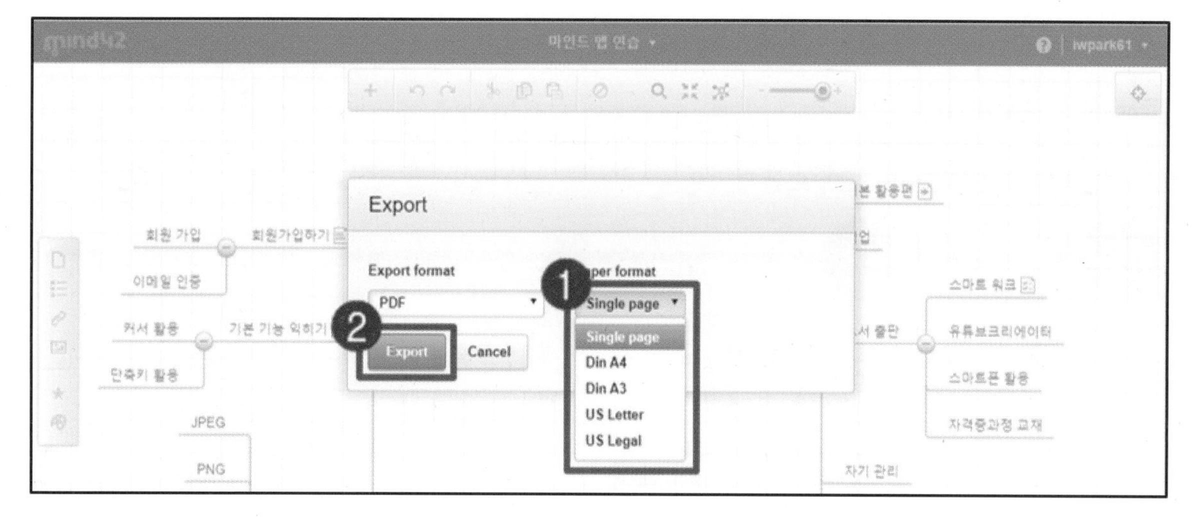

1 Export 창에서,

①저장할 [Paper format]을 선택 한 후, ②[Export]를 터치합니다.

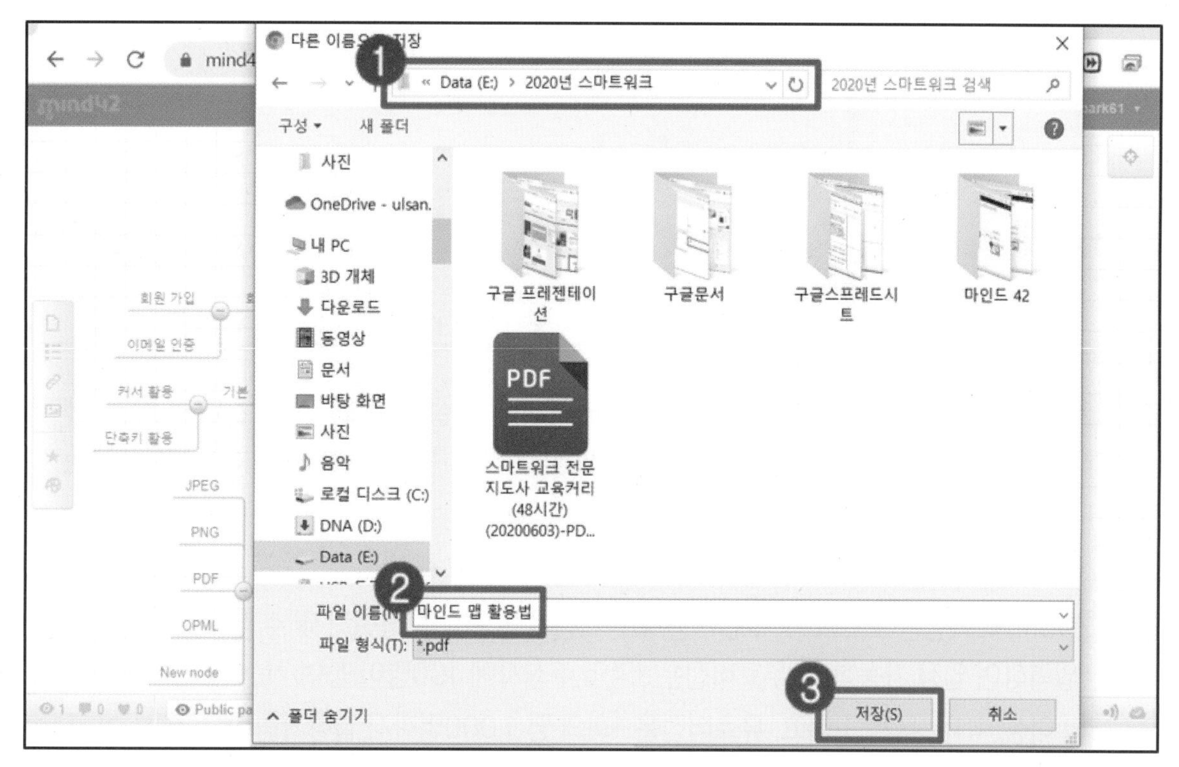

1 저장할 컴퓨터에서,

①파일의 저장 위치를 지정한 다음, ②[파일 이름]을 입력하고, ③[저장]를 터치합니다.

[줌 : 온라인화상 업무시스템]의 활용

컴퓨터로 줌 회의하기

줌(ZOOM)은 줌 비디오 커뮤니케이션사(미국)에서 개발한 실시간 화상회의, 온라인 강의, 재택근무자 및 온라인 마케터, 학교를 가지 못하는 학생 및 온라인 학원 수강생 등이 사용할 수 있는 온라인 업무 서비스 프로그램입니다.

줌(ZOOM)의 특징은 호스트 및 추진자는 회원가입이 필요하고, 참여자 및 수강생은 로그인 없이 이름만 입력하여 입장 가능하며, 무료버전은 1명의 주최자에 100명이 참여 가능하며, 40분까지 무료(3명 이상, 1:1은 무제한)이고, 유료버전은 1회의 당 1,000명까지 입장가능하고 24시간까지 회의를 할 수 있습니다.

PC, 노트북, 스마트폰, 패드 등 모든 장치에서 사용 가능하고, 쉬운 회의초대(연락처/이메일/카톡 등)와 참석자 관리기능(비디오/음성권한 제어) 및 화면공유기능, 화면 기록 기능 등이 있습니다.

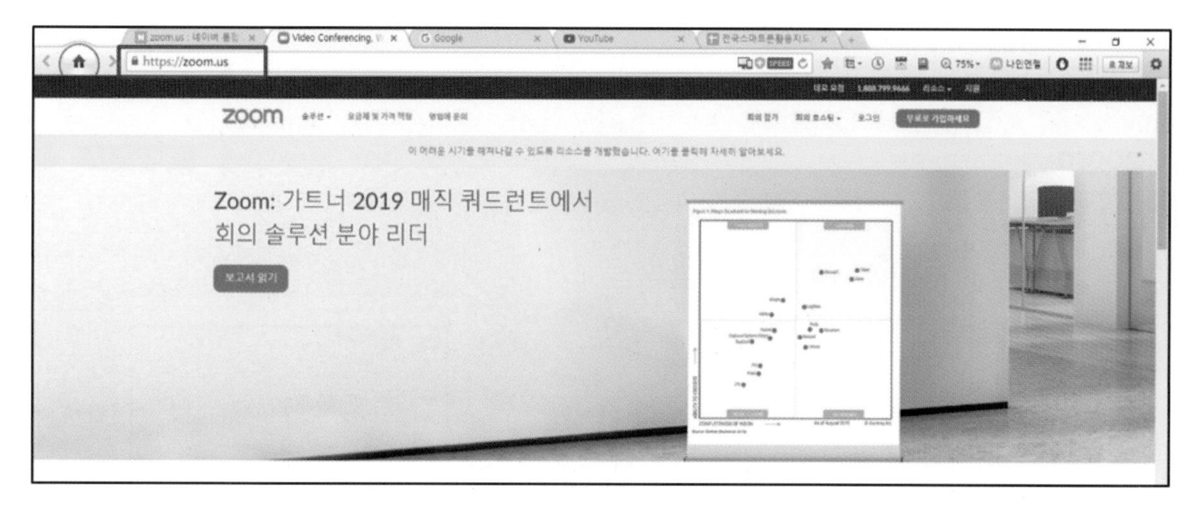

1 Zoom 사이트 접속하기 위해, 인터넷 주소창에 [https://www.zoom.us]를 입력한 후 엔터키를 누릅니다.

1 다른 방법으로 포털사이트에서 접속하기 위해,

①검색창에 [zoom.us] 입력한 후 엔터키를 누릅니다.

②[https://www.zoom.us] 웹사이트를 눌러 접속을 합니다.

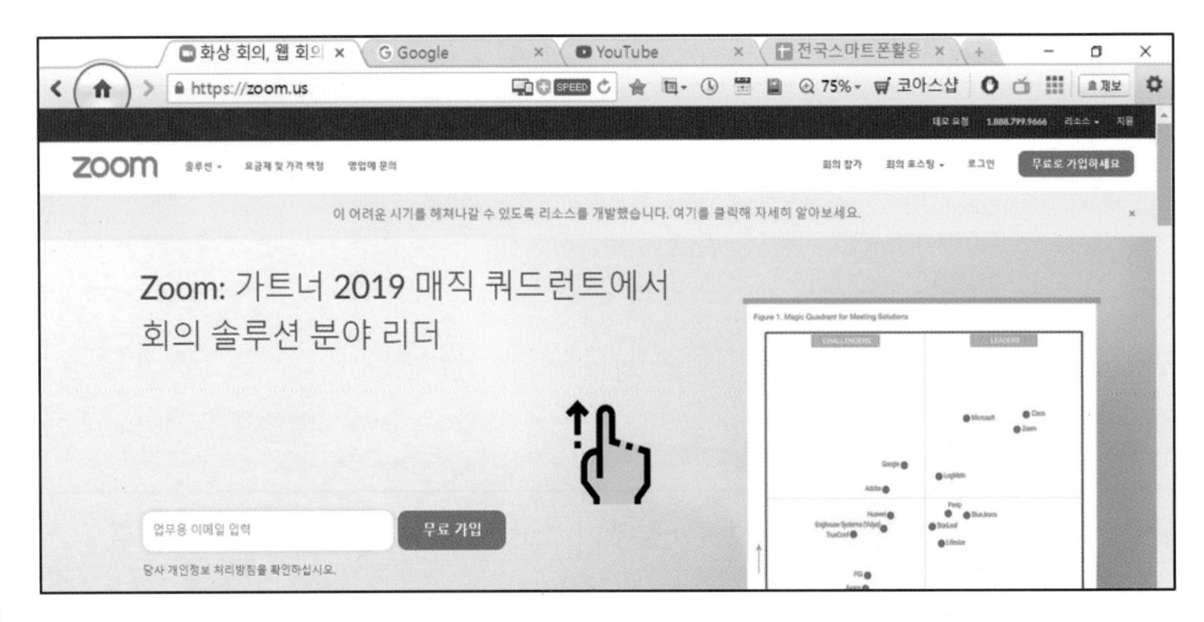

1 회의를 원활하게 하기위해서는 회의 클라이언트를 다운로드하여 설치 하여야 하는데, 줌 클라이언트를 다운로드 하기 위해 화면을 위로 밀어 올립니다.

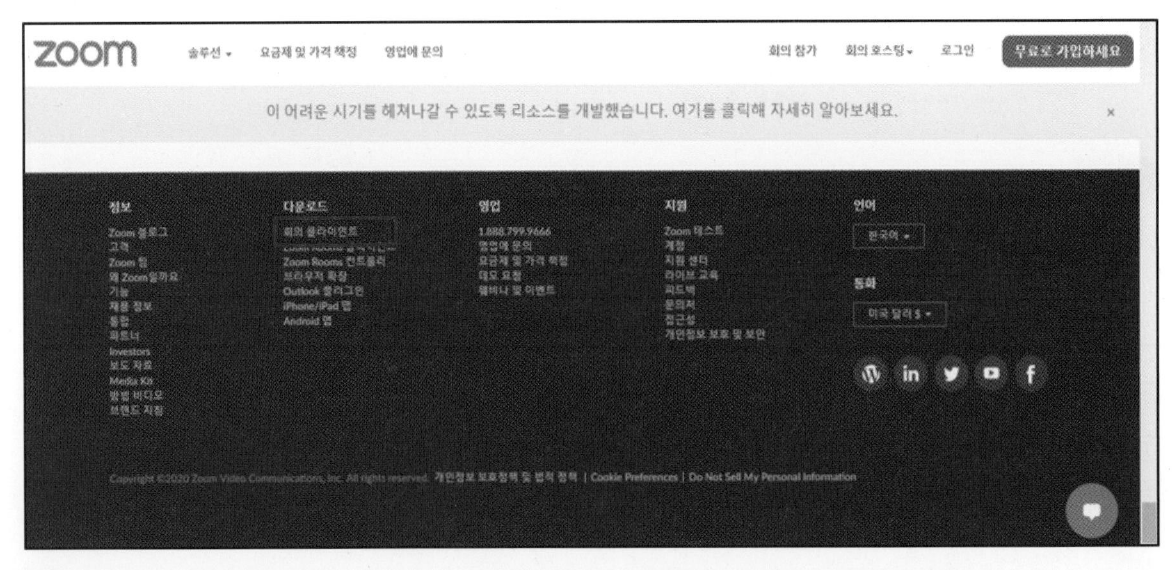

1 회의 클라이언트를 다운로드하여 설치하기 위해 [**회의 클라이언트**]를 터치합니다.

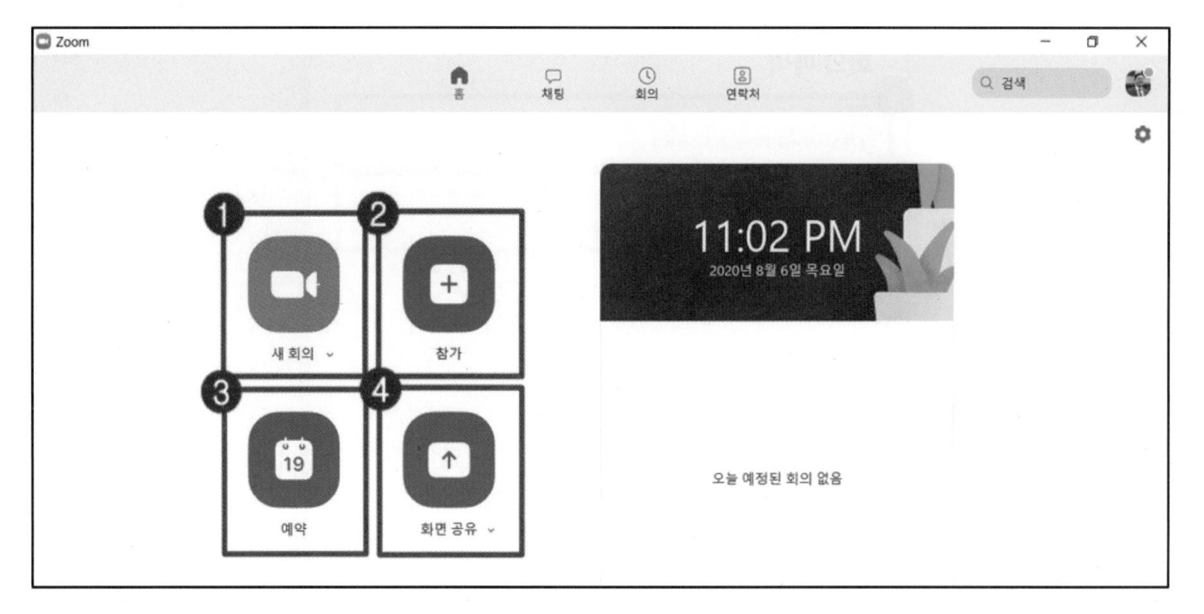

1 다운로드하여 설치한 줌 클라이언트를 실행하면 좌측과 같이 첫 화면에서,
①[**새 회의**] : 회의를 바로 시작 하고, ②[**참가**] : 다른 회의에 참가 할 수 있고,
③[**예약**] : 회의를 예약하고
④[**화면 공유**] : 화면공유 등을 할 수 있습니다.

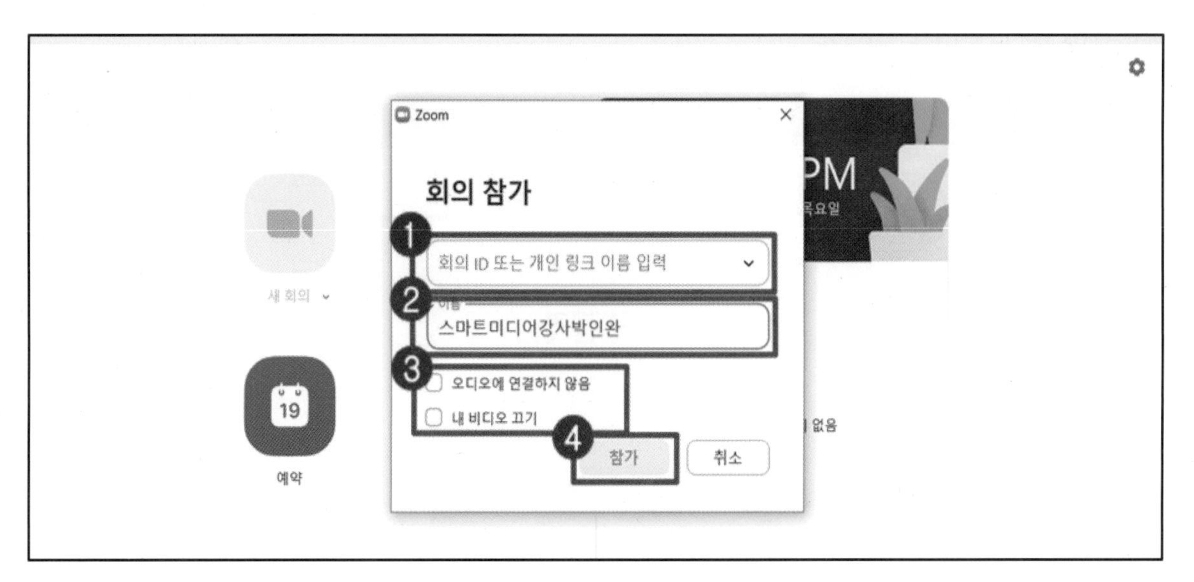

1 클라이언트를 실행해 회의에 참가하기 위하여 [참가] 를 터치하면,
①[**회의 ID 또는 개인 링크 입력**]
②[**참가자 이름**]
③[**오디오 연결, 내 비디오 끄기 설정**] 등을 한 다음,
④[**참가**]를 터치 합니다.

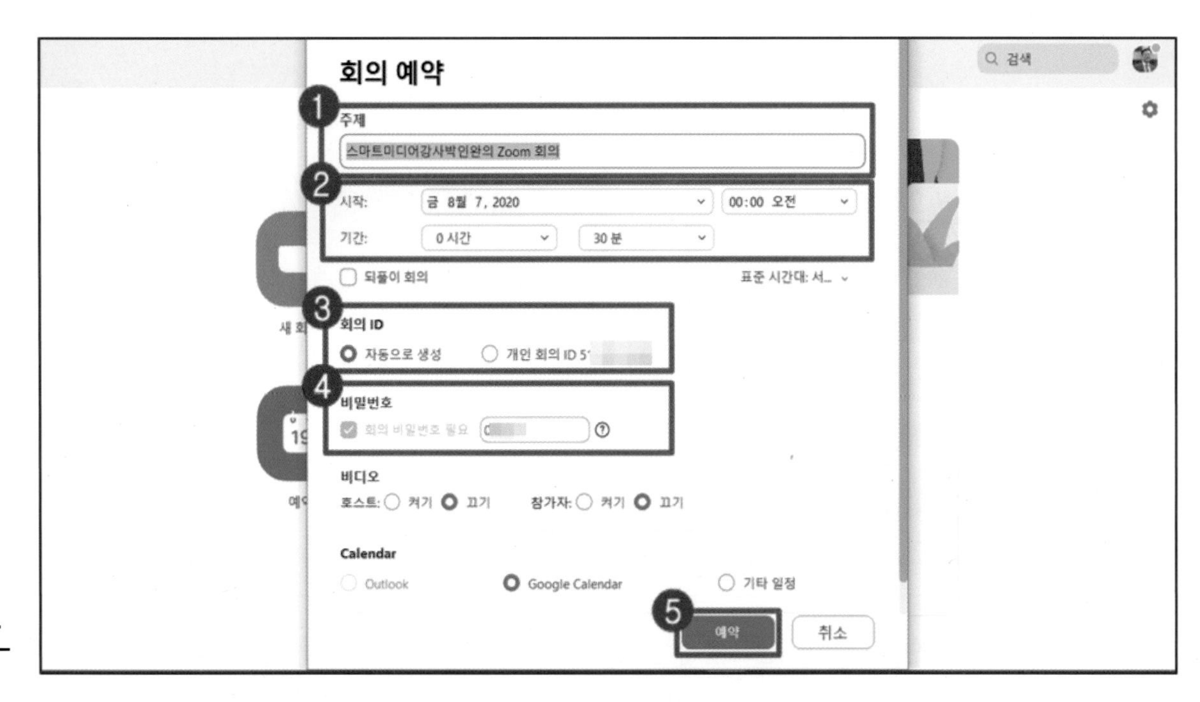

🅘 클라이언트에서 회의를 예약 하려면, [회의 예약]를 터치하여,

①[**주제**] : 회의 주제를 입력하고, ②[**시작, 기간**] : 시간과 기간을 설정하고,

③[**회의 ID**] : 회의 아이디를 설정하고,

④[**비밀번호**] : 비밀번호를 설정 할 경우에 비밀번호를 입력하고,

⑤[**예약**]을 누릅니다.

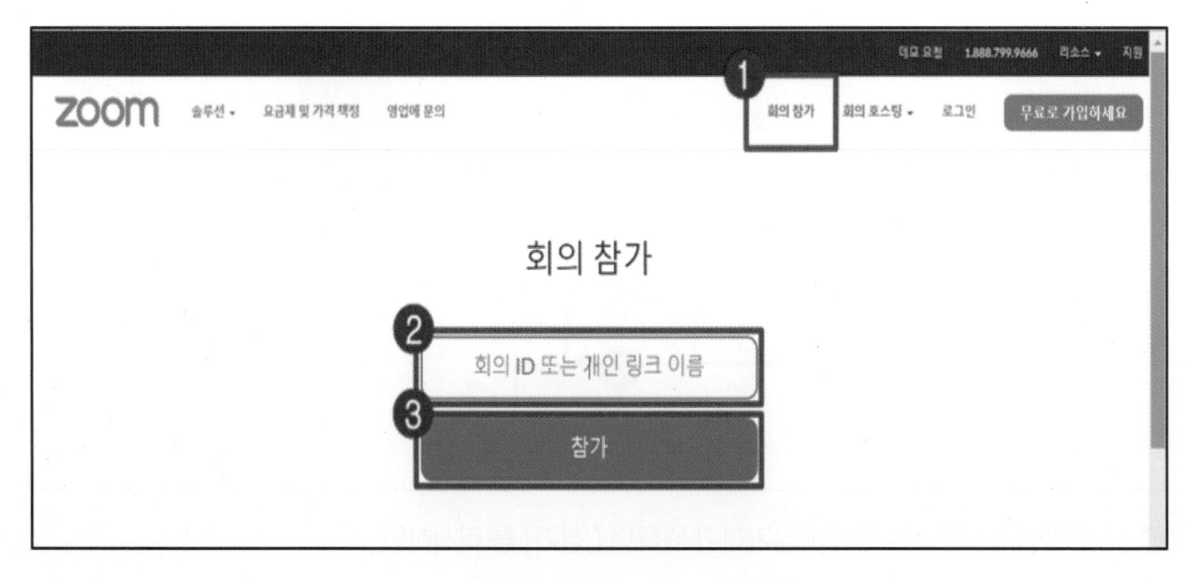

🅘 웹에서 온라인 회의에 참가하고자 할 때는 줌 사이트에 접속하여 ,

①[**회의 참가**]를 누르고, ②[**회의 ID 또는 개인 링크 이름**]을 입력 한 후,

③[**참가**]를 누릅니다.

1 줌에서 회의를 주관하고자 할 때는, 줌 사이트에 접속하여 로그인을 하여야 하는데,
①[로그인]을 눌러,
②[이메일 주소], [비밀번호]를 입력한 후,
③[로그인]을 누르거나, ④[Google로 로그인]을 합니다.

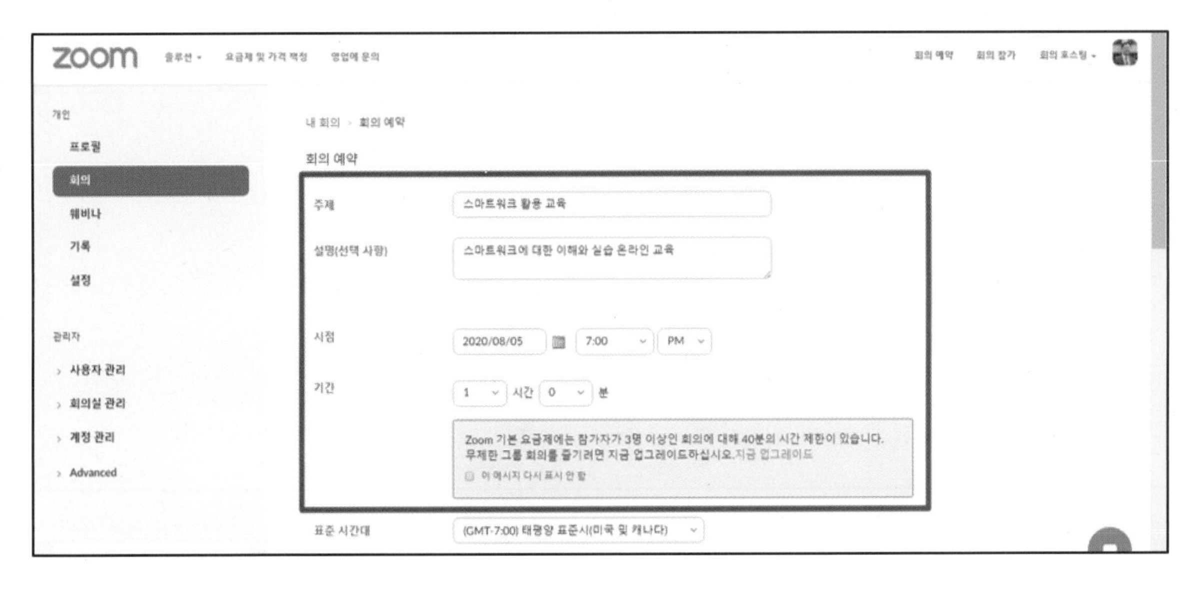

1 줌에서 회의를 예약하고자 할 때는, 줌 사이트에 접속하여,
[회의 주제], [회의 설명], [회의 시점], [기간] 등을 설정 하고,

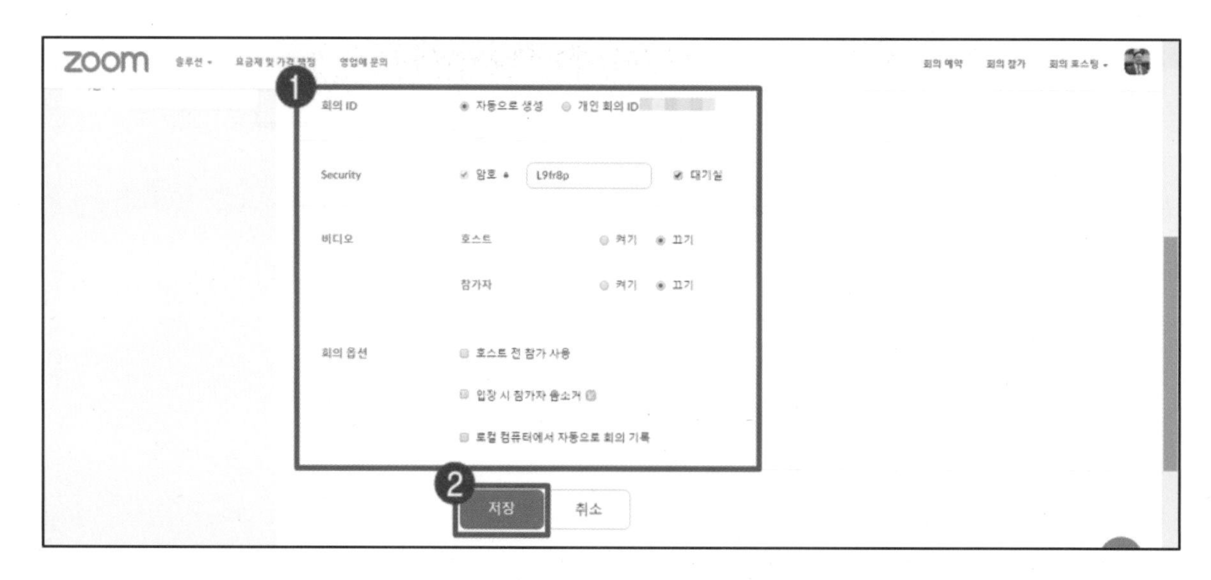

1 화면을 위로 스크롤하여

①[**회의 ID**], [**비밀번호**], [**비디오 설정**], [**회의 옵션**] 등을 설정 하고

②[**저장**]을 터치 합니다.

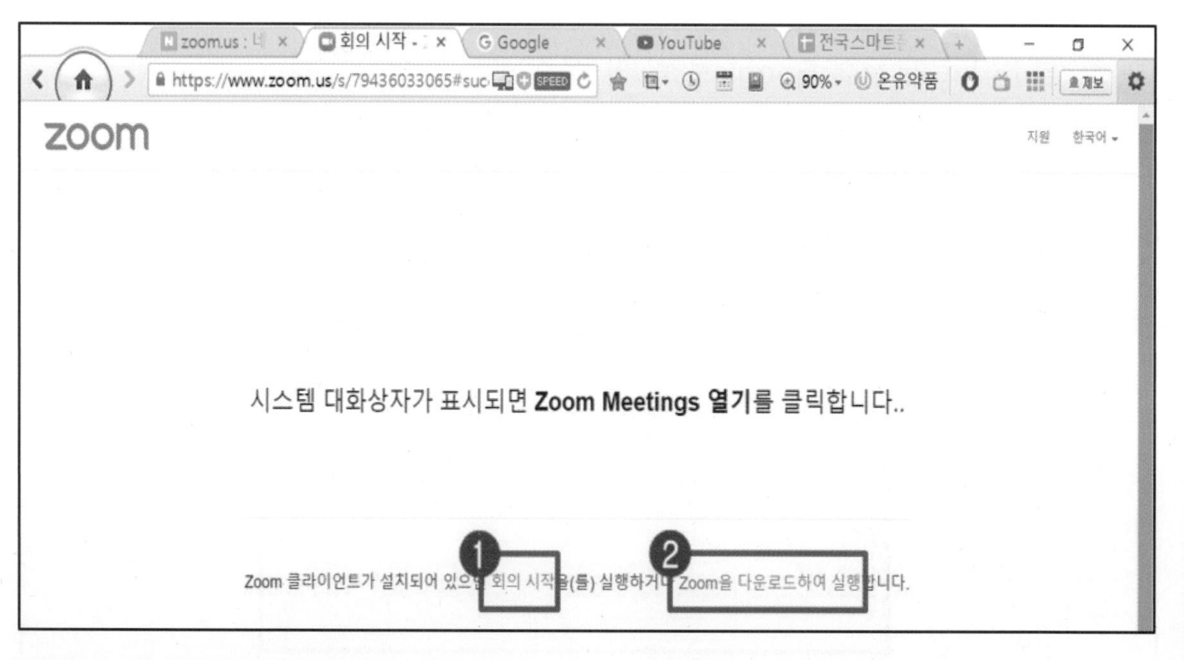

1 줌에서 회의를 하고자 할 때는,

①[**회의 시작**]을 터치하고,

②줌 클라이언트를 설치하여 회의를 하고자 할 때는 [ZOOM을 **다운로드하여 실행**]을 터치합니다.

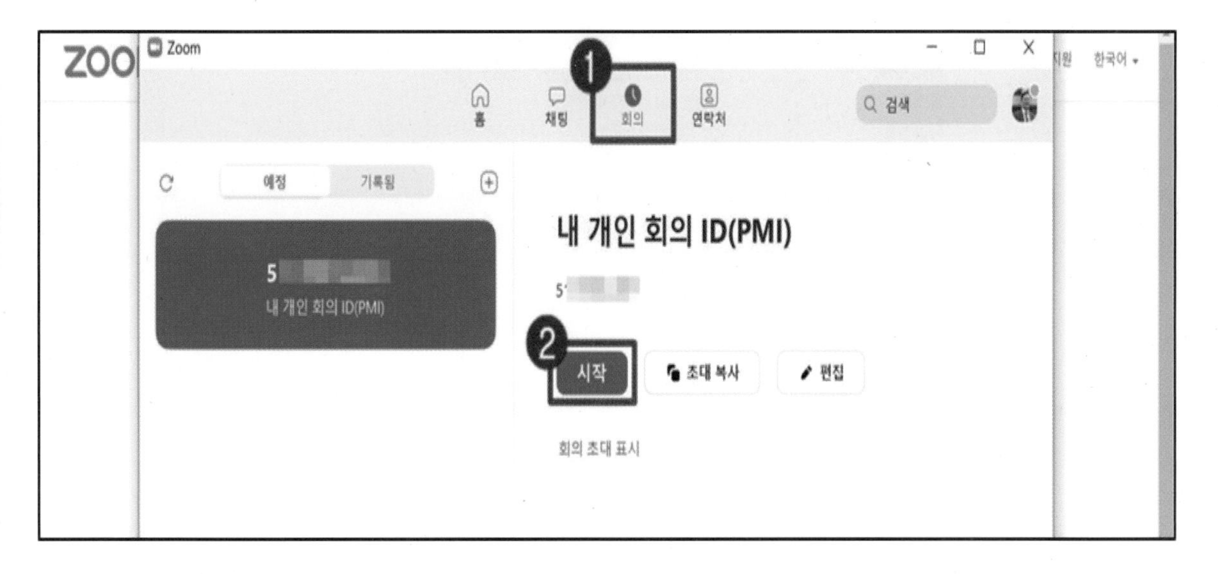

■ 회의를 하고자 할 때는 줌 클라이언트를 실행하여 홈화면에서,
①[**회의**]를 터치 한 후, ②[**저장**]을 터치 합니다.

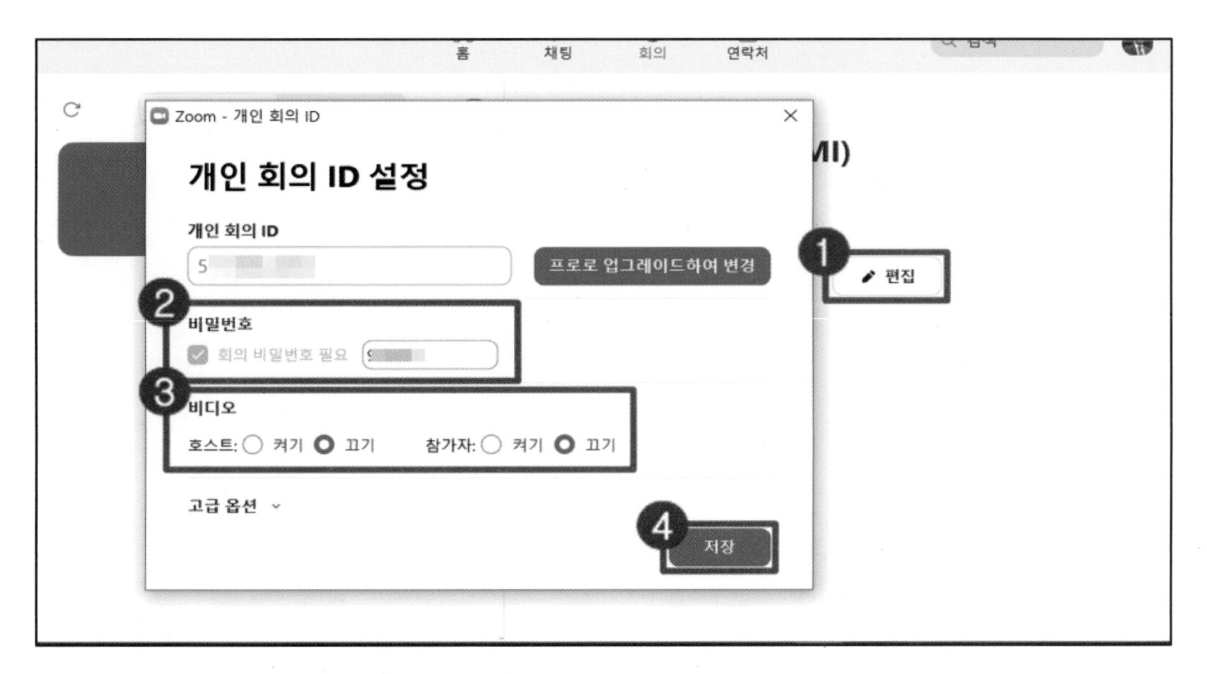

■ 개인 회의 ID를 편집하고자 할 때는 개인 회의 ID 설정 화면에서,
①[**편집**]을 터치하여, ②[**비밀번호**]를 설정하고, ③[**비디오**]를 설정한 다음, ④[**저장**]을 터치 합니다.

1 줌에서 회의를 시작하였을 때, 음소거가 되어있거나 비디오가 Off 되어 있으면 좌측과 같은 화면이 나타나는데,
①[**음소거 해제**]를 터치하고, ②[**비디오 시작**]을 터치 합니다.

1 회의 시작시 음소거 해제와 비디오 시작을 터치하면 본인의 화면이 나타납니다.

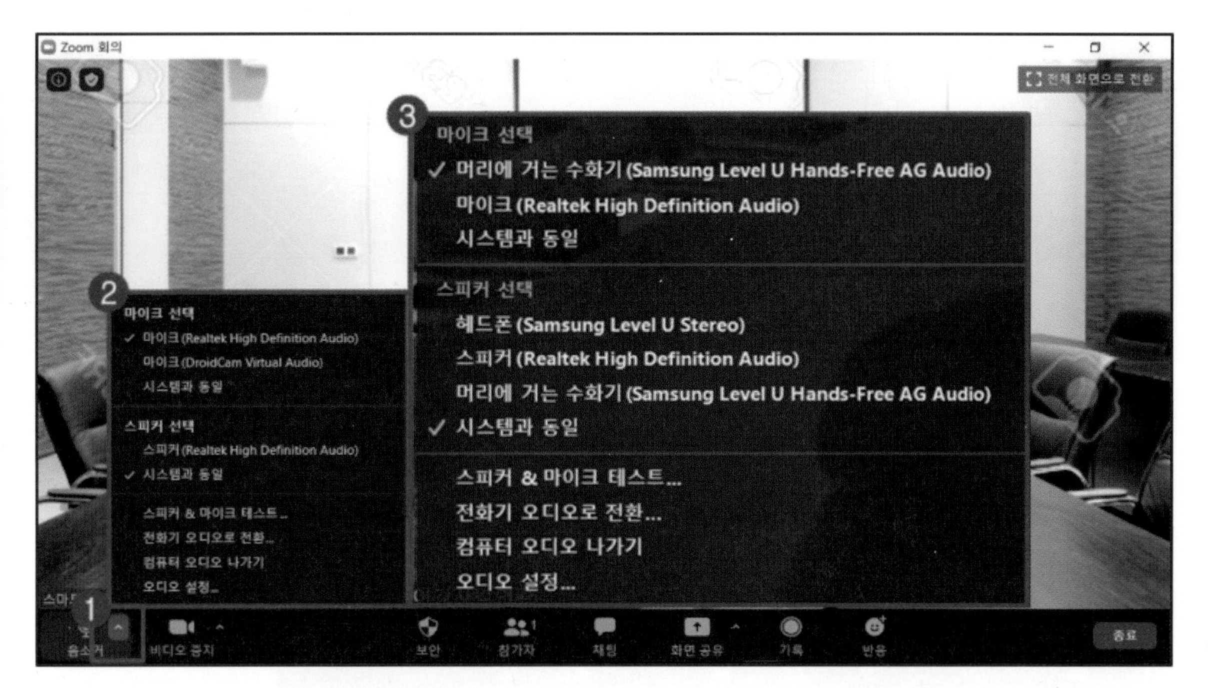

1 줌에서 회의를 시작한 후, 마이크선택이나, 스피커 선택 및 오디오 설정을 변경하고자 할 때는, ①[∧]를 터치하여, ②[**마이크 선택**], [**스피커 선택**], [**오디오 설정**]을 변경 할 수 있습니다. ③은 화면 ②의 확대 화면입니다.

1 줌에서 회의를 시작한 후, 카메라, 가상 배경화면 및 비디오 설정을 변경하고자 할 때는, ①[∧]를 터치하여, ②[**카메라 선택**], [**가상 배경 선택**], [**비디오 설정**]을 변경 할 수 있습니다. ③은 ②의 확대 화면입니다.

1 줌에서 회의를 진행하면서 참가자에게 화면을 공유하고자 할 때 공유 권한이나 공유 옵션을 변경하고자 할 때는,
[화면 공유]를 터치하여 변경 할 수 있습니다.

1 줌에서 회의를 하는 도중 참여자에게 칭찬이나 최고라는 표시를 나타내고자 할 때는,
[반응]을 터치하여 박수 이모티콘이나, 엄지척 이모티콘을 표현 할 수 있습니다.

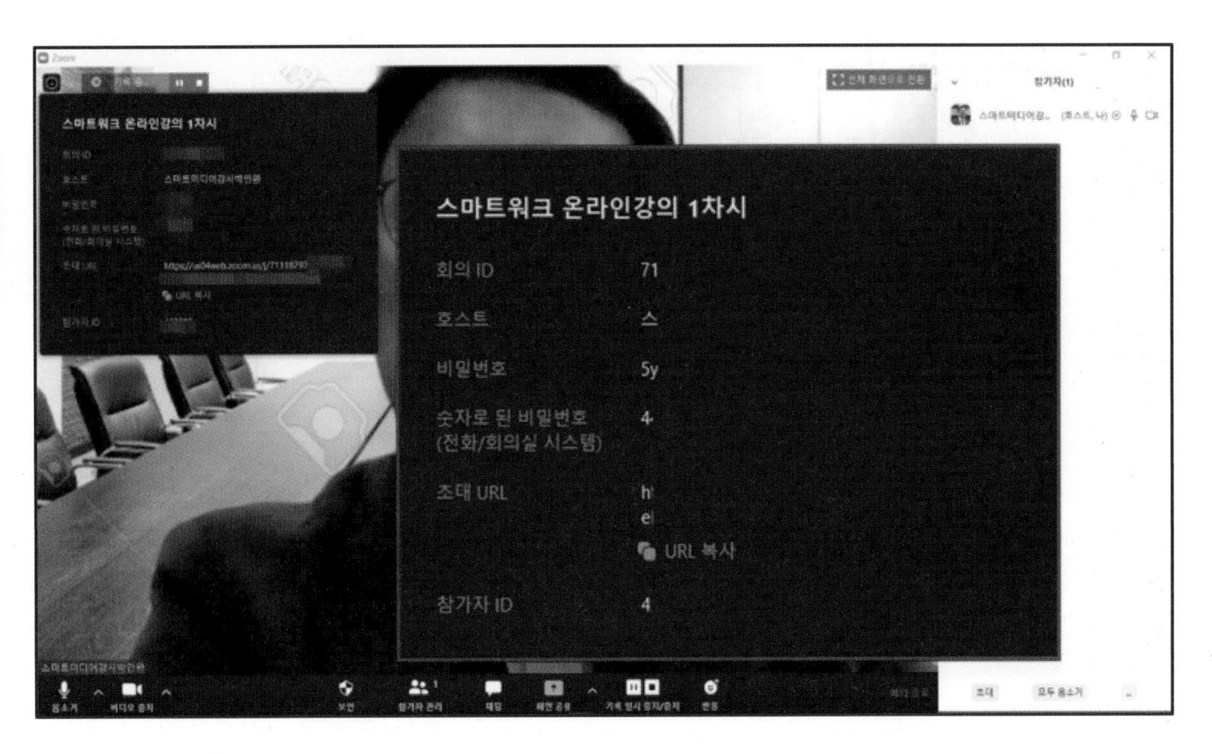

1 줌에서 회의를 하면서 현재 진행중인 회의에 대한 정보를 알고자 하는 경우에는, [ⓘ]를 터치하여 회의 ID, 비밀번호, 초대 URL, 참가자 ID 등을 확인 할 수 있습니다.

1 줌에서 회의를 하는 도중 화면과 같이 발표자 보기 화면에서는 화면 우측에 참가자의 비디오 화면이 보이는데 갤러리 보기를 하고자 할 때는, **[갤러리 보기]**를 터치합니다.

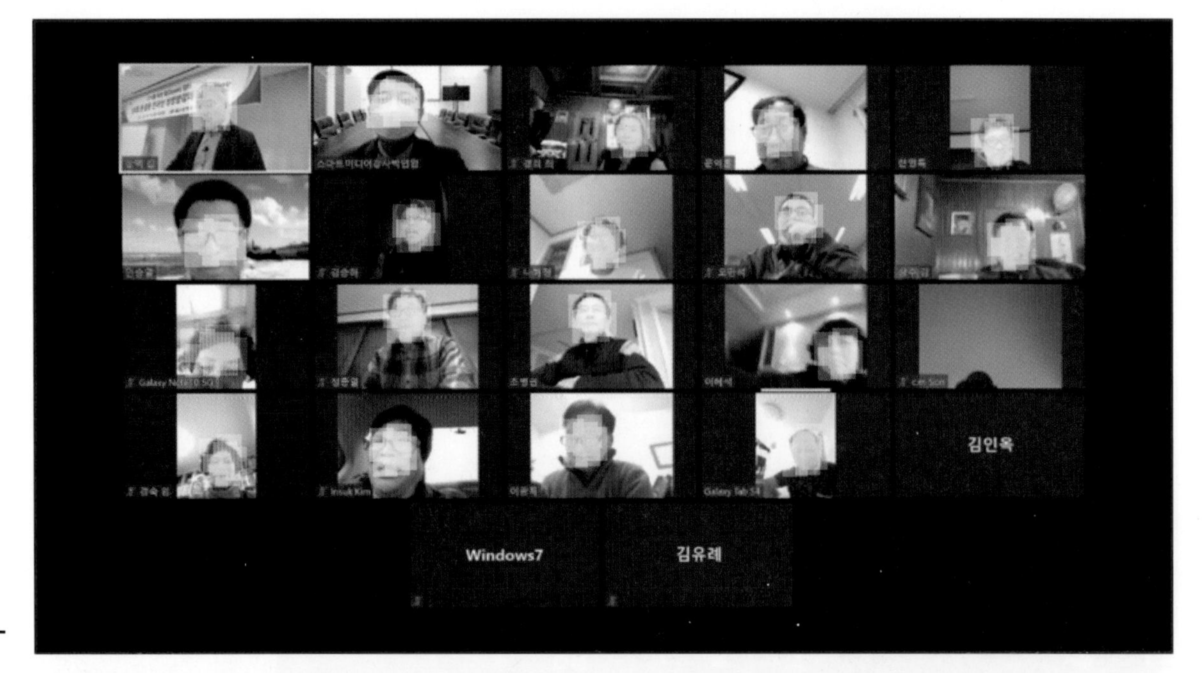

1 줌에서 회의를 하는 도중 발표자 보기 화면에서 우측 상단의 갤러리 보기를 터치하면 화면과 같이 참여자의 비디오 화면이 갤러리처럼 표시 됩니다. 또한, 갤러리 보기 화면에서 발표자 보기로 화면을 전화하고자 할 때는 화면 우측 상단의 [**발표자 보기**]를 터치 합니다.

1 줌에서 회의를 하는 도중 화면을 더블 클릭하면 우측 화면과 같이 화면 우측에 참가자 보기 화면이 나타나는데, ①[**초대**]를 터치하여 이메일로 참여자를 초대 할 수 있고,

②[**모두 음소거**]를 터치하여 참여자들의 음소거를 할 수 있으며,

③[**더보기**]를 터치하여 회의 참여자들에 대한 권한을 설정 할 수 있습니다.

스마트폰으로 줌 회의 주관하는 방법

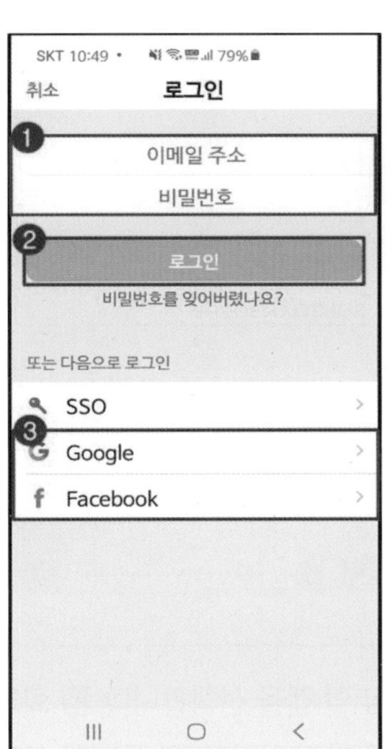

1 [Play스토어]에서 [Zoom]을 검색하여 설치합니다. 2 ①[**이메일 주소**], [**비밀번호**]를 입력한 후, ②[**로그인**]을 터치하거나, ③[**google**] 또는 [**Facebook**] 으로 로그인합니다.

3 회의를 주관하기 위하여 [**새 회의**]를 터치 합니다.

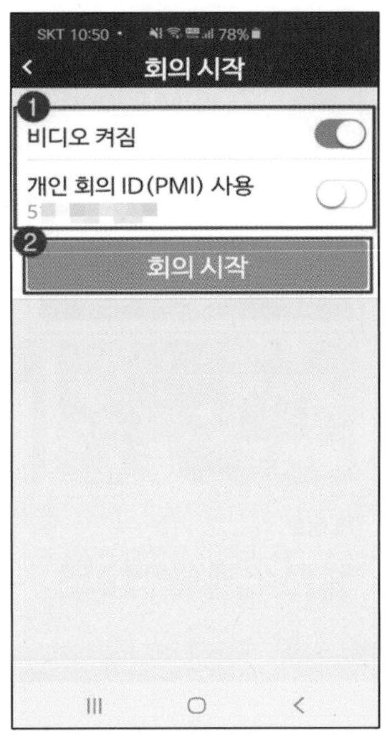

1 ①비디오 켜짐, 개인 회의 ID 사용 유/무를 설정하고, ② [**회의 시작**]을 터치합니다.

2 참가자를 확인하고 초대하기 위해 하단의 [**참가자**]를 터치합니다.

3 참가자를 확인하고 다른 사람을 초대하려면 [**초대**]를 터치합니다.

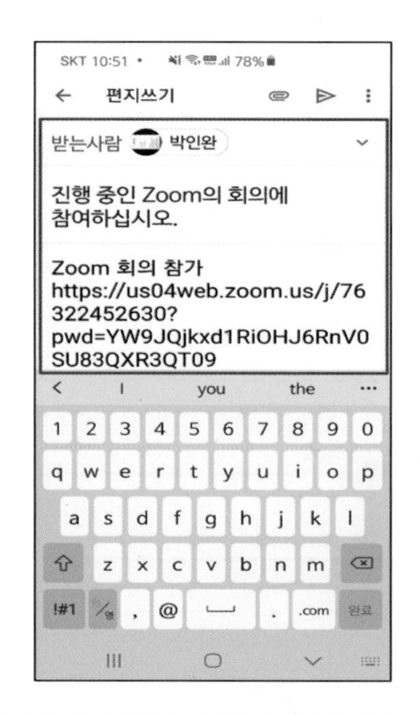

1 초대할 사람에게 회의주소를 공유 할 앱을 선택합니다. 2 회의 주소를 공유 앱을 통하여 전송합니다. 여기서는 이메일로 회의 초대를 한 예입니다. 3 초대한 사람이 대기실에 입장하면 알림이 나타나는데, 회의에 참가를 수락하기위해 [**수락**]을 터치합니다.

스마트폰으로 줌 회의 참가하는 방법

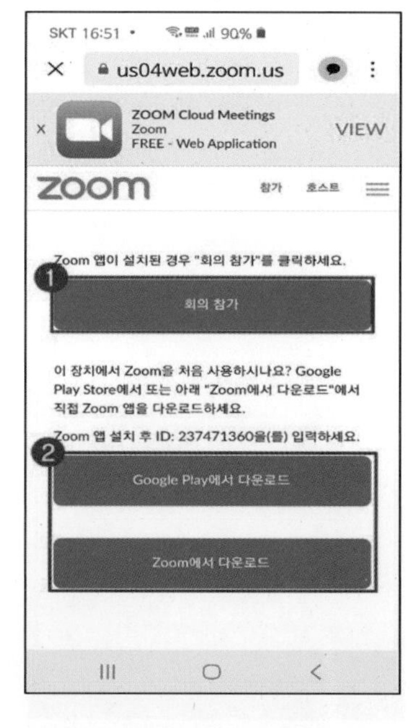

1 회의에 참가하기 위해 초대받은 [**회의 주소**]를 터치합니다.

2 ①Zoom 앱이 설치된 경우는 [**회의 참가**]를 터치하고, ②Zoom 앱 설치가 안된 경우는 [**Google Play에서 다운로드**] 또는, [**Zoom에서 다운로드**]를 터치합니다.

3 Google Play에서 Zoom Cloud Meetings 의 [**설치**]를 터치 합니다.

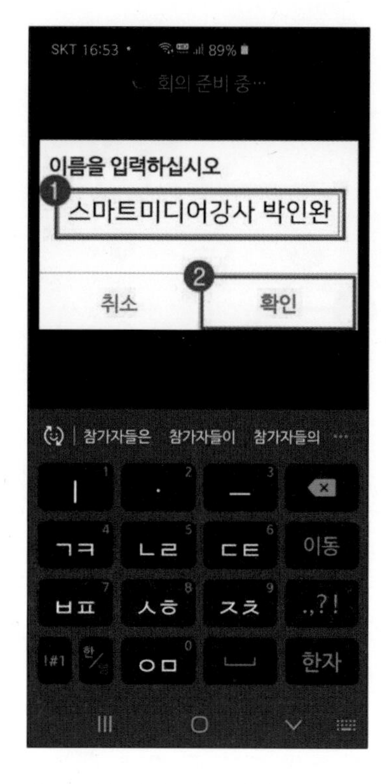

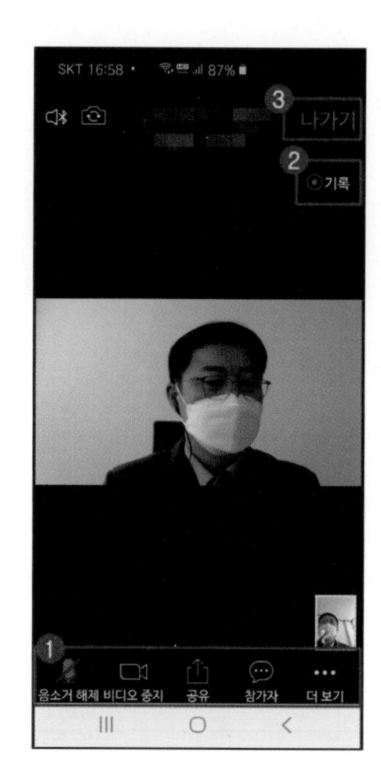

❶ ①참가자 이름을 본인의 실명으로 입력하고, ②[**확인**]을 터치합니다. ❷ 원활한 회의 참가를 위하여 Zoom에서 사진을 촬영하고 동영상을 녹화 할 수 있도록 [**허용**]을 터치합니다. ❸ ①회의에 필요한 메뉴를 활용하여 회의 에 참가하고, ②회의를 녹화할 때는 [**기록**](주관자가 허용 해야 함)을 터치하고, ③회의에서 나가고자 할 때는 [**나가기**]를 터치합니다.

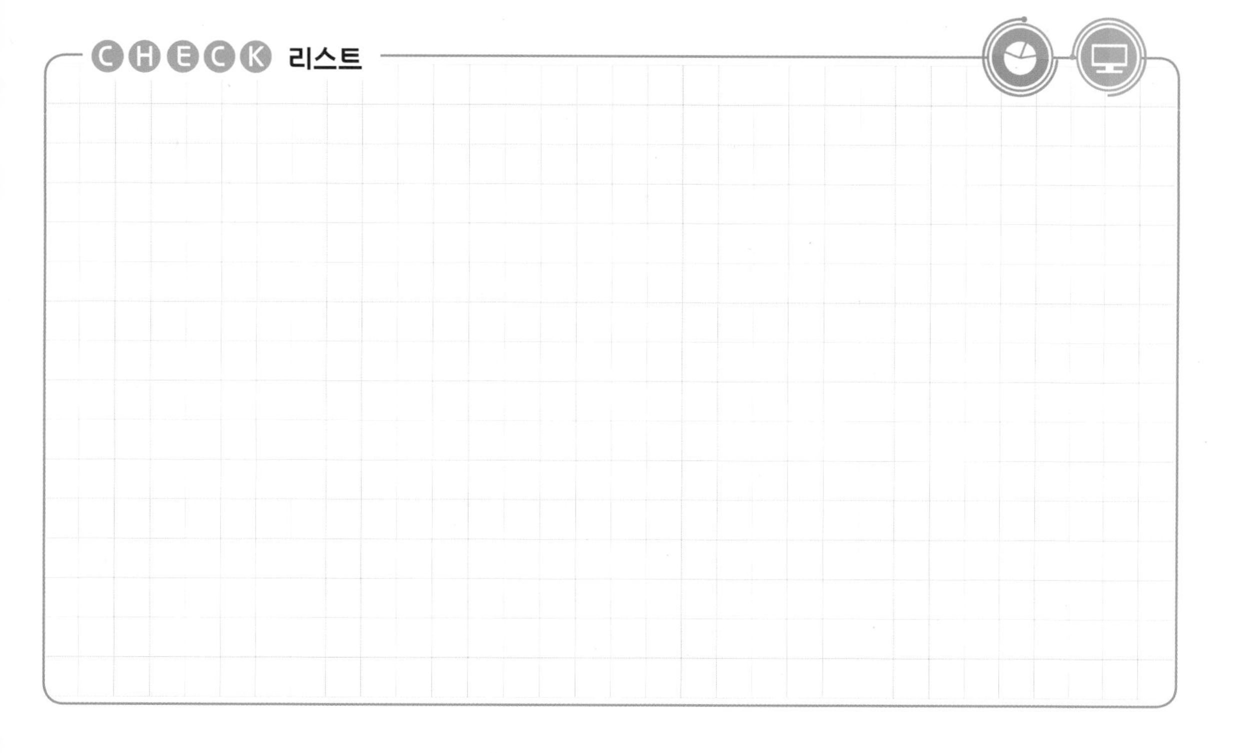

[구글문서도구: Google Docs]의 활용

1 구글 문서 도구를 사용하기 위해서, ①구글 계정에 [로그인]을 한 후, ②[구글 앱]을 눌러, ③[드라이브]를 터치합니다.

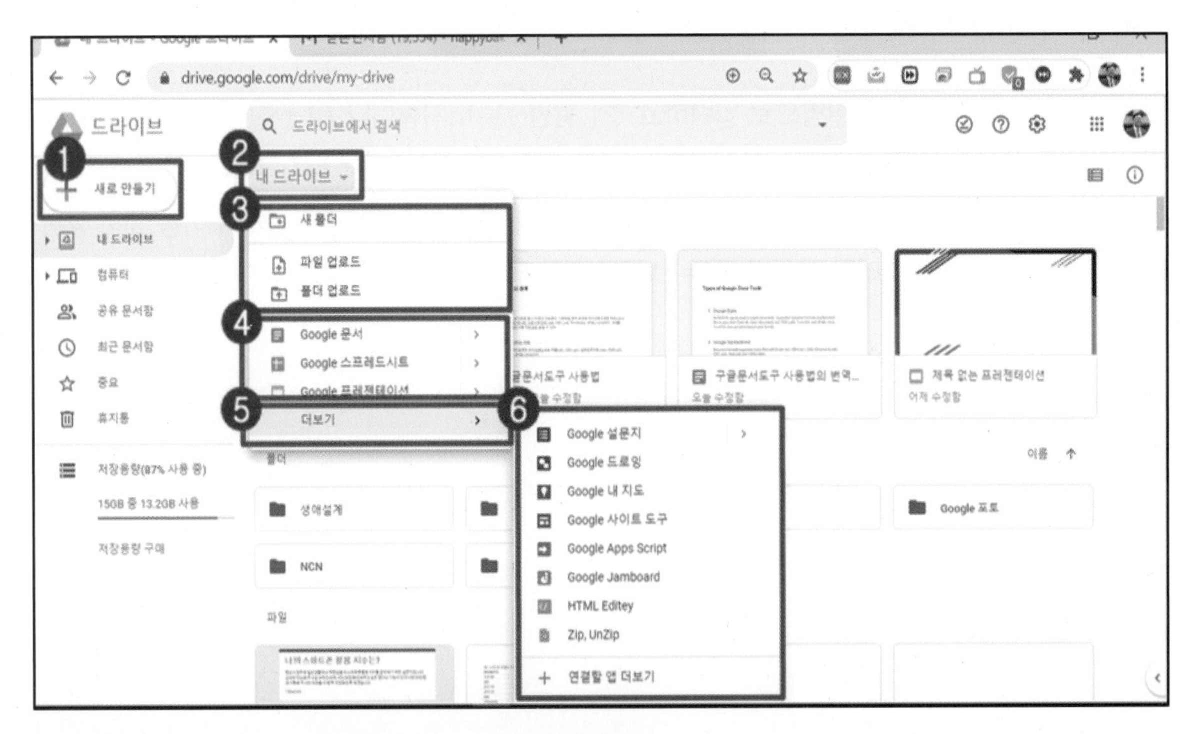

1 구글 드라이브에서 사용 할 수 있는 문서 도구들은,
①[새로 만들기] 또는, ②[내 드라이브]를 터치하여,
③[새 폴더]를 만들거나, [파일 업로드] 또는, [폴더 업로드]를 할 수 있고,
④[Google 문서], [Google 스프레드시트], [Google 프레젠테이션]을 작성할 수 있으며,
⑤[더보기]를 터치하여,
⑥[Google 설문지] 등을 다양한 문서 도구들을 활용할 수 있습니다.

구글 문서 활용하기

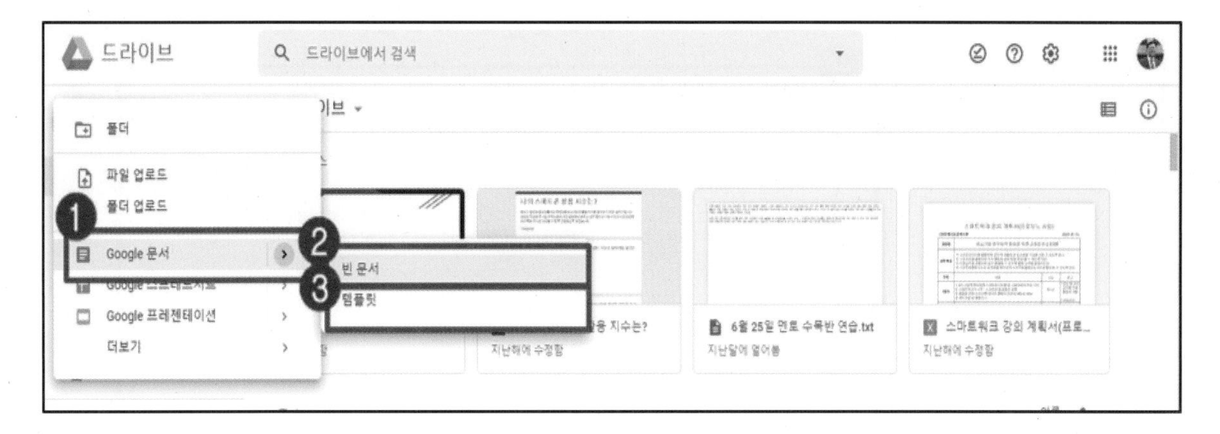

1 구글 문서를 작성하기 위해, ①[**Google 문서**]를 터치하여, ②[**빈 문서**] 또는, ③[**템플릿**]를 터치합니다.

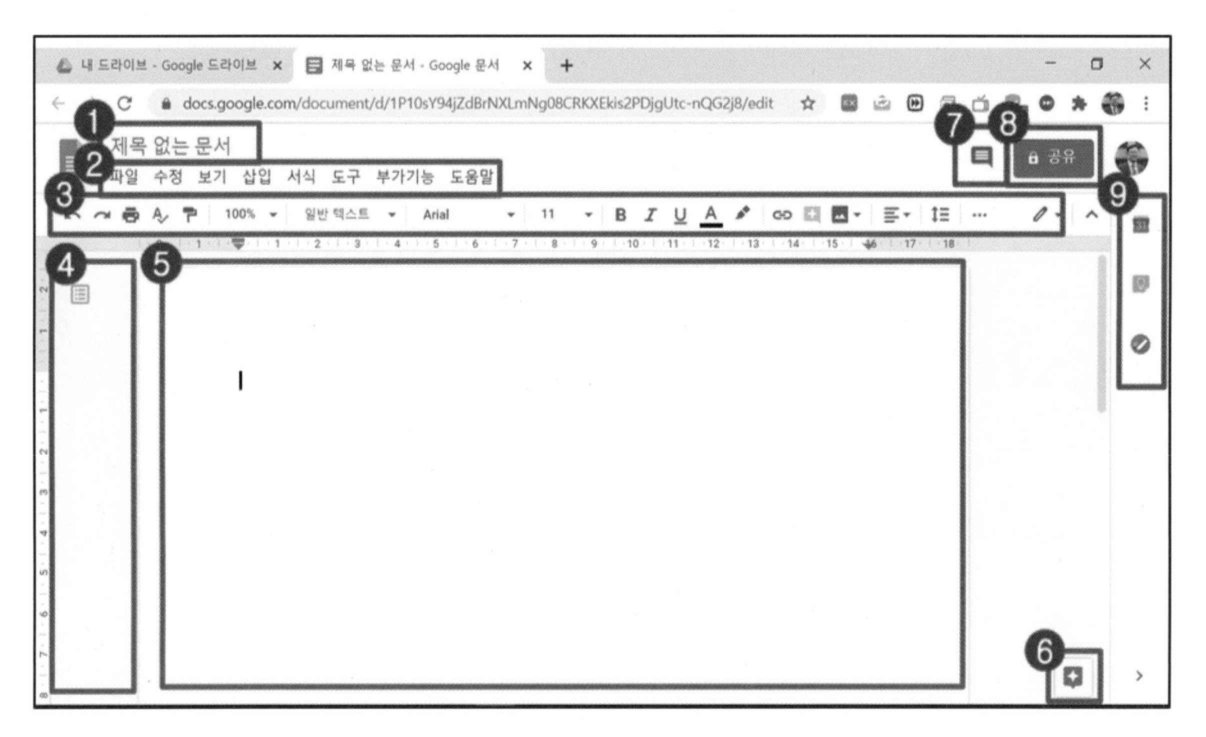

1 구글 문서의 화면은,

①문서 이름인 [**문서 제목**], ②문서작성 [**메뉴**], ③[**문서 작성 도구**] , ④작성문서의 [**개요**]
⑤[**작성 문서 표시창**], ⑥문서 작성 중 [**문서 및 웹 검색**], ⑦문서에 대한 [**댓글 기록 열기**]
⑧작성 문서의 [**공유**], ⑨[**캘린더**], [**Keep**], [**할 일 목록**] 등으로 구성되어 있습니다.

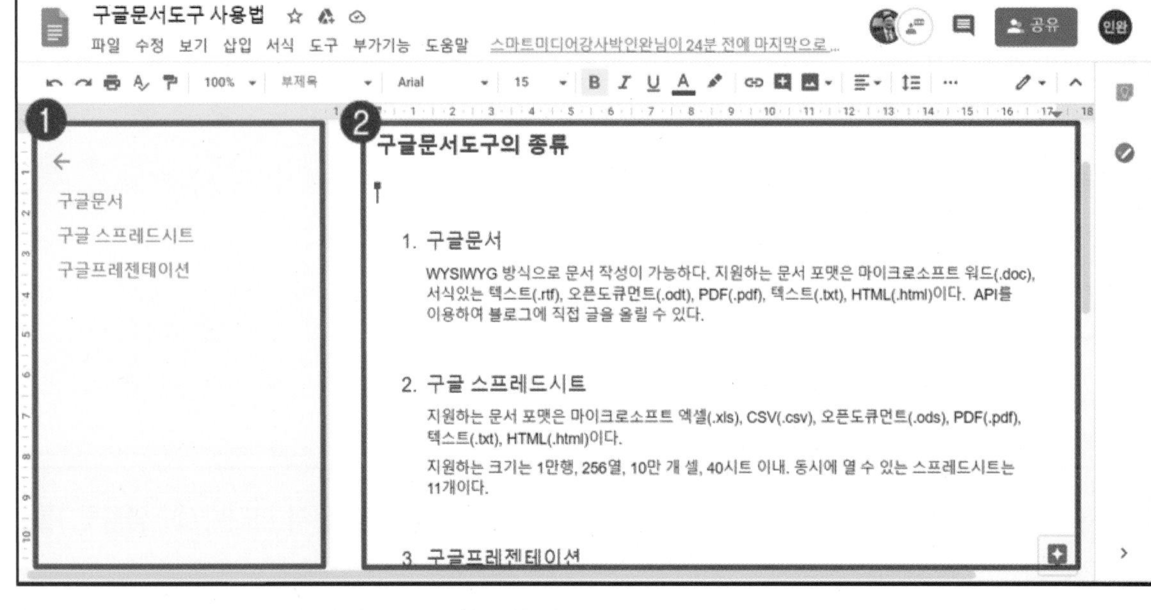

1 문서작성 중 구글 문서 작성 도구를 활용하여,
①문서 제목 등 **[문서 개요]**를 표시하고, ②문서 작성창에서 **[문서]**를 작성 합니다.

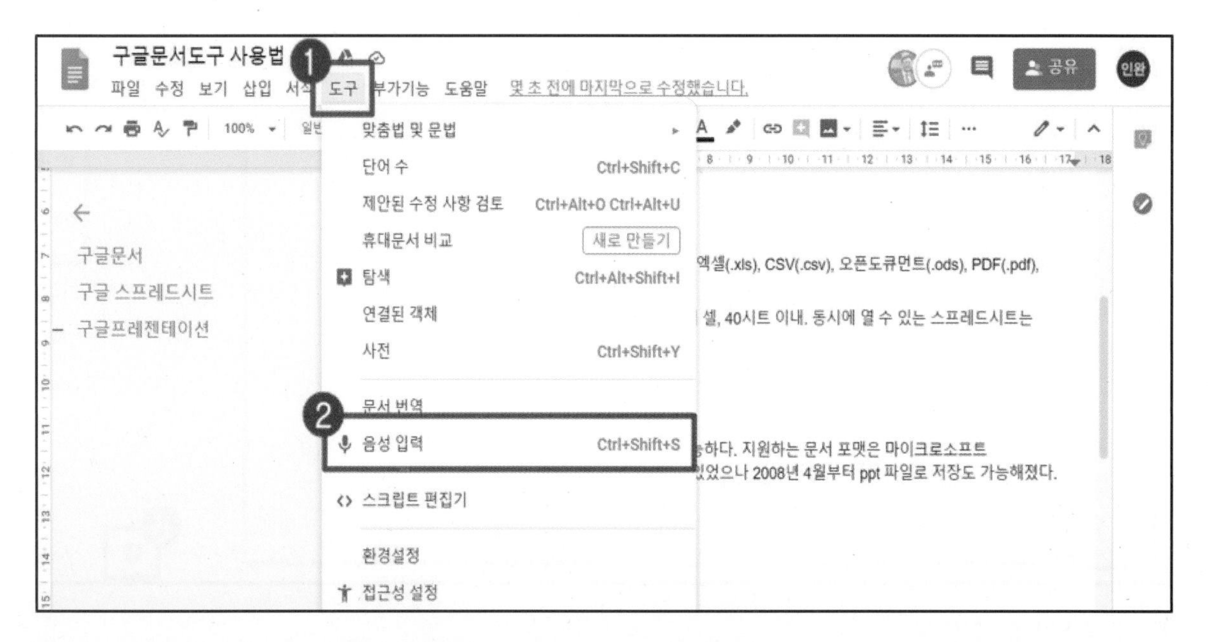

1 구글 문서를 작성을 할 때, 문서를 음성으로 입력하고자 할 때는,
①**[도구]**를 터치하여 ②**[음성 입력]**을 선택하면 음성으로 문서를 입력 할 수 있습니다.

※ 노트북은 자체 마이크가 내장 되어 있으나 데스크탑은 별도의 마이크를 설치하여야 사용 할 수 있습니다.

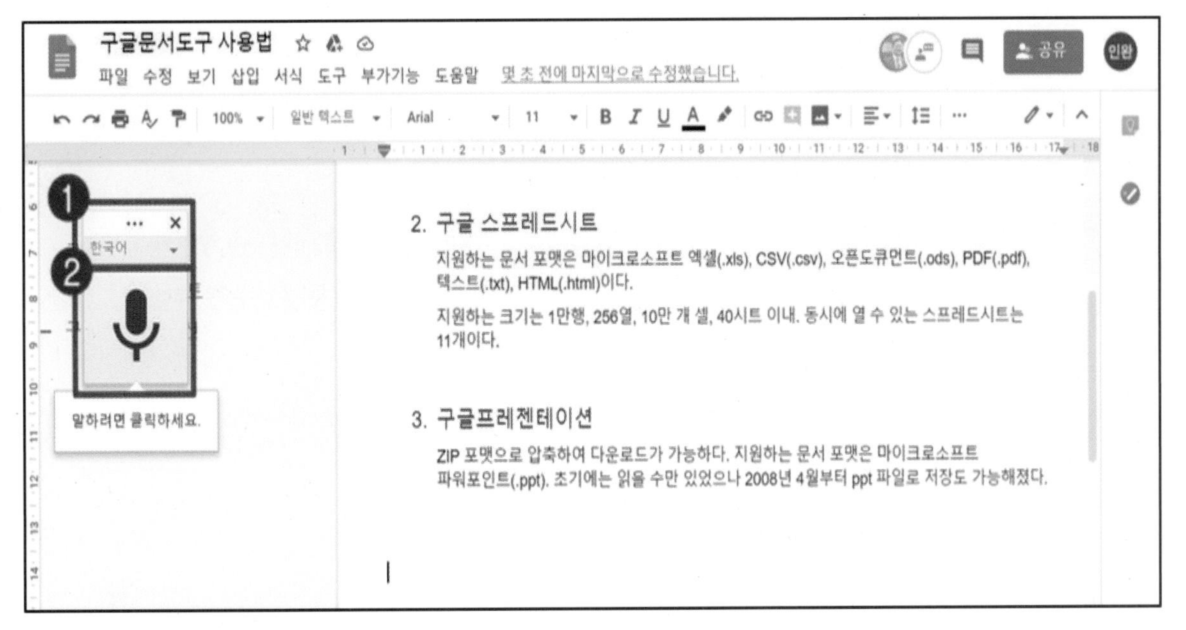

1 음성 입력기능을 이용할 때 입력할 언어를 선택하여야 하는데,

①[**한국어**]를 선택하고, ②입력을 할 때 [**마이크 아이콘**]을 터치하고 입력할 내용을 말합니다.

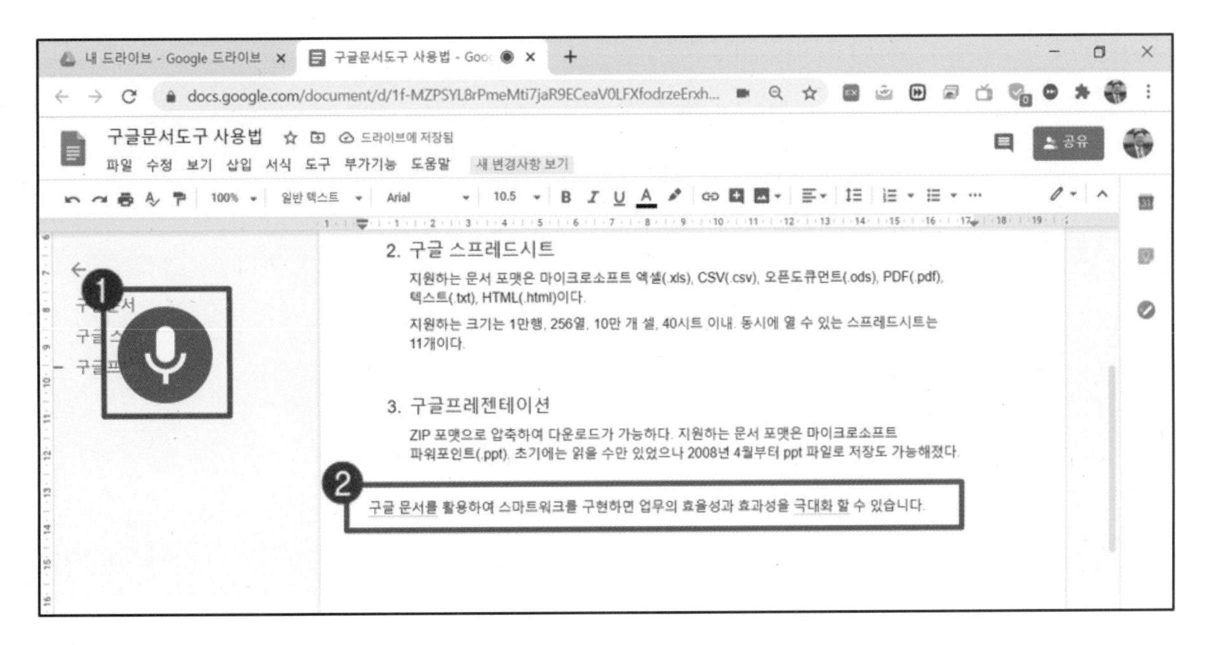

1 구글 문서 음성 입력기능이 동작 중일 때는,

①[**마이크 아이콘**]이 빨간색으로 표시되며, 입력을 중지하고 할 때는 마이크 아이콘을 터치하면 중지됩니다.

②음성 입력기능을 이용하여 문장이 정상적으로 입력되는 것을 알 수 있습니다.

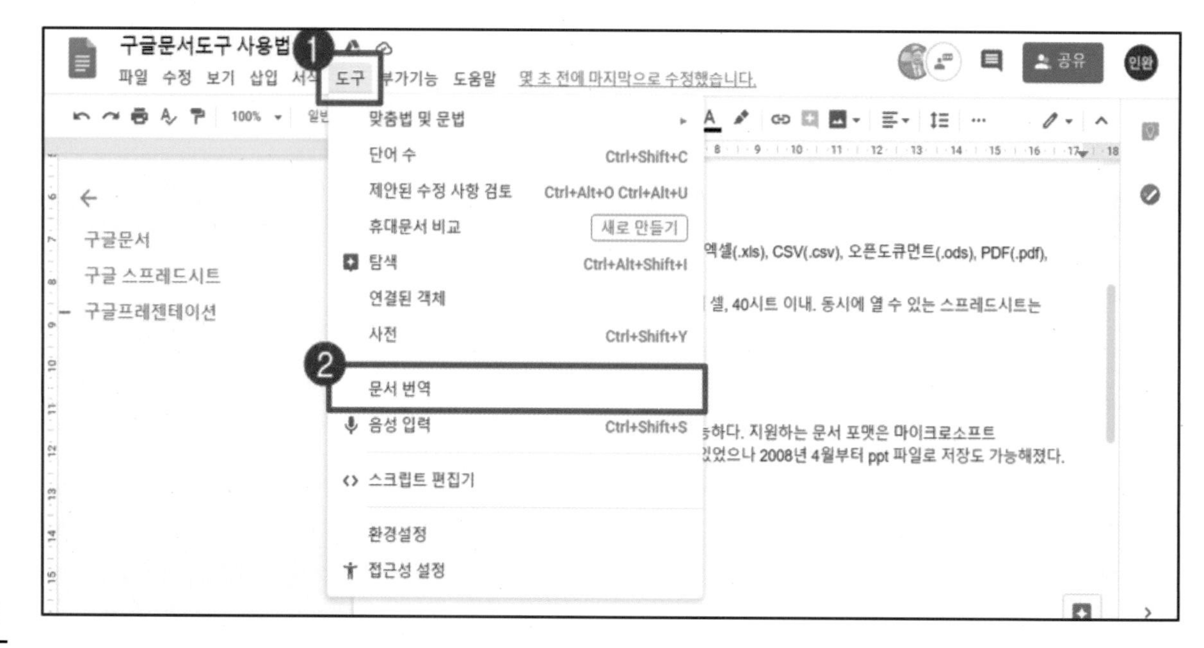

▮ 구글 문서를 다른 언어로 번역이 필요할 경우는,

①[**도구**]를 선택하여, ②[**문서 번역**]을 터치 합니다.

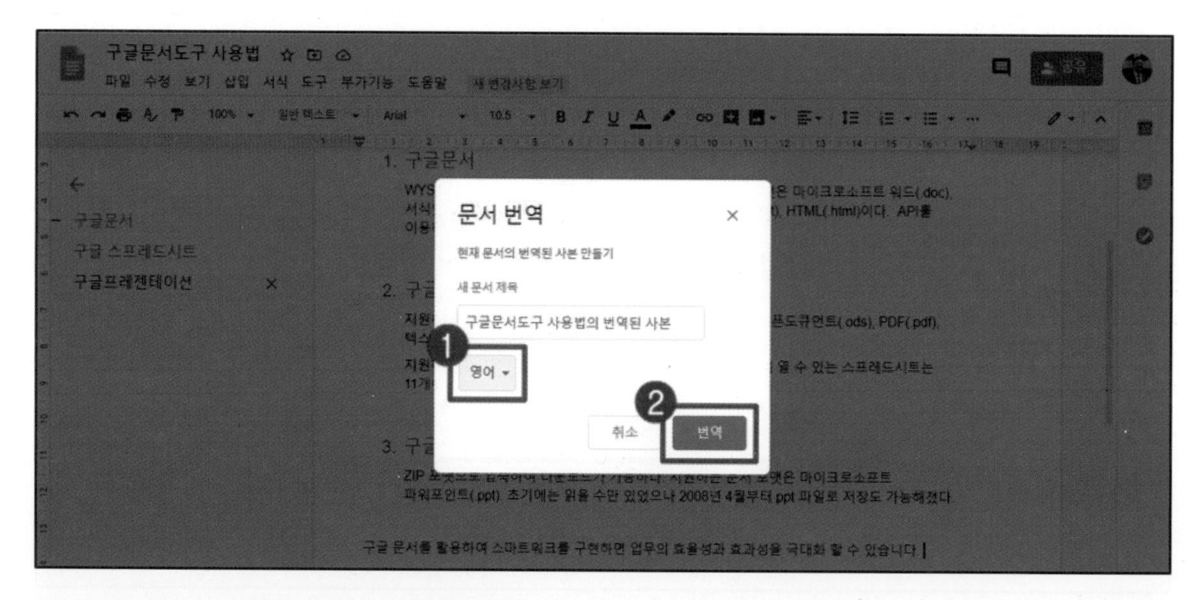

▮ 구글 문서의 번역 기능을 사용 할 때는,

①[**번역 할 언어**]를 선택하고,

②[**번역**]을 터치합니다.

※ 구글문서 작성도구의 번역기능을 이용할 경우는 해당 문서 전체가 일괄 번역 되므로 부분 번역을 하고자 할때는 다른 번역 앱이나 프로그램을 활용하여야 합니다.

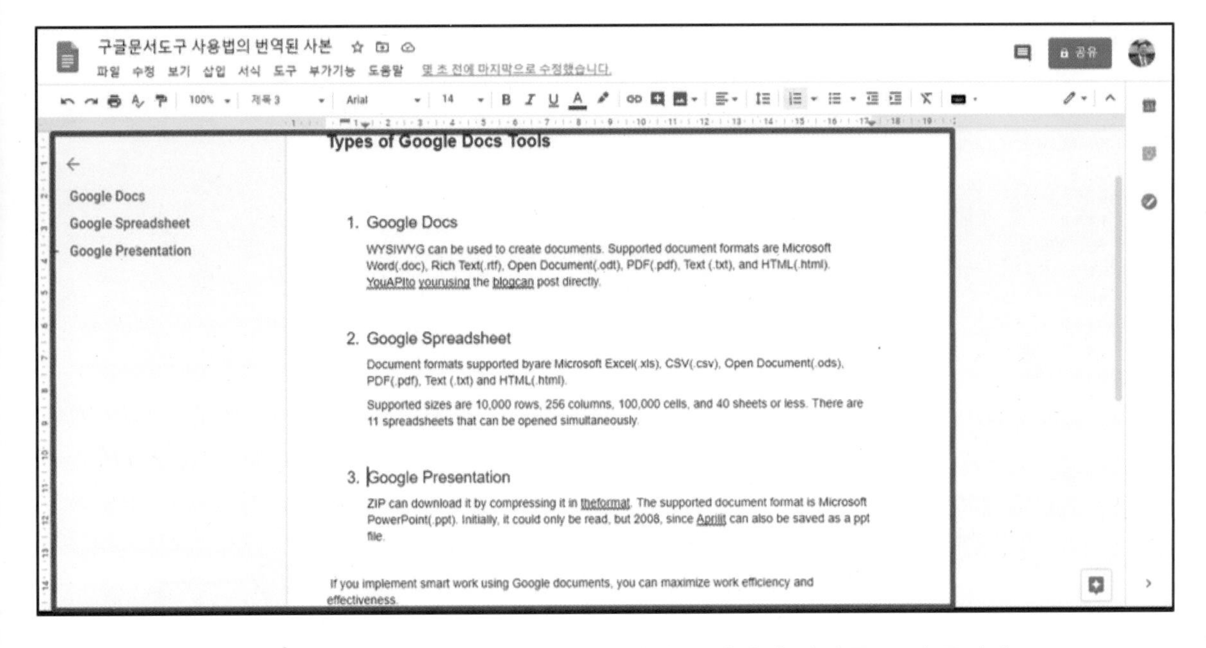

1 구글 문서 작성에서 언어 번역 가능을 이용하여 영어로 번역된 결과를 보여 줍니다.

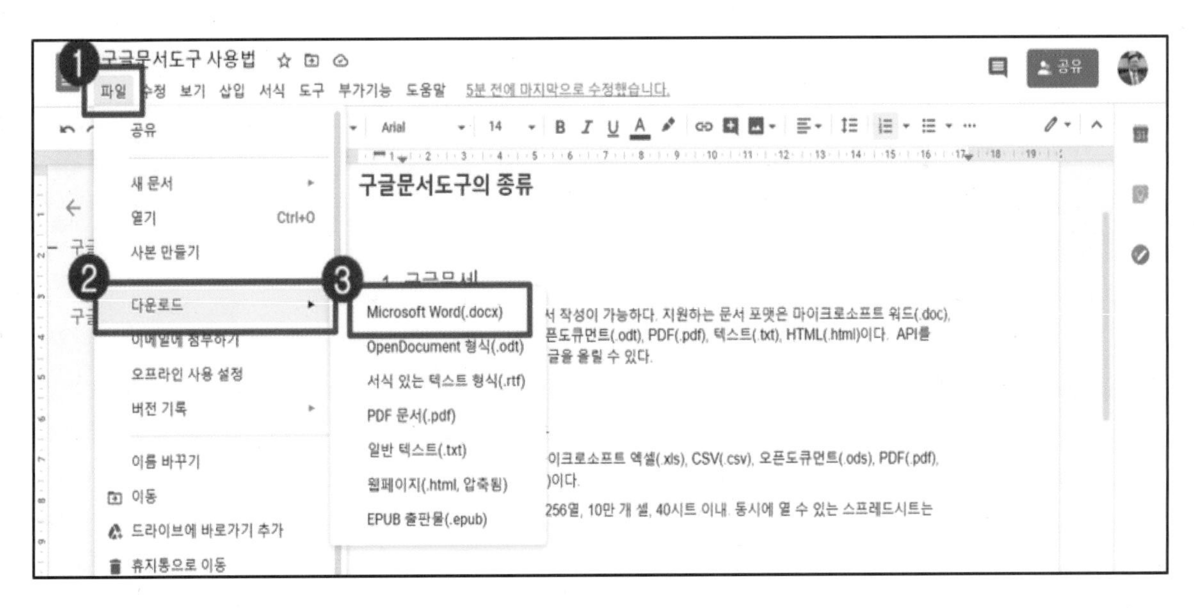

1 구글 문서에서 문서를 작성하면 자동으로 구글드라이브에 저장 되는데, 자신의 컴퓨터에 문서를 저장하고자 할 경우는,

①[**파일**]을 선택하고,

②[**다운로드**]를 선택한 후,

③[Microsoft Word(.docx)] 등 저장하고자 하는 파일 형식을 터치 합니다.

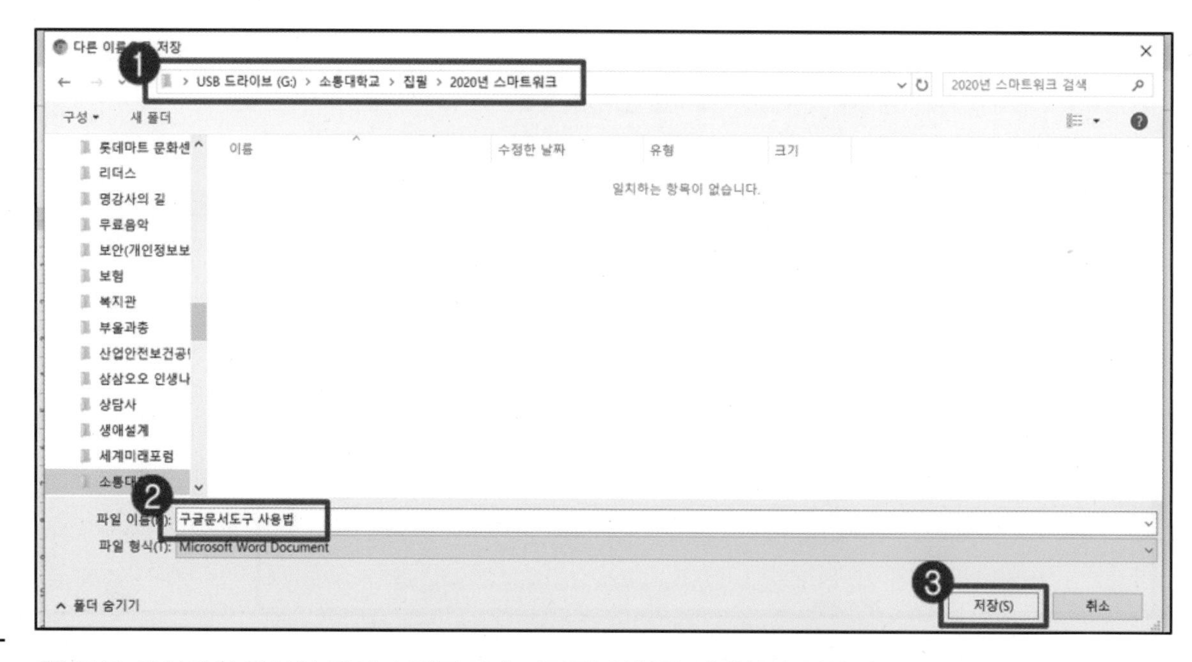

■1 구글 문서에서 작성한 문서가 컴퓨터에 저장될 위치를 선택하기 위하여,
①[**파일 저장 위치**]을 선택하고, ②[**파일이름**]을 지정한 후,
③[**저장**]을 터치하면 해당 저장위치에 파일이 저장 됩니다.

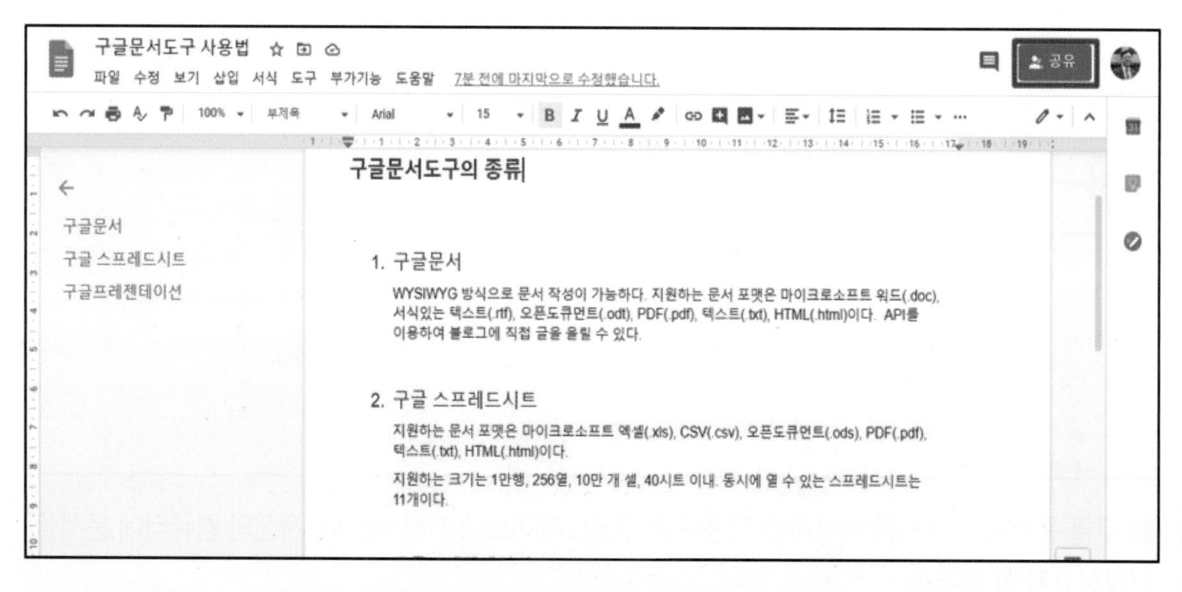

■1 구글 문서의 큰 장점중의 하나가 작성문서를 다른 사람과 공유하여 협업을 할 수 있는데,
작성 문서를 다른 사람과 공유하고자 할 때는, [**공유**]를 터치 합니다.

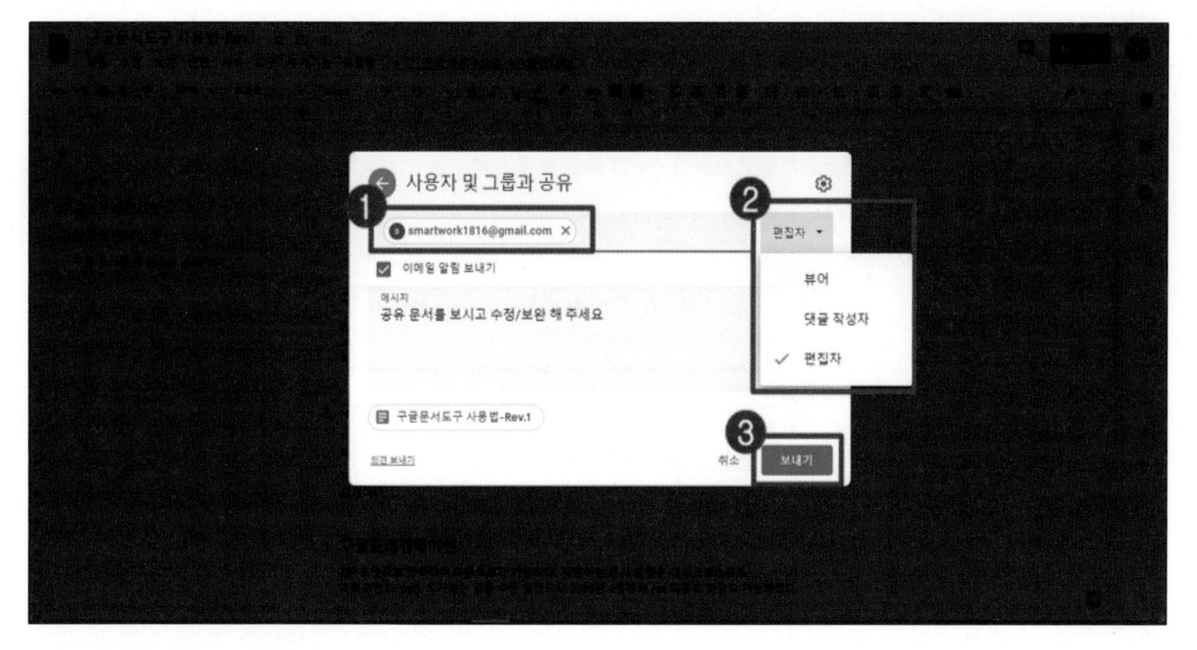

1 공유할 구글 문서를 공유 하기 위해,

①[**공유할 사람의 메일주소**]를 입력하고,

②[**문서접근 권한**]을 지정한 후,

③[**보내기**]를 터치합니다.

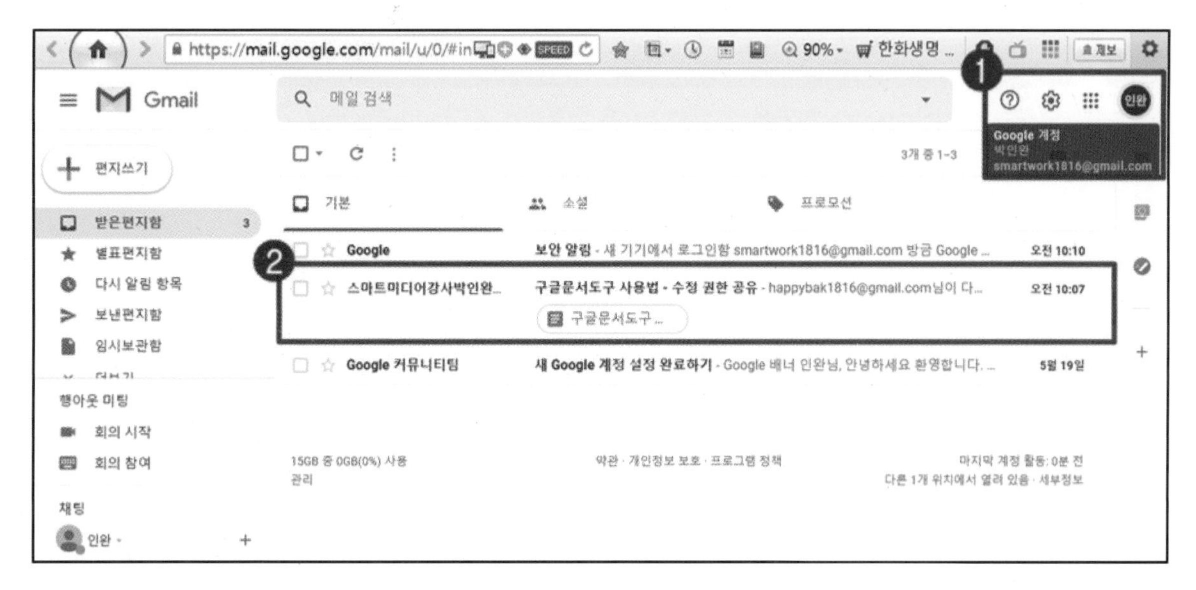

1 구글드라이브에서 작성된 문서를 이메일로 공유 요청을 받은 사람은 공유문서를 확인하기 위하여,

①[**구글 계정**]에 로그인 한 후,

②[**메일 목록**]에 공유 요청한 메일이 수신되었음을 알 수 있습니다.

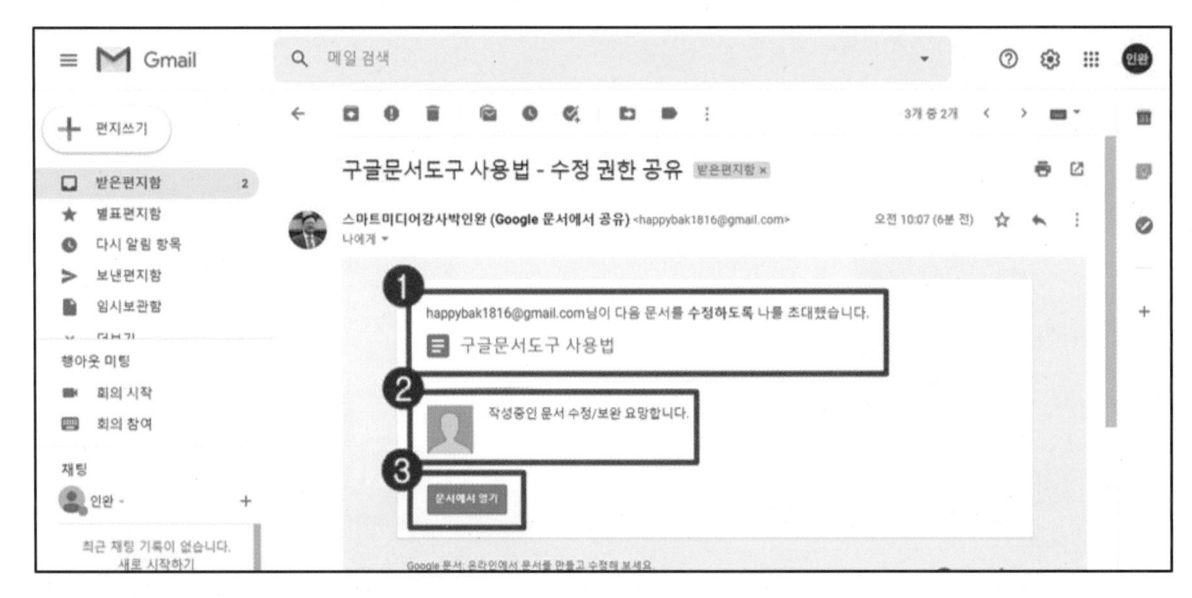

1 구글 문서 공유 요청을 받은 사람이 공유 요청 메일을 터치하여 공유문서를 클릭하면,
①[**공유문서 이름**]과,
②[**공유 신청자의 요청 메시지**]를 확인 할 수 있고,
③[**문서에서 열기**]를 터치하여 문서를 작성 / 수정 할 수 있습니다.

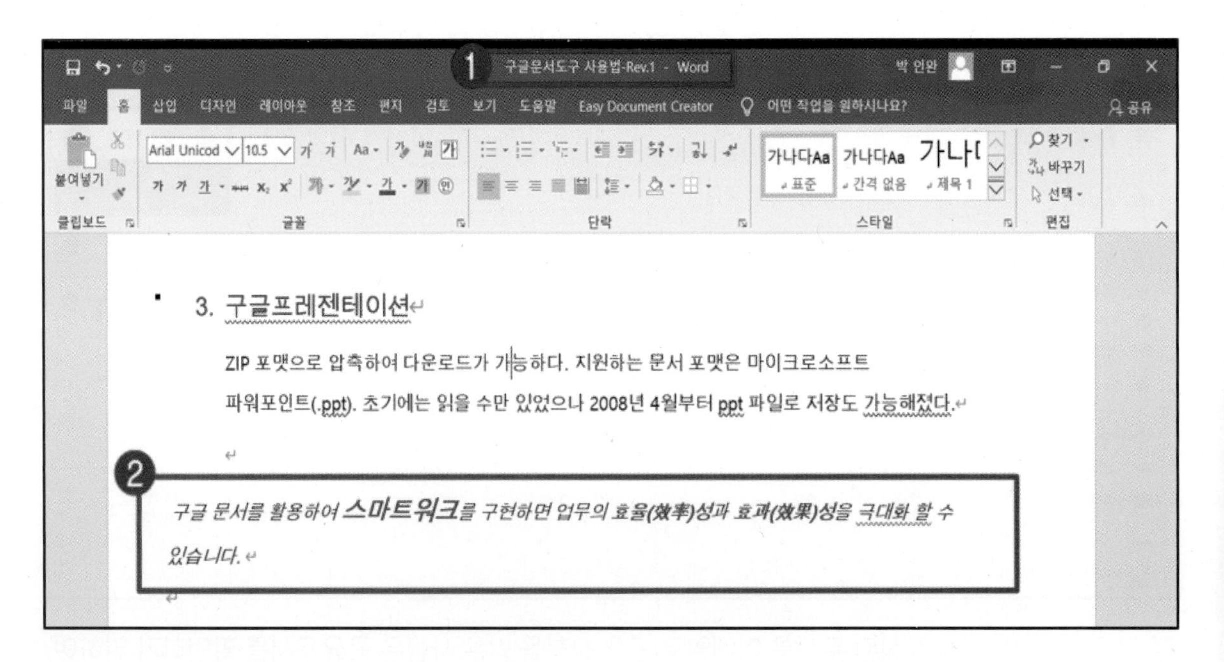

1 구글문서를 컴퓨터에 다운로드하여 MS Word에서 작성 / 수정 한 경우에,
①[**문서 이름**]을 변경하여 저장하여야 파일 관리를 용이하게 할 수 있습니다.
②Word에서 작성 / 수정한 문서 내용을 보여줍니다.

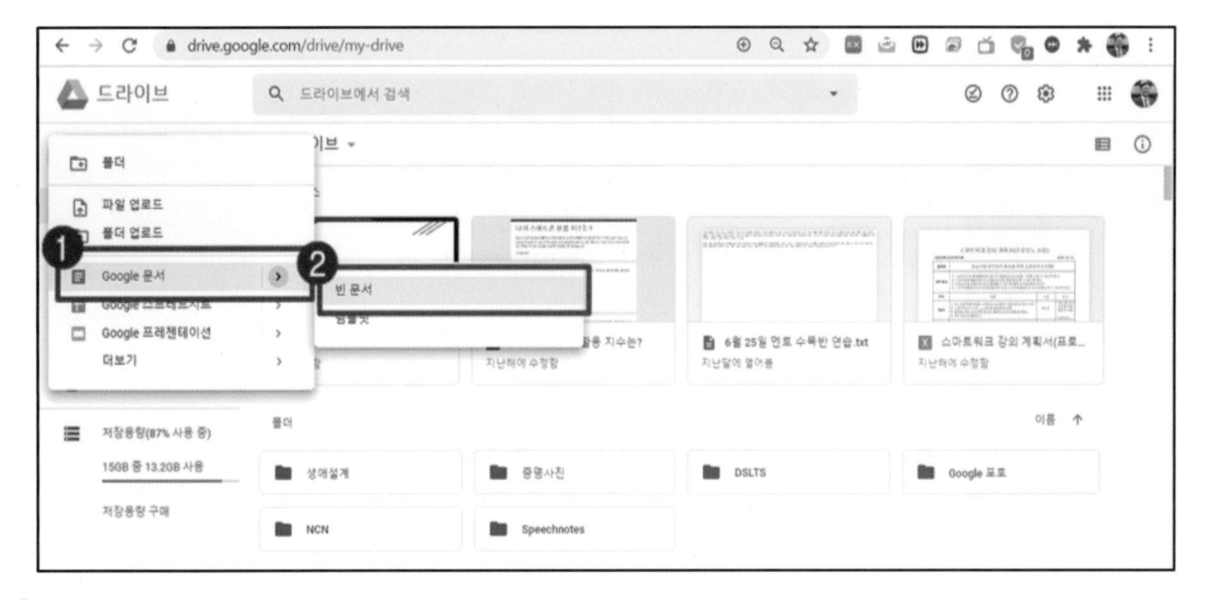

1 Word에서 작성/수정한 문서를 구글문서에서 바로 열기를 할 경우에는 보기는 가능하나 수정이 안되므로 다음과 같은 절차를 거쳐야 합니다.
①[**Google 문서**]를 터치하여,
②[**빈 문서**]를 터치합니다.

1 구글문서의 빈 문서가 열리면,
①[**파일**]을 선택하여,
②[**열기**]를 터치합니다.

1 파일 열기에서 [업로드]를 터치합니다.

1 구글문서에서 열기를 할 파일을 찾기 위해 자신의 컴퓨터에서,

①[**파일 위치**]를 지정 하여,

②[**열기를 할 파일**]을 선택 한 후,

③[**열기**]를 터치합니다.

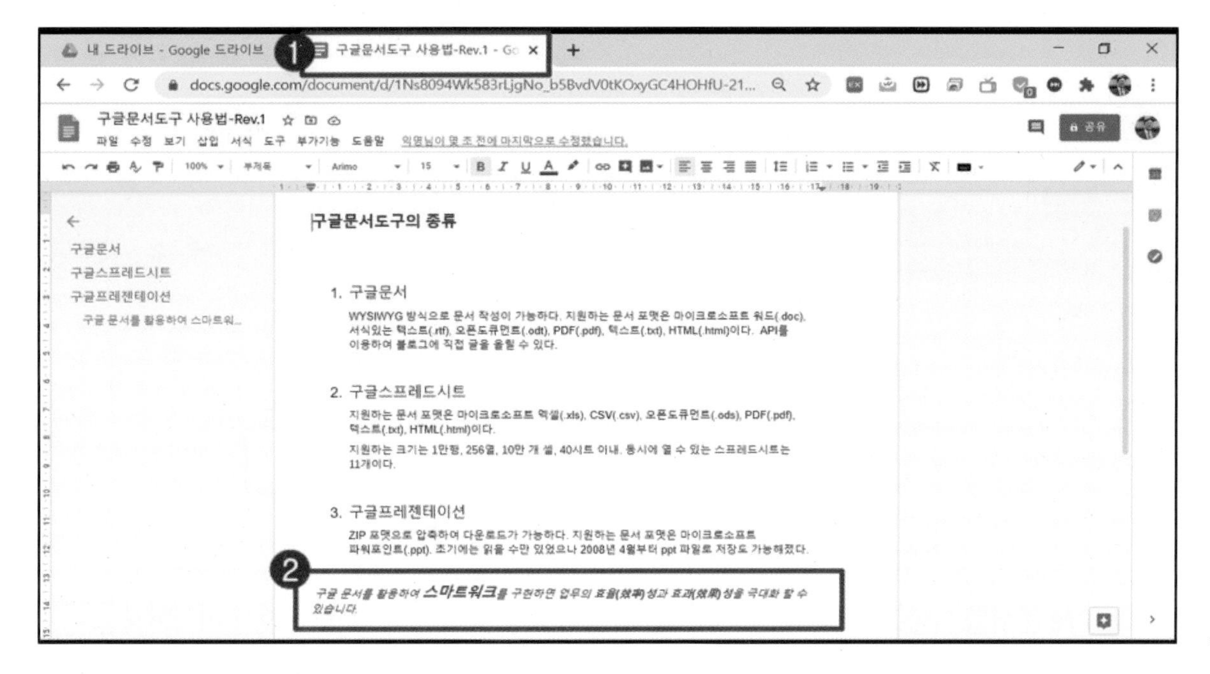

■ 컴퓨터에서 Word로 작성했던 문서의,

①[**문서 이름**]과,

②작성 / 수정했던 문서의 내용이 정상적으로 열렸음을 알 수 있습니다.

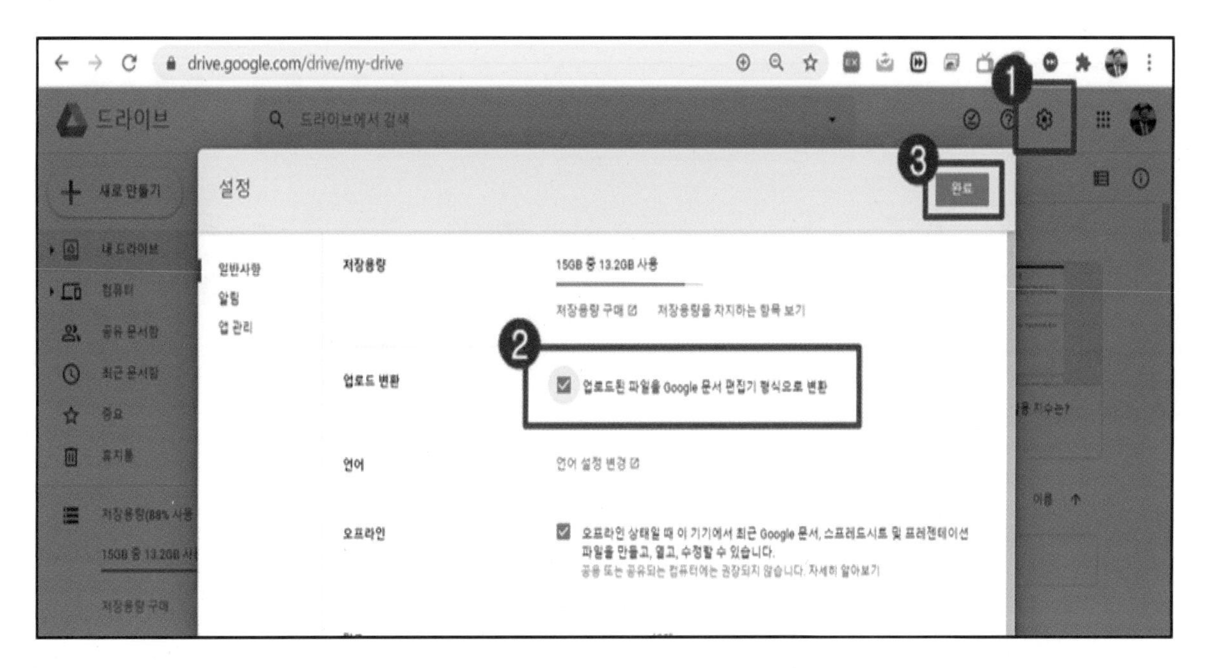

■ 컴퓨터에서 Word로 작성된 문서를 구글 문서에 업로드 할 때 Google 문서 편집기 형식으로 자동 변환을 하려면,

①계정을 로그인하여 [**설정**]을 터치한 후,

②[**업로드 된 파일을 Google 문서 편집기 형식으로 변환**]을 선택하고, ③[**완료**]를 터치합니다.

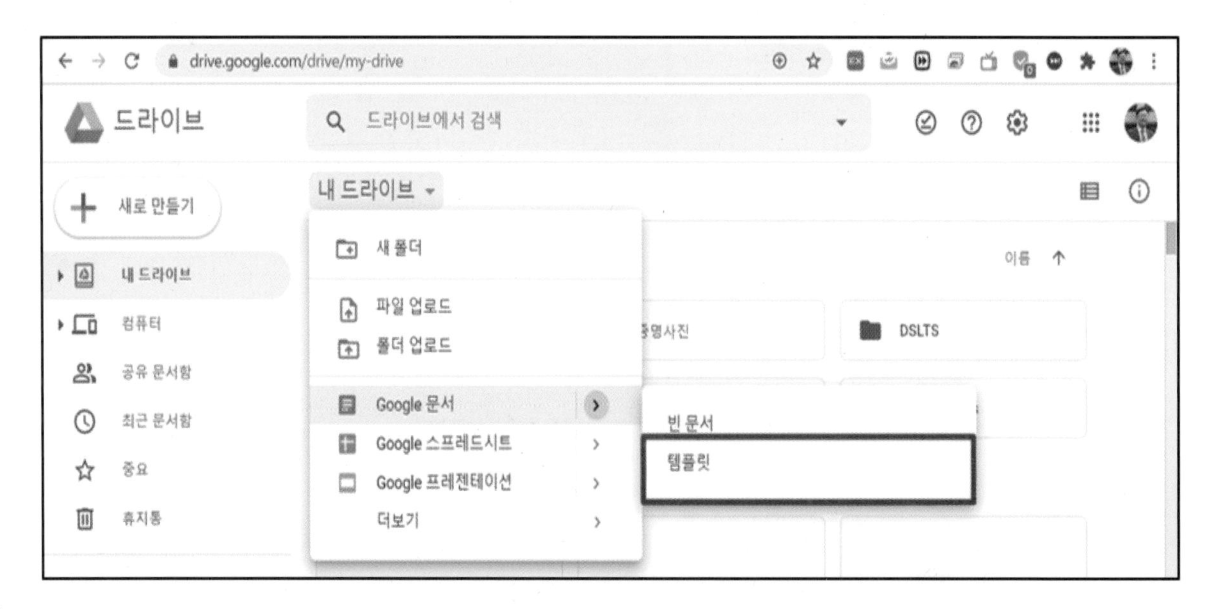

1 Google 문서를 작성 할 때 다양한 템플릿을 사용하고자 할 때는 Google 문서를 터치한 후, **[템플릿]**을 터치 합니다.

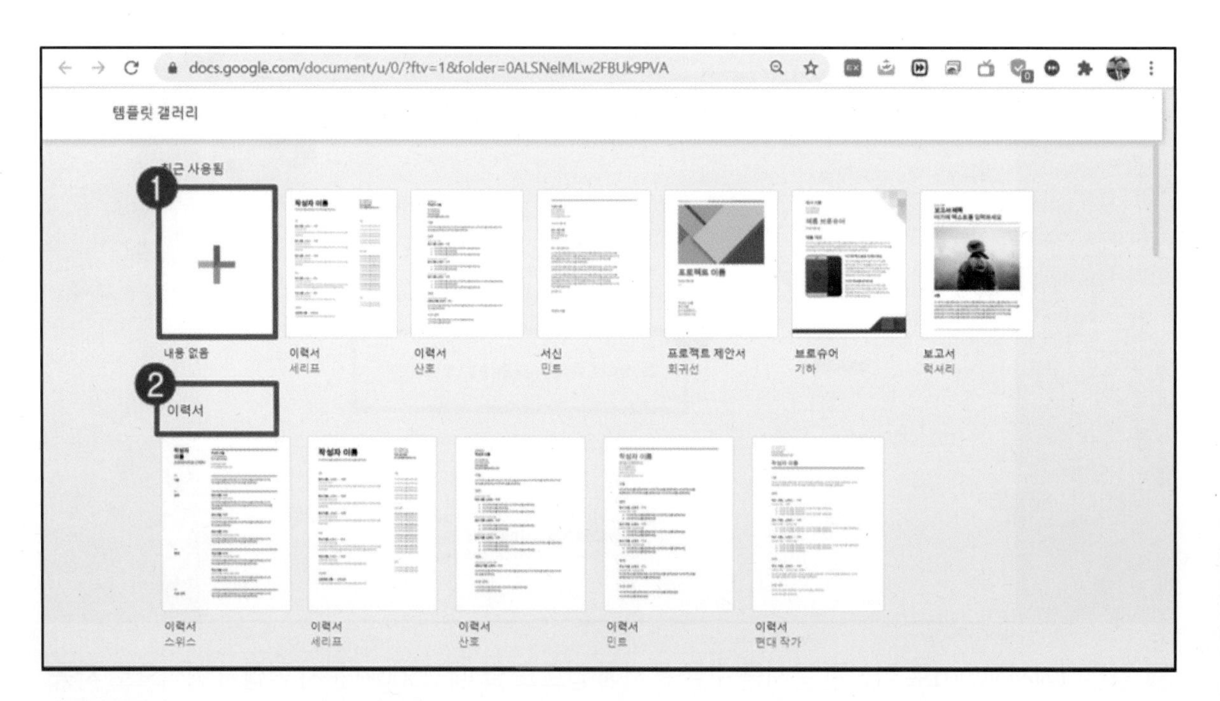

1 템플릿을 터치하면 템플릿 갤러리가 나타나는데,

①**[+]**를 터치하면 빈문서가 열리고,

②**[이력서]**, **[자기 소개서]**, **[개인]**, **[업무]**, **[교육]** 등에 관련된 템플릿을 활용할 수가 있습니다.

Google 스프레드시트

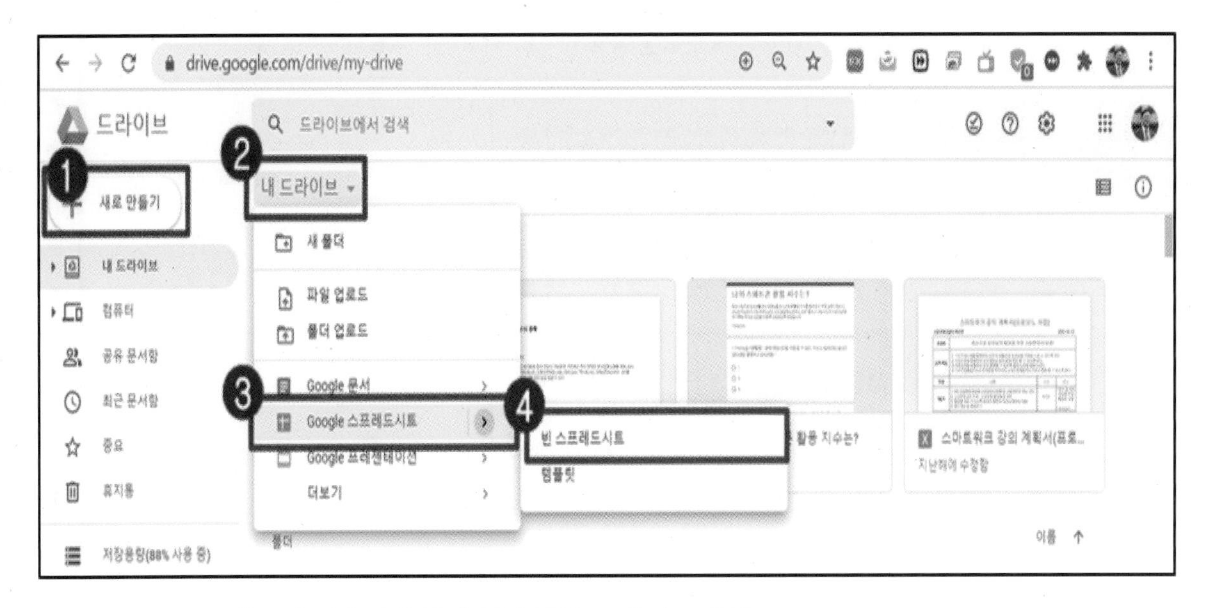

1 Google 스프레드시트를 사용하기 위해 구글 드라이브에서,

①[**새로 만들기**] 또는,

②[**내 드라이브**]를 터치하여,

③[**Google 스프레드시트**]를 터치하여,

④[**빈 스프레드시트**]를 터치합니다.

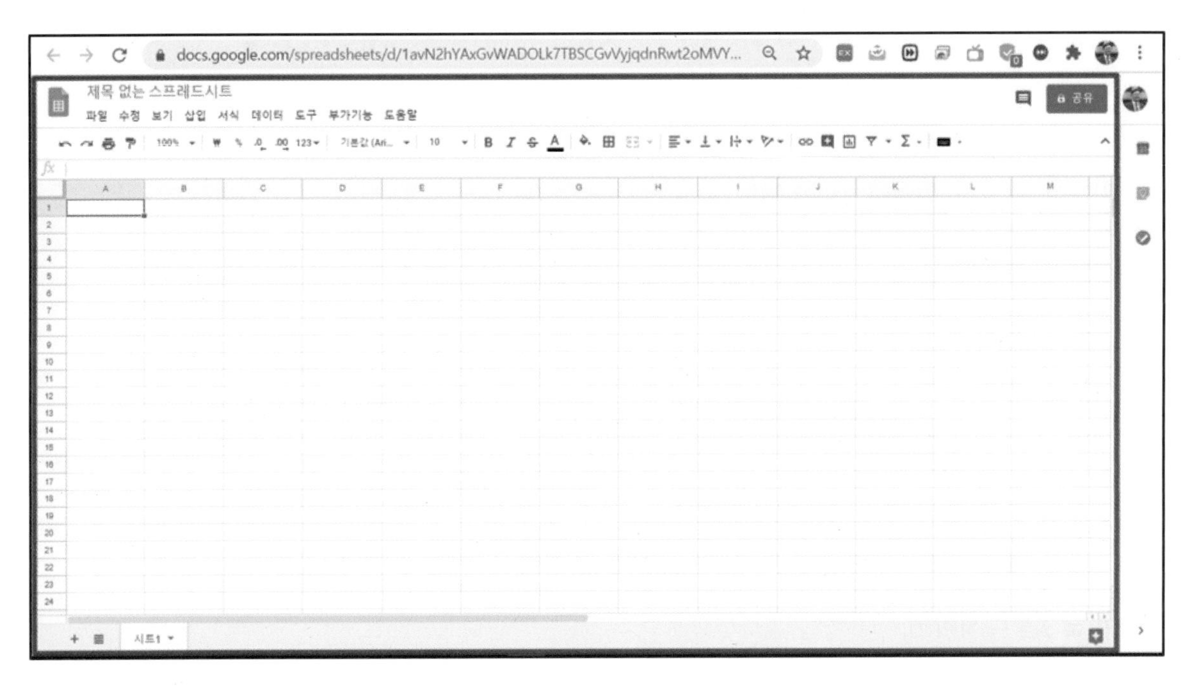

1 Google 스프레드시트를 열면 Microsoft Excel 문서와 유사한 빈문서가 열립니다.

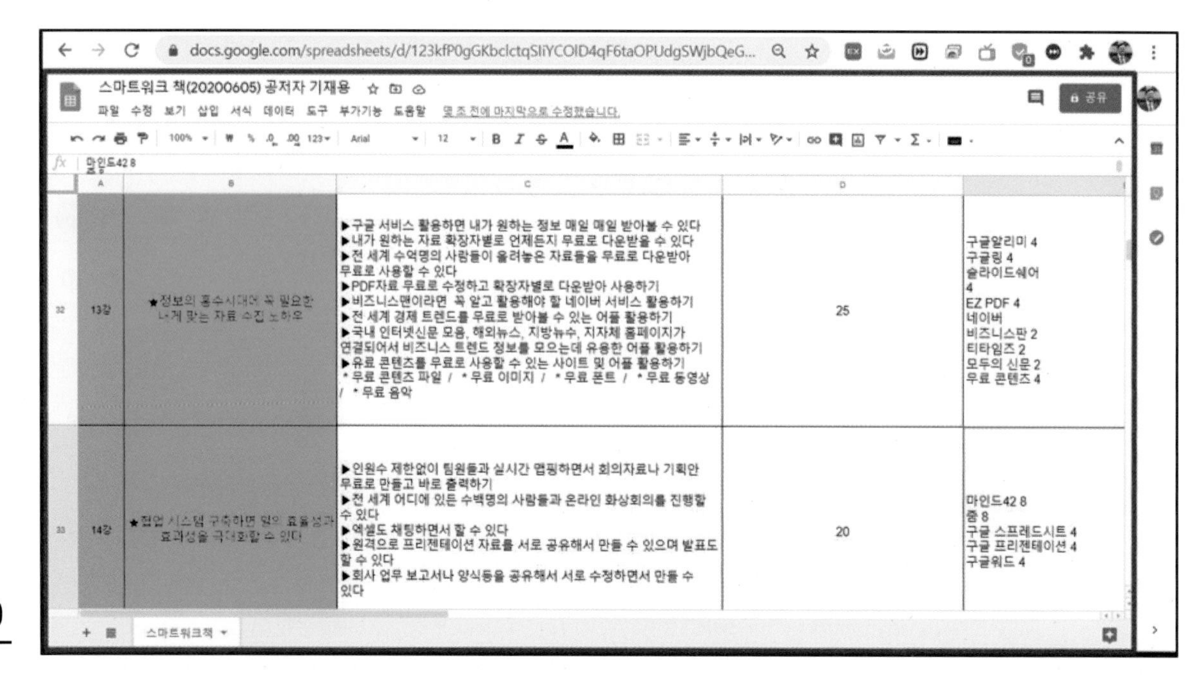

1 Microsoft Excel과 유사한 Google 스프레드시트의 문서 도구를 이용하여 문서를 작성합니다.

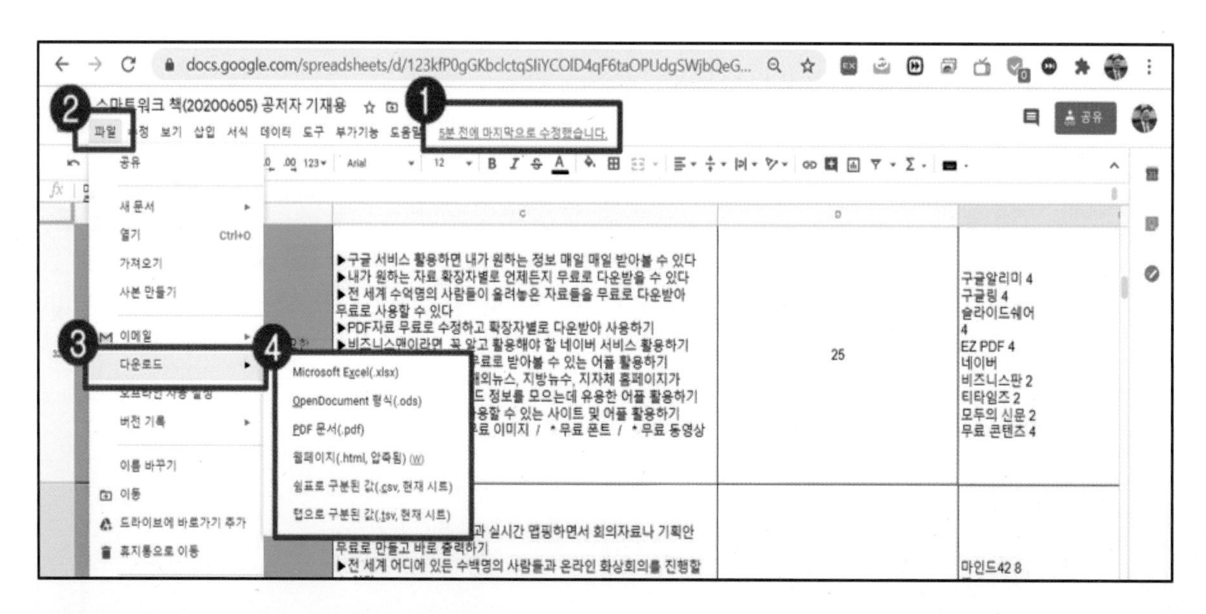

1 Google 스프레드시트의 작성 된 문서는,

①[**~전에 마지막으로 수정했습니다.**] 처럼 자동으로 저장되고, 자신의 컴퓨터에 저장하려면,

②[**파일**]을 터치하여,

③[**다운로드**]를 터치 한 후,

④[Microsoft Excel] 등 해당 문서 형식을 터치합니다.

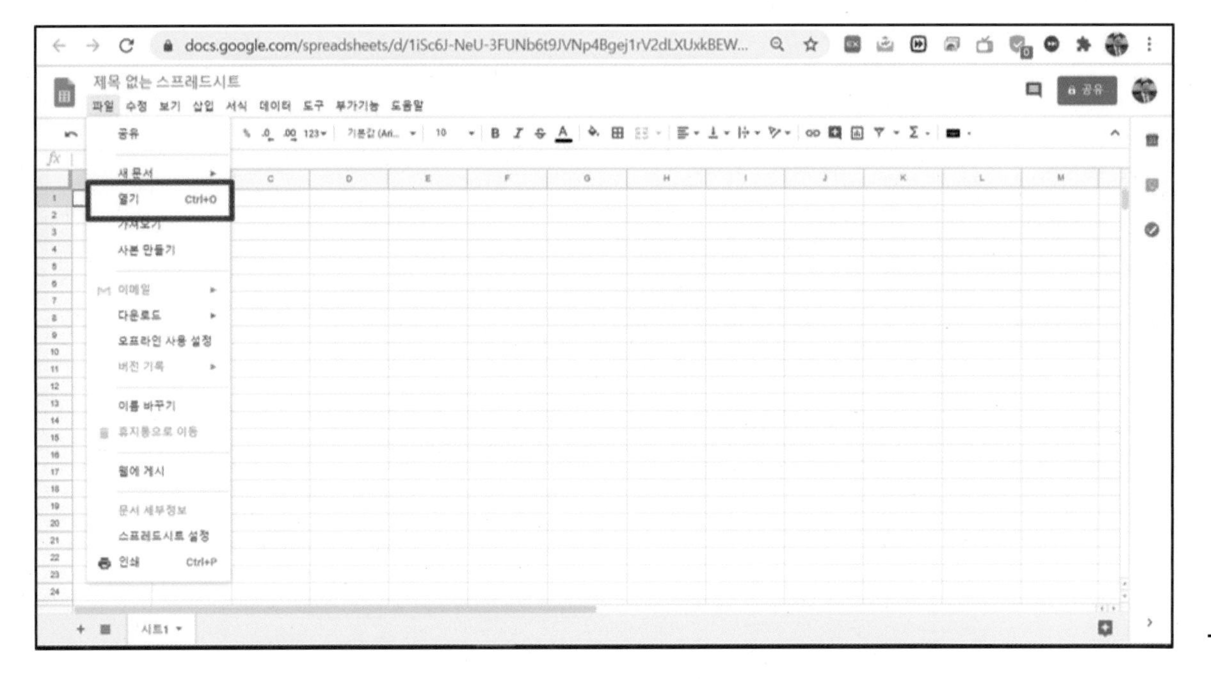

1 Google 스프레드시트 문서를 Microsoft Excel 문서로 컴퓨터 다운로드한 문서나 Microsoft Excel에서 작성된 문서를 Google 스프레드시트에서 열고자 할 때는, 파일메뉴에서 **[열기]**를 터치합니다.

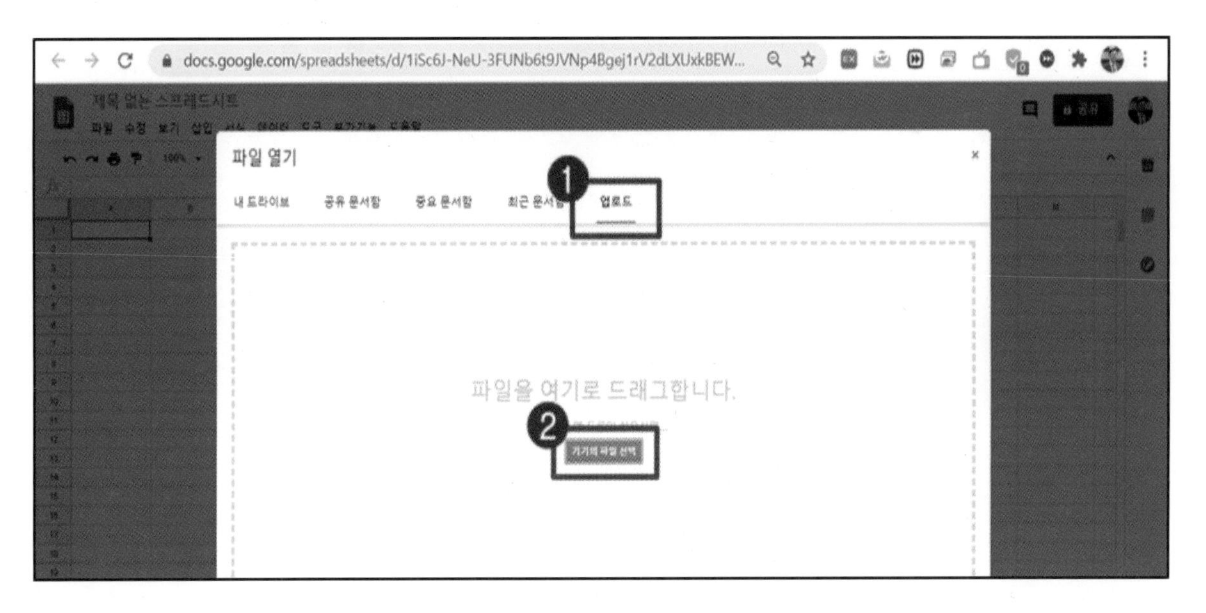

1 파일 열기에서,
①**[업로드]**를 터치하여,
②**[기기의 파일 선택]**을 클릭합니다.

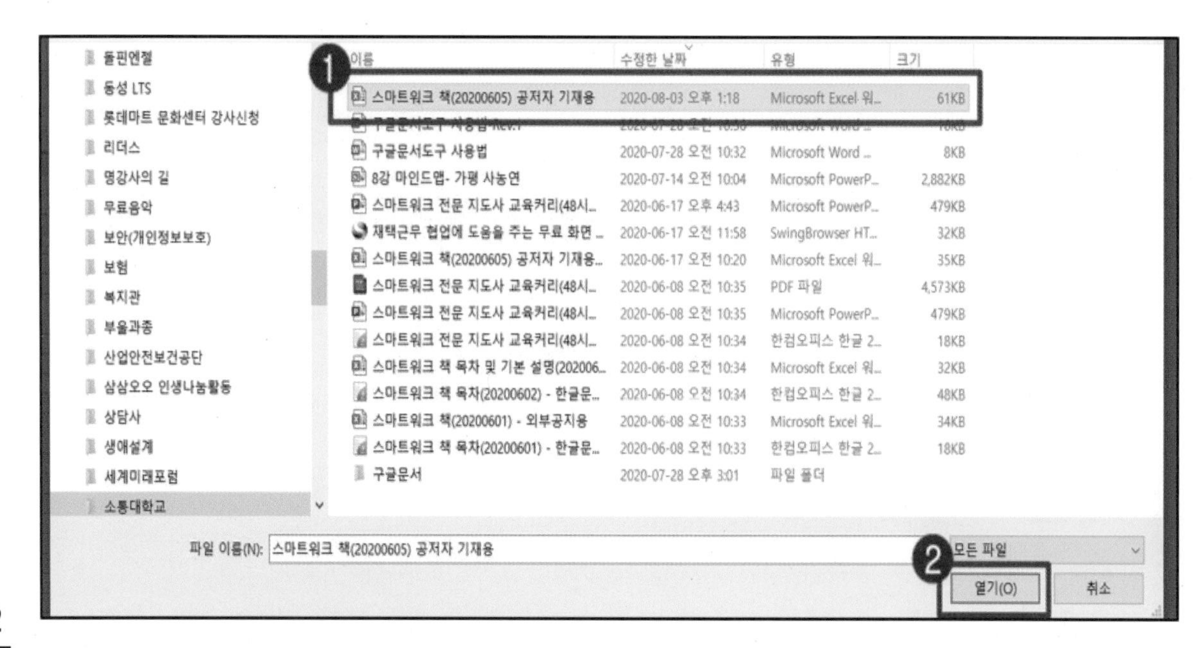

1 컴퓨터에서 열고자 하는 파일이 있는 위치를 확인한 후,
①열고자 하는 파일을 선택 한 후'
②[**열기**]를 터치 합니다.

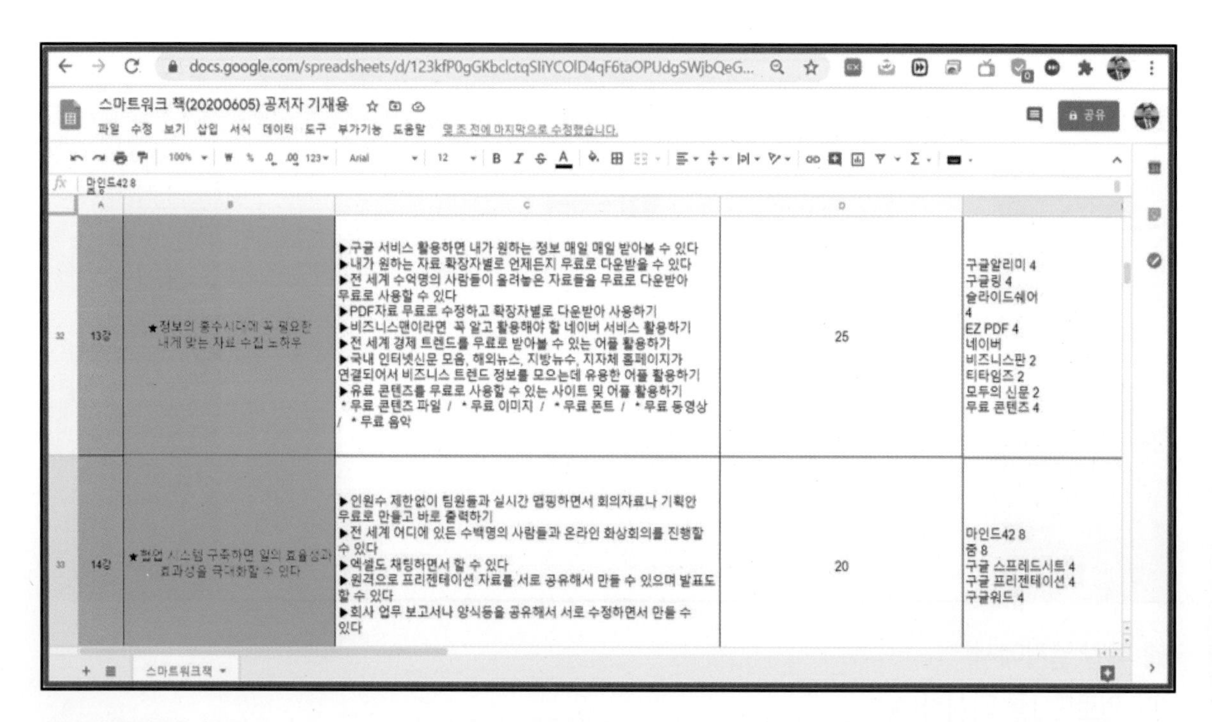

1 컴퓨터에서 Microsoft Excel로 작성 / 편집한 문서가 정상적으로 열린 것을 알 수 있습니다.

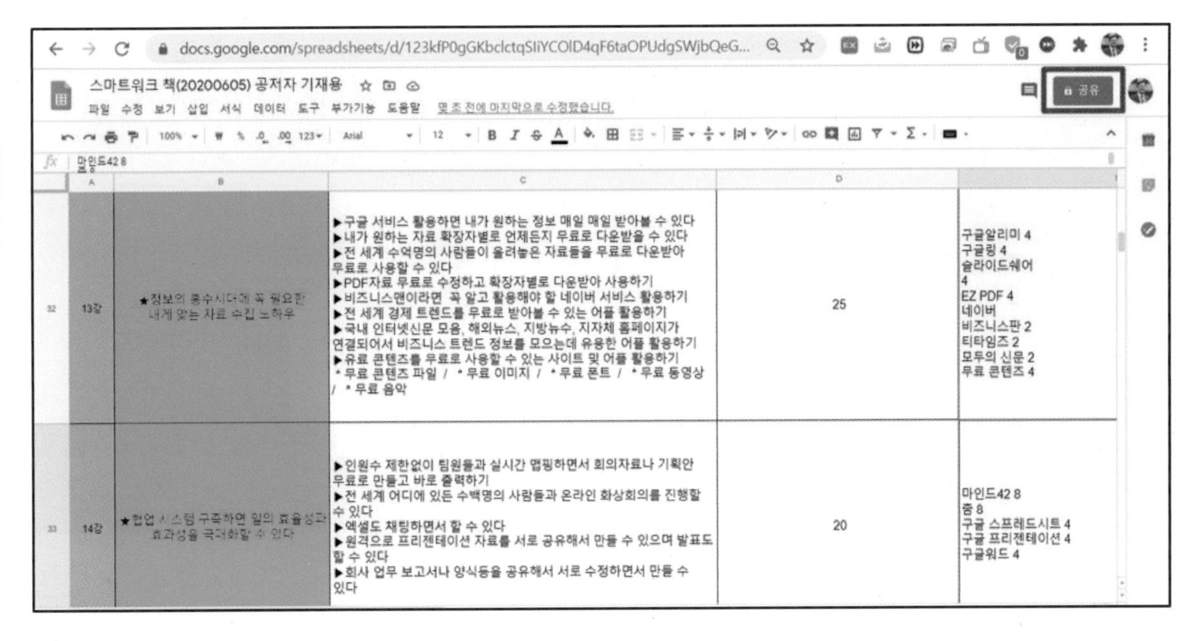

1 Google 스프레드시트에서 작성한 문서를 다른 사람에게 공유하려면 **[공유]**를 터치합니다.

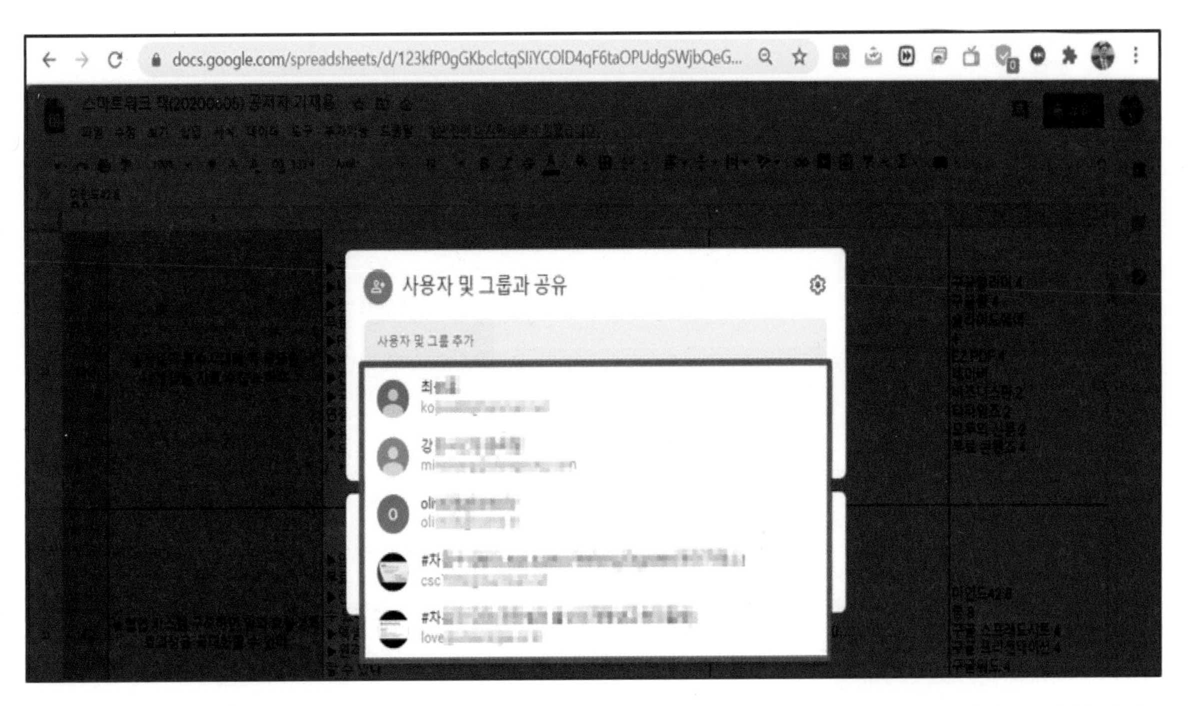

1 Google 스프레드시트의 문서를 사용자 및 그룹과 공유를 위해, **[사용자 이메일]**을 터치합니다.

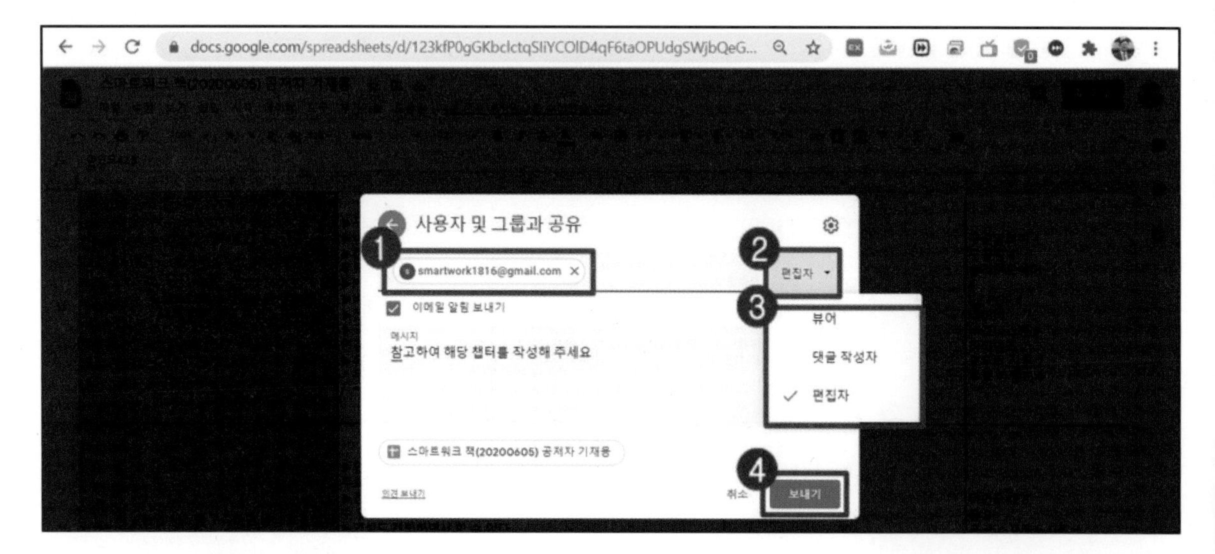

1 Google 스프레드시트를 공유하기 위해,

①[**공유자 이메일 주소**]를 선택하고,
②[**편집자**]를 터치하여,
③[**뷰어**], [**댓글 작성자**], [**편집자**] 중 공유 문서에 대한 권한을 설정하고,
④[**보내기**]를 터치합니다.

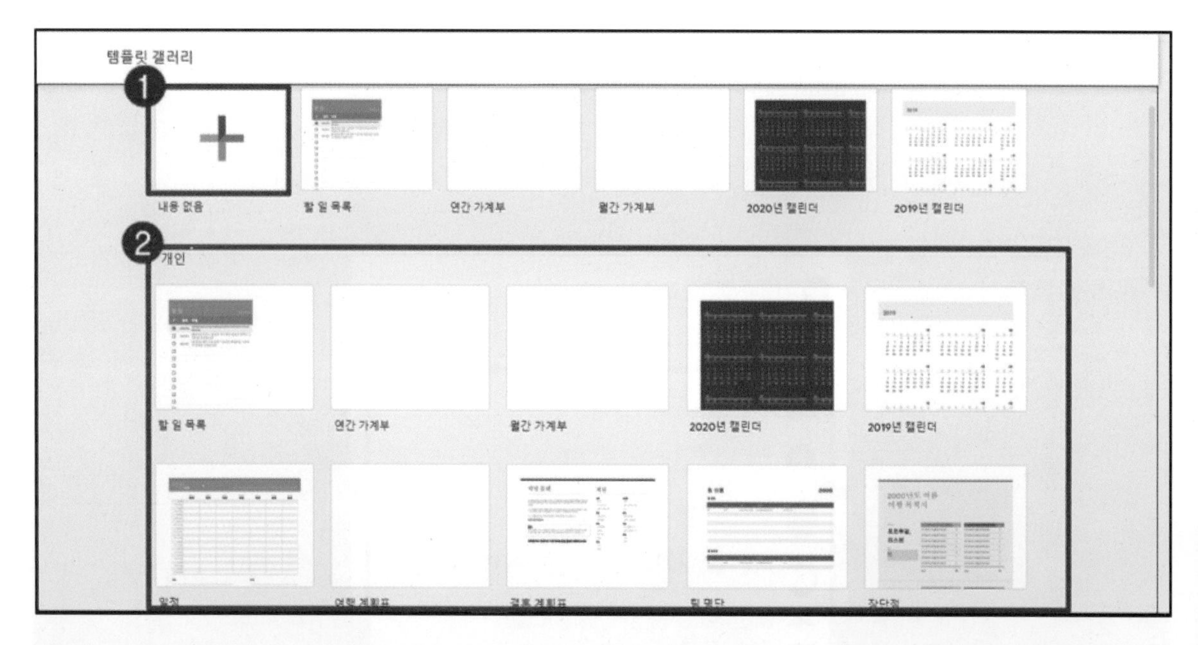

1 Google 스프레드시트로 문서 작성시 다양한 템플릿을 활용할 수 있는데, 템플릿을 활용하기 위해서는 구글 스프레드시트의 열기에서 템플릿을 터치하면 템플릿 갤러리가 나타나는데,
①[**+**]를 터치하면 빈문서가 열리고,
②[**개인**], [**업무**], [**프로젝트 관리**], [**교육**] 등에 관련된 템플릿을 활용할 수가 있습니다.

Google 프레젠테이션

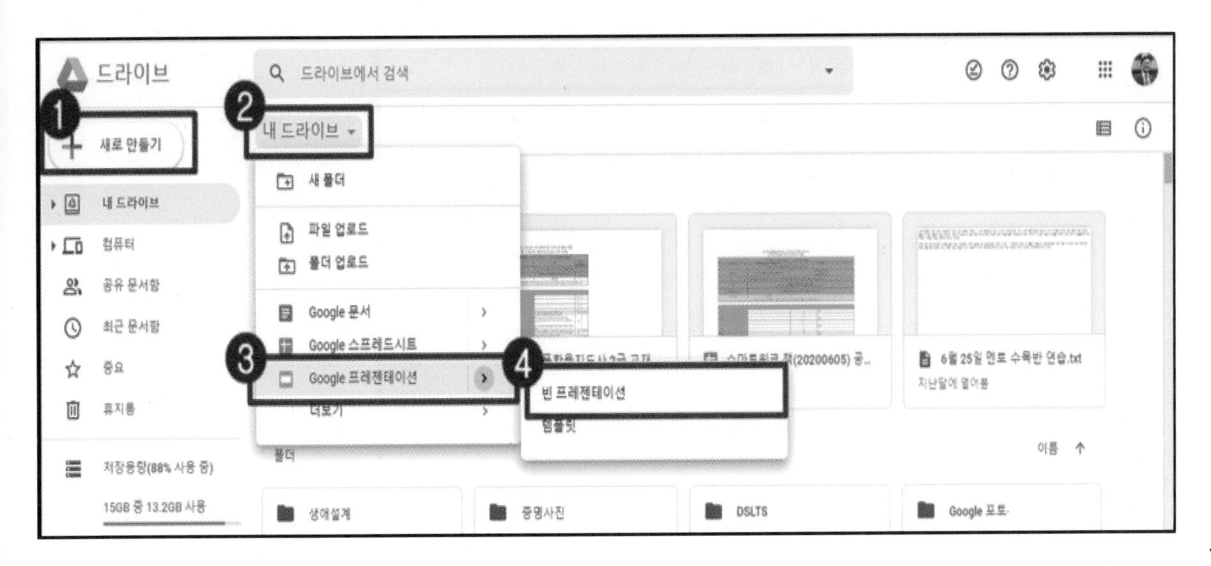

1 프레젠테이션 자료를 작성하기 위하여Google 프레젠테이션을 사용하기 위해 구글 드라이브에서, ①[**새로 만들기**] 또는, ②[**내 드라이브**]를 터치하여, ③[**Google 프레젠테이션**]을 터치하여, ④[**빈 프레젠테이션**]을 터치합니다.

1 구글 프레젠테이션의 화면은 Microsoft Presentation 화면과 유사하게,
①[**여러 슬라이드 보기**], ②[**문서 입력 창**], ③[**발표자 노트 기록 창**],
④[**슬라이드 배경 테마**],
⑤[**테마 가져오기**] 등으로 구성되어 있습니다.

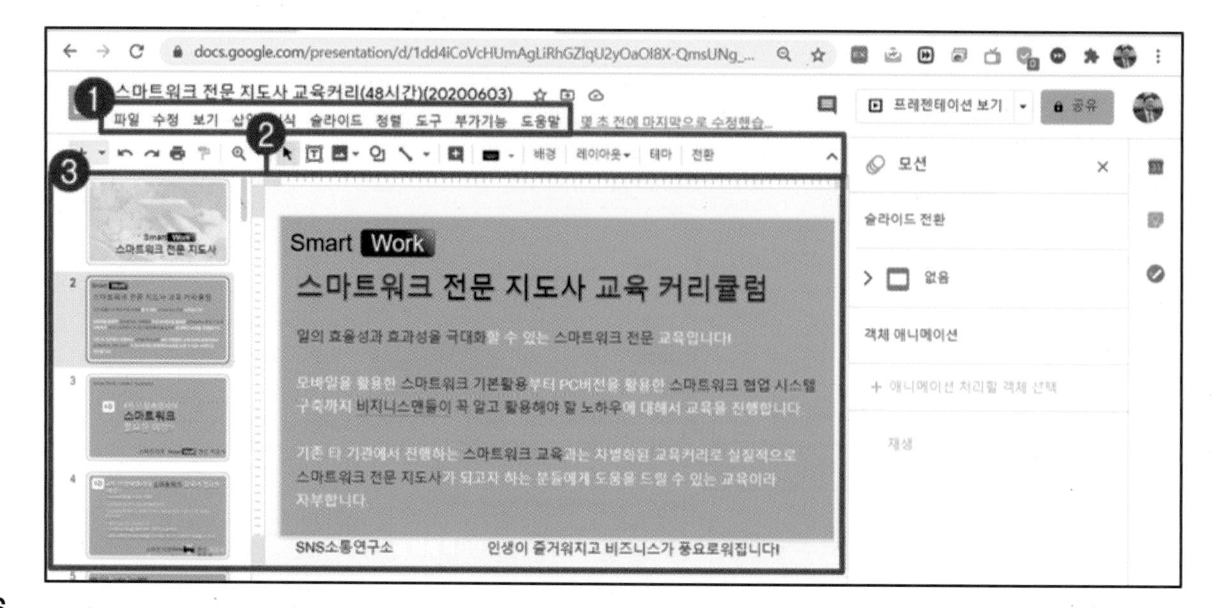

1 Google 프레젠테이션에서,
①[**메뉴**]들과,
②[**도구상자**]를 활용하여,
③[**여러 장 보기**] 와 [**프레젠테이션**]을 작성 할 수 있습니다.

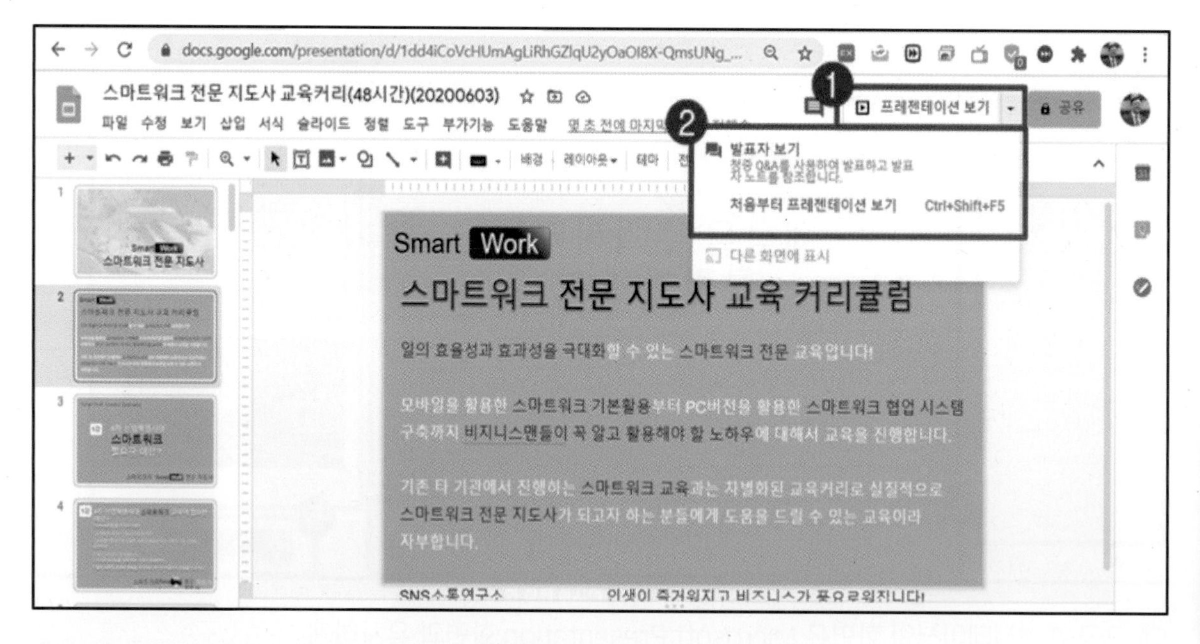

1 Google 프레젠테이션에서 작성 된 문서를 발표 형태로 보기위해서는,
①[**프레젠테이션 보기**]를 터치 한 후,
②[**발표자 보기**]를 터치 하여 프레젠테이션 발표자료를 볼 수 있습니다.

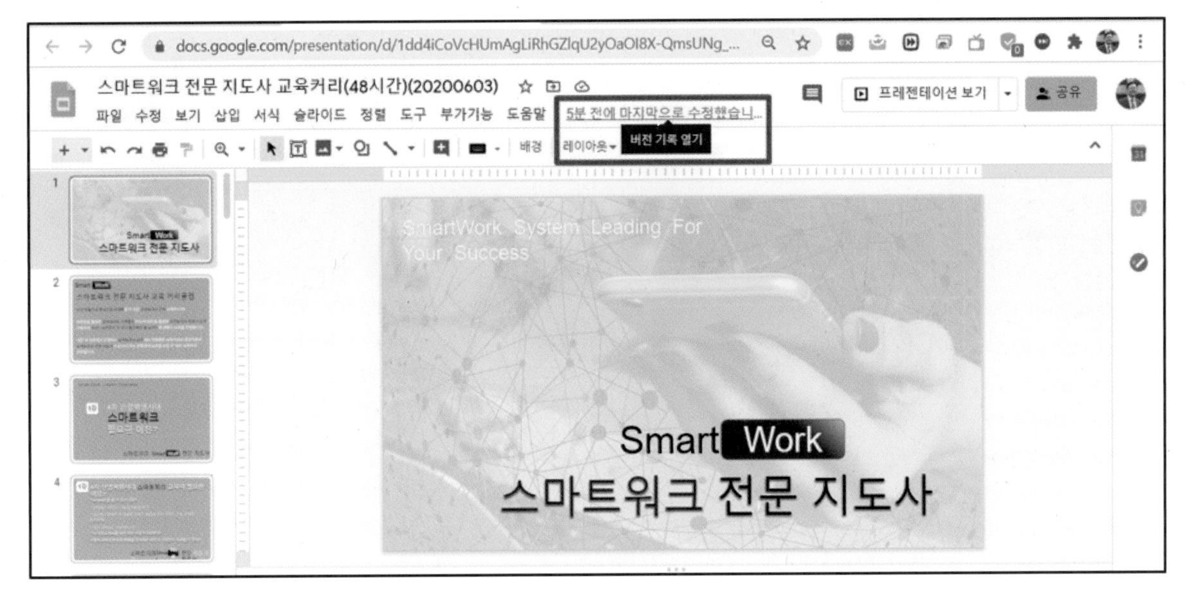

1 Google 프레젠테이션에서 작성 된 문서의 버전을 확인하고 자 할 때는,
[버전 기록 열기]를 터치 합니다.

1 Google 프레젠테이션에서 작성 된 문서의 버전 기록 열기를 터치한 후,
①**[확인 하고자 하는 버전]**을 터치하고, 그 버전으로 복원을 하고자 할 때는,
②**[이 버전 복원하기]**을 터치 합니다.

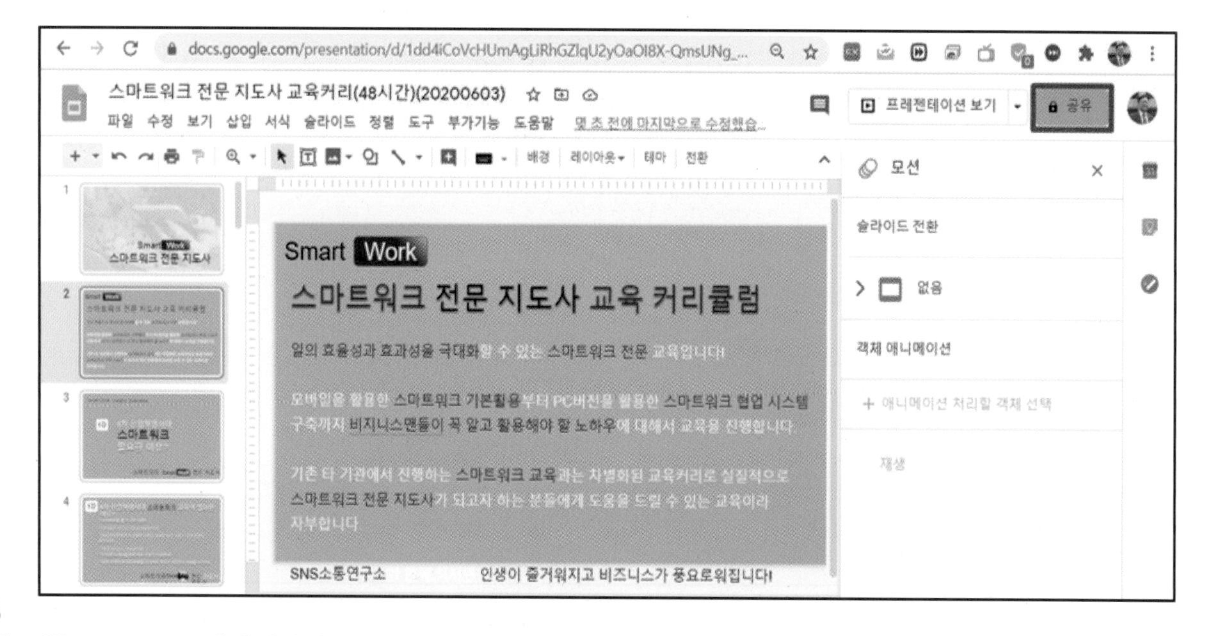

1 Google 프레젠테이션에서 작성 된 문서를 다른 사람과 공유를 하고자 할 때는,
[공유]를 터치 합니다.

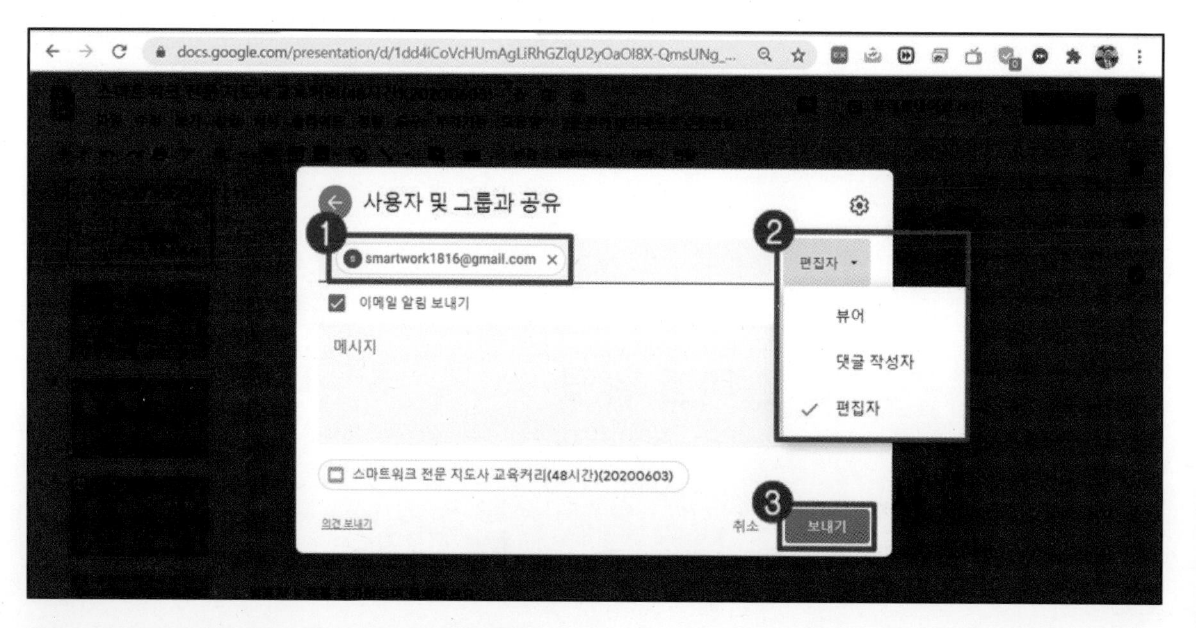

1 Google 프레젠테이션의 공유를 터치하여,
①**[사용자 및 그룹과 공유 이메일 주소]**를 입력하고,
②**[문서 접근 권한]**을 선택하고,
③**[보내기]**를 터치 합니다.

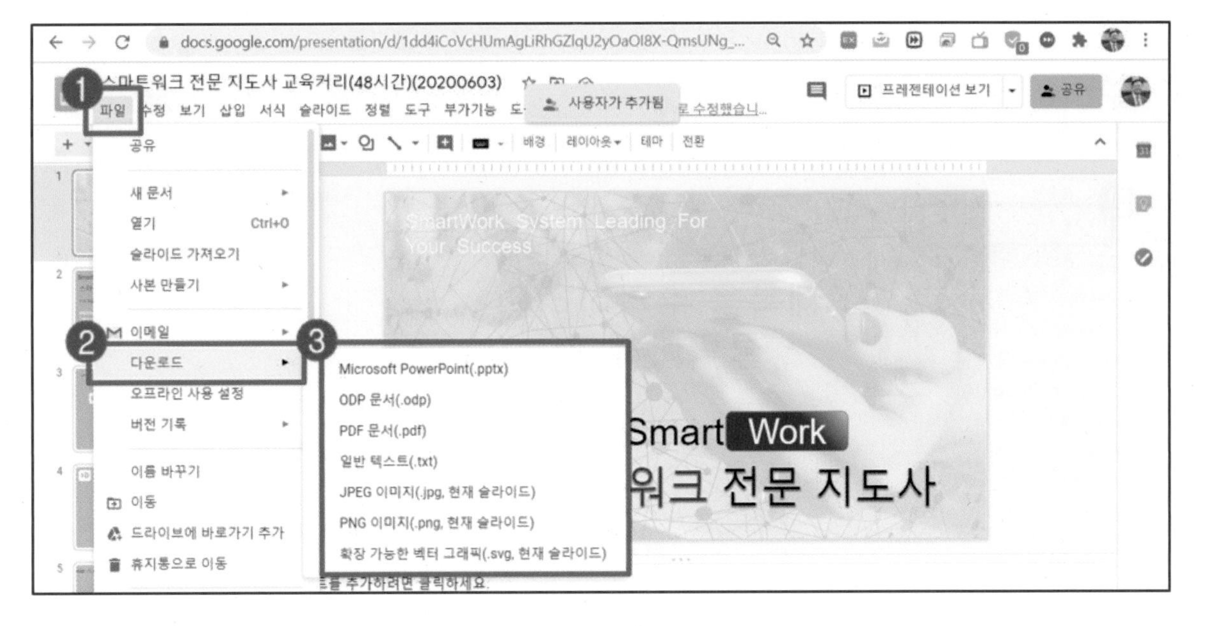

1 Google 프레젠테이션에서 작성 된 문서를 컴퓨터로 저장하여 파일을 작성/수정 하고자 할 때는,

①[**파일**]을 선택하여,

②[**다운로드**]을 터치하고,

③[**Microsoft Presentation**] 등 다운로드 할 파일의 속성을 터치 합니다.

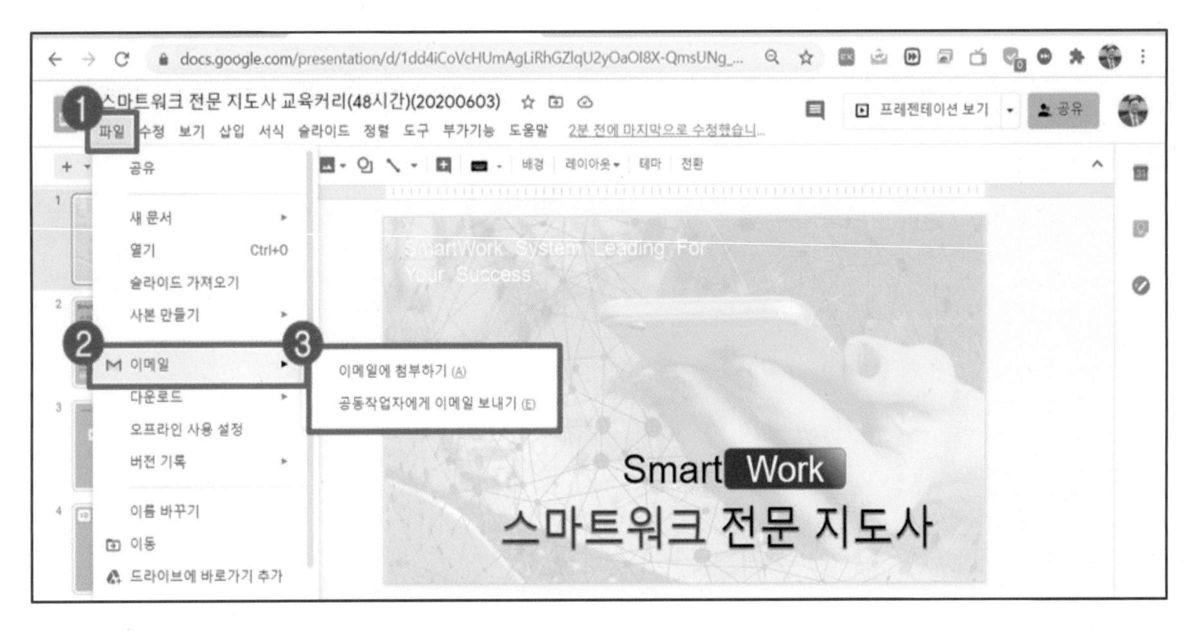

1 Google 프레젠테이션에서 작성 된 문서를 이메일로 전송하고자 할 때는,

①[**파일**]을 터치하고,

②[**이메일**]를 터치 하여,

③[**이메일에 첨부하기 또는 공동작업자에게 이메일 보내기**]를 터치 합니다.

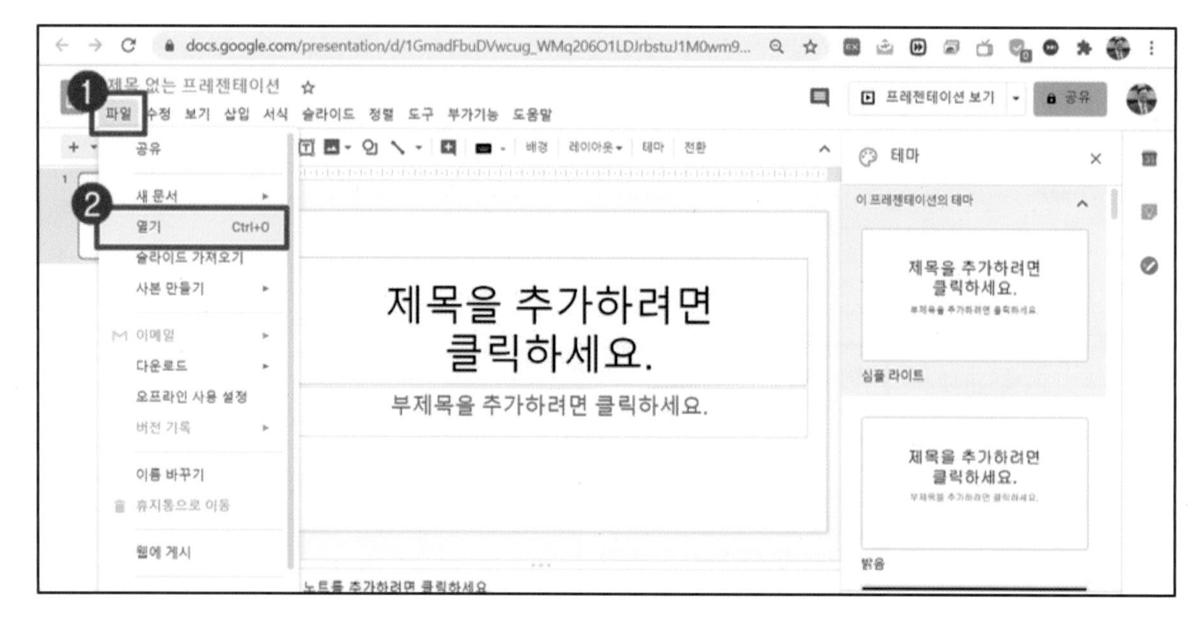

1 Microsoft Presentation에서 작성/수정한 문서를 Google 프레젠테이션에서 불러오기 위해서는,
①[**파일**]을 터치하여,
②[**열기**]를 터치 합니다.

1 파일 열기 창에서,
①[**업로드**]를 선택하고,
②[**기기의 파일 선택**]를 터치 합니다.

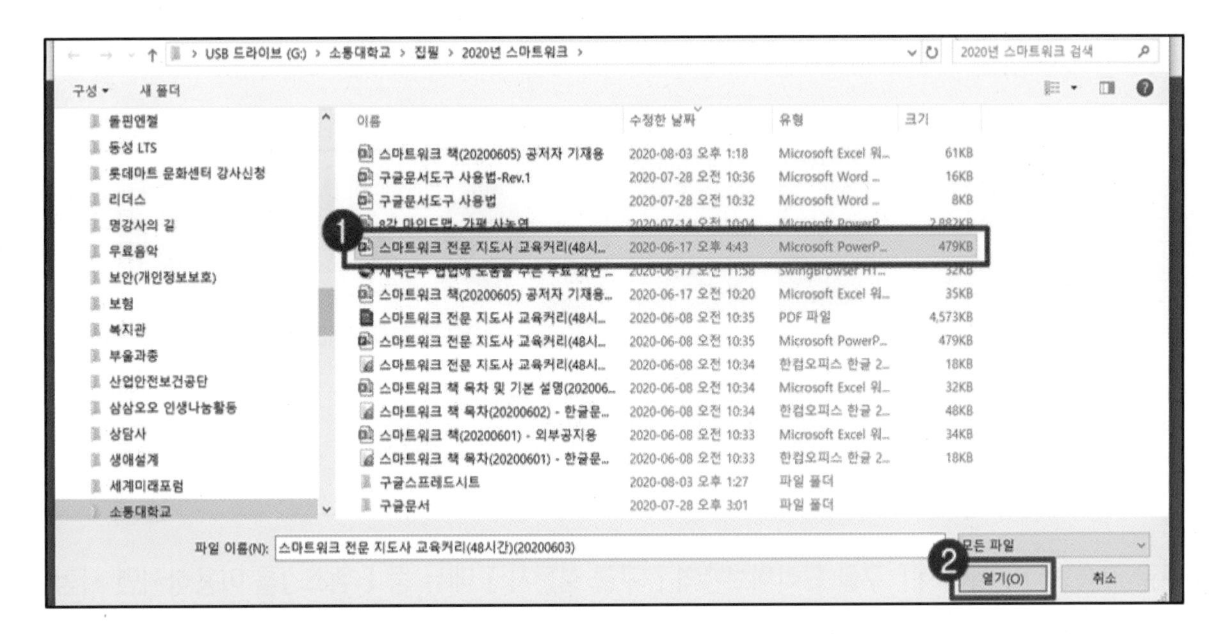

1 컴퓨터에서 업로드 파일의 위치를 확인하여,

①[**업로드 파일**]을 선택하고,

②[**열기**]를 터치 합니다.

1 Google 프레젠테이션에서 템플릿을 터치하면 다양하게 활용할 수 있는 템플릿 갤러리가 나타나는데,

①[+]를 터치하면 빈문서가 열리고,

②[**개인**], [**업무**], [**교육**] 등에 관련된 템플릿을 활용할 수가 있습니다.

문제 채점 자동으로 하기

구글 크롬브라우저에서 [구글 드라이브]의 [구글 설문지] 메뉴 중 [퀴즈]를 이용하시면 시험 문제 및 설문을 작성하실 수 있습니다.

시험 문제 작성 후 학생들에게 링크주소를 보내서 시험을 보고 바로 학생들이 자신의 점수를 알 수 있고 오답을 체크한 학생들은 정답을 바로보면서 답안 체크까지 할 수 있습니다.

학생들을 회원가입시키거나 할 필요없이 클래스팅과 같은 학급 페이지나 카카오톡 단체방에 링크 주소를 올리면 되기때문에 매우 편리하고 유용한 방법입니다.

일일이 채점하는 수고를 덜 수 있으며 적용 영역은 시험 문제부터 설문 조사까지 넓게 활용할 수 있습니다.

[Google Workspace Marketplace]에서 [flubaroo]를 설치하시면 유용한 기능들을 사용할 수 있습니다.

flubaroo 가 필요하신 분?

1. 채점 할 시간이 충분하지 않는분들에게 필요합니다.
2. 학생 성과에 대한 유용한 측정을 원하시는 분들에게 필요합니다.
3. 학생의 이해도를 실시간으로 평가하고 싶은신 분들에게 필요합니다.

flubaroo 장점

1. 1분안에 과제와 평가를 채점할 수 있습니다.
2. 학생 성과에 대한 보고 및 분석을 받습니다.
3. 학생들에게 점수를 빠르게 보낼 수 있습니다.
4. 선생님은 주당 평균 3.7시간을 절약할 수 있습니다.

1 시험문제를 만들기 위해서 크롬 브라우저 우측 상단에 [구글앱스]를 클릭한 후 [드라이브]를 클릭합니다.

2 [+ 새로 만들기]를 클립합니다.

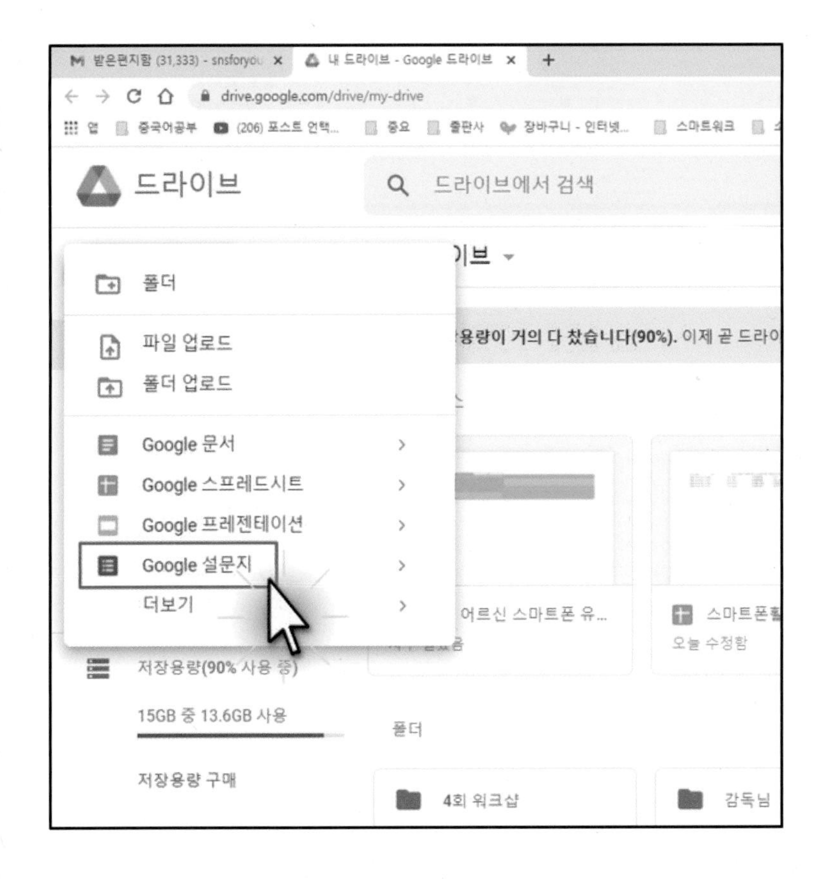

3 [Google 설문지]를 클립합니다.

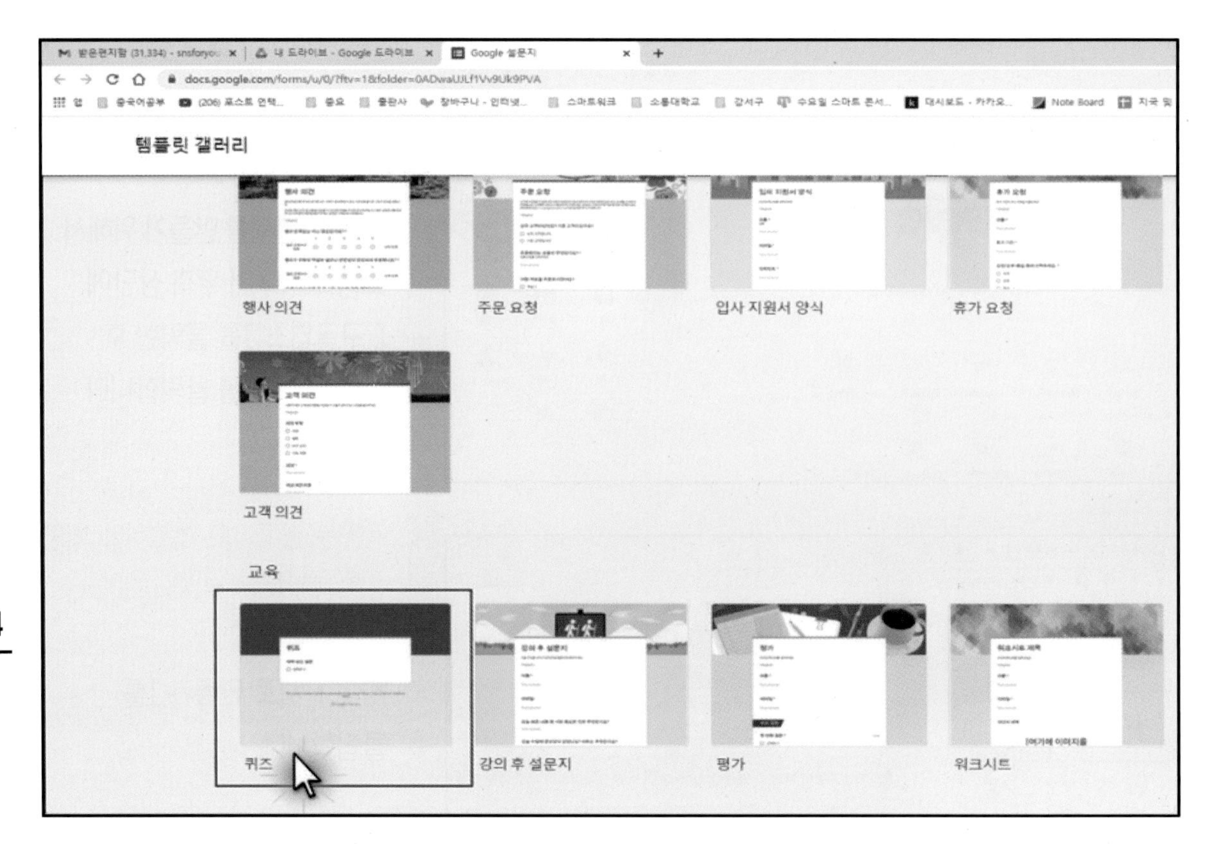

1 [**템플릿 갤러리**] 메뉴 중 [**교육**] 카테고리에서 [**퀴즈**]를 클릭합니다.

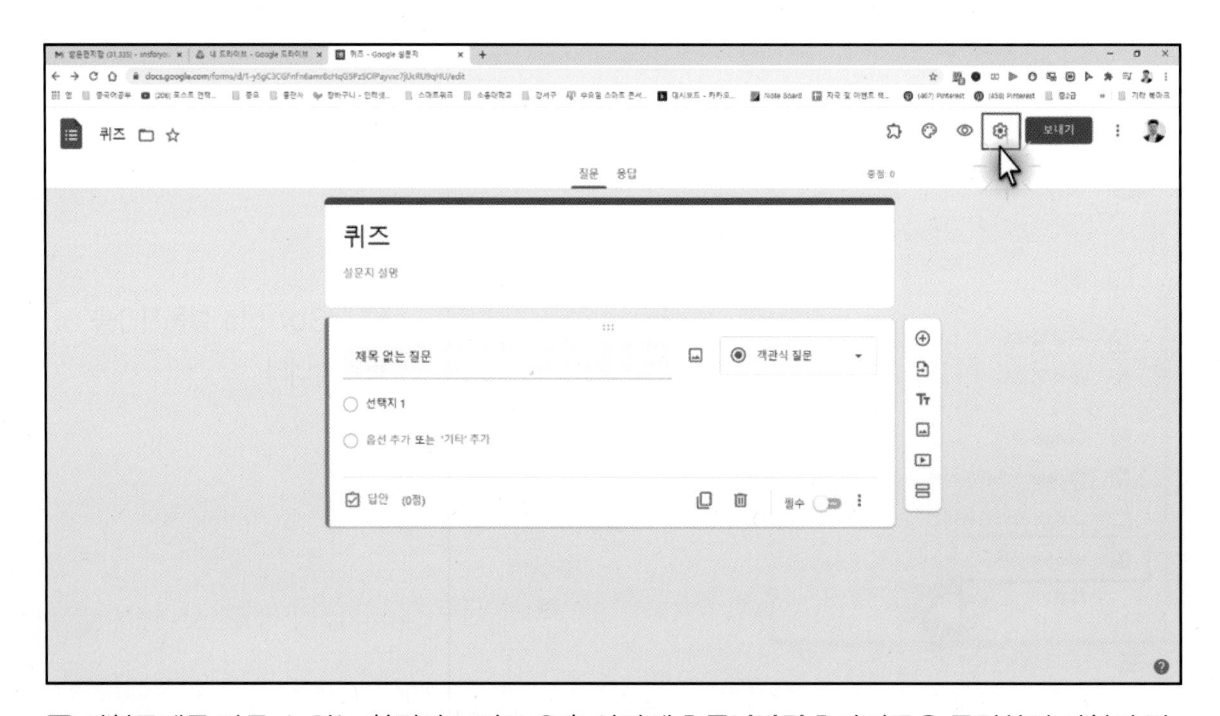

1 시험문제를 만들 수 있는 화면이 보이고 우측 상단에 [**톱니바퀴**] 아이콘을 클릭하면 시험지 및 설문지를 만드는데 필요한 여러가지 메뉴들을 설정할 수 있습니다.

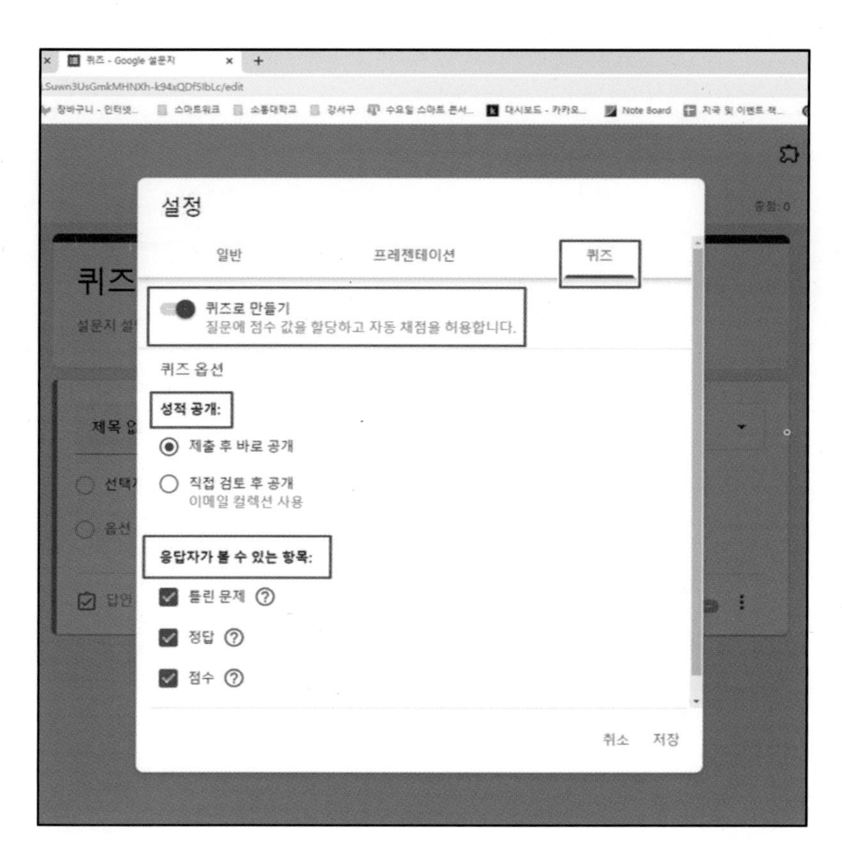

1 [퀴즈] 메뉴에서 [퀴즈로 만들기]를 활성화 합니다. [성적공개]를 [제출 후 바로 공개]로 하면 학생들이 시험 결과를 제출 후 바로 점수를 알 수 있습니다. [응답자가 볼 수 있는 항목]도 체크하게 되면 학생들이 바로 자신의 성적에 대해서 직접 살펴볼 수 있습니다.

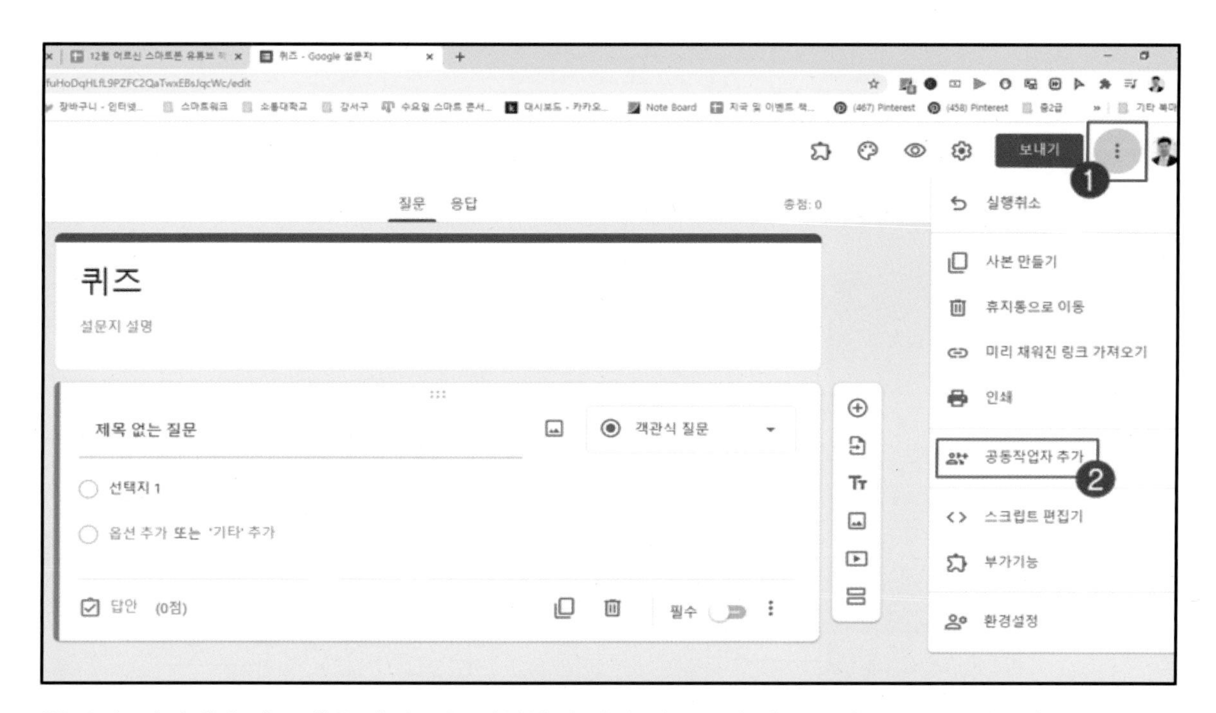

1 우측 상단에 [점 3개] 아이콘을 터치하면 여러 메뉴들이 나오는데 [공동 작업자 추가]를 클릭해서 같이 작업하고자 하는 사람을 초대하면 동시에 작업을 함께 할 수 있습니다.

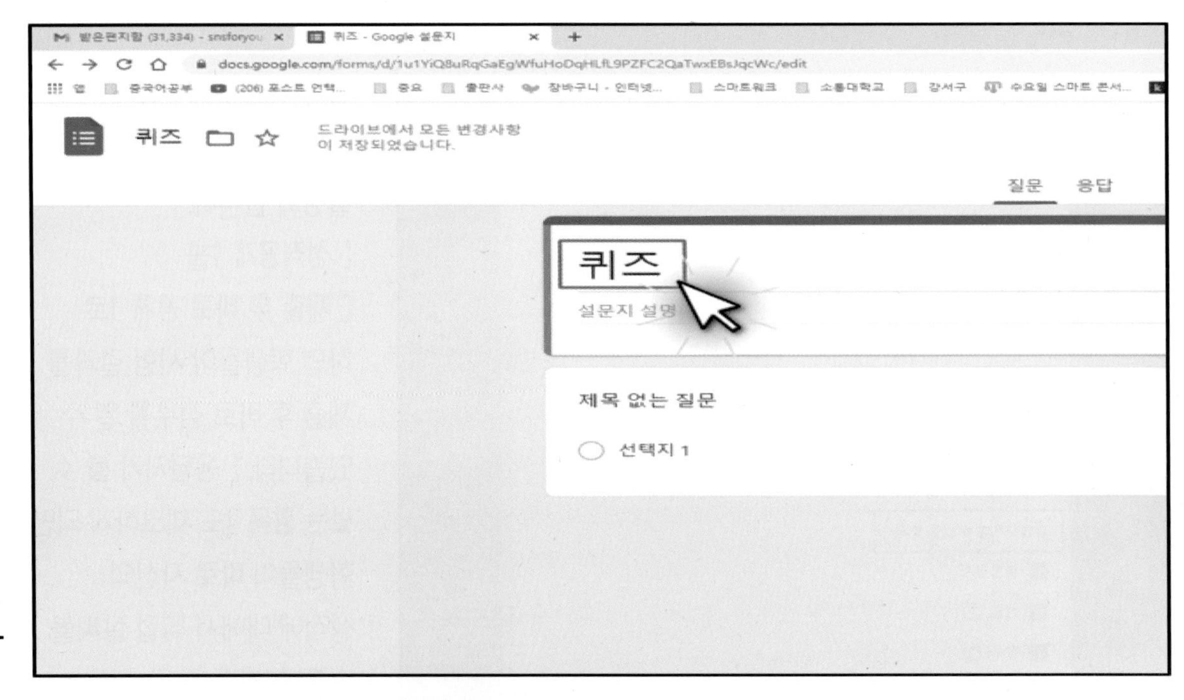

1 [퀴즈] 글자를 클릭하면 시험지 제목을 입력할 수 있습니다.
[제목 없는 질문]을 클릭해서 시험문제를 입력합니다.
[선택지 1]을 클릭해서 객관식 문항을 입력합니다.

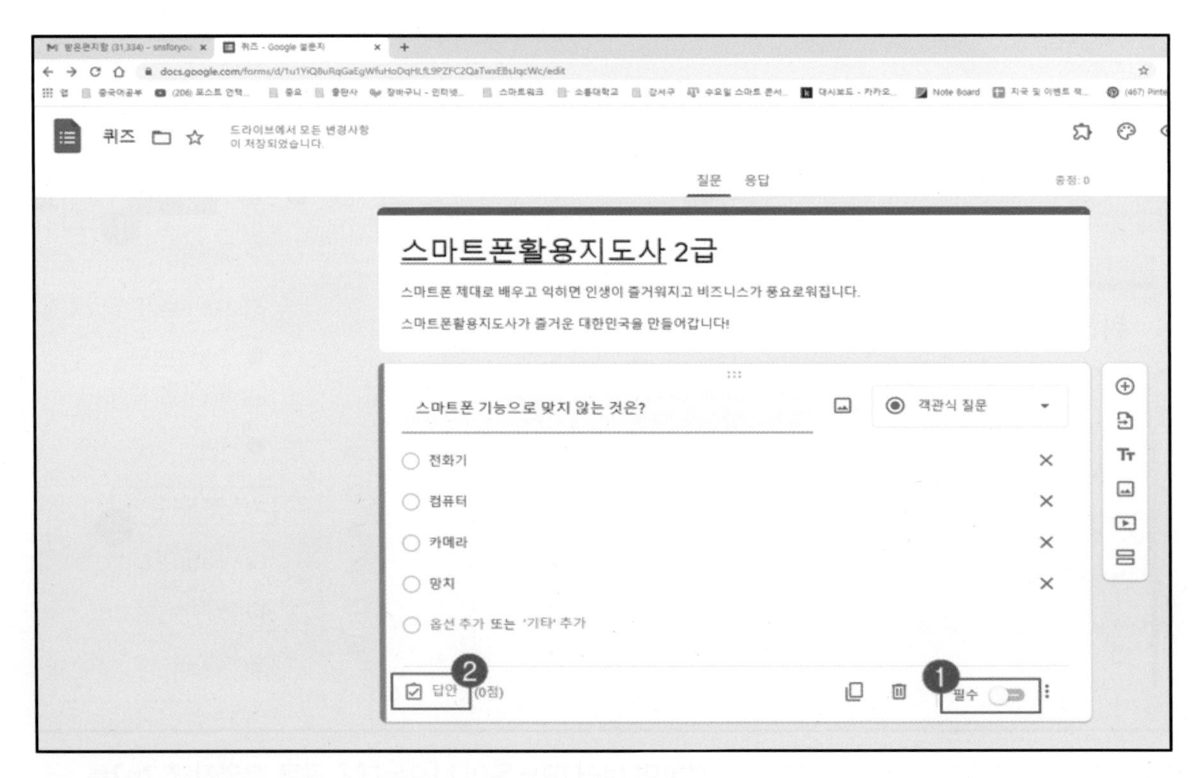

1 ①[필수]를 체크하시면 답안체크가 꼭 되어야 합니다.
②[답안]을 클릭하시면 객관식 문항중 점수를 배정할 수 있습니다.

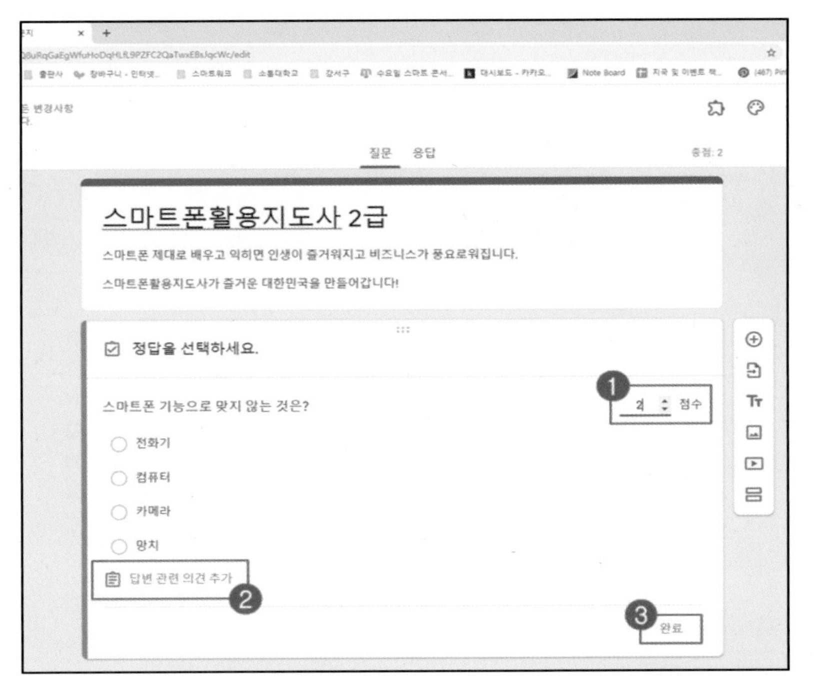

1 ①위아래 삼각형 버튼을 클릭해서 점수를 각 문항마다 지정해 줄 수 있습니다.
②[**답변 관련 의견 추가**] 클릭하면 [**잘못된 답변**]과 [**정답**]에 대해서 설명을 추가할 수 있습니다. 각 문항당 설정이 끝나면 ③[**완료**] 버튼을 클릭합니다.

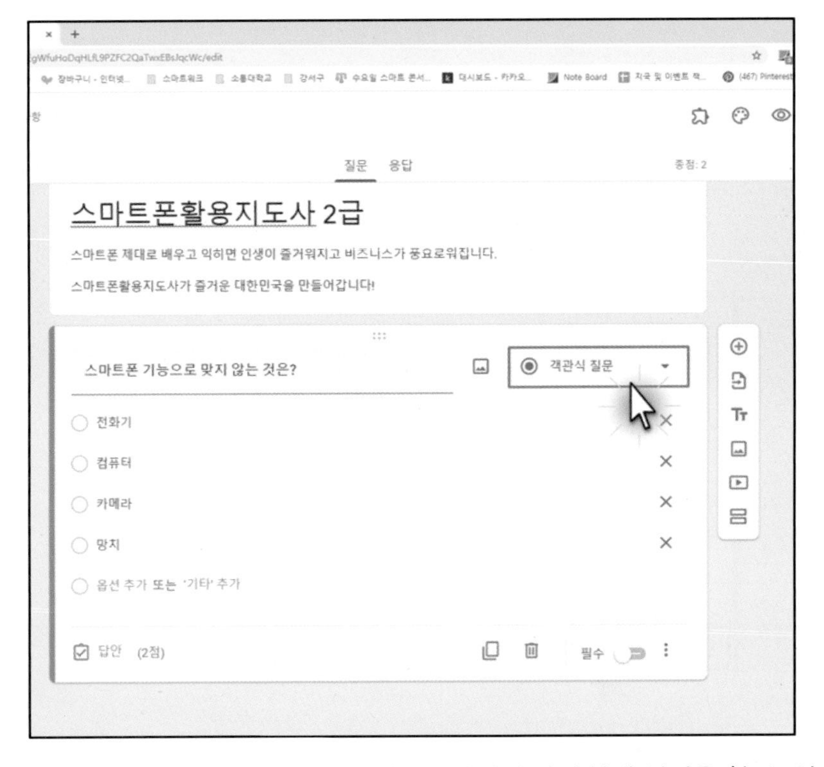

1 [**객관식 질문**] 항목 부분을 클릭하면 각 문항에 대해서 다양하게 설정을 할 수 있습니다.

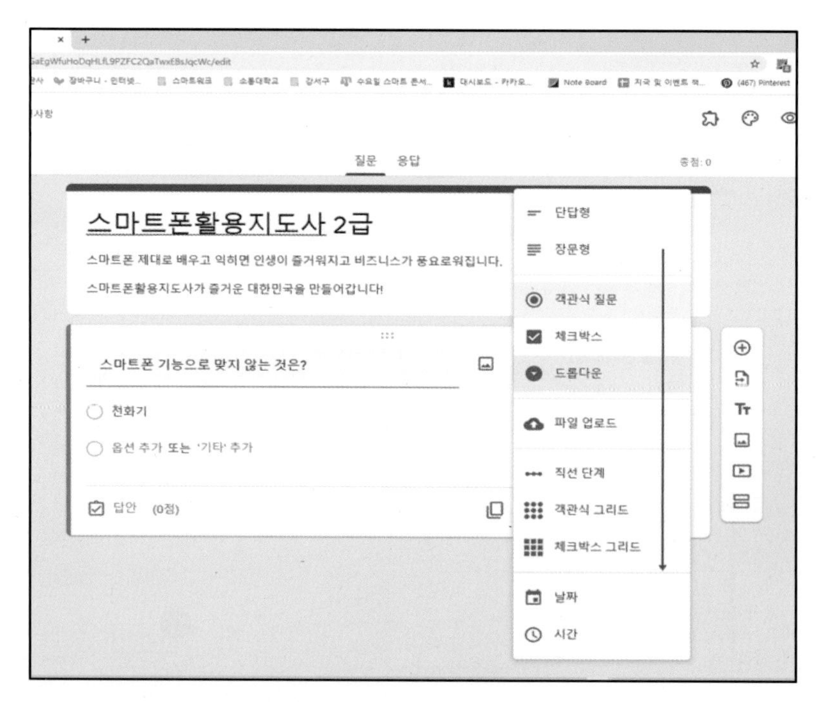

1 각 문항에 대해서 [**단답형**], [**장문형**]등 다양한 설정을 하면서 다시 원위치 하고 싶다면 [CTRL+Z] 및 [CTRL+Y]등 단축키가 적용됩니다.

1 학생들이 답안지 제출 후 바로 점수를 알 수 있도록 하고 싶다면 [**답안**]을 클릭합니다.

1 ①답을 클릭합니다. ②[**완료**]를 클릭합니다. 그럼 학생들이 시험 결과 제출 후 바로 점수를 알 수 있습니다.

1 시험문제가 다 만들어졌다면 우측 상단에 [**보내기**] 버튼을 클릭합니다.

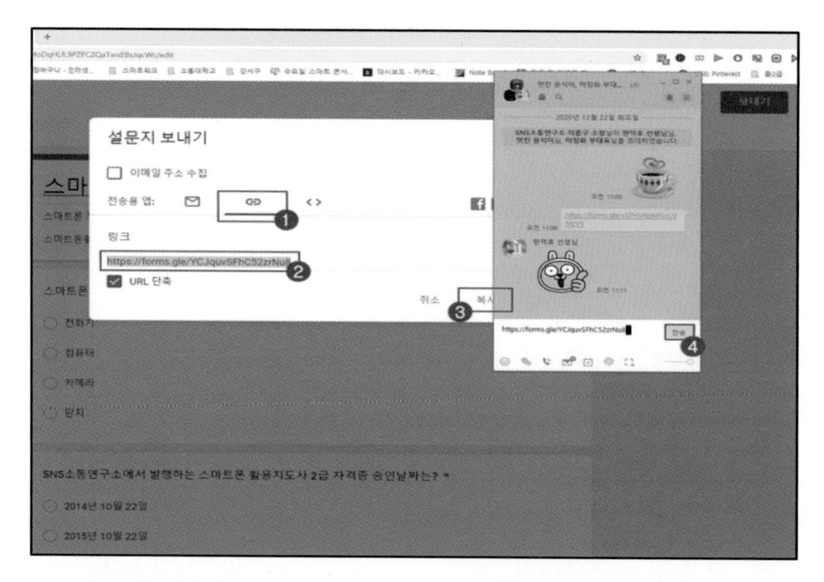

1 ①[**링크복사**] 아이콘을 클릭하면 ②링크주소가 보여집니다.
③[**복사**] 버튼을 클릭한 후 학생들이 있는 카카오톡 단체방에 붙여넣기를 한 후
④전송버튼을 클릭합니다. 학생들은 별도의 회원가입 없이 링크주소를 클릭해서 답안체크를 한 후 제출하기를 하면 시험이 완료됩니다.

1 시험시간이 완료되고 학생들이 시험지 제출이 완료된 후 ①[**응답**] 버튼을 클릭합니다.
[**요약**], [**질문**], [**개별보기**]등을 클릭하면 시험문제애 대한 정보들을 볼 수 있습니다.
②[**구글 스프레드시트**]에서 일목요연하게 보고 싶다면 클릭합니다.

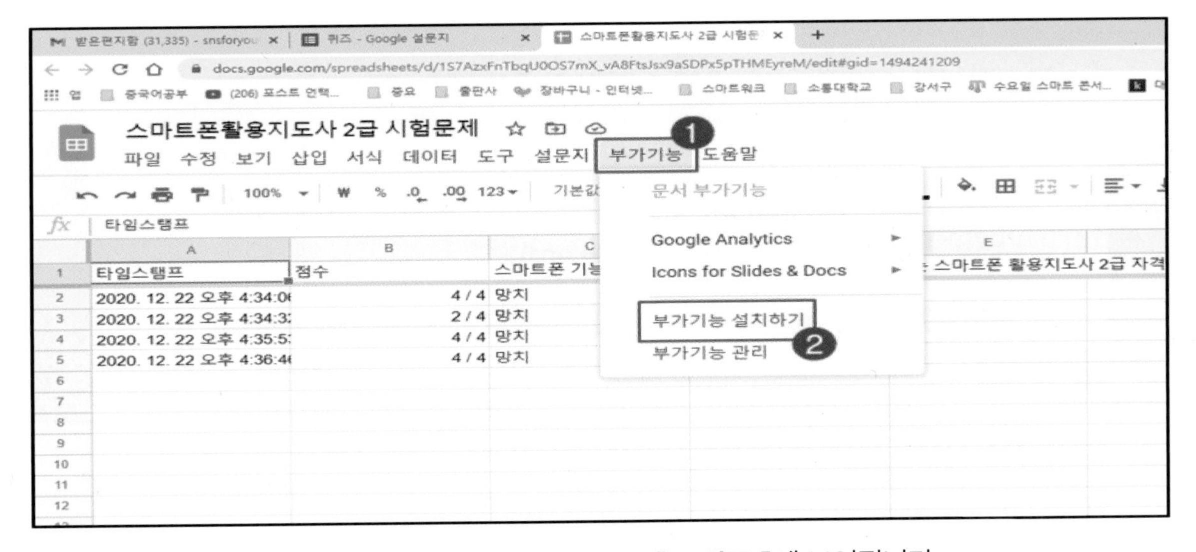

■ 시험문제와 각 응시생들의 시험점수가 [**구글 스프레스 시트**]에 보여집니다.
[flubaroo]를 설치해서 시험문제에 대한 채점을 동시에 하고 전체적인 현황에 대해서 알고 싶다면 ①[**부가기능**] 버튼을 클릭합니다. ②[**부가기능 설치하기**]를 클릭합니다.

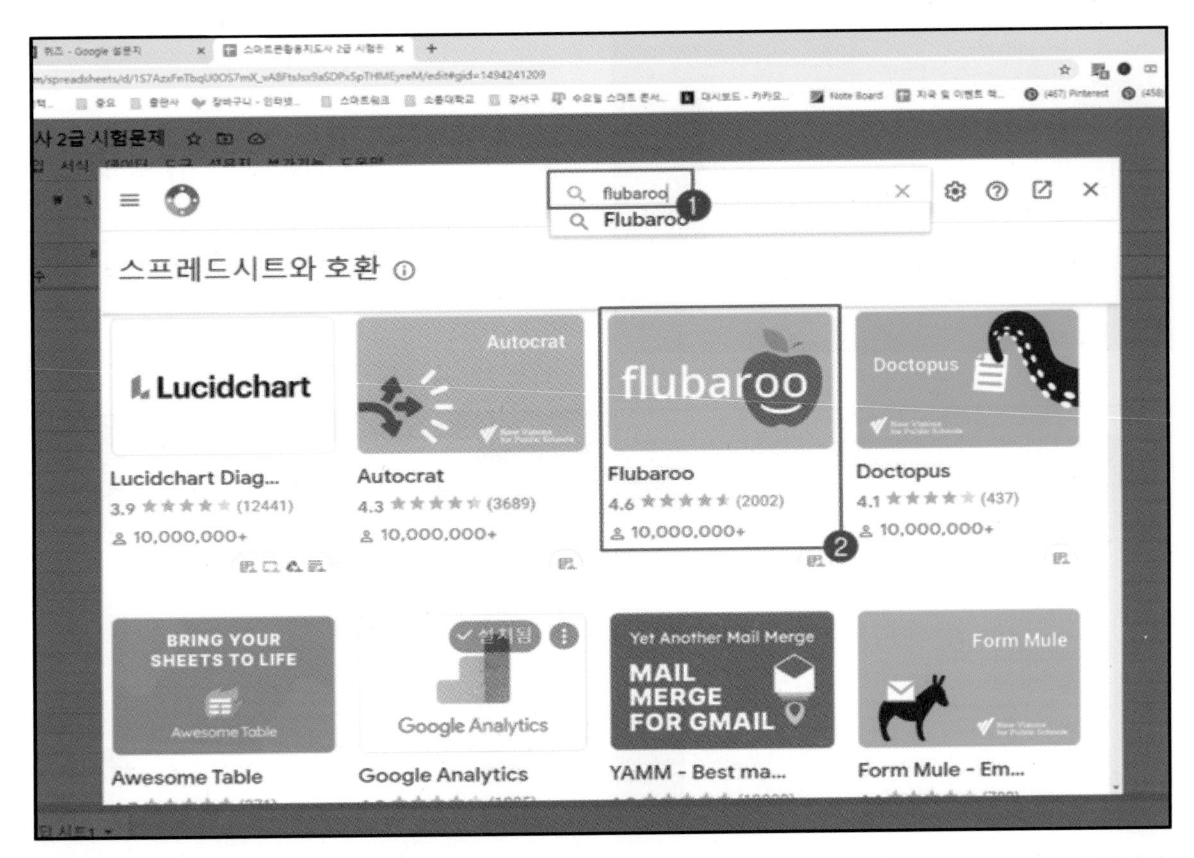

■ [Google Workspace Marketplace] 화면이 보여지고 [**확장 프로그램**]들이 보여집니다.
②[flubaroo]가 보여지면 클릭해서 설치를 하면됩니다.
만약에 보여지지 않는다면 ① 검색창에 [flubaroo]라고 검색을 합니다.

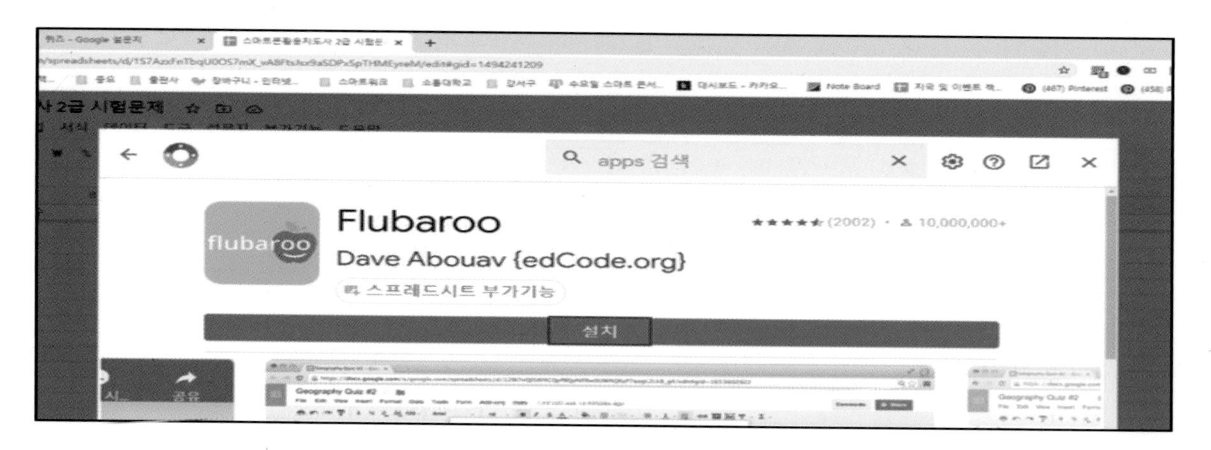

1 [**설치**]를 클릭합니다.

1 [**계속**]을 클릭합니다.

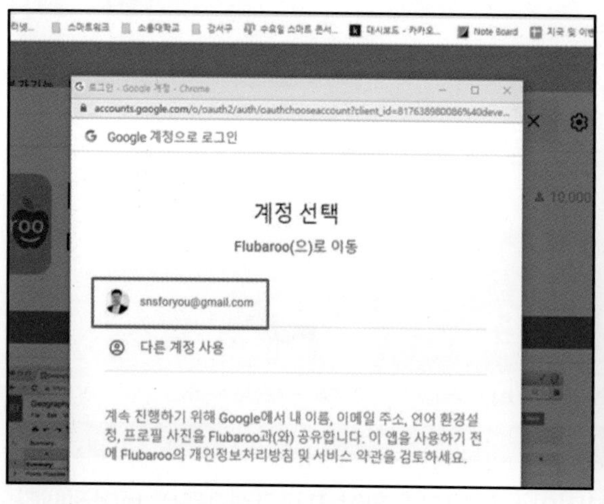

2 계정선택 화면에서 선택하고자 하는 [**지메일 계정**]을 선택합니다.

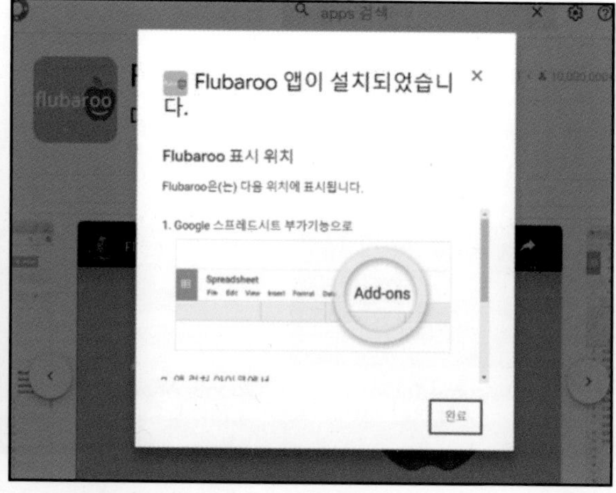

3 [**완료**]를 클릭합니다.

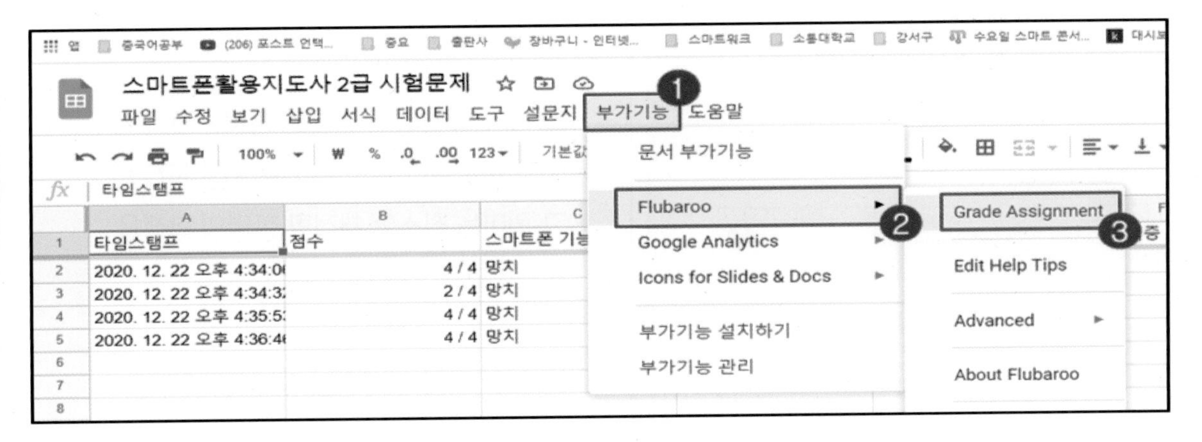

1 [flubaroo]가 설치 완료된 후 다시 [구글 스프레드 시트]로 돌아와서 ①[부가기능]을 클릭합니다. ②[Flubaroo]를 클릭합니다. ③[Grade Assignment]를 클릭합니다.

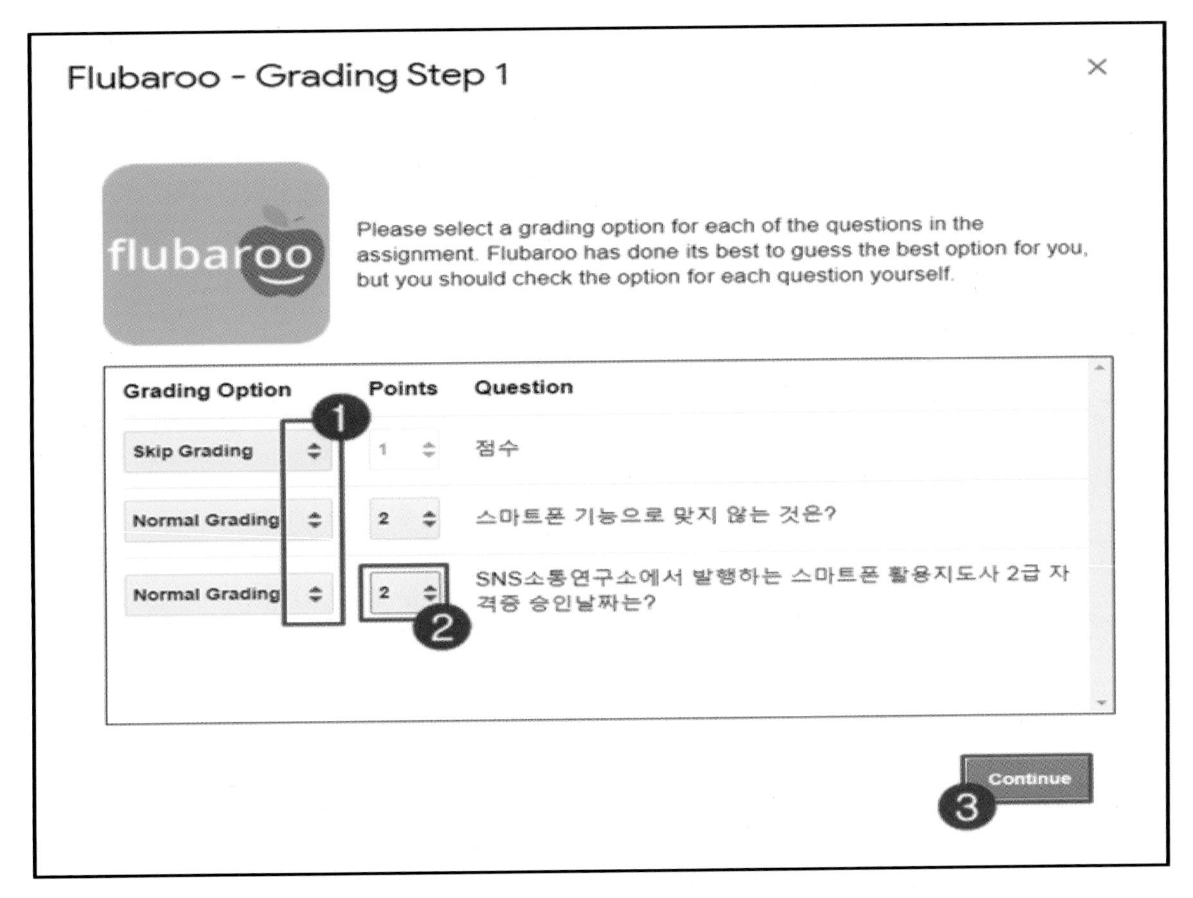

1 [Flubaroo - Grading Step 2] 화면이 나옵니다. 영어로 설명이 3줄정도 나오는데 (답지를 하나 선택하라는 의미입니다. 그 이유는 정답지를 하나 선택하면 나머지 응시자 답안지는 자동으로 채점이 된다는 의미입니다.) ①건너뛸 수 있는 항목은 [Skip Grading]을 선택합니다. ②채점 항목이라면 [Normal Grading]을 선택합니다. 항목별 채크가 끝나면 ③[Continue] 버튼을 클립힙니다.

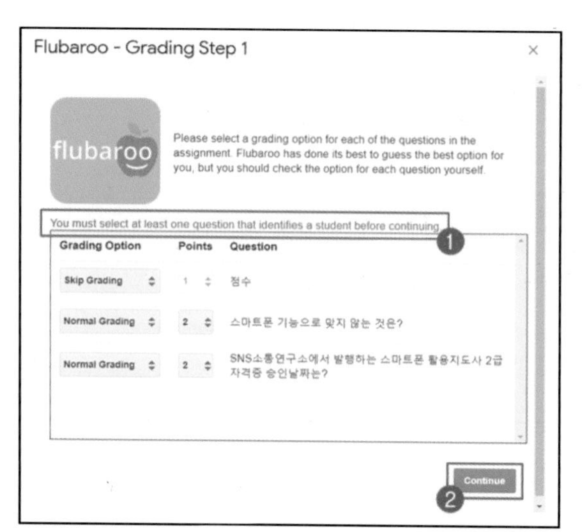

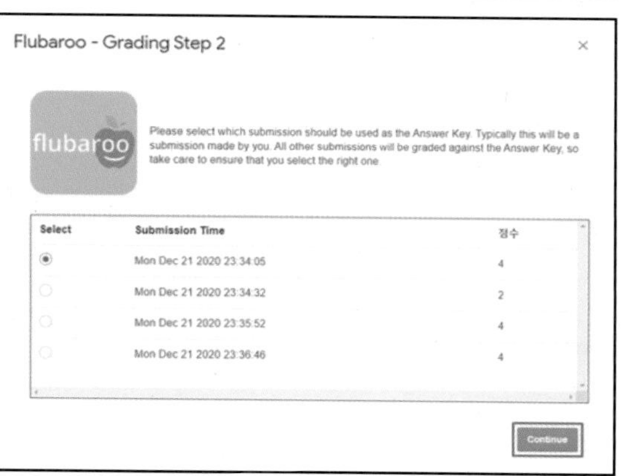

1 제대로 완성되지 않은 시험문제의 경우 ①영어로 빨간색 문구가 보여집니다. 그 의미는 최소한 채점할 한명의 학생을 선택하라는 의미입니다.

2 일단 뒤에서 제대로 된 학생인증에 대해서 설명하오니 여기서는 일단 ②[Continue] 버튼을 클릭합니다.

3 일단 작성한 날짜를 클릭한 후 [Continue] 버튼을 클릭합니다.

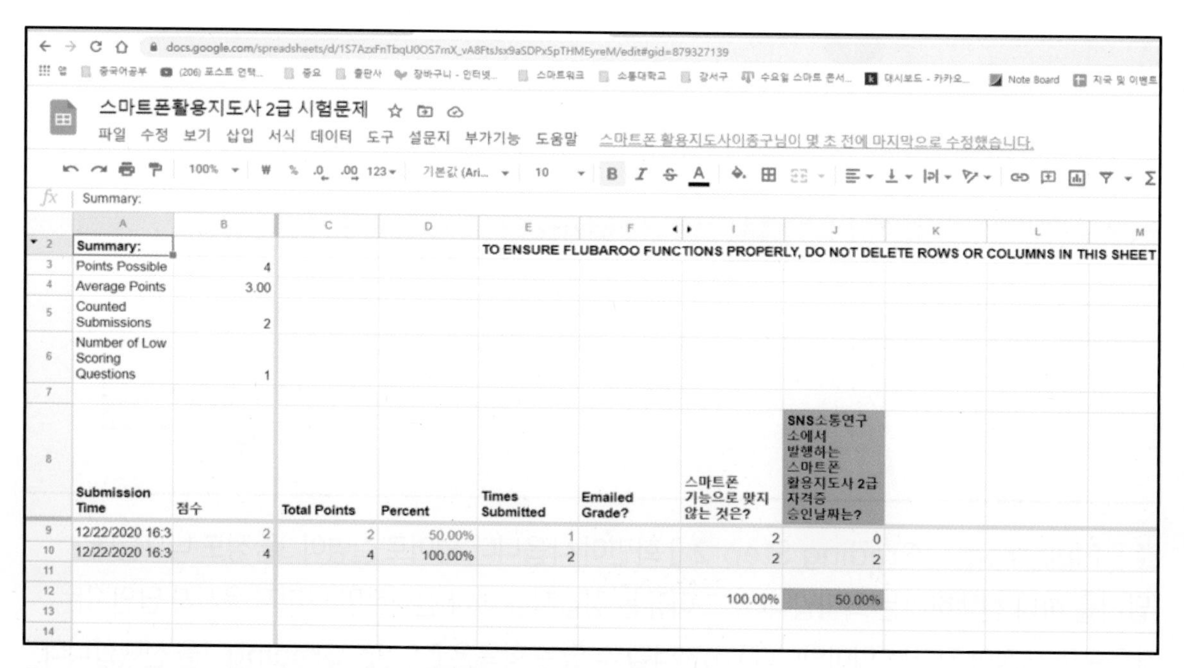

1 응시자 명단이 없지만 대략적인 통계를 볼 수는 있습니다.
뒤에서 응시자 명단을 기재한 내용에 대해서 설명하도록 하겠습니다.

퀴즈

스마트폰활용지도사 2급

설문지 설명

응시자 성명을 기재해주세요

단답형 텍스트

응시자 전화번호를 기재해주세요

단답형 텍스트

응시자 자격증 받을 주소를 알려주세요

단답형 텍스트

1 앞에서 한것처럼 시험지 문제를 만들기전에 앞 부분에 **응시자의 성명, 전화번호, 자격증 받을 주소등을 기재합니다.** 기재하고 난 후 그 밑으로 시험문제를 작성하면 됩니다.

1 시험지를 다 완성한 후 응답이 완료되었다면 **[응답]** 메뉴에서 **[구글 스프레스 시트]** 아이콘을 터치합니다.

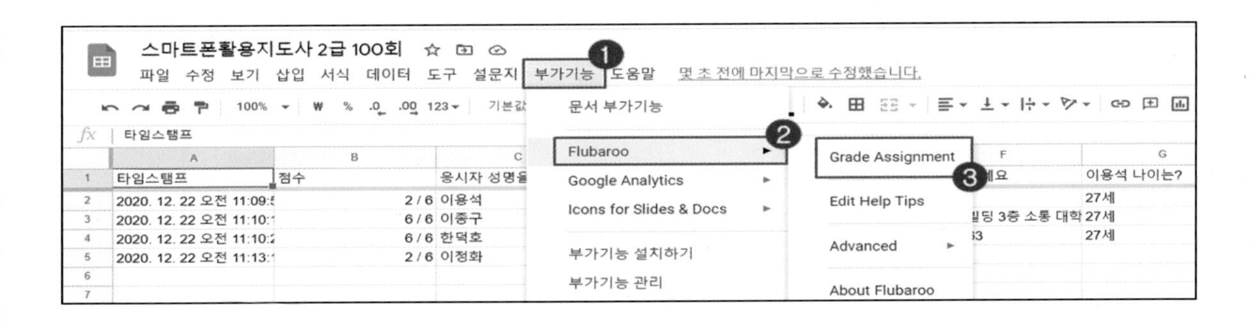

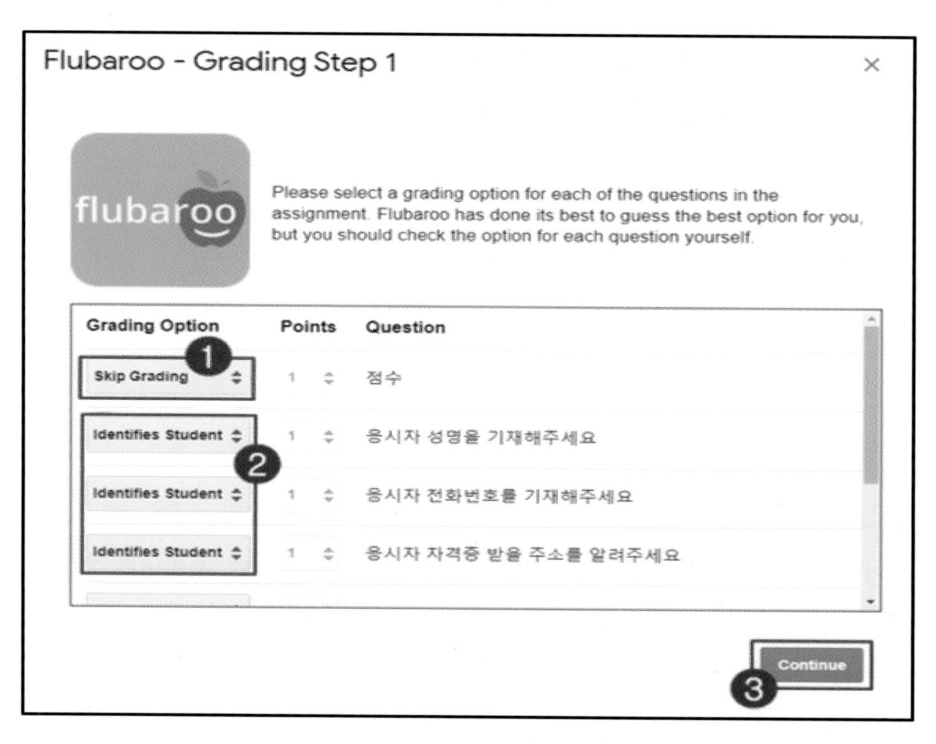

1 ①필요없는 항목은 [Skip Grading]을 선택합니다. ②학생에 관한 정보라면 [Identifies]를 선택합니다. 시험문제의 경우에는 [Normal Gradin]을 선택하고 점수를 정해주면 됩니다. ③[Continue]를 클릭합니다.

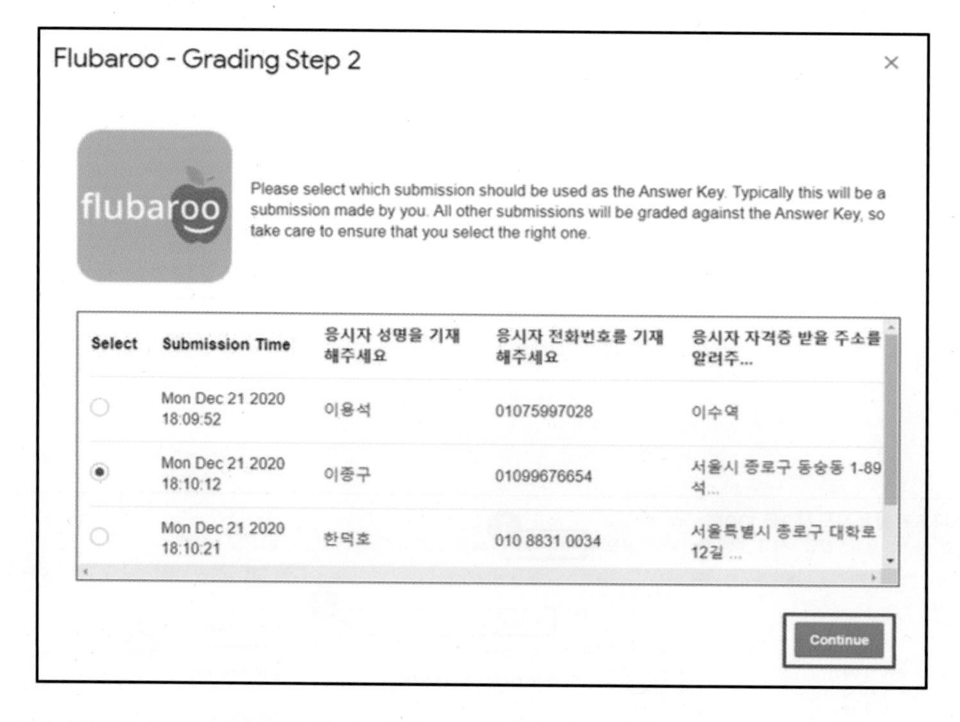

1 답안지를 선택할 응시자 명단을 미리 정해놓고 선택한 후 [Continue]를 클릭합니다.

스마트폰활용지도사 2급 100회

파일 수정 보기 삽입 서식 데이터 도구 설문지 부가기능 도움말 스마트폰 활용지도사이종구님이 4분 전에 마지막으로 수정했습니다.

Summary:

Summary:	
Points Possible	6
Average Points	3.33
Counted Submissions	3
Number of Low Scoring Questions	1

TO ENSURE FLUBAROO FUNCTIONS PROPERLY, DO NOT DELETE ROWS OR COLUMNS IN THIS SHEET

Submission Time	응시자 성명을 기재해주세요	응시자 전화번호를 기재해주세요	응시자 자격증 받을 주소를 알려주세요	Total Points	Percent	Times Submitted	Emailed Grade?	점수		이용석 나이는?	이종구 나이는	이정화 나이는
12/22/2020 11:0	이용석	1075997026	이수역	2	33.33%	1		Not Graded	Not Graded	2	0	0
12/22/2020 11:1	한덕호	010 8831 0034	서울특별시 종로	6	100.00%	1		Not Graded	Not Graded	2	2	2
12/22/2020 11:1	이정화	1094907024	서울 동작구 동작	2	33.33%	1		Not Graded	Not Graded	0	0	2
								---	---	66.67%	33.33%	66.67%

1 자동으로 채점이 되는 시트를 볼 수 있습니다.

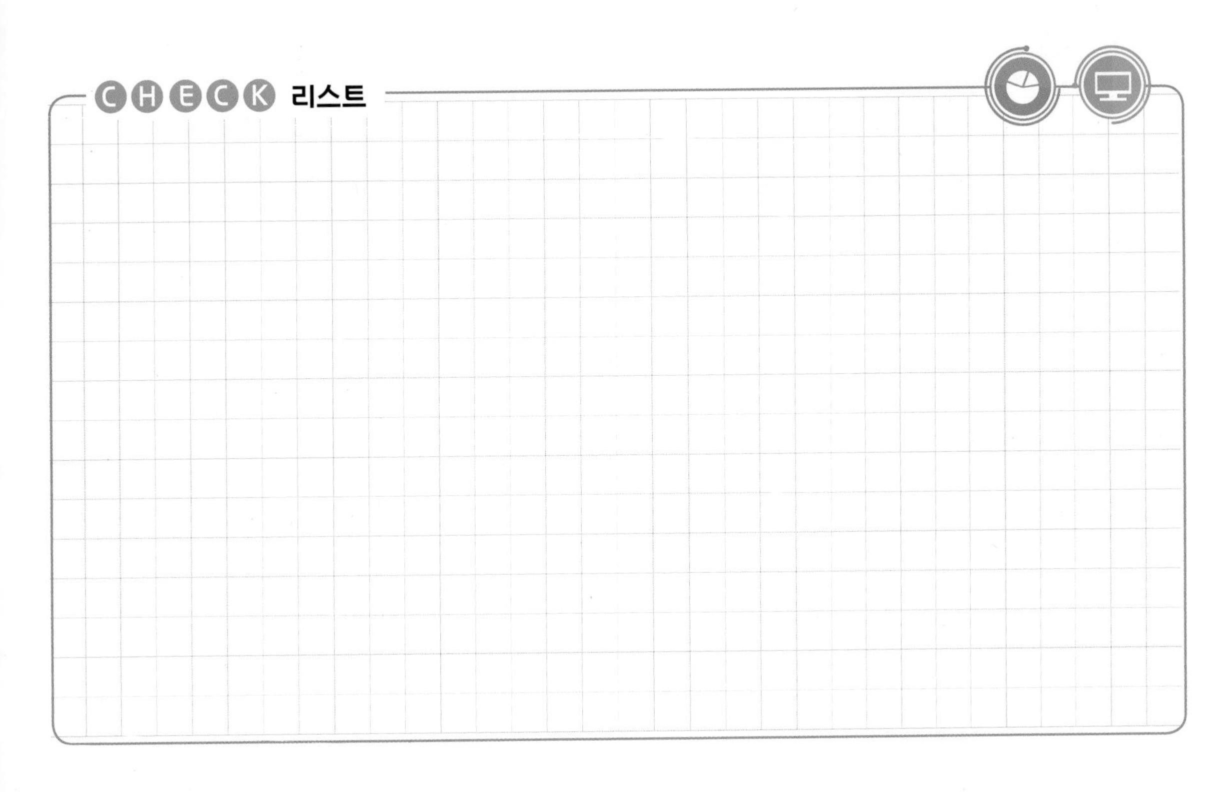

15강. 강사 및 교수들에게 꼭 필요한 기능

1 카카오톡 큐알코드로 친구맺기

①카카오톡에서 카톡QR코드를 이용하면 전화번호나 카톡 ID를 몰라도 QR코드를 스캔해서 친구를추가할 수 있습니다.

②전화번호 인증하기 까다로운 외국인이나 동시에 많은 친구를추가할 때 매우 편리합니다.

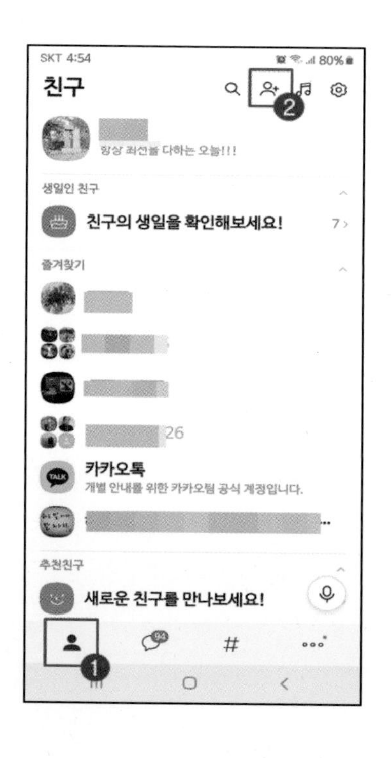

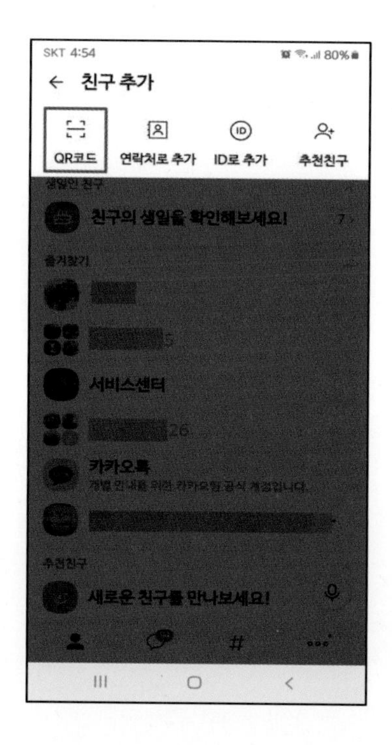

1 [카카오톡]을 실행합니다.

2 ①[친구] 화면에서 ②상단의 [친구 추가] 아이콘을 터치합니다.

3 [큐알코드]를 터치합니다.

1 ①친구 요청하는 한 사람은 [**내 프로필**]을 터치합니다. ②친구 요청받은 한 사람이거나 다수의 사람들은 [**코드 스캔**]을 터치 합니다. 2 [**내 프로필**]의 QR코드가 생성되며 친구 요청받은 사람은 스마트폰을 QR코드에 근접하여 스캔합니다. 3 QR코드를 인식 한후 생성된 [**친구추가**]를 터치합니다.

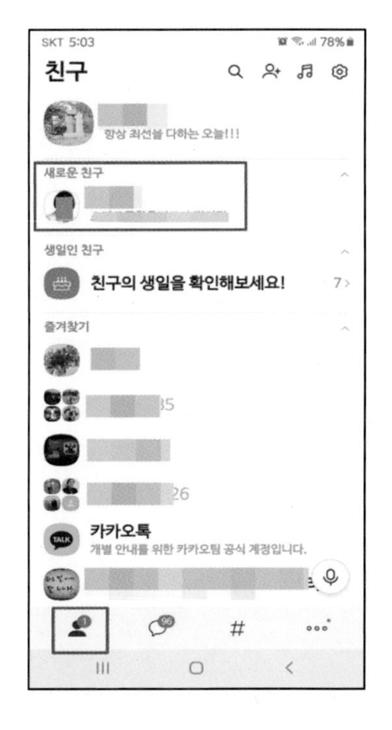

1 친구 화면에서 [**새로운 친구**]로 보여지며 이를 터치하가나

2 ①[**친구**] 화면에서 ②이름으로 검색을 합니다. 3 [**1:1 채팅**]을 터치하여 채팅을 합니다.

2 카카오톡 오픈 채팅방 만들기

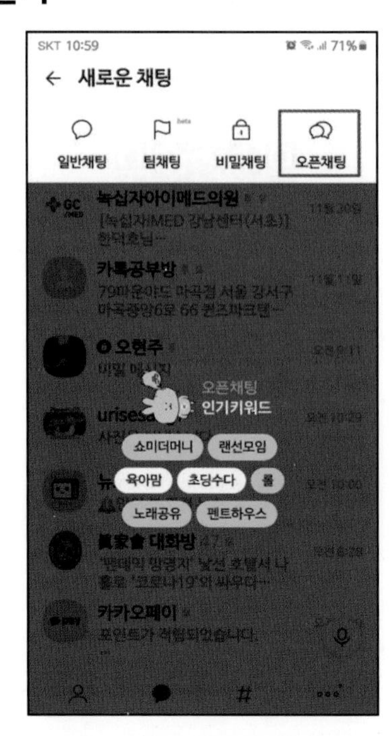

1 [카카오톡]의 [친구] 화면에서 상단의 말풍선 [새로운 친구]를 터치합니다.

2 [오픈 채팅]을 터치합니다. 3 ①[오픈 프로필]을 입력할 수 있습니다. ②[오픈 채팅]을 터치합니다. ③[만들기]를 터치합니다.

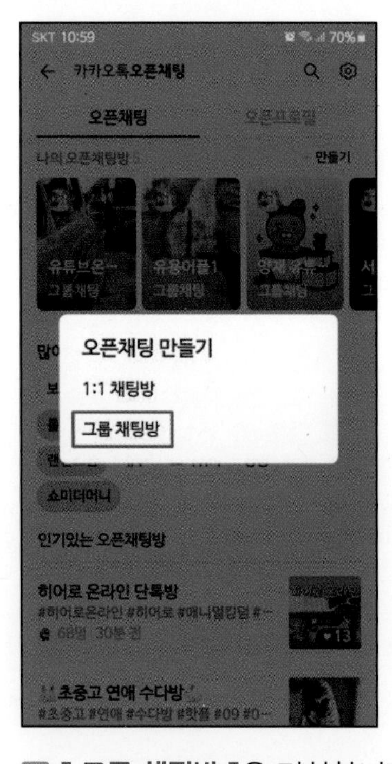

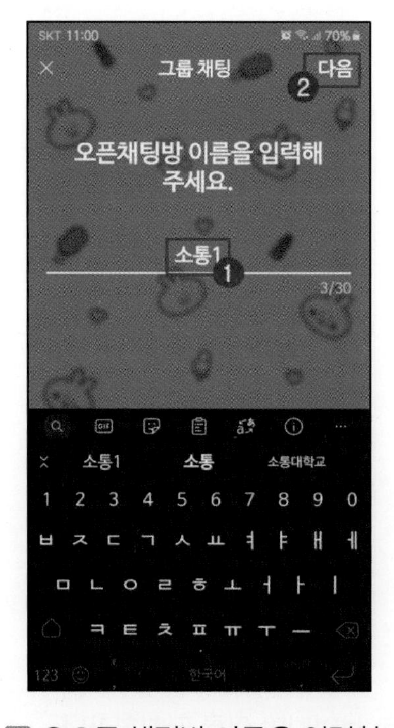

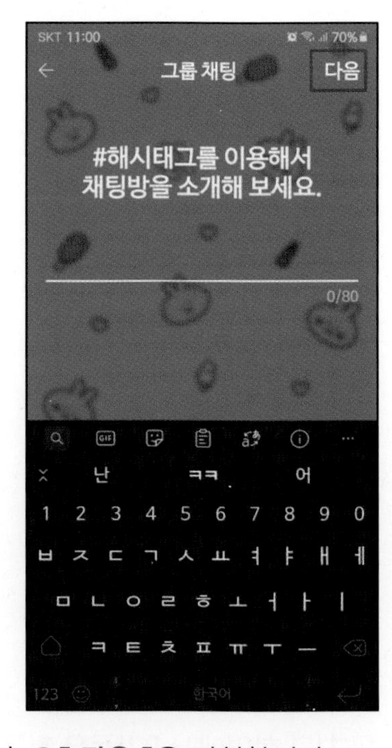

1 [그룹 채팅방]을 터치합니다. 2 ①오픈 채팅방 이름을 입력합니다. ②[다음]을 터치합니다.

3 검색을 허용할 경우 검색 키워드를 입력하고 허용하지 않을경우 그대로 [다음]을 터치합니다.

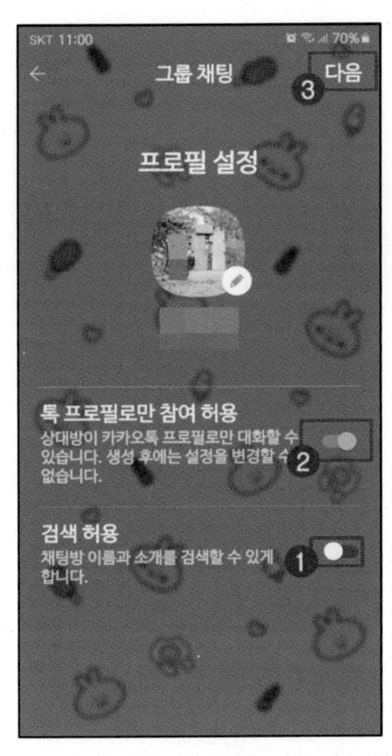

1 ①검색을 허용할 경우 활성화합니다. ②톡 프로필로만 참여를 허용할 경우 활성화합니다. ③[**다음**]을 터치합니다. 2 ①[**커버 이미지 변경**]을 터치하여 변경 할 수 있습니다. ②[**완료**]를 터치합니다. 3 ①[**오픈 채팅방**]이 생성되었습니다. ②상단의 삼선을 터치합니다.

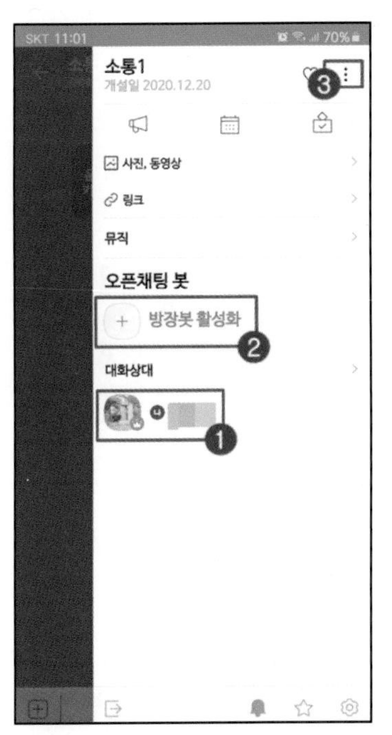

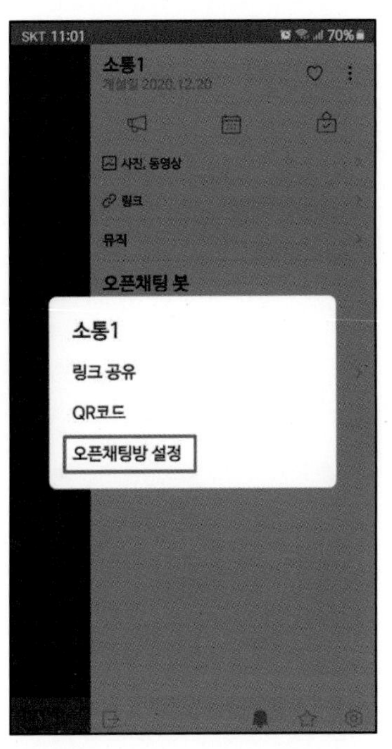

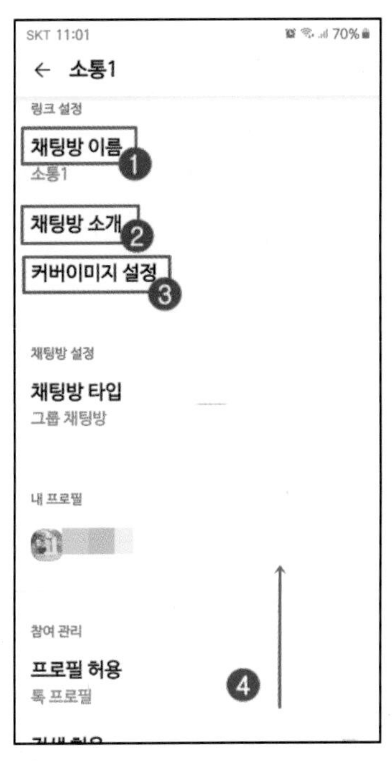

1 ①[**대화 상대**]에서 방장의 이름을 보여줍니다. ②[**방장봇 활성화**]를 터치하면 자동응답메시지를 이용할 수 있습니다. ③상단의 점세개를 터치합니다. 2 [**오픈 채팅방 설정**]을 터치합니다. 3 ①[**채팅방 이름**]을 변경할 수 있으며 ②[**채팅방 소개**]를 입력할 수 있습니다. ③[**커버이미지 설정**]에서 커버이미지를 변경할 수 있습니다. ④화면을 위로 드래그합니다.

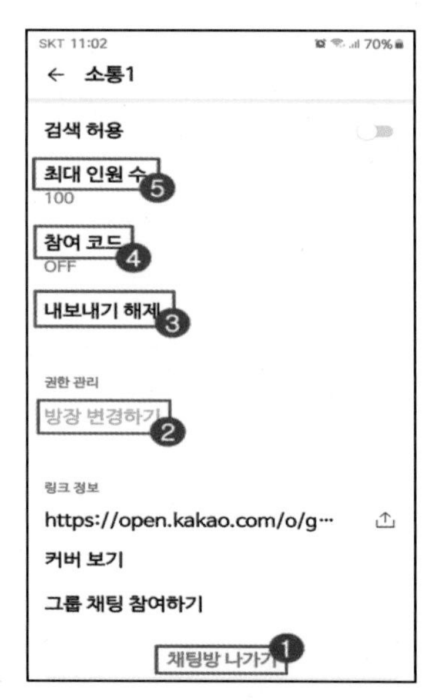

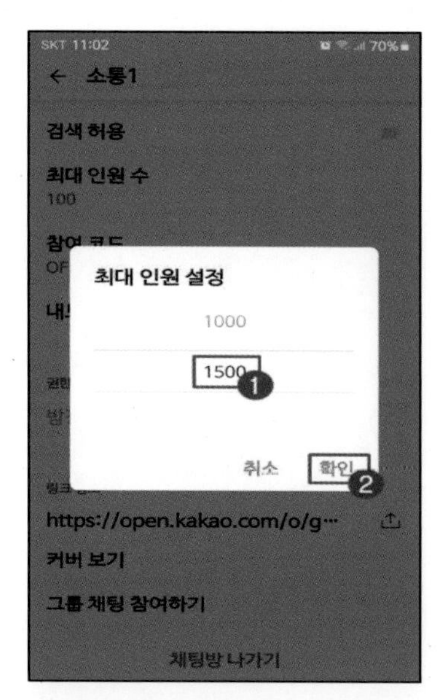

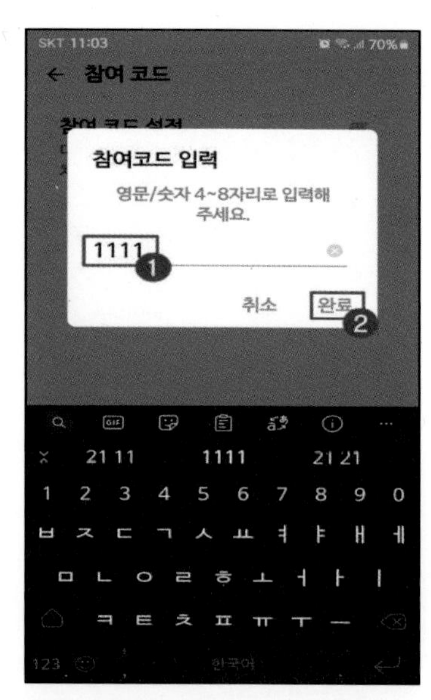

1 ①[**채팅방 나가기**]를 터치하면 채팅방을 폐쇄할 수 있습니다. ②방장을 변경할 수 있습니다. ③방의 구성원을 내보내기하거나 해제할 수 있습니다. ④참여코드를 설정할 수 있습니다. ⑤[**최대 인원 수**]를 터치합니다. 2 ① 위, 아래로 드래그해서 최대 인원을 설정합니다. 최대는 1500명까지 가능합니다. 3 이전 화면에서 [**참여코드**]를 터치하여 ①참여코드를 입력합니다. ②[**완료**]를 터치합니다.

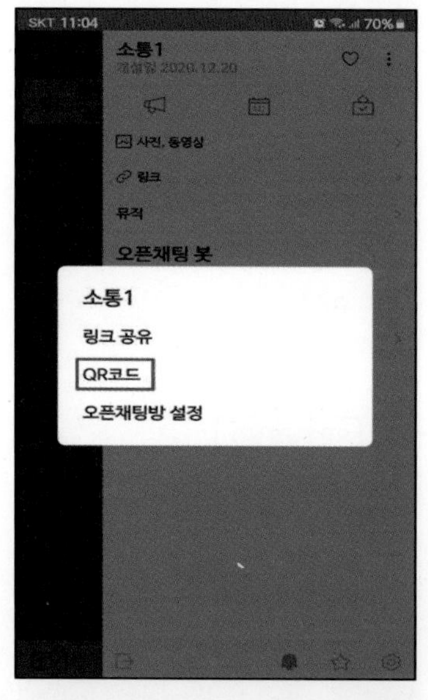

1 ①설정한 참여코드를 보여줍니다. ②참여코드를 설정, 해제할 수 있습니다. ③참여코드를 변경할 수 있습니다. 2 채팅방에 초대할 많은 사람들이 함께 한장소에 있을경우에는 [**QR코드**] 이용이 편리합니다. 이전 화면에서 [**QR 코드**]을 터치합니다. 3 초대받은 사람들은 카톡 [**친구**] 화면에서 [**친구 추가**]를 터치해서 [**QR 코드**]를 선택해서 [**QR코드**]를 스캔합니다. 그러면 초대받은 채팅방에 입장이 됩니다.

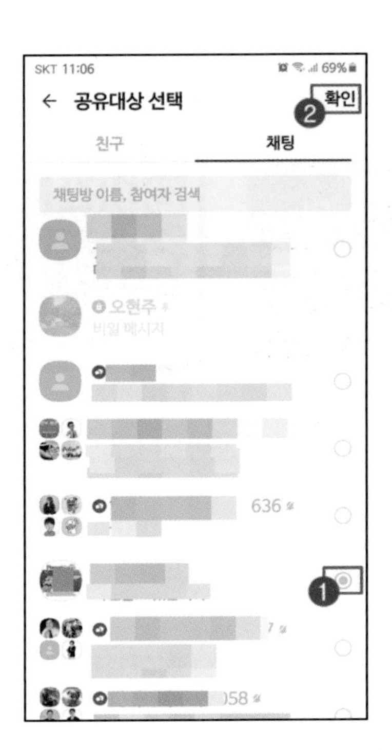

1 채팅방에 초대할 사람과 한장소에 있지 않은 경우 [**링크공유**]로 초대합니다.
이전 화면에서 [**링크공유**]를 터치합니다. [**카카오톡**]을 터치합니다.
2 [**오픈 채팅**]을 터치합니다. ①초대할 사람을 검색 하여 터치하면 노란색으로 표시됩니다.
②[**확인**]을 터치합니다. 3 초대받은 사람의 카톡 화면입니다. [**링크 주소**]를 터치합니다.

1 [**그룹 채팅 참여하기**]를 터치합니다. 2 [**프로필 사진**]을 터치합니다. 3 초대받은 채팅방에 입장 되었습니다.

3 네이미 모바일 명함

[네이미] 앱(App)은 명함을 일일이 찍어서 저장하거나 입력하지 않아도 되고 정보가 최신으로 관리되는 모바일 명함입니다.

[네이미] 앱(App)의 장점

- 인터뷰 동영상, 상품및 서비스 정보,이벤트 웹 페이지등 필요한 영상이나 프레젠테이션 자료까지 명함에 있는 모든 정보를 터치만 하면 바로 작동할 수 있습니다.

[네이미] 앱(App)의 활용

- 네이미 사용자가 아닌 누구에게나, 명함 이미지와 함께 원터치로 저장할 수 있는 전자 명함과 멀티미디어 콘텐츠가 담긴 웹 프로필을 첨부하여 보낼수 있습니다.
- 가까이 있는 사람을 위치기반으로 확인하고 명함을 교환하거나,멀리 떨어져있는 사람과도 바로 명함교환이 가능합니다.
- 세미나등 여러명이 한번에 명함을 교환해야 할 때 주최자가 네이미 명함교환 모임을 생성하고 참여자를 초대하면 참여자는 모임에 참여한 것만으로 다른 참여자들과 명함을 교환할 수 있습니다.
- 그룹별로 명함을 관리하고 단체문자, 단체 이메일등을 쉽게 보낼 수 있으며, 여러조건으로 검색이 용이합니다.
- 연락처가 변경되거나 이직, 승진등 명함정보가 변경되는 즉시 실시간 알림을 통해 알려주고 가존 명함의 정보가 자동으로 바뀝니다.

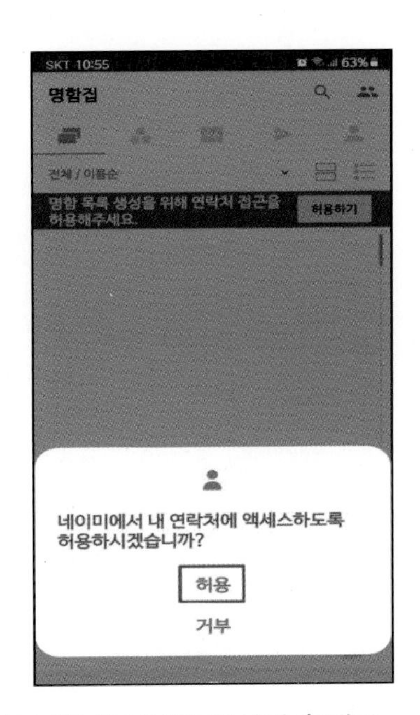

1 [Play 스토어]에서 [**네이미**]를 검색하여 [**설치**]하고 실행합니다. 2 ①회원가입시에 휴대폰 인증을 합니다. ②로그인은 위 4가지의 앱중 하나를 택하여 로그인합니다. 3 앱 사용 권한에 대해 [**허용**]을 터치합니다.

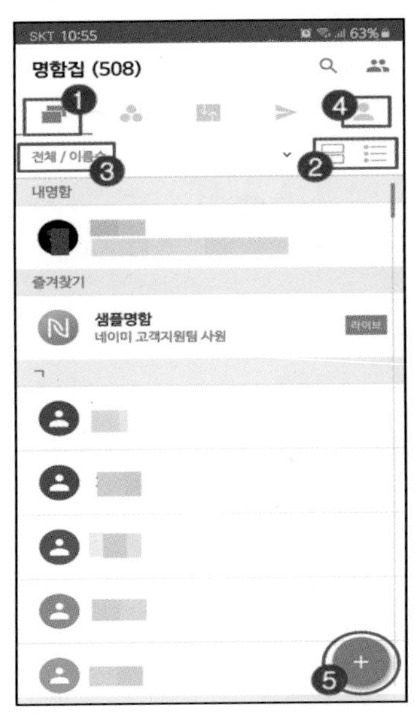

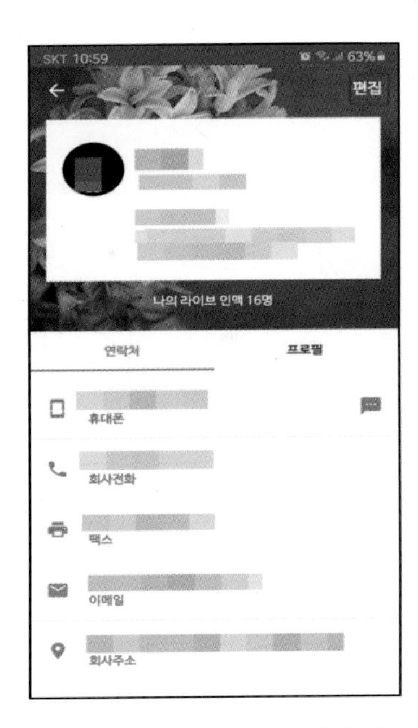

1 ①[**명함집**] 화면입니다. ②명함 모양 또는 이름으로 선택할 수 있습니다. ③전체, 그룹별 선택과 정렬순을 선택할 수 있습니다. ④[**마이 페이지**]를 선택합니다. ⑤터치하여 명함정보를 추가, 수정할 수 있습니다. 2 ①[**받은 명함**] 내역을 보여주며 ②[**교환하기**]와 ③[**삭제**]를 할 수 있습니다. ④[**공유받은 명함**] 내역과 ⑤[**보낸 사람**] 내역을 보여 줍니다. ⑥명함 정보의 알림을 받습니다. ⑦[**설정**]에서 명함집의 연락처를 내보내기 하거나 주소록의 연락처를 가져 올 수 있습니다. ⑧[**내 명함 편집**]을 터치합니다. 3 [**편집**]을 터치합니다.

SKT 10:59 62%
← 내 명함 정보 편집
기본정보 / 연락처 수정 ①
사진/이름/회사/부서/직급
연락처/이메일/주소
프로필 수정 ②
소개
홈페이지
동영상/사이트
SNS
경력사항
샘플 명함 보기

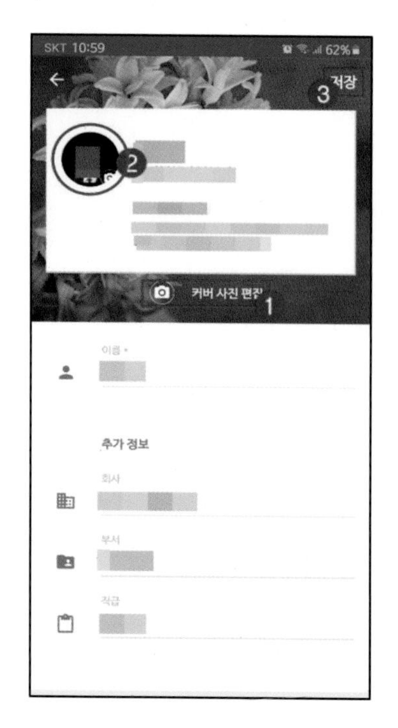

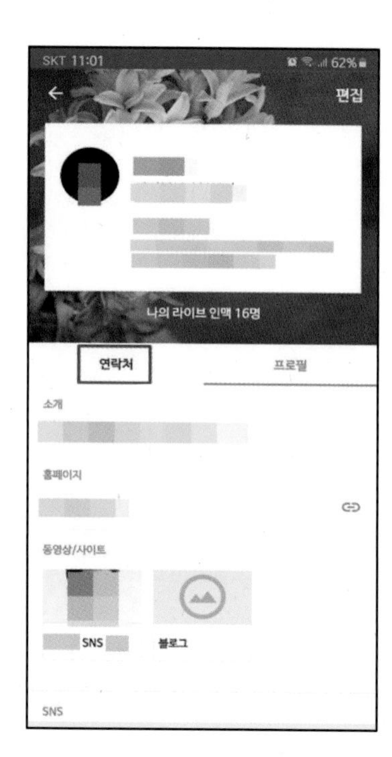

1 ①사진등 기본정보와 연락처를 입력하거나 수정합니다. ②프로필의 각 사항들을 입력하거나 수정합니다. 2 ①[**커버사진 편집**]을 터치하여 변경할 수 있습니다. ②프로필 사진을 편집할 수 있습니다. ③[**저장**]을 터치합니다. 3 [**연락처**]를 터치하면 세부내역을 보여줍니다.

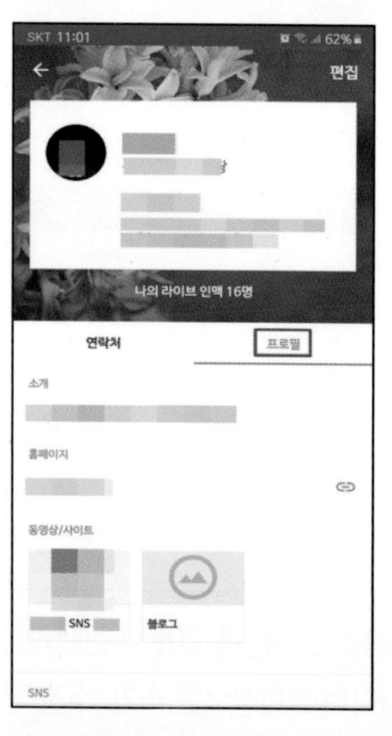

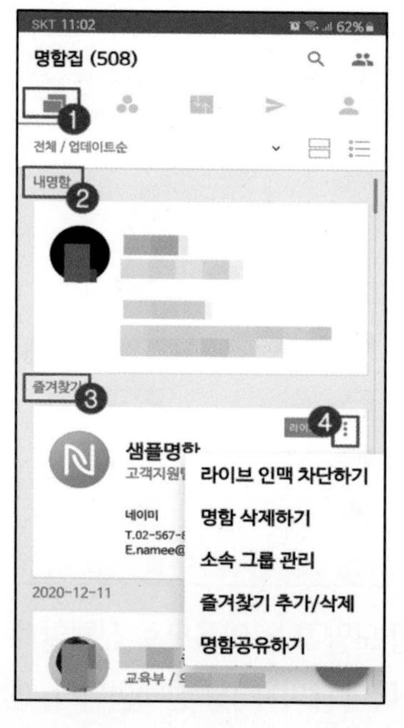

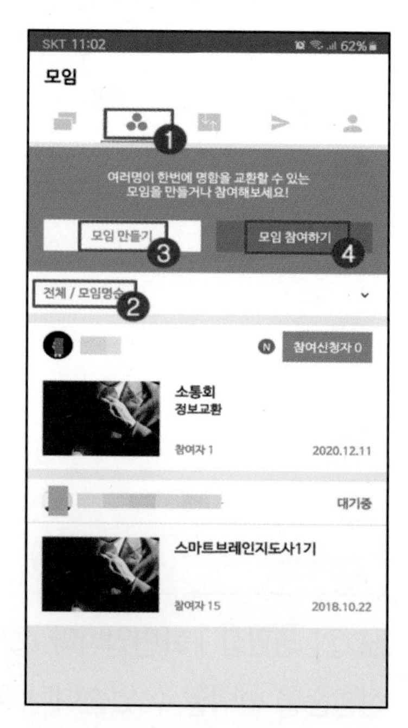

1 [**프로필**]을 터치하면 세부내역을 보여 줍니다. 2 ①[**명함집**]을 터치합니다. ②터치하면 [**내명함**]을 보여 줍니다. ③[**즐겨찾기**]에 추가한 내역을 보여 줍니다. ④명함의 상단 점 3개를 터치하면 삭제, 공유등을 할 수 있습니다. 3 ①[**모임**]을 터치합니다. ②모임 구분, 정열방법을 선택합니다. ③[**모임 만들기**]를 터치하여 모임을 만듭니다. ④[**모임 참여하기**]를 터치하여 모임에 참가합니다.

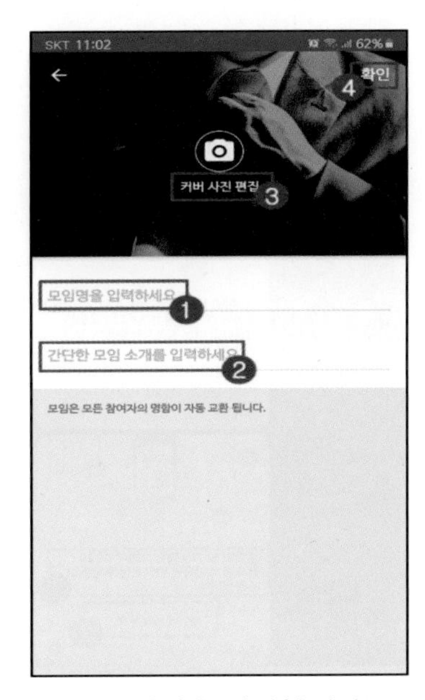

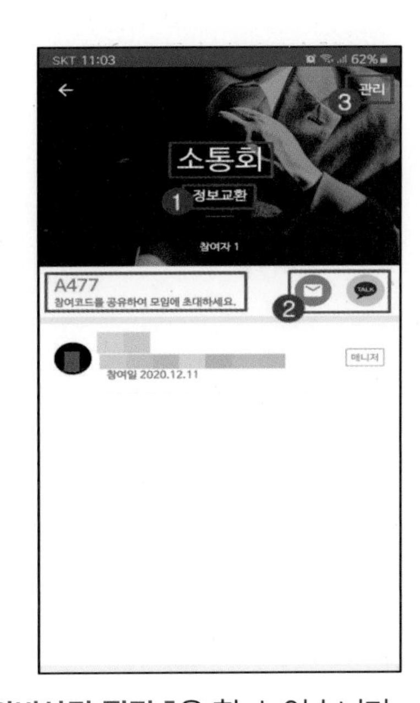

1 ①모임명을 입력합니다. ②모임 소개를 입력합니다. ③터치하면 [**커버사진 편집**]을 할 수 있습니다. ④완료하면 [**확인**]을 터치합니다. 2 [**모임 참여하기**]를 터치한후 상단에 참가하려는 모임의 참여 코드를 입력합니다. 3 ①[**모임**]의 소개글을 보여줍니다. ②메시지나 카톡으로 모임에 초대하려는 사람에게 공유하여 초대합니다. ③[**관리**]를 터치하면 모임정보를 수정하거나 폐쇄할 수 있습니다.

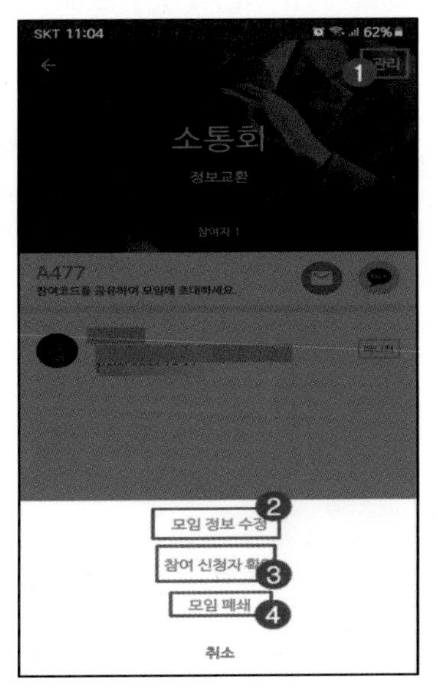

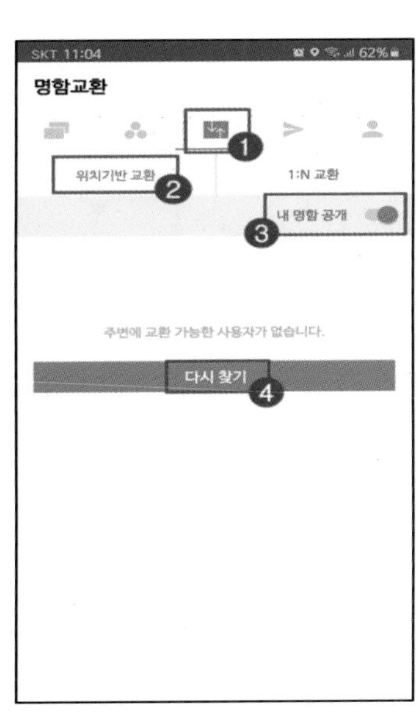

1 ①모임 초대를 공유받은 내용입니다. ②[**네이미 앱에서 보기**]를 터치합니다. ③명함을 받은 내용입니다. ④[**프로필 보기**]로 프로필을 확인 하거나 ⑤[**네이미에 바로가기**]를 터치하여 명함을 받을 수 있습니다. 2 ①[**관리**]를 터치 합니다. ②[**모임 정보 수정**]을 터치하여 정보를 수정합니다. ③[**참여 신청자 확인**]을 할 수 있습니다. ④[**모임 폐쇄**]를 할 수 있습니다. 3 ①[**명함 교환**]을 터치합니다. ②[**위치기반 교환**]을 터치하고 ③[**내명함 공개**]를 활성화 합니다. ④주변에 교환 가능자가 표시되며 [**다시 찾기**]를 터치하여 재실행 할 수 있습니다.

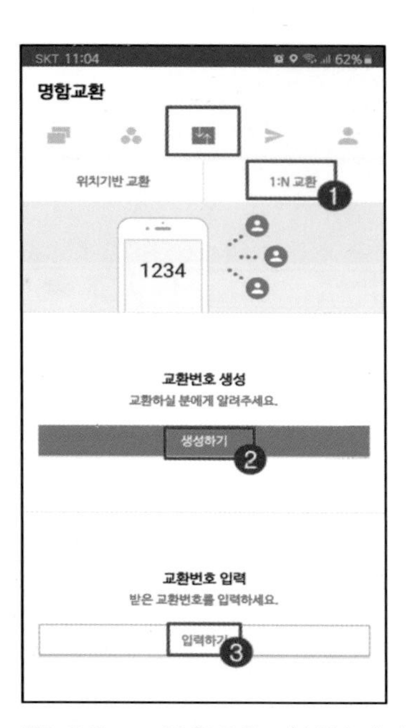

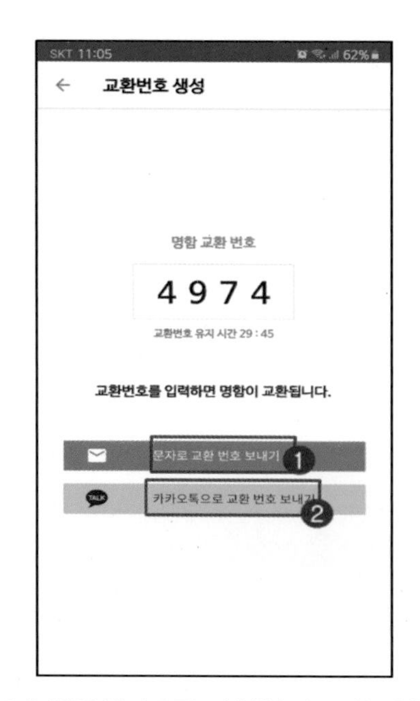

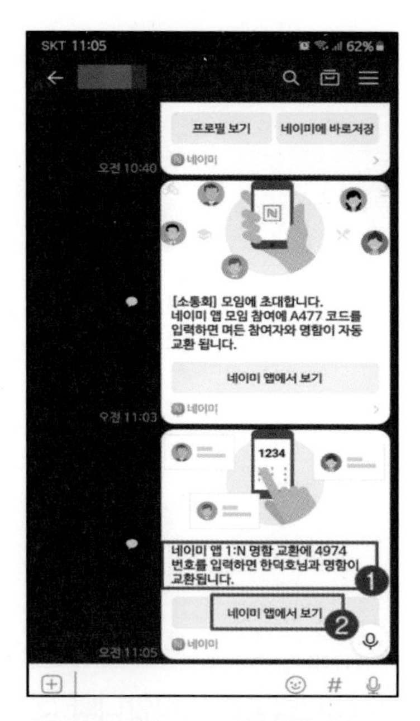

1 ①[1:N 교환]을 터치합니다. ②[**생성하기**]를 터치하여 교환번호를 생성합니다. ③[**입력하기**]를 터치하여 받은 교환번호를 입력하면 명함 교환이 실행됩니다. **2** ①문자로 교환 번호를 보낼때 터치하거나 ②카톡으로 교환 번호를 보낼때 터치합니다. **3** ①카톡으로 받은 명함교환 요청 내용이며 터치하면 보낸 사림의 명함을 확인할 수 있습니다. ②[**네이미 앱에서 보기**]를 터치하여 교환 번호를 입력하면 교환됩니다.

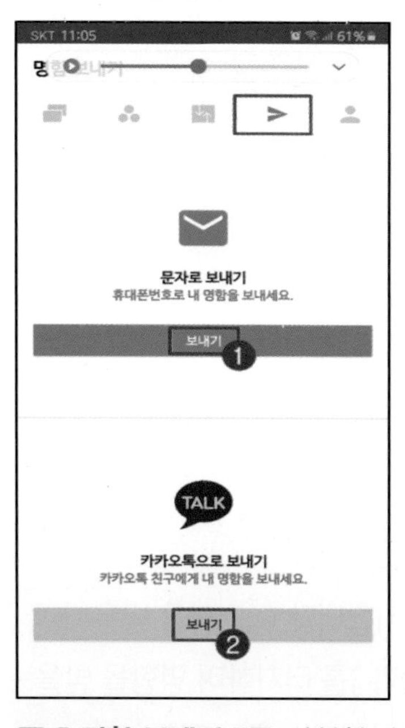

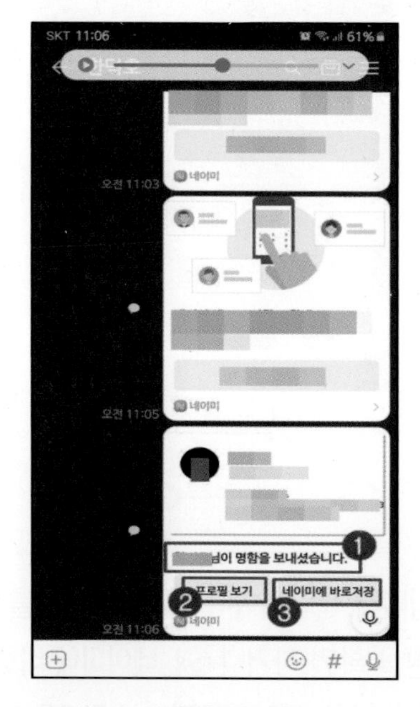

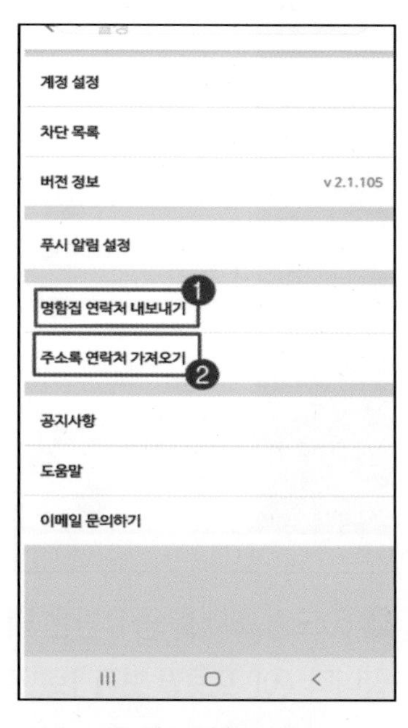

1 [**명함 보내기**]를 터치합니다. ①문자로 보낼때 터치합니다. ②카톡으로 보낼때 터치합니다.
2 ①카톡에 명함을 보낸 내용이 보입니다. ②터치하여 프로필을 볼 수 있습니다. ③터치하면 바로 네이미에 저장됩니다. **3** [**설정**]에서 ①터치하면 명함집의 모든 연락처를 휴대폰의 주소록에 저장합니다. ②터치하면 휴대폰의 연락처를 명함집에 저장합니다.

4 캠카드

[캠카드] 앱(App)은 스마트폰으로 명함을 촬영하여 주소록에 자동으로 저장하고, 실시간 명함 정보가 업데이트 되며 명함교환및 관리가 편리합니다

[캠카드] 앱(App)의 장점

- 전세계 다운로드 횟수 1위의 명함 인식 앱입니다.
- 명함을 촬영하여 주소록에 저장하며, 17개국의 언어 인식을 지원합니다.

[캠카드] 앱(App)의 활용

- QR Code, 명함 레이더등을 활용하여 주변사람과 명함교환을 신속하고 편리하게 할 수 있습니다.
- 스마트폰, 태블릿,컴퓨터간에 실시간 동기화하고,클라우드에 동기화하여 안전하고 편리하게 관리가 가능합니다.
- 명함에 사진, 동영상, SNS계정등 멀티미디어 정보 추가가 가능합니다.
- 명함에 메모를 추가할 수 있으며 상대방이 전화가 올때 상대방의 정보를 바로 확인 할 수 있습니다.

❶ [Play 스토어]에서 [**캠카드**]를 검색합니다. ❷ [**캠카드**]를 설치합니다.
❸ [**열기**]를 터치합니다.

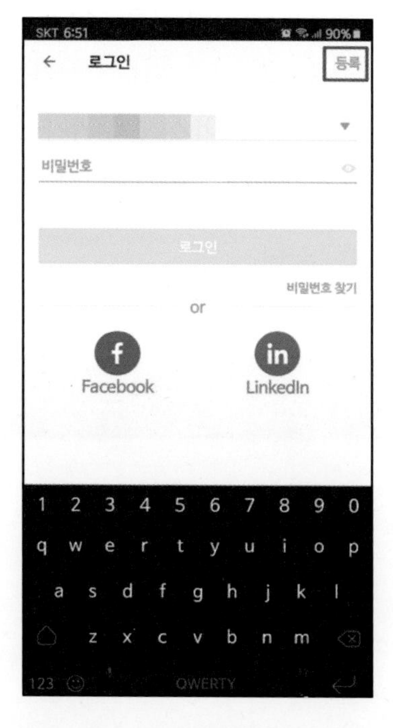

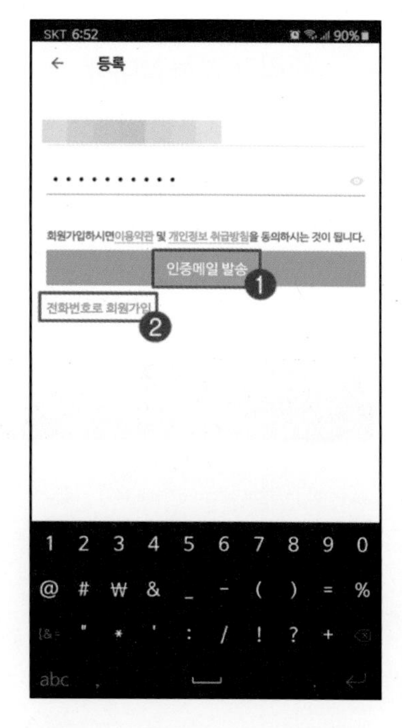

❶ 요청한 권한을 허용하기위해 [**허용**]을 터치합니다. ❷ 회원 가입을 위해 [**등록**]을 터치하고 이메일 주소와 비밀번호를 입력합니다. ❸ ①[**인증메일 발송**]을 터치합니다.
②전화번호로 회원가입도 가능합니다. 등록된 이메일에 접속하여 인증번호를 입력합니다.

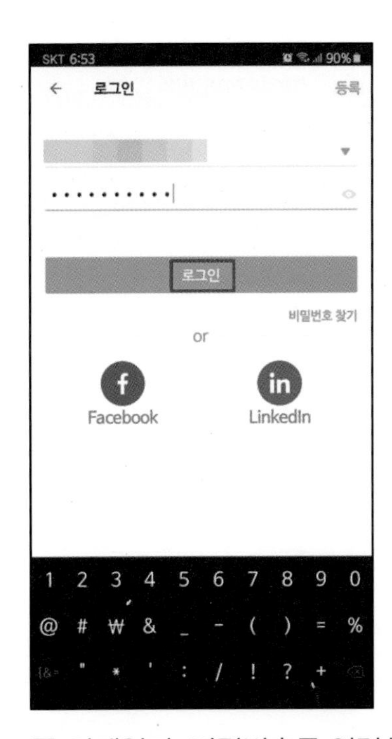

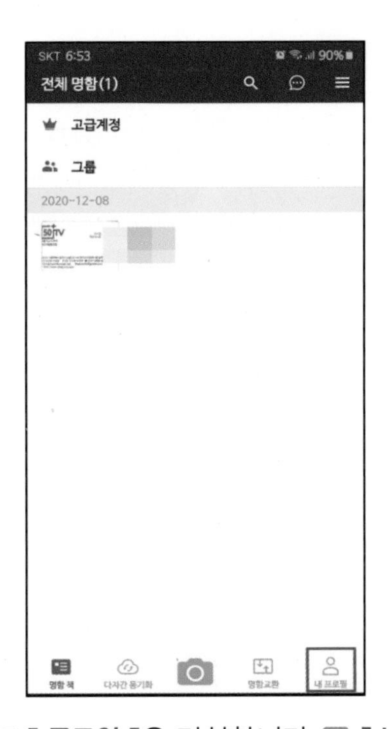

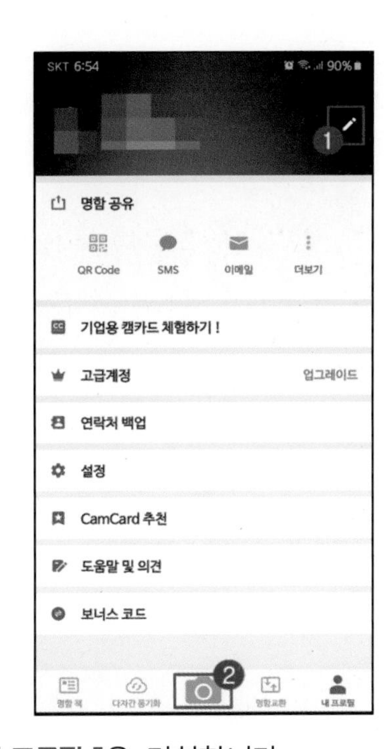

1 이메일과 비밀번호를 입력하고 [**로그인**]을 터치합니다. 2 [**내 프로필**]을 터치합니다.

3 ①명함없이 직접 입력도 가능하고 수정도 가능합니다.

②명함 촬영을 하기위해 터치합니다.

1 사진을 촬영하기위한 권한 허용을 위해 [**허용**]을 터치합니다. 2 ①[**설정**]을 터치합니다.

②[**인식 언어**]등을 변경하여 설정할 수 있습니다. 3 ①[**촬영셔터**]를 터치합니다.

②명함 1장의 [**단일 모드**]입니다. ③ 많은 명함을 한번에 정리하는 [**일괄 처리 처리**] 모드입니다.

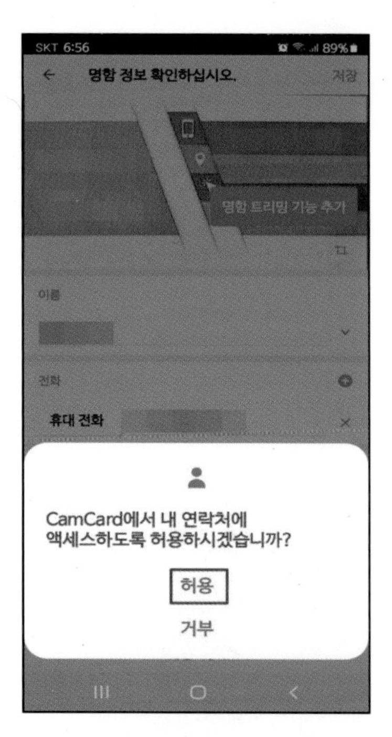

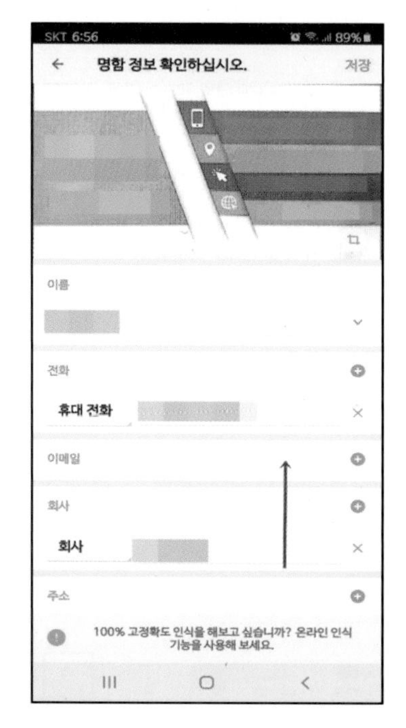

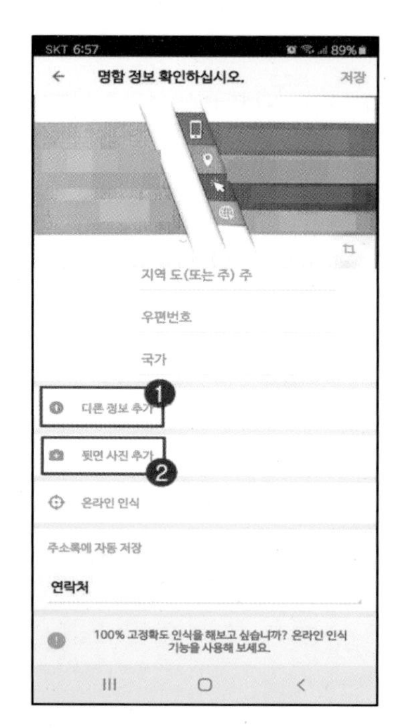

1 [**내 연락처**]에 엑세스 하도록 [**허용**]을 터치합니다. 2 잘 인식되지 않은 오자를 수정합니다. 화면을 위로 드래그합니다. 3 ①[**다른 정보 추가**]를 터치하여 웹 사이트등 다른 정보를 추가합니다. ②명함 뒷면의 촬영을 위해 [**뒷면 사진 추가**]를 터치합니다.

1 명함 뒷면 촬영을 하고 [**완료**]를 터치합니다. 2 ①[**뒷면 사진 편집**]을 터치하여 추가 편집을 할 수 있습니다. [**저장**]을 터치하여 완료합니다. ②주소록에 저장하기 위해 [**주소록에 자동 저장**]을 터치합니다. 3 ①[**연락처**]를 선택하고 ②[**완료**]를 터치합니다.

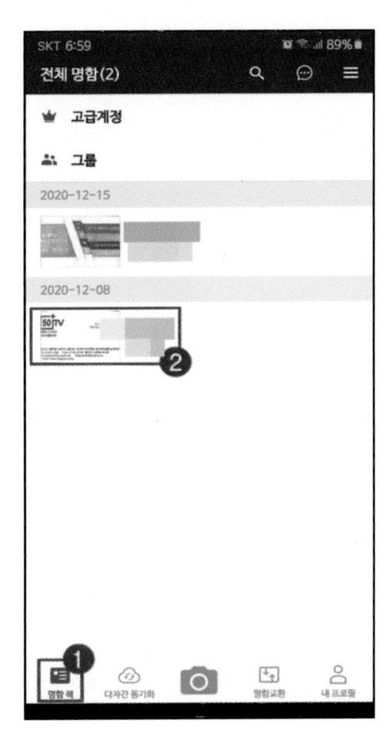

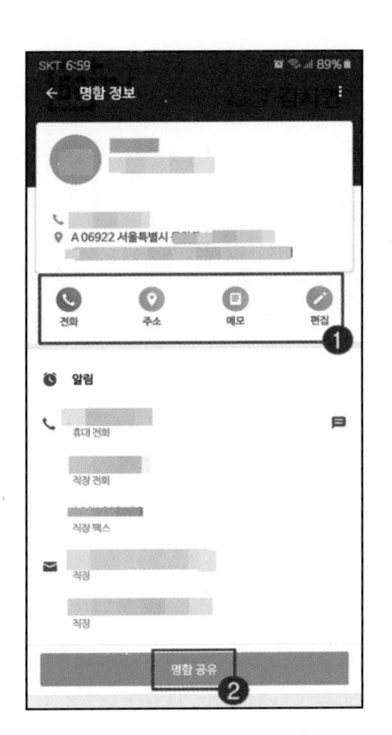

1 ①[**명함책**]을 터치합니다. ②공유할 명함을 선택합니다. 2 ①전화를 바로 걸고, 주소 확인, 메모 편집을 힐 수 있습니다. ②[**명함 공유**]를 터치합니다. 3 [**카카오톡**]을 터치합니다. 이메일등 여러방법으로 공유가 가능합니다.

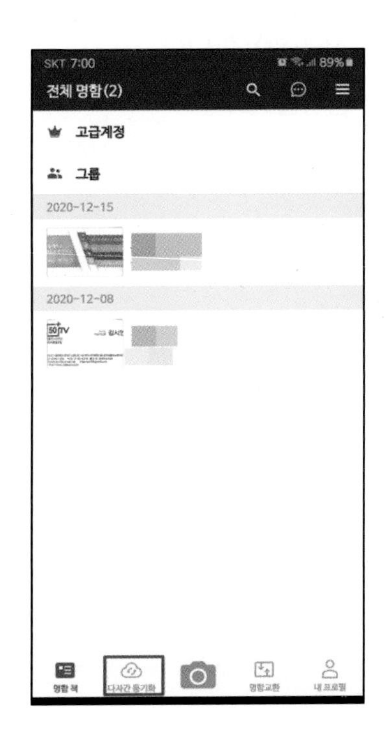

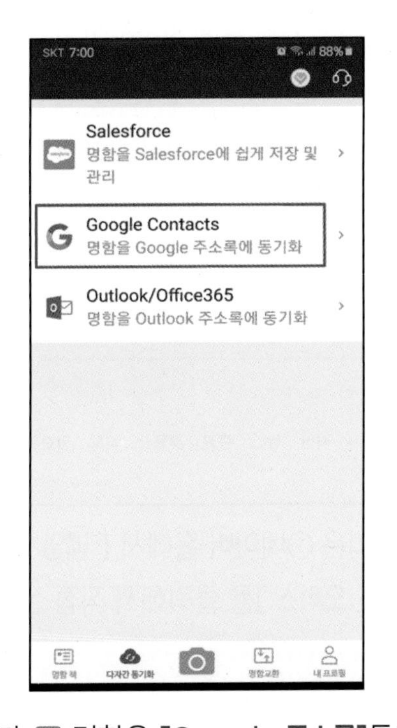

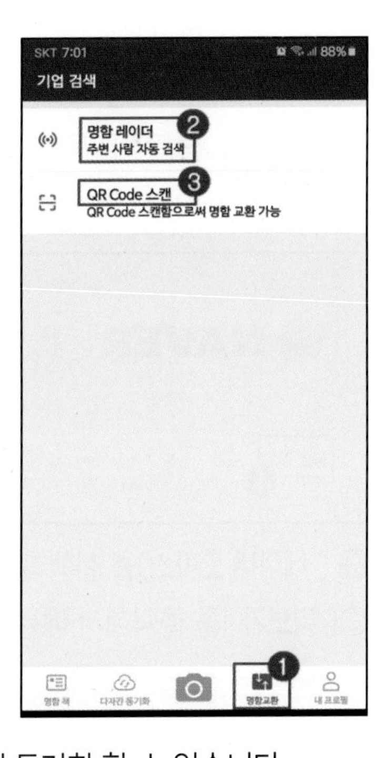

1 [**다자간 동기화**]를 터치합니다. 2 명함을 [**Google 주소록**]등에 동기화 할 수 있습니다.
3 ①[**명함교환**]을 터치합니다. ②[**명함 레이더**]를 터치하면 레이더기능으로 주변 사람과 명함을 교환 할 수 있습니다. ③[**QR Code 스캔**]을 터치하면 QR Code를 스캔해서 명함 교환이 가능합니다.

16강. 제품 및 상품을 유통하는 사장님들에게 꼭 필요한 기능

1 네이버 오피스

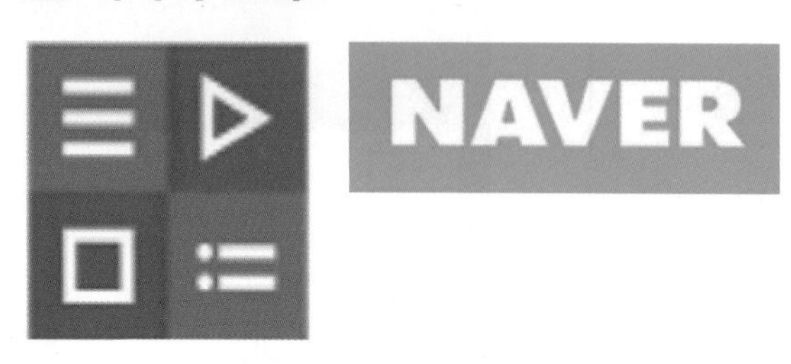

[네이버 오피스]는 컴퓨터에 별도의 프로그램 설치 없이도 인터넷만 연결되어 있다면 웹 브라우저에서 무료로 사용할 수 있는 웹 오피스 서비스입니다.

[네이버 오피스]의 장점

- 각 오피스별로 다양한 템플릿으로 문서를 쉽게 작성할 수 있습니다.
- 다른 프로그램에서 작성한 문서도 편집할 수 있습니다.
- 작성한 문서는 네이버 클라우드에 안전하게 보관됩니다.

[네이버 오피스]의 활용

- 보고서, 이력서, 기획서 등의 문서를 쉽게 작성할 수 있습니다.
- 제안서, 보고서등 이미지 기반의 문서를 쉽게 작성하여 프레젠테이션에 활용합니다.
- 일정표,가계부등 표또는 수식을 이용하는 데이터관리에 사용하기 편리합니다.
- 설문지, 상품주문서, 주소록등의 양식을 활용하고 공유하여 정보를 긴편하게 취합하고 취합된 정보의 결과를 볼 수있고 관리할 수 있습니다.

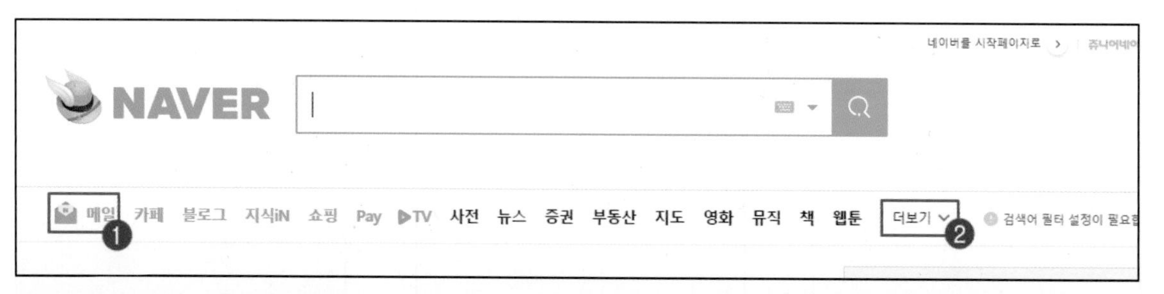

1 [네이버 오피스]를 실행하는 방법은 ①네이버 홈에서 [메일]을 클릭해서 실행하는 방법과 ②[더보기]를 클릭해서 메뉴에서 [오피스]를 클릭해서 직접 실행하는 방법이 있습니다.

1 ①[메일] 화면에서 상단의 [오피스] 아이콘을 클릭합니다

1 [네이버 오피스] 홈 화면입니다.

①아래로 드래그해서 [워드], [슬라이드], [셀]로 이동하여 바로 카테고리별로 추천 템플릿을 선택하여 문서를 작성할 수 있습니다.

②[열기]를 클릭하면 기존에 작성한 문서를 불러와 편집할 수 있습니다.

③[새문서]를 클릭하면 [워드], [슬라이드], [셀], [폼] 중 원하는 문서를 선택하여 작성할 수 있습니다.

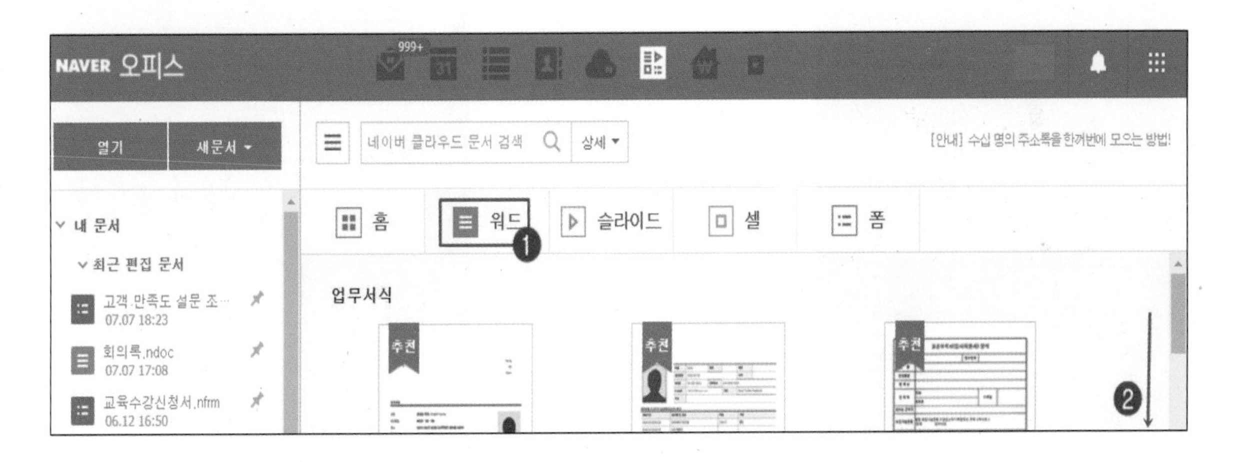

1 ①[워드]를 클릭 합니다. [워드]는 레포트, 이력서, 기획서 등 텍스트 기반의 문서를 작성하는데 유용합니다.

②아래로 드래그하면 [업무서식], [생활서식], [학업서식] 등 카테고리별로 세부서식을 보여주며 필요한 양식을 선택할 수 있습니다.

1 예를 들어 회의록을 작성해 보겠습니다.
①사용하려고 하는 [**회의록**] 템플릿 위의 돋보기를 클릭하면 양식을 [**미리보기**] 할 수 있습니다.
②양식을 바로 사용하려고 할때는 [**사용하기**]를 클릭합니다.

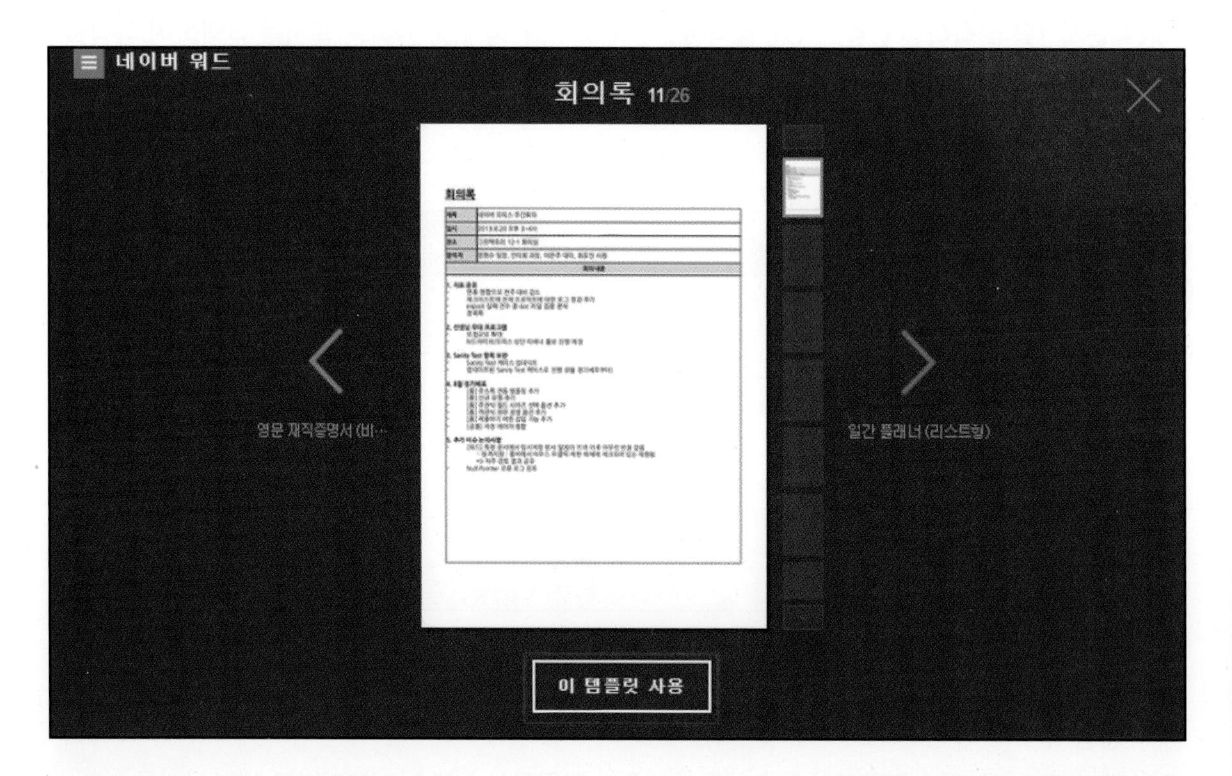

1 [**미리보기**]에서 양식을 확인하고 사용하려고 하면, 하단의 [**이 템플릿 사용**]을 클릭합니다.

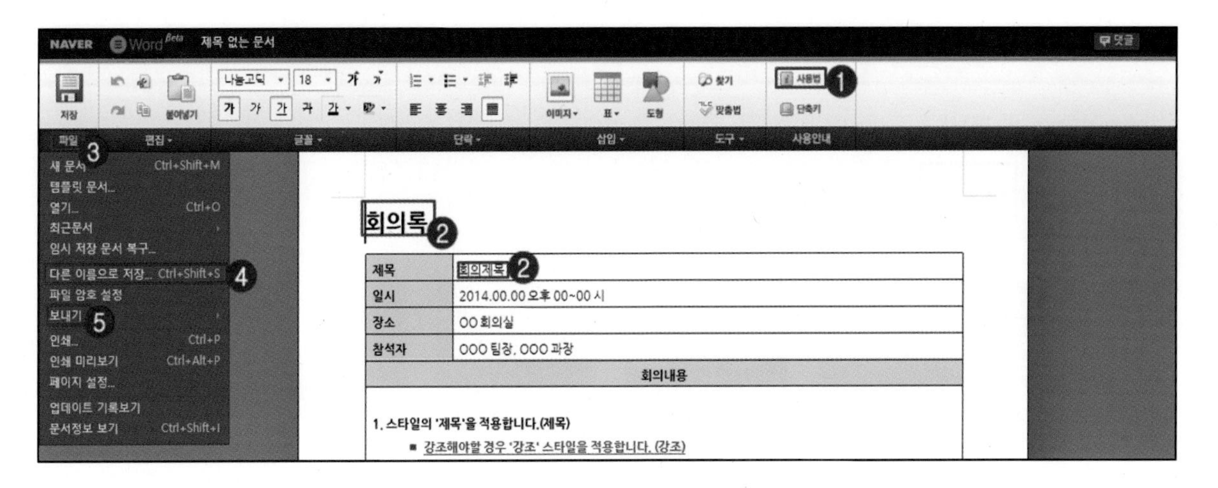

1 ①[**사용법**]을 클릭하면 네이버에서 제공하는 [**워드**] 사용법을 참조할 수 있습니다.
②용도에 맞게 명칭과 제목등 내용을 작성합니다.
③저장하거나 공유하고자 할때 [**파일**]을 클릭합니다.
④[**다른 이름으로 저장**]을 클릭해서 [**네이버 클라우드**]에 저장할 수 있습니다.
⑤[**보내기**]를 클릭하면 [**블로그**]나 [**메일**]로 공유할 수 있습니다.

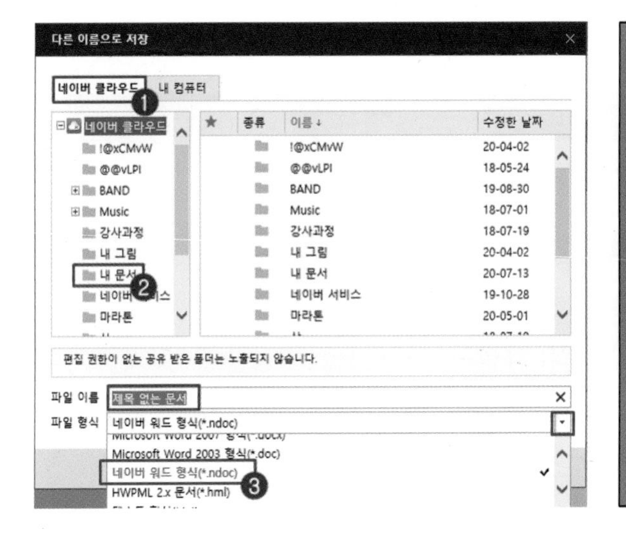

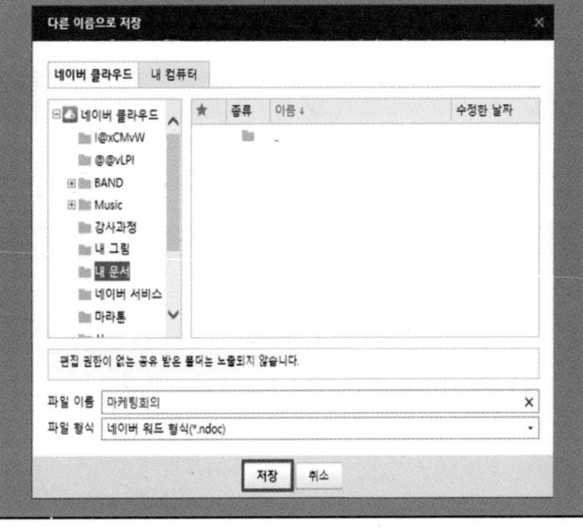

1 이전 화면의 ①[**다른 이름으로 저장**]에서 [**네이버 클라우드**]에 저장하기 위해 클릭합니다.
②저장할 폴더를 선택하고 파일이름을 입력하고 ③[**파일형식**]을 선택합니다.
2 [**저장**]을 클릭하여 저장을 합니다.

1 [**슬라이드**]를 클릭합니다. [**슬라이드**]는 기획안, 보고서, 제안서 등 텍스트와 이미지 삽입 기반의 문서작성으로 프레젠테이션에 유용합니다.

①아래로 드래그하면 카테고리별로 보고서, 기획서, 제안서, 학업서식, 증서, 포토북, 기타등으로 분류하여 세부항목을 선택하여 사용할수 있습니다. 예를 들어 기획서의 제품 기획서를 선택합니다.

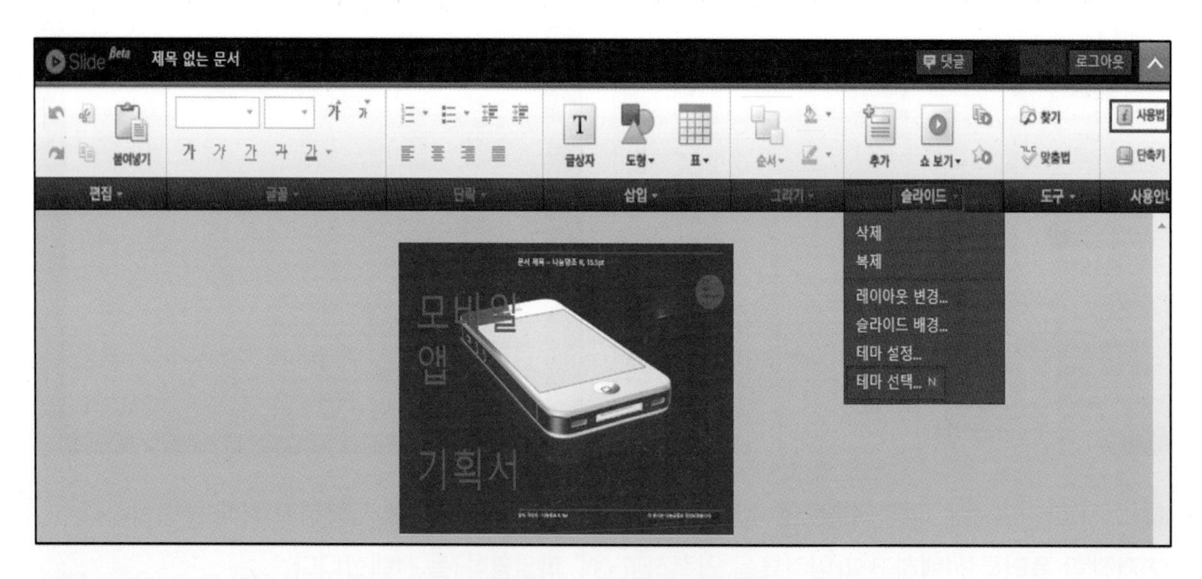

1 [**사용법**]을 클릭하면 네이버에서 제공하는 사용법을 참조할 수 있습니다.
[**슬라이드**]의 [**테마 선택**]을 클릭합니다.

1 ① 아래로 드래그하여 12가지 테마를 참조하고 선택합니다. .

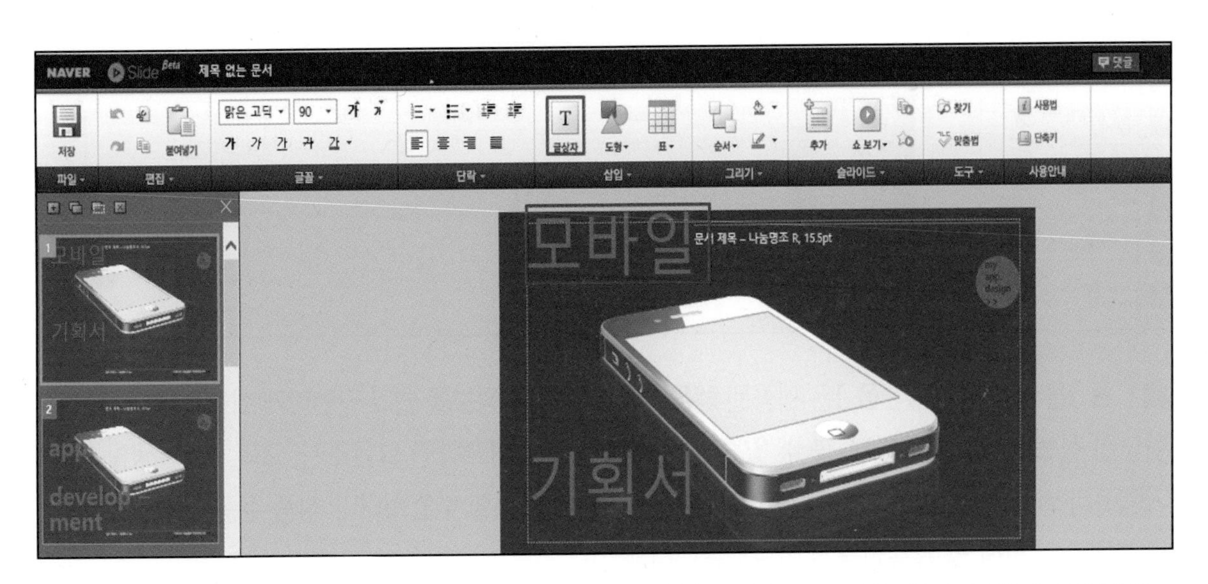

1 기존 글자를 클릭해서 수정하거나 **[글상자]**를 클릭하고 마우스 커서를 해당 슬라이드 화면에 대고 클릭하면 글자 입력창이 생성되며 필요한 글자를 입력합니다.
이후 저장하는 방법과 보내기 방법은 다른 양식과 동일합니다.

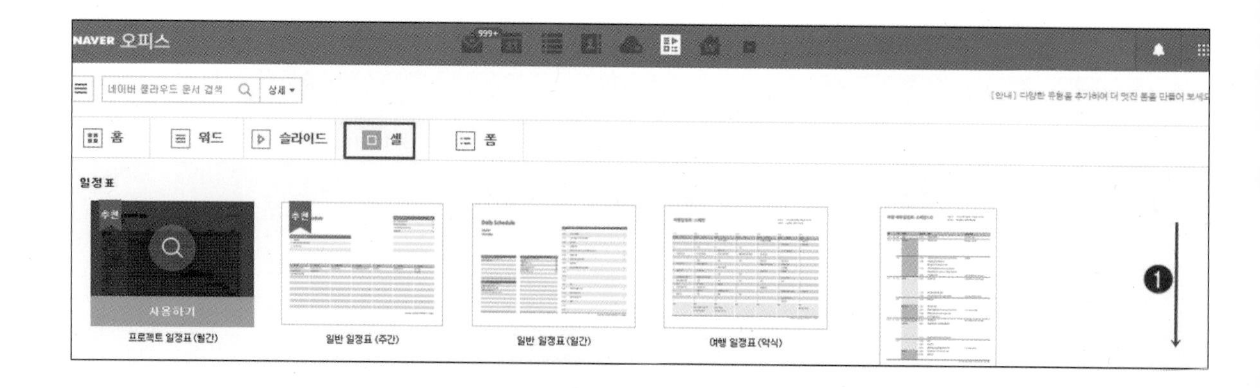

1 [셀]을 클릭합니다. [셀]은 엑셀과 유사한 형식입니다. 일정표,가계부등 표기반 또는 수식을 이용하는 데이터 관리에사용하기 편리합니다.
①아래로 드래그하면 카테고리별로 일정표, 가계부, 업무서식 등으로 분류되어 필요한 양식을 선택하여 사용할 수 있습니다. 문서작성과 저장,보내기등은 [워드]와 동일합니다.

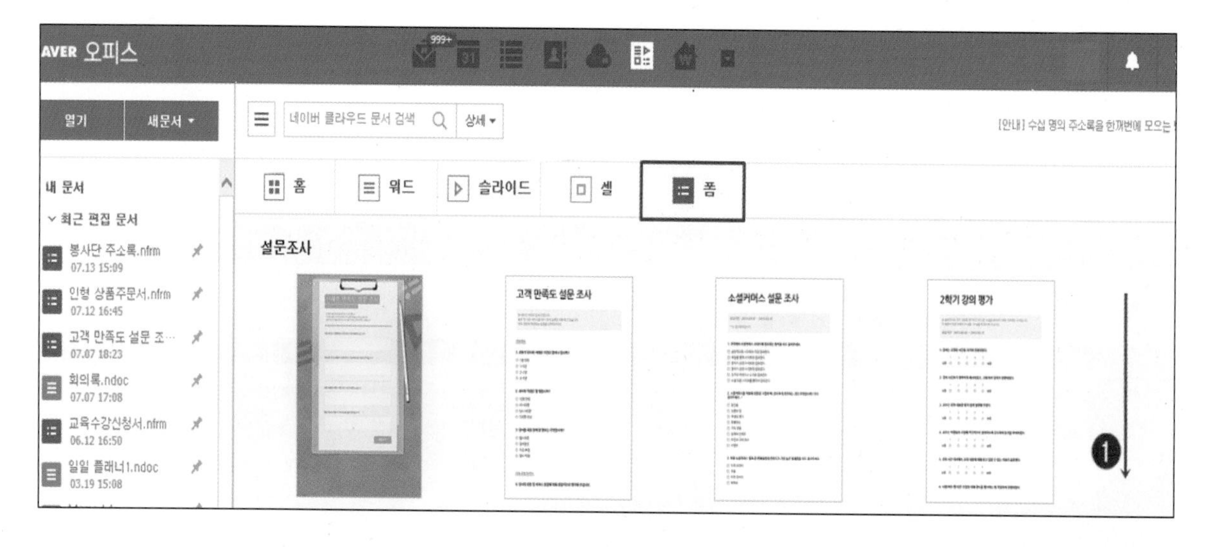

1 [폼]을 클릭합니다. [폼]은 제공된 템플릿을 활용하여 정보를 쉽고 간편하게 취합하고 자동으로 취합된 정보의 요약결과까지 볼 수 있습니다. ①아래로 드래그하면 설문조사, 교육, 학업, 생활 등의 카테고라 별로 템플릿을 보여주며 목적에 맞게 선택하여 사용할 수있습니다. 상품 주문서, 설문조사표, 주소록 등의 작성 및 활용법을 알아보겠습니다.

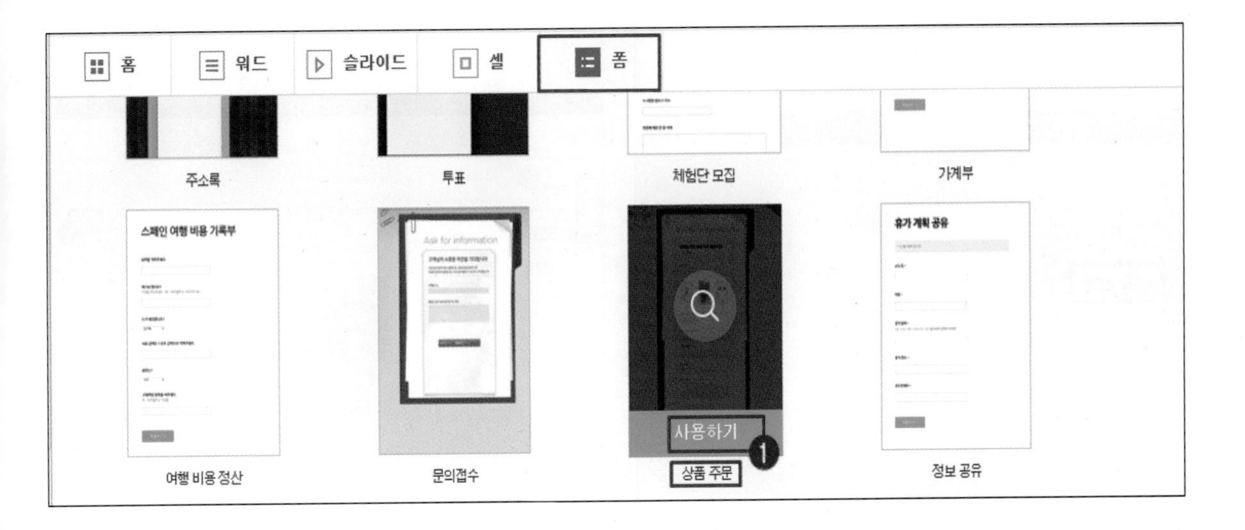

❶ [폼]의 카테고리 중 [**생활**]에서 [**상품 주문**]을 선택해서 [**사용하기**]를 클릭합니다.

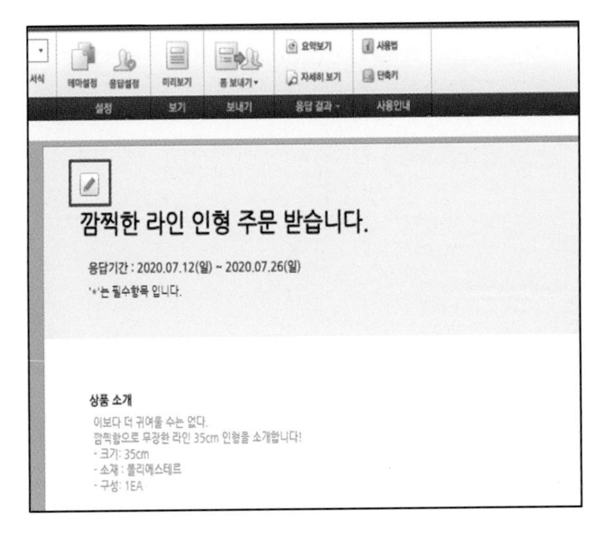

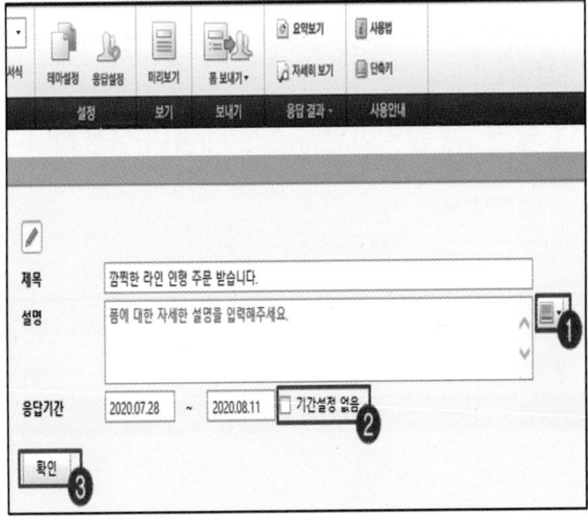

❶ 마우스 커서를 제목위에 갖다 대면 [**연필**] 아이콘이 보여지며 클릭하면 해당부분 폼을 수정할 수 있습니다 .

❷ [**제목**]과 [**설명**]을 입력합니다.
①아이콘을 클릭하면 해당 폼에 이미지를 삽입할 수 잇습니다.
②기간설정을 하게되면 해당 날짜 외에는 고객이 폼 양식에 기재할 수 없습니다
③수정이 완료되면 [**확인**]을 클릭합니다.

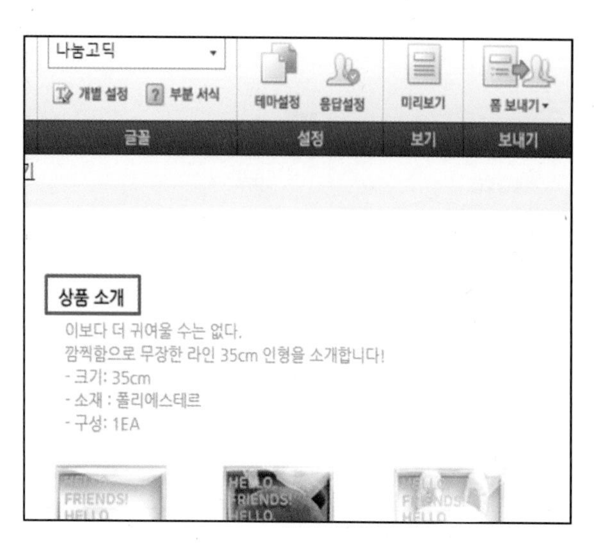

1 [**상품 소개**]를 수정하려고 할 경우 제목을 클릭합니다.

2 ①아이콘을 클릭하면 해당 폼이 복사됩니다.

②클릭해서 상품이미지를 삽입할 수 있습니다

③화살표 아이콘을 클릭하면 해당 폼을 위아래로 위치를 변경할 수 있습니다. 상품소개와 설명을 입력합니다.

④[**확인**]을 클릭하면 수정한 내용이 적용됩니다.

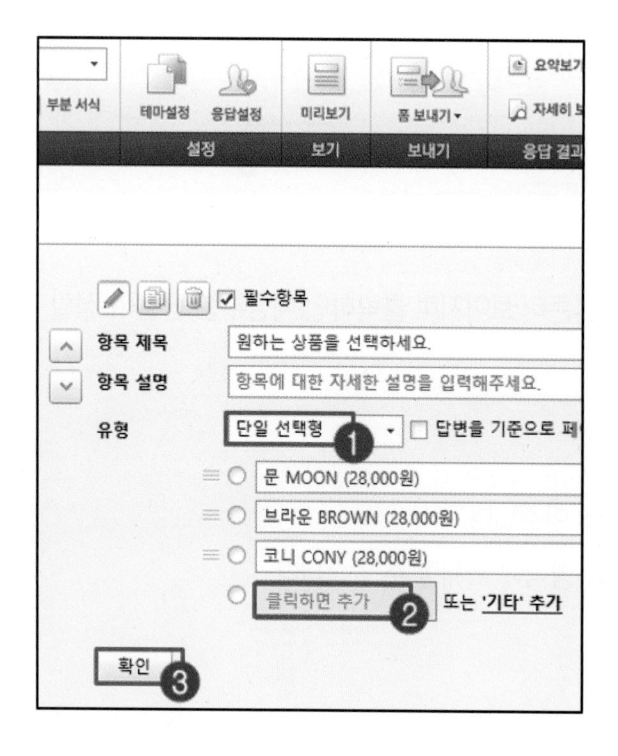

1 ①상품 선택란을 만들때 다양한 형태의 선택사항을 만들 수 있습니다.

②클릭하면 해당 선택사항을 추가할 수 있습니다.

③[**확인**]을 클릭하면 수정한 내용이 적용됩니다.

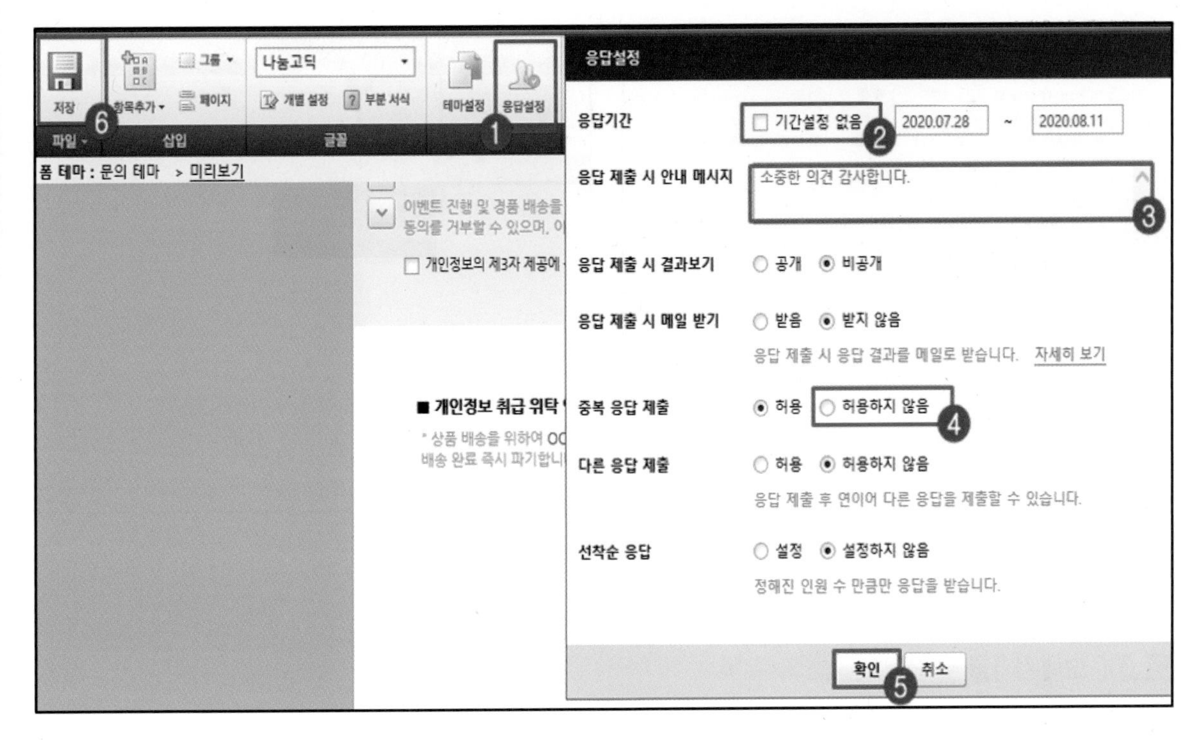

1 네이버 폼을 만들때 [**응답 설정**] 메뉴를 절 설정해야 합니다. 상품주문서, 설문조사표, 주소록 등도 동일합니다.

①[**응답설정**]을 클릭합니다 ②[**기간설정 없음**]을 체크하면 기간에 상관없이 이 폼을 사용할 수 있습니다. ③고객이 응답을 제출하면 화면에 보이는 문구를 입력합니다.

④[**중복 응답 제출**]에서 [**허용하지 않음**]으로 하면 1인당 1개의 응답만 할 수 있습니다.

필요에 따라 [**응답 제출시 결과보기**]와 [**응답 제출시 메일받기**]를 설정합니다.

⑤[**확인**]을 클릭하면 수정한 내용이 적용됩니다.

⑥공유하고 보내기위해 [**저장**]을 클릭합니다.

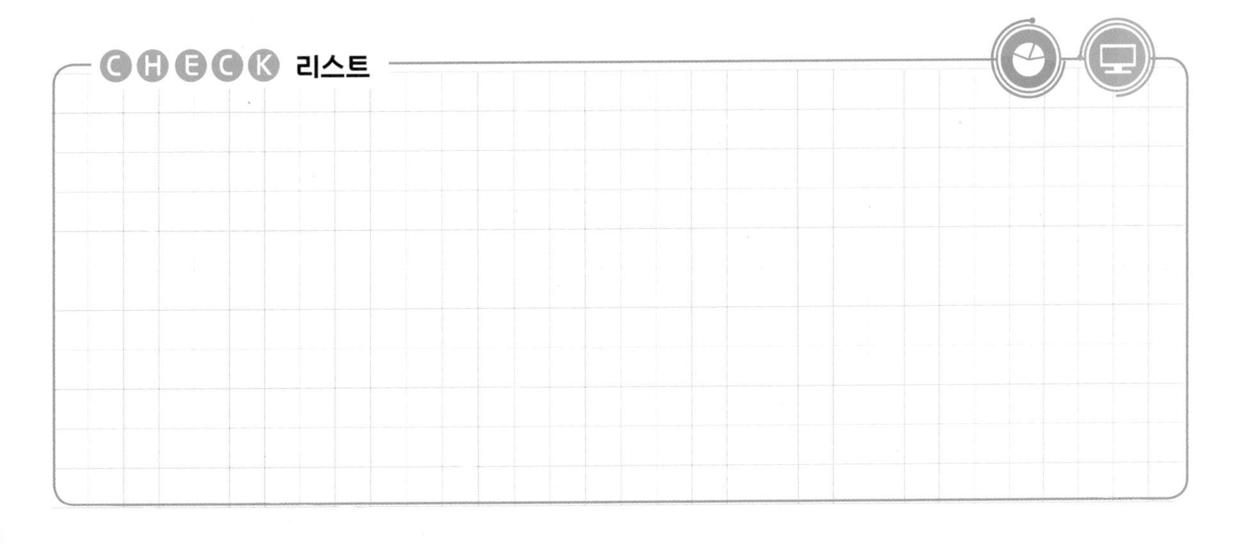

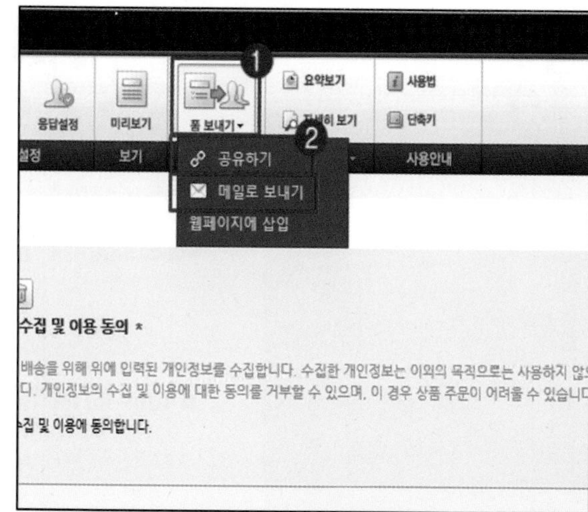

1 ①저장할 폴더를 정하고 파일이름을 입력합니다.

②[**저장**]을 클릭합니다.

2 ①[**보내기**]를 클릭합니다.

②[**공유하기**]를 클릭합니다. 메일로도 보낼 수 있습니다.

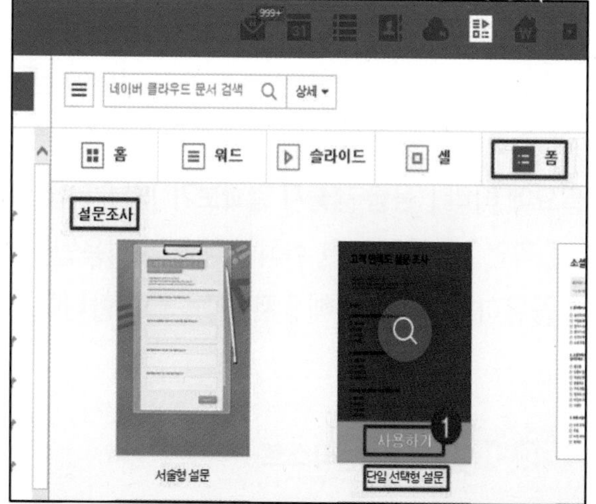

1 ①[**블로그**]를 클릭해서 공유할 수 있습니다. ②[**카카오톡**]을 클릭해서 공유할 수 있습니다
③[**URL 복사**]를 클릭한후 보내고 싶은 해당창에 눌러서 붙여넣기 하여 보낼 수 있습니다.

2 [**폼**]에서 [**설문조사서**]를 작성해 보겠습니다

①[**설문조사**] 카테고리에서 [**단일 선택형 설문**]을 선택하여 [**사용하기**]를 클릭합니다.

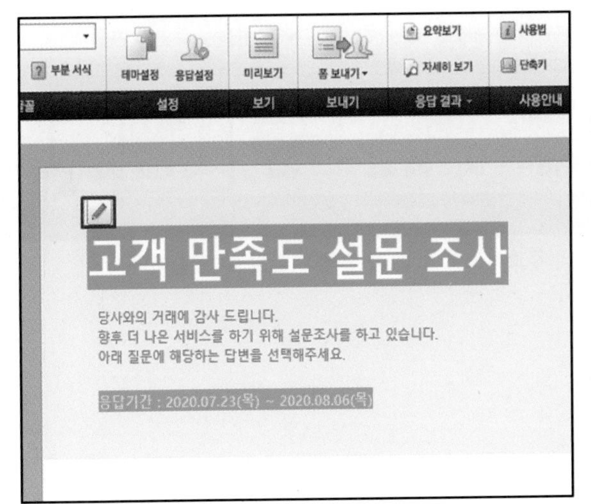

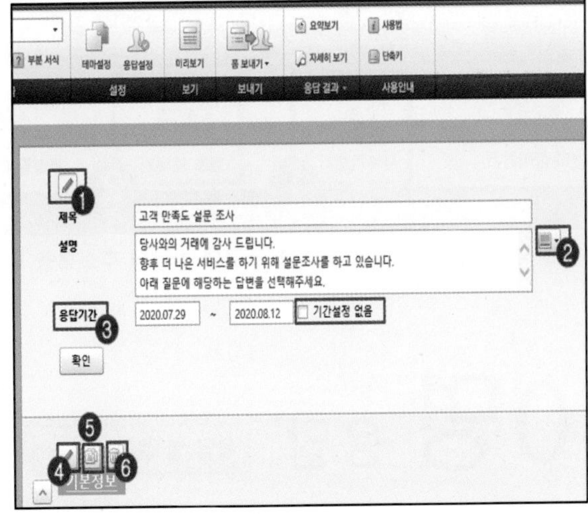

1 제목을 수정하기위해 제목위에 마우스 커서를 갖다대면 연필 아이콘이 나타나며 클릭합니다.

2 ①폼을 수정하고자 할때 클릭합니다. ②아이콘을 클릭하면 폼에 이미지를 삽입할 수 있습니다. ③[**응답기간**]을 설정하면 해당기간에만 적용되며 [**기간설정 없음**]에 체크하면 기간과 무관하게 적용됩니다. [**확인**]을 클릭하면 수정한 내용이 적용됩니다. ④설문의 [**기본정보**]를 수정하기위해 클릭합니다. ⑤아이콘을 클릭하면 폼이 복사됩니다. ⑥아이콘을 클릭하면 폼이 삭제됩니다.

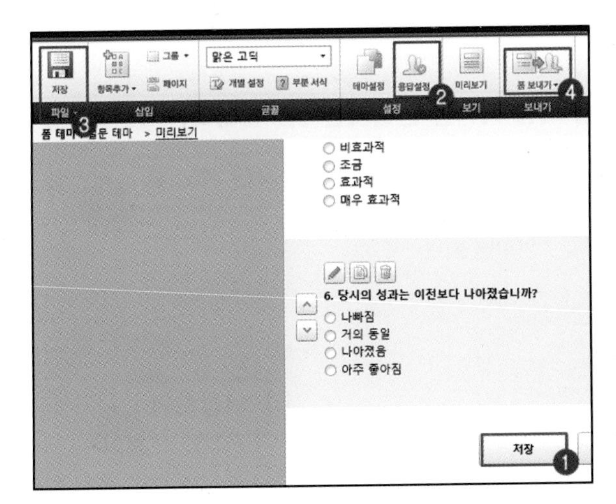

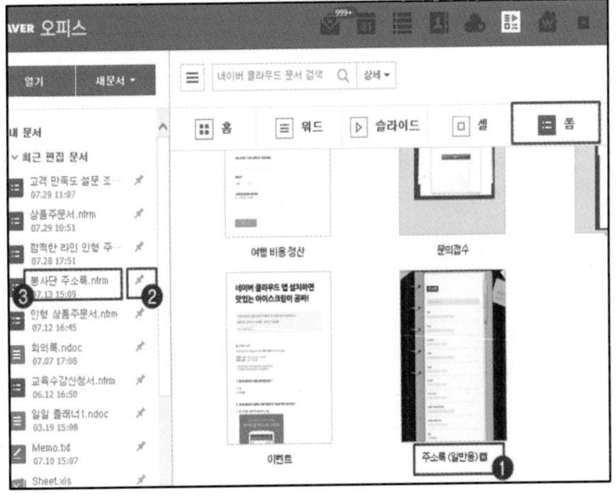

1 ①폼 작성을 완료하면 [**저장**]을 클릭합니다. ②[**응답설정**]을 클릭해서 용도에 맞게 설정을 합니다. ③보내기 및 공유를 위해 [**저장**]을 클릭합니다. ④[**보내기**]를 클릭해서 블로그, 카카오톡으로 공유하고 메일로 보낼 수 있습니다. 저장, 응답설정 및 폼보내기 방법은 상품주문서의 방법과 동일합니다. 설정된 기간이후 자동으로 취합 정리되어 [**응답결과**]에서 결과를 확인할 수 있습니다.

2 [**폼**]에서 [**주소록**]을 사용하면 주소록 정리를 클릭 몇번으로 완료할 수 있습니다.
①[**주소록**]을 클릭해서 수정하고,대상에게 보내기 한 후 결과를 받습니다.
②[**핀**] 아이콘을 클릭하면 상단의 [**목록 고정 문서**] 카테고리에 고정 할 수 있습니다.
③주소록을 정리할 해당 설문조사 폼을 클릭합니다.

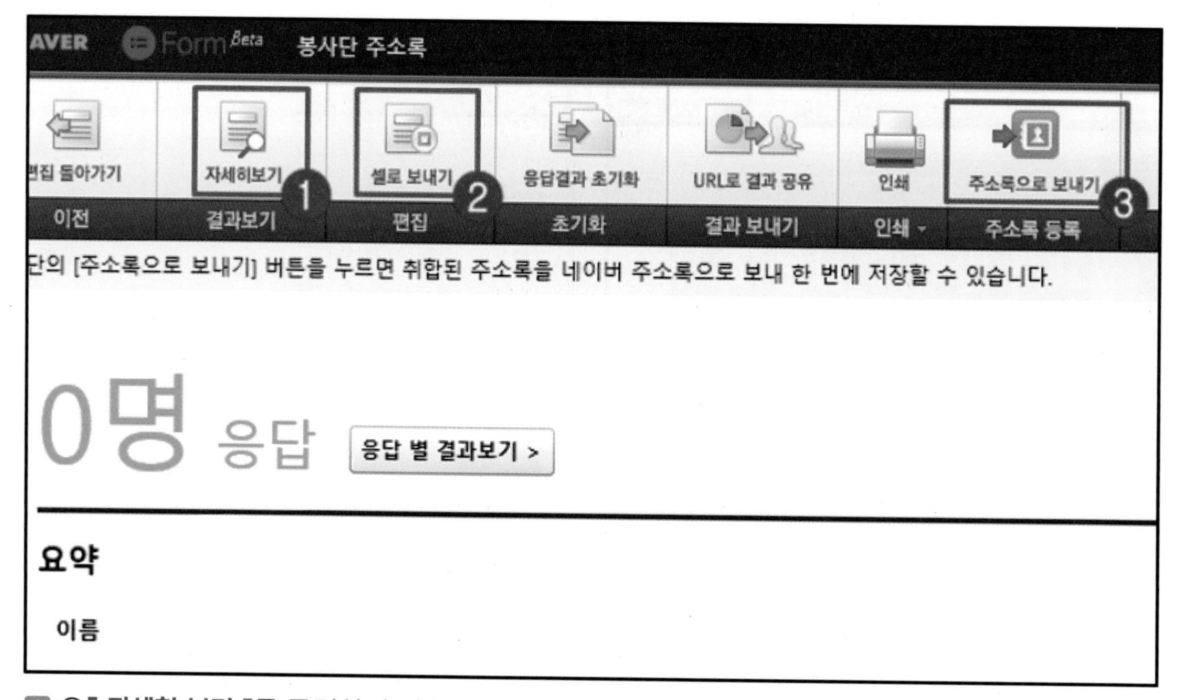

1 ①[**자세히 보기**]를 클릭하면 설문조사 받은 내용을 엑셀형태로 자세히 볼 수 있습니다.
②[**셀로 보내기**]를 클릭하면 엑셀파일로 변환되어 바로 수정하고 다운로드 받을 수 있습니다.
③해당 주소록을 [**네이버 주소록**]에 저장하기 위해 [**주소록으로 보내기**]를 클릭합니다.

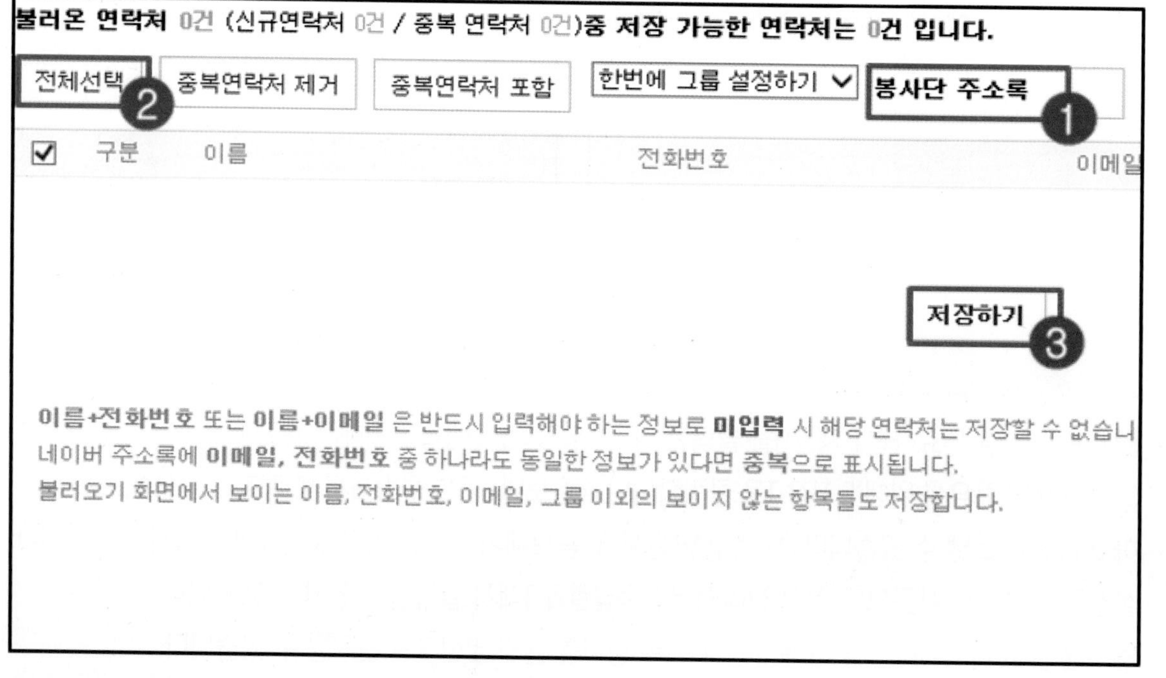

1 ①[**봉사단 주소록**]이라고 주소록 그룹을 입력합니다.
②[**전체선택**]을 클릭하면 설문에 참여한 모든 사람의 주소록이 선택됩니다.
③[**저장하기**]를 클릭하면 선택한 주소록이 [**네이버 주소록**]에 저장됩니다.

2 네이버 큐알코드

NAVER

[네이버 큐알코드]는 네이버에서 무료로 제공하고 있으며 큐알코드에 많은 정보를 담아서, 전용 스캐너없이 일반 카메라앱의 스캔기능으로 스캔하여 누구나 정보를 확인하고 공유할 수 있습니다.

[네이버 큐알코드]의 장점

- 기존 바코드보다 많은 정보를 담을수 있고 전용 단말기가 없어도 검색 및 공유가 가능합니다.
- 정보형과 링크형으로 구분하여 생성할 수 있으며 정보 변경 등 수정이 가능합니다.

[네이버 큐알코드]의 활용

- 상품, 지역, 단체등의 광고 및 홍보를 위해 활용(제품광고,행사 이벤트)
- 사용자가 원하는 정보(이미지, 동영상, 지도, 연락처, 사이트 링크)를 담아 개인 명함, 블로그 프로필, 초대장, 광고 전단지, 청첩장등에 활용할 수 있습니다.

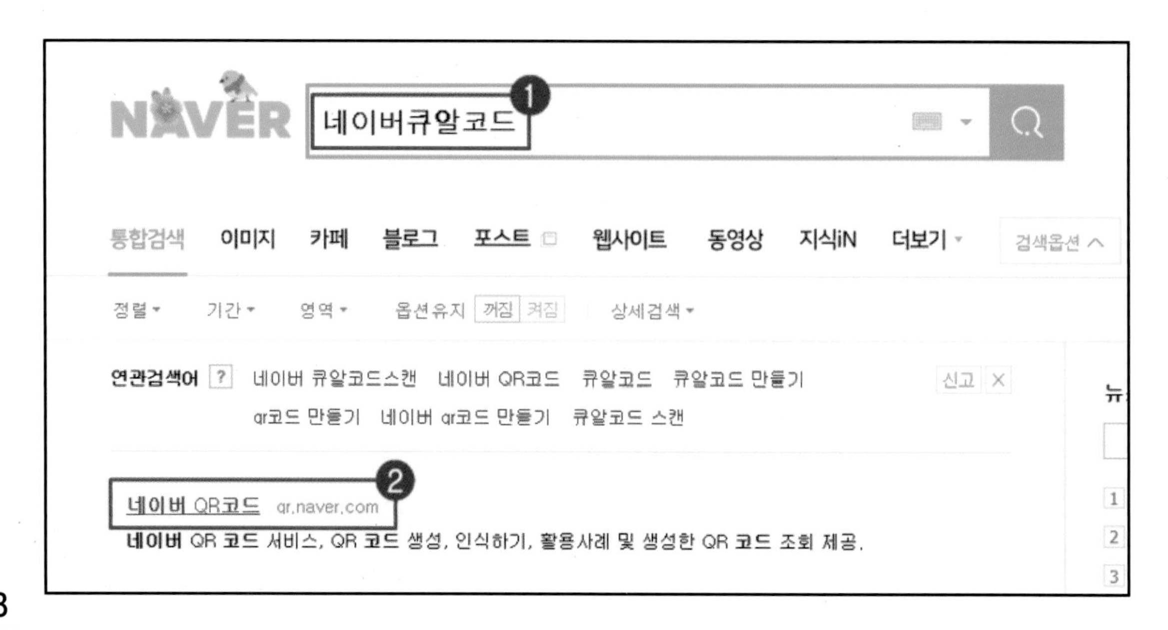

1 ①네이버 검색 창에 [네이버 큐알 코드]를 입력합니다.
②네이버 QR 코드 [qr.naver.com] 주소를 클릭합니다.

1 [나만의 QR코드 만들기] 클릭합니다.

1 ①[**코드 제목**]을 입력합니다. (코드 제목은 필수 사항입니다)

②큐알 코드의 [**테두리 컬러 및 스킨**]을 변경 할 수 있습니다.

③네이버 로고 삽입, 개인 이미지 삽입, 문구 삽입을 [**추가 옵션**]으로 사용할 수 있습니다.

④[**로고 위치**]를 선택 할 수 있습니다.

⑤[**다음단계**]를 클릭하여 이동합니다.

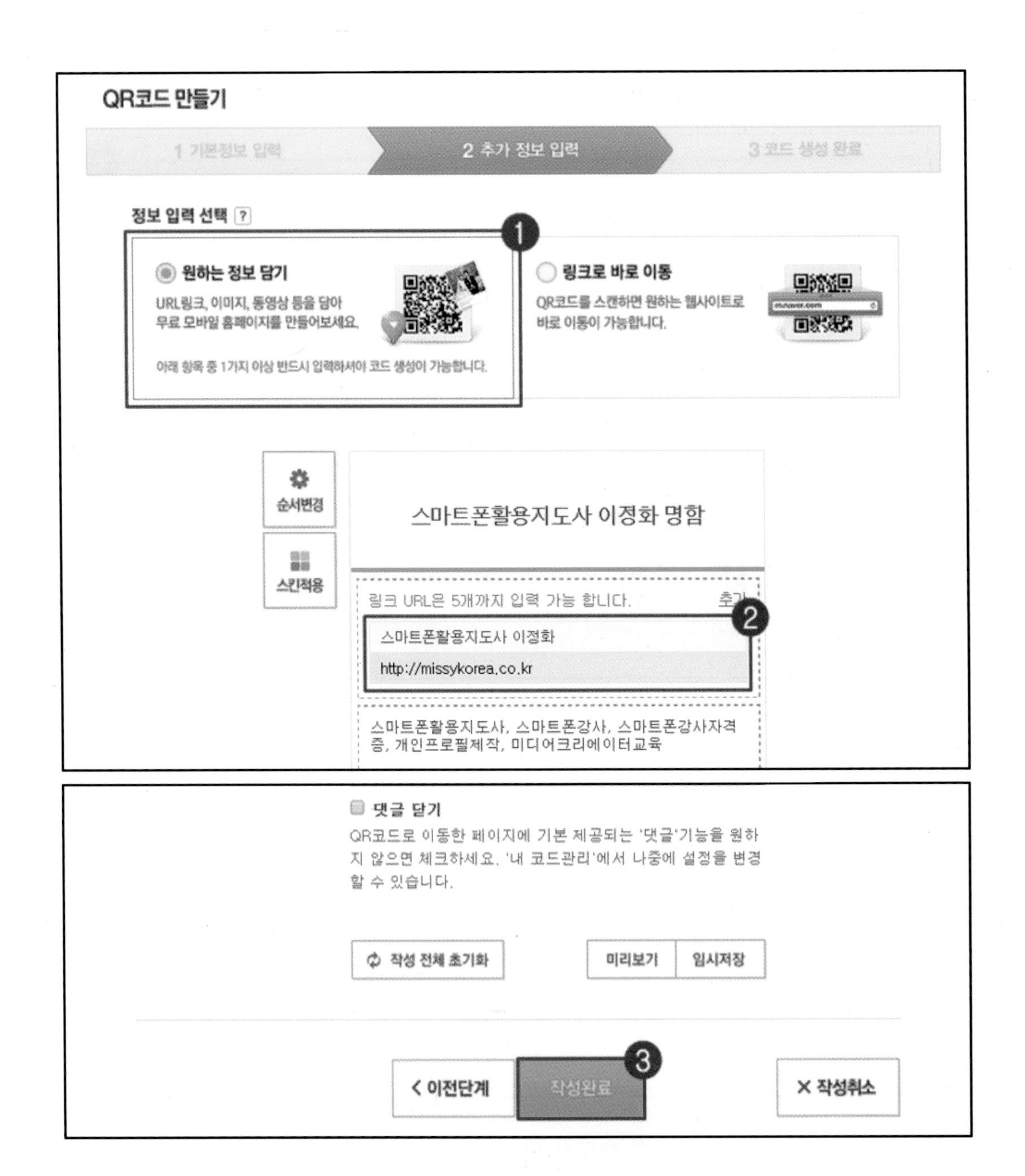

1 정보형 큐알코드를 만들어 보겠습니다

①[**원하는 정보 담기**]를 클릭합니다.

②큐알 코드에 삽입할 링크는 URL 5개까지 입력 가능하며 그 외에도 소개 글, 이미지, 동영상, 지도, 연락처를 등록 하실 수 있습니다.

(항목 중 1가지 이상 반드시 입력하셔야 코드 생성이 가능합니다)

2 ③[**작성완료**]를 클릭합니다.

1 네이버 QR코드가 완료된 화면입니다.

①[**코드 저장**]을 클릭하여 확장자 및 사이즈를 정하고 ②[**저장**]을 클릭합니다

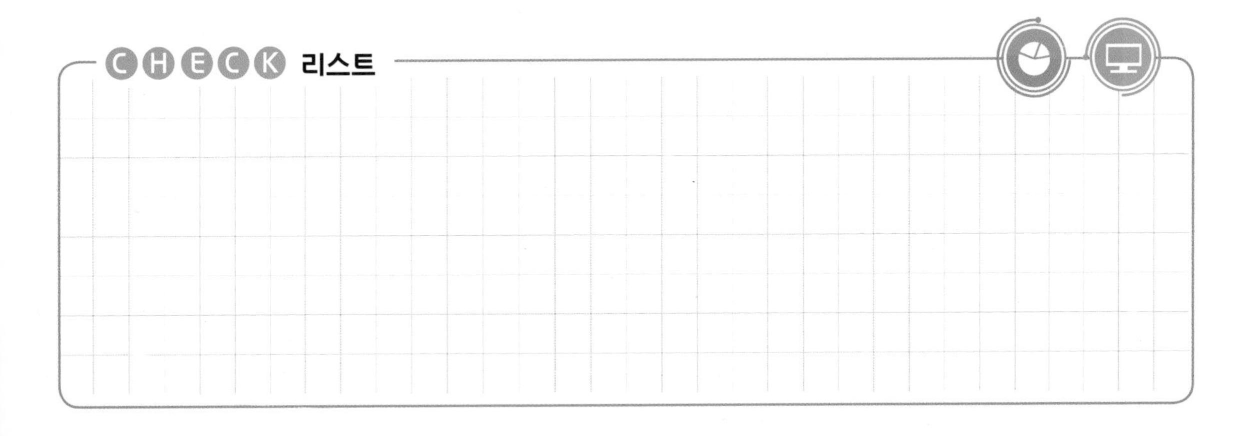

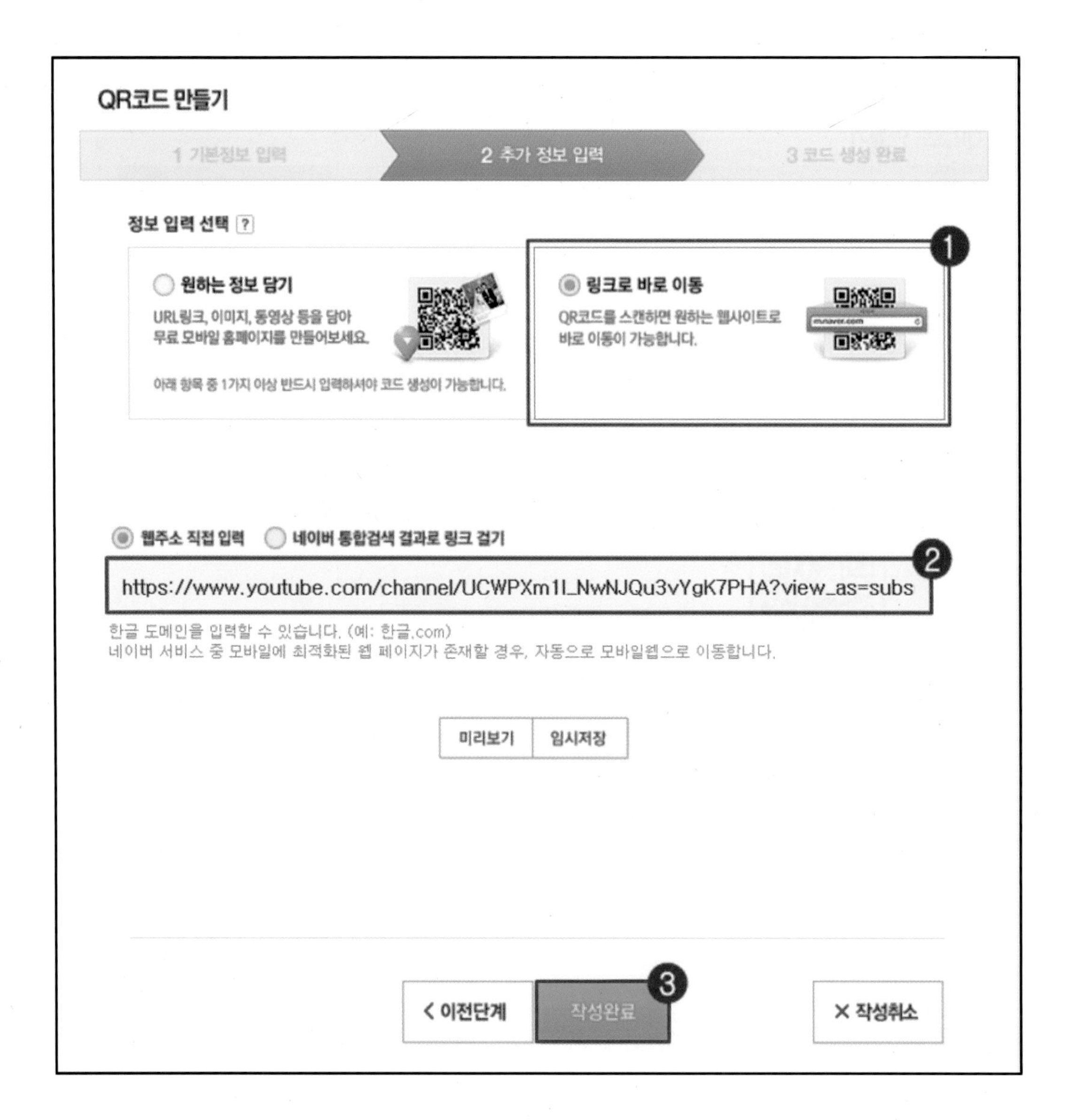

1 이번에는 링크형을 만들어 보겠습니다.

①[**링크로 바로 이동**]를 클릭합니다.

②코드 생성에 필요한 [**링크 주소**]를 입력합니다.

③[**작성완료**]를 클릭하면 코드 생성이 완료됩니다.

1 이미 완성된 코드는 [내 코드 관리]에서 확인 할 수 있으며 완료된 코드라도 수정하면, 이후 스캔시에는 수정된 정보가 제공됩니다.

2 ①[**수정**]을 클릭하여 내용을 변경 할 수 있습니다.

②[**코드인쇄**]를 클릭하여 인쇄할 수 있습니다.

③[**코드저장**]을 클릭하면 내 저장소로 다운로드 할 수 있습니다.

④[**코드내보내기**]를 클릭하여 메일이나 블로그 및 스마트폰으로 공유할 수 있습니다.

⑤사용하지 않는 코드를 선택 후 [**삭제**] 할 수 있습니다.

17강. 사장님만 알고 싶은 모바일 오피스 활용 노하우

1 스마트폰에서 직인 만들기

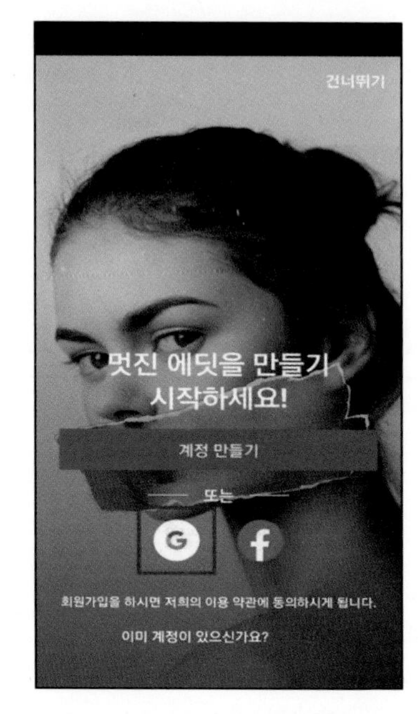

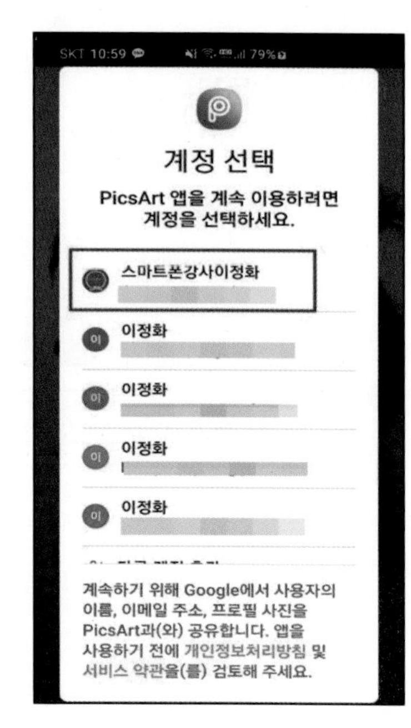

1 [Play스토어]에서 ①[**픽스아트**]를 검색합니다. ②[**설치**]을 터치하여 설치 완료 후 [**열기**]를 터치하여 실행합니다. 2 계정 연결을 위해 [**구글 아이콘**]을 터치합니다.

3 픽스아트에 연결할 [**계정**]을 터치합니다.

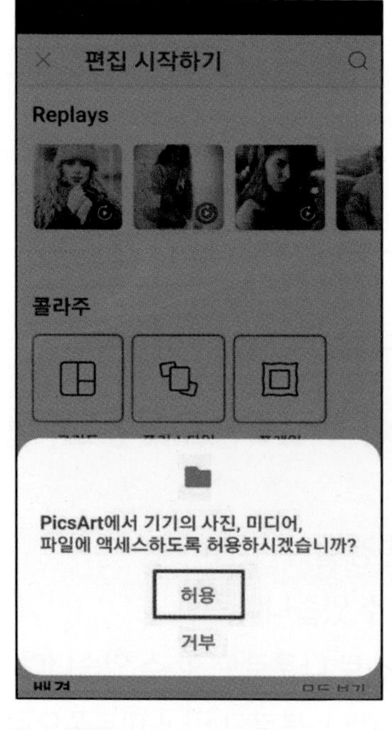

1 화면 하단 [+]를 터치합니다. 2 [**허용**]을 터치합니다.

3 화면을 위로 드래그하여 컬러 배경 카테고리 중 모자이크 [**투명배경**]을 터치합니다.

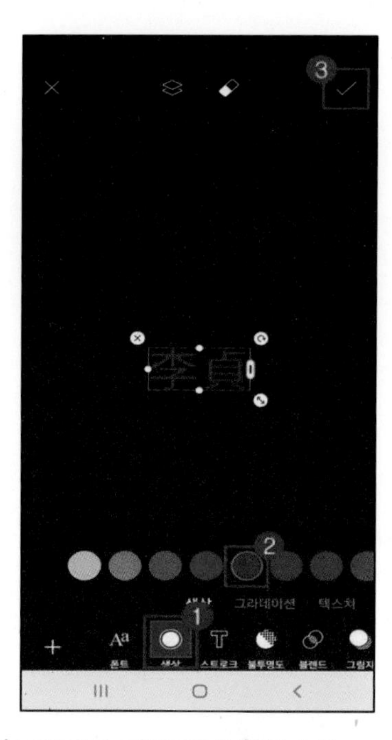

1 화면 하단 메뉴 중 **[텍스트]**를 터치합니다. **2** ①[**이름**]을 입력 후 ②자판 하단에 **[한자]**을 터치하면 ③한글에 해당하는 **[한자]**를 선택합니다. 반복하여 다음 글자도 입력합니다. ④[V]를 터치합니다. **3** ①하단 메뉴 중 **[색상]**을 터치하여 ②[**빨간색**]을 선택합니다. ③[V]를 터치합니다.

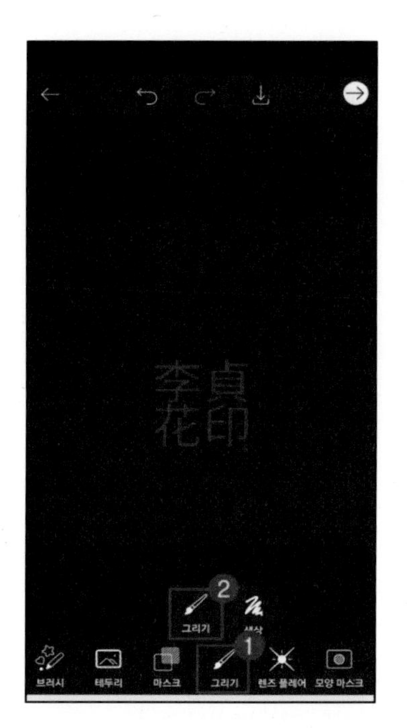

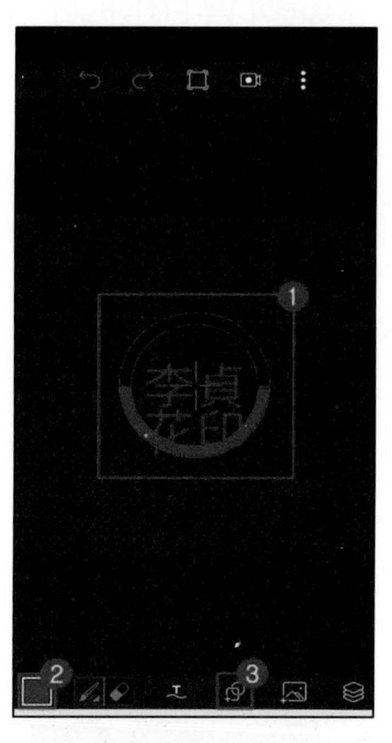

1 앞에 방법과 같은 방법으로 두 글자 씩 위와 아래로 맞춰준 후 ①하단 메뉴 중 **[그리기]**를 터치하면 ②또 한번 **[그리기]**를 터치합니다. **2** ①[**색상표**]를 터치하면 보여지는 화면입니다. ②[**스포이드**] 아이콘을 터치합니다. **3** ①텍스트와 같은 색을 추출해 내는 과정입니다. 동그라미 정 중앙을 텍스트에 맞춰줍니다. ②색상표에 **[빨간색]**을 확인합니다. ③[**도형**] 아이콘을 터치합니다.

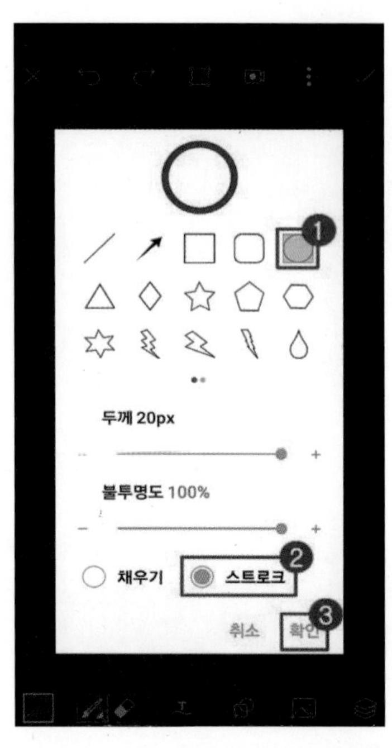

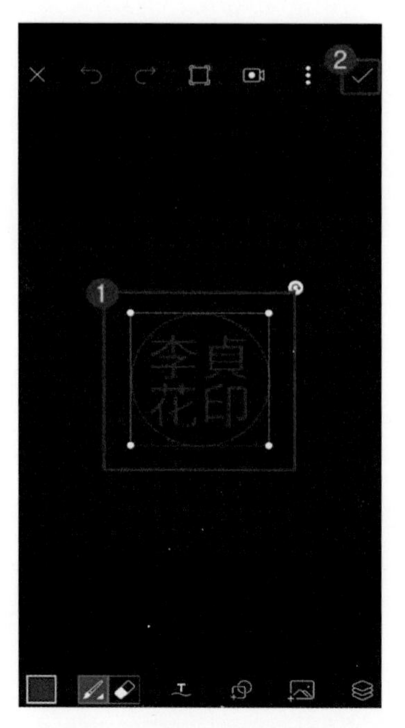

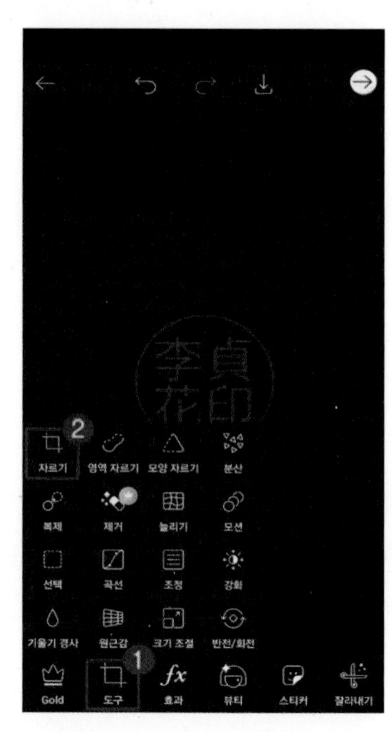

1 도형 아이콘을 터치한 화면입니다. ①텍스트 테두리를 위해 [**원형**]을 터치합니다. ②[**스트로크**]를 선택합니다. ③[**확인**]을 터치합니다. 2 ①텍스트에 최대한 가까이 원형 테두리를 그려줍니다. ②[V]를 터치하여 완성합니다. 3 완성된 도장의 투명배경을 편집하기 위해 ①[**도구**]를 터치합니다. ②[**자르기**]를 터치합니다.

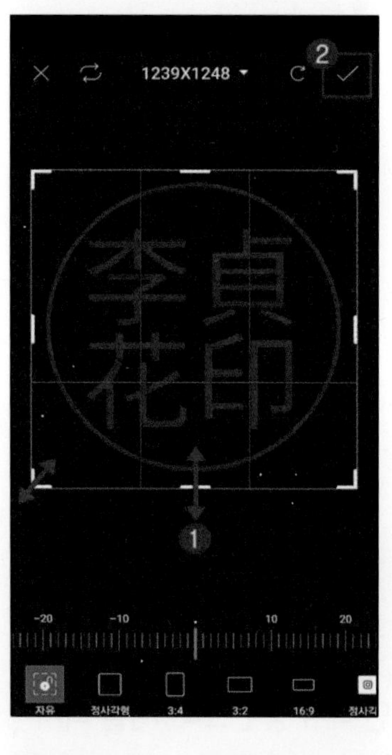

1 ①모서리나 중앙에 포인트를 화살표 방향으로 드래그 하여 도장만 남기고 배경을 자르기 합니다. ②[V]를 터치합니다. 2 도장이 완성된 화면입니다. 우측 상단의 화살표 아이콘을 터치하여 저장 화면으로 이동합니다. 3 [**저장**]을 터치한 후 한번 더 [**저장**]을 터치하여 기기에 저장을 완료합니다.

2 거래처에서 받은 서류양식 스마트폰에서 사인 및 도장 찍어 전송하기

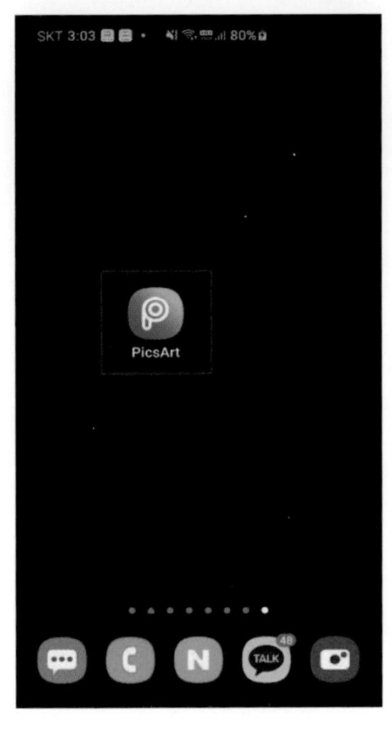

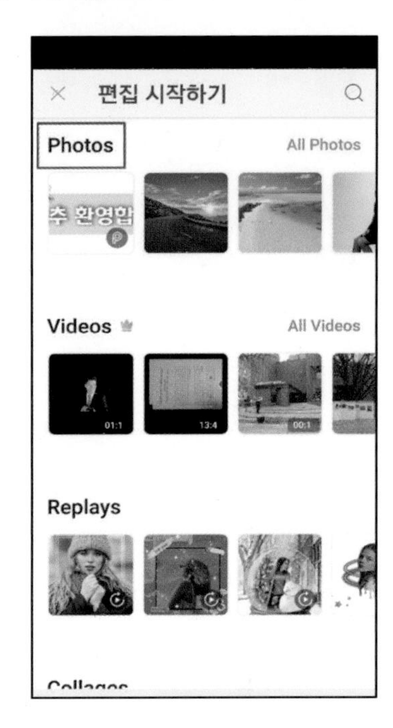

1 직인 만들기에 활용한 **[픽스아트]** 어플을 터치합니다. 2 화면 하단 **[+]**를 터치합니다.
3 [Photos]을 터치합니다.

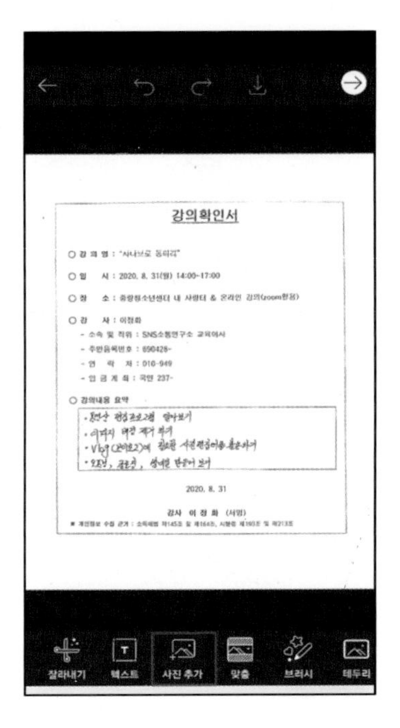

1 서명할 **[서류 양식]**을 선택합니다.
2 서류양식 위에 앞에서 만들었던 직인을 가져 오기 위해 **[사진 추가]**를 터치합니다.
3 사용자 갤러리에 최근 사진이 보여지며 다른 사진을 선택하려면 상단에 **[최근]**을 터치합니다.

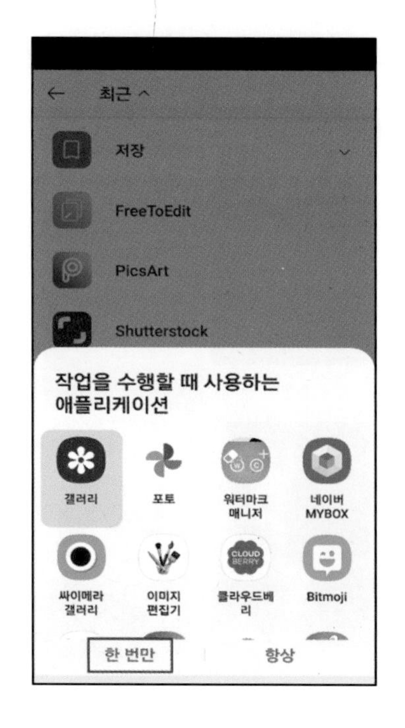

1 [갤러리]를 터치합니다.

2 갤러리가 선택 되었다면 [한 번만]을 터치합니다.

3 직인이 픽스아트 폴더에 저장되어 있으므로 [PicsArt] 앨범을 터치합니다.

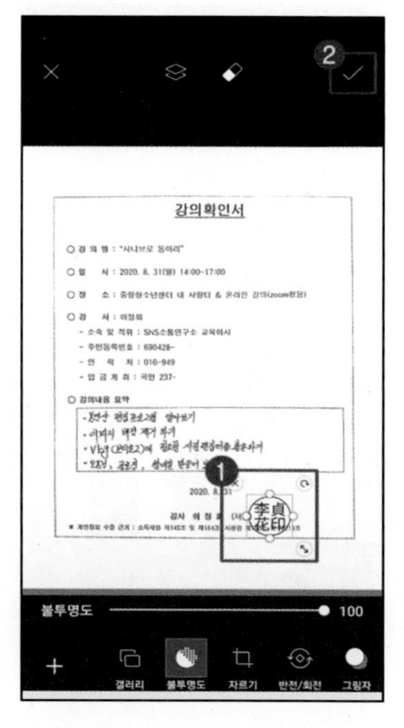

1 [내 직인]을 터치합니다. 2 ①하단에 선택한 사진을 확인합니다. ②[추가]를 터치합니다. 3 ①직인 크기와 위치를 정해줍니다. ②[V]를 터치합니다.

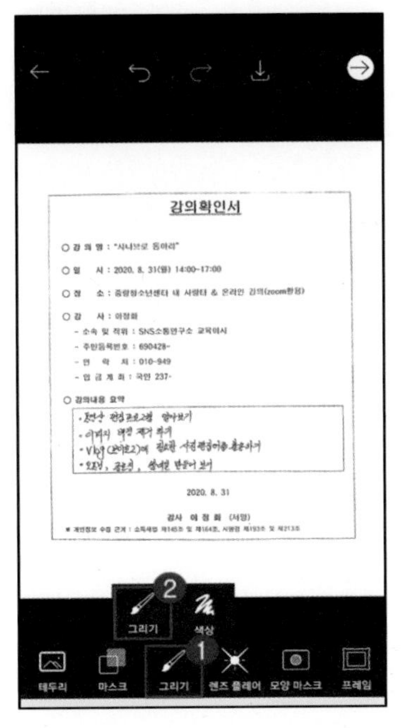

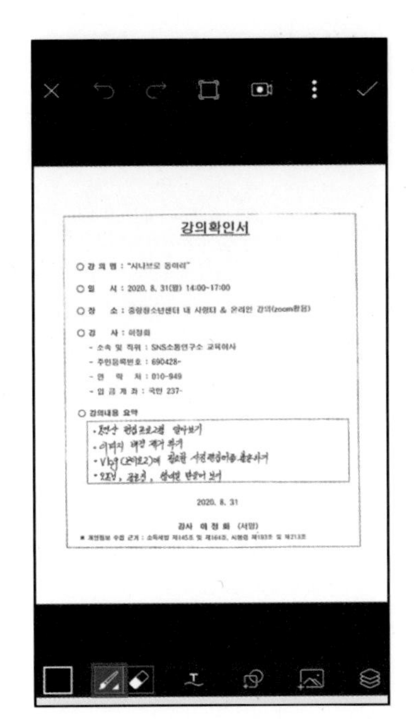

1 이번에는 서류에 자필사인 하기입니다. ①하단 카테고리 중 **[그리기]**를 터치합니다. ②하위 메뉴 중 **[그리기]**를 터치합니다. 2 다음 화면에서 **[붓]** 아이콘을 터치합니다. 3 ①**[붓의 종류]**를 선택합니다. ②**[붓의 두께]**를 설정합니다. ③**[확인]**을 터치합니다.

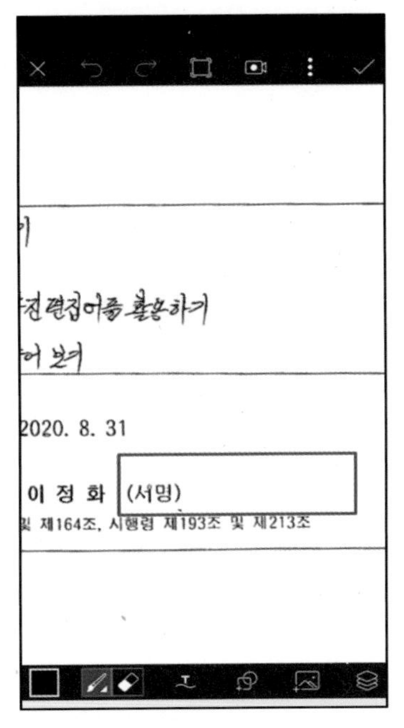

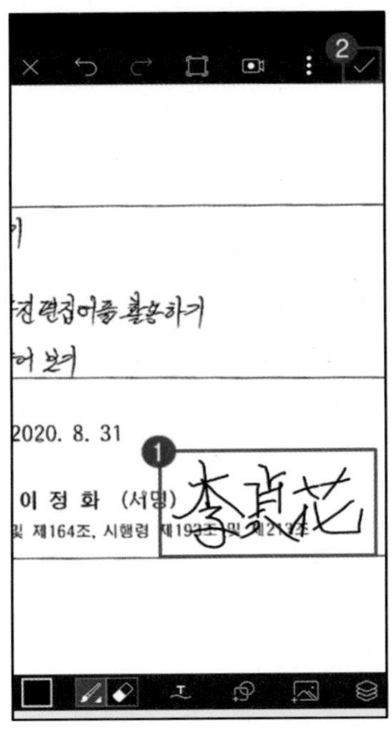

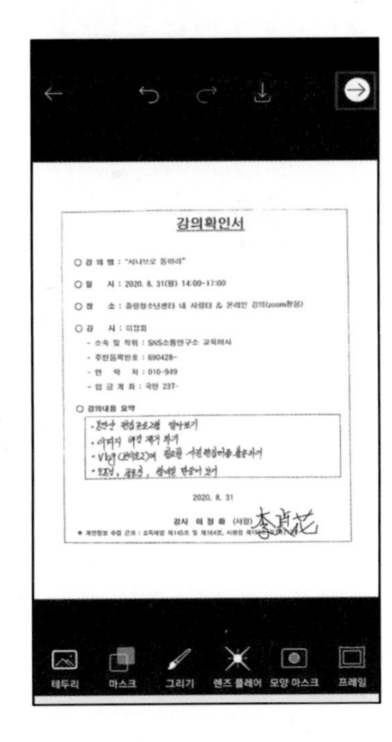

1 화면을 손가락으로 늘려 서명할 곳을 확대합니다.

2 ①손가락 또는 터치펜을 이용하여 **[서명]**을 합니다. ②**[V]**를 터치합니다.

3 완성된 화면입니다. 저장을 위해 **[화살표]** 아이콘을 터치합니다.

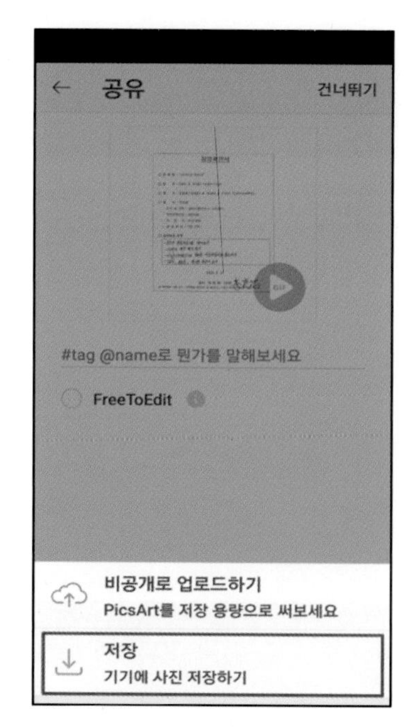

1 [**저장**]을 터치합니다. 2 한번 더 [**저장**]을 터치하여 완료해줍니다.

3 PC에서 직인 만들기

1 ①인터넷 주소 창에 [barodojang.com]를 검색합니다. ②간단한 [**회원가입**] 후 ③[**로그인**] 합니다.

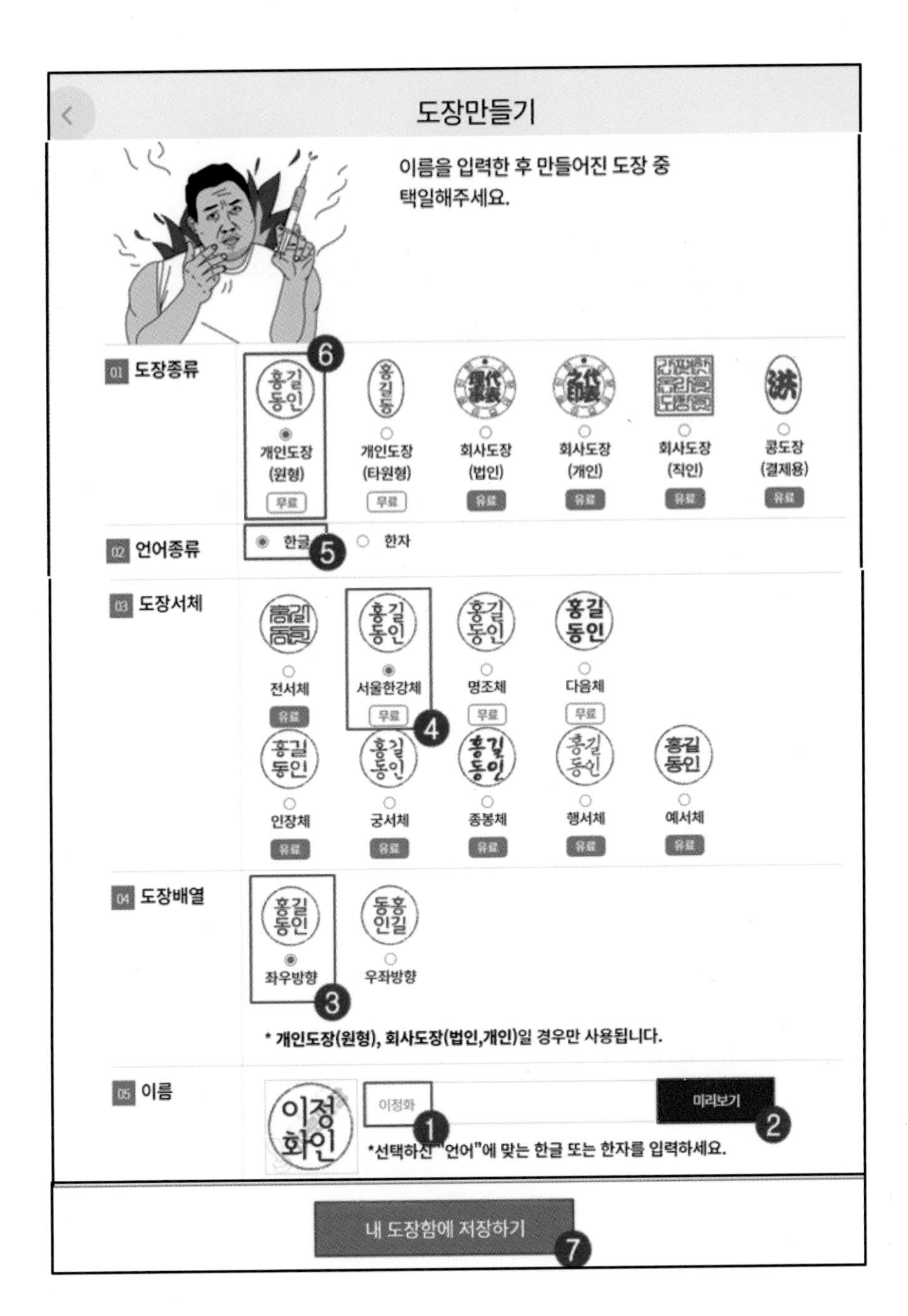

1 바로도장은 무료와 유료로 나뉘어집니다.

① 먼저 [**이름**]을 입력합니다.

②[**미리보기**]를 클릭하여 직인 디자인을 확인합니다.

③[**도장배열**]을 선택합니다.

④[**도장서체**]를 선택합니다.

⑤[**언어종류**]를 선택합니다.

⑥[**도장종류**]를 선택합니다.

⑦[**내 도장함에 저장하기**]를 클릭합니다.

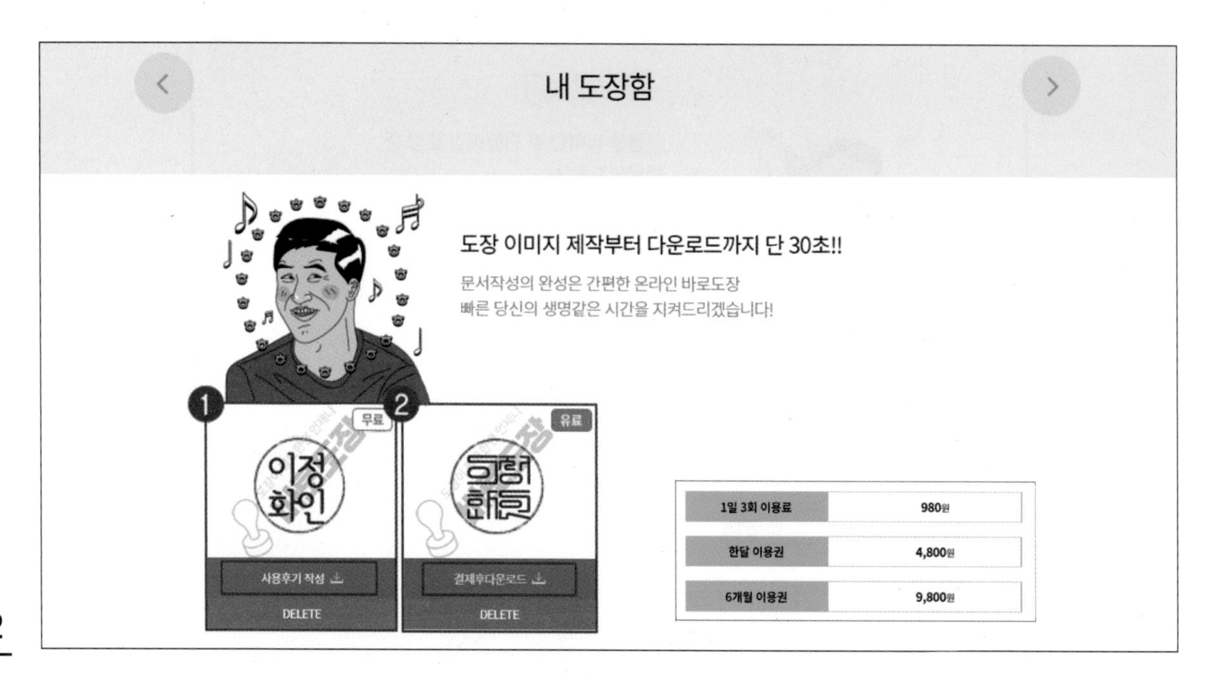

1 ①무료 도장은 [**사용후기 작성**] 후 다운로드 할 수 있습니다.

②유료 도장은 [**결재후 다운로드**] 할 수 있습니다.

1 ①무료 도장을 다운로드 받을 경우 [**사용후기**]를 입력합니다.

②[**확인**]을 클릭하면 PC에 저장 됩니다.